L'HERMINE DE MALLAIG

Diane Lacombe

L'HERMINE DE MALLAIG

roman

www.quebecloisirs.com

UNE ÉDITION DU CLUB QUÉBEC LOISIRS INC.
Illustration de la couverture: d'après une oeuvre de John
William Waterhouse intitulée *Fair Rosamund*
© Avec l'autorisation de VLB Éditeur
© 2005, VLB Éditeur et Diane Lacombe
Dépôt légal — Bibliothèque nationale du Québec, 2005
ISBN 2-89430-717-9
(publié précédemment sous ISBN 2-89005-904-9)

Imprimé au Canada

À Laurent, mon compagnon,
sans l'insistance duquel mes fabulations littéraires
seraient restées du domaine de la rêvasserie
et n'auraient jamais trouvé le chemin de l'imprimerie.

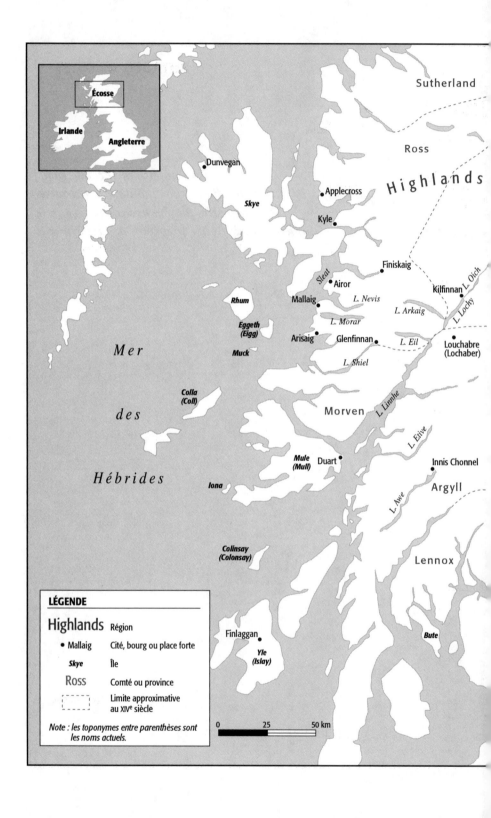

Sutherland

Ross

Highlands

Dunvegan

Applecross

Skye

Kyle

Finiskaig

L. Oich

Sleat

Airor

Kilfinnan

L. Lochy

Rhum

Mallaig

L. Nevis

L. Arkaig

Eggeth
(Eigg)

L. Morar

Arisaig

Glenfinnan

L. Eil

Louchabre
(Lochaber)

Muck

L. Shiel

Mer

Colla
(Coll)

Morven

L. Linnhe

des

L. Etive

Hébrides

Mule
(Mull)

Duart

Innis Chonnel

Iona

Argyll

L. Awe

Colinsay
(Colonsay)

Lennox

Finlaggan

Bute

Yle
(Islay)

LÉGENDE

Highlands Région

• Mallaig Cité, bourg ou place forte

Skye Île

Ross Comté ou province

Limite approximative
au XIVe siècle

*Note : les toponymes entre parenthèses sont
les noms actuels.*

0   25   50 km

Écosse

Irlande

Angleterre

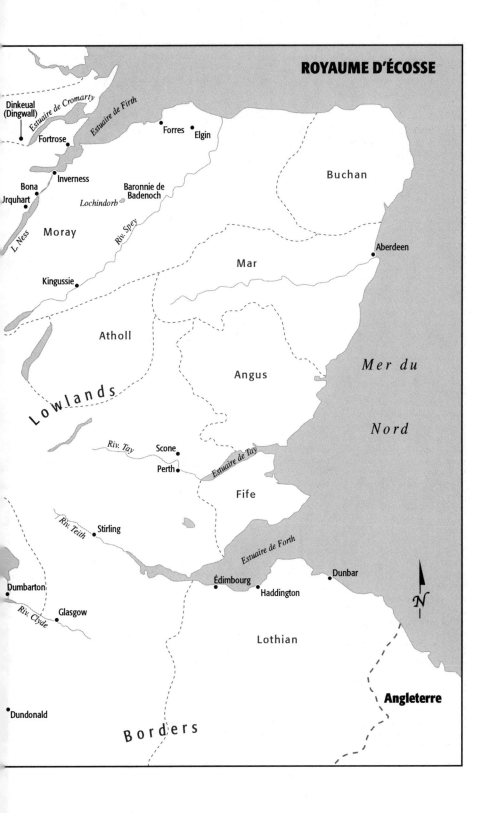

ROYAUME D'ÉCOSSE

Dinkeual
(Dingwall)

Estuaire de Cromarty

Estuaire de Firth

Fortrose

Forres   Elgin

Buchan

Bona

Inverness

Urquhart

Baronnie de
Badenoch

Lochindorb

L. Ness

Moray

Riv. Spey

Aberdeen

Mar

Kingussie

Atholl

Mer du

Angus

Lowlands

Nord

Riv. Tay   Scone

Perth

Estuaire de Tay

Fife

Riv. Teith   Stirling

Estuaire de Forth

Dunbar

Dumbarton

Édimbourg

Haddington

Riv. Clyde

Glasgow

N

Lothian

Dundonald

Angleterre

B o r d e r s

Robert II (1316-1390)
Premier roi Stewart (Stuart)
Petit-fils de Robert I (Robert de Bruce)

John Stewart
(1337-1406)
Comte de Carrick (1363)
Robert III (1390-1406)

Robert Stewart
(1339-1420)
Comte de Fife (1361)
Comte de Buchan (1394)
Gouverneur et premier ministre
Duc d'Albany (1398)
Comte d'Atholl (1403)

Alexandre Stewart
(1343-1405)
Baron de Badenoch
« Loup de Badenoch » (1371)
Justicier royal des Highlands
Comte de Buchan (1382)

(Reine Annabella)

David Stewart
(1378-1402)
Comte de Carrick (1390)
Comte d'Atholl (1398)
Duc de Rothesay (1398)
Lieutenant du royaume (1399)

Jacques Stewart
(1394-1437)
Jacques Premier (1406)

Murdoch Stewart
(1362-1425)
Justicier royal
des Highlands

Alexandre Stewart
(1375-1435)
Comte de Mar (1404)

Chapitre premier

Les raïds du comte

Une brise fraîche pénétra par la fenêtre à meneaux près de laquelle je travaillais et souleva légèrement la feuille qui séchait devant moi. Je me redressai, le dos raide, déposai ma plume à côté de la corne d'encre et souris au vieux clerc qui continuait à dicter d'une voix traînante. Voilà bien deux heures que j'étais attablée au-dessus du manuscrit de la Bible en gaélique, cette traduction inédite que ma tutrice, dame Euphémia, comtesse de Ross, avait commencée pour l'évêque.

L'idée lui en était venue, voilà trois ans, lorsque sa fille Mariota, ma sœur de lait, avait épousé le Seigneur des Îles et avait quitté notre château de Dinkeual, nous laissant sous la garde de son frère Alasdair. Le besoin qu'avait alors éprouvé dame Euphémia de meubler le vide laissé par sa fille, allié à la crainte permanente de recevoir une visite de son redoutable mari, l'avait fait se jeter dans ce projet grandiose qu'était la transposition des textes latins de la sainte Bible en textes gaéliques.

De mon point de vue, la comtesse de Ross était la femme dans la quarantaine la plus énergique et valeureuse que la noblesse écossaise comptait. Son union en 1382 avec Alexandre Stewart, comte de Buchan, était devenue en huit ans plus qu'un désastre, un scandale connu dans toutes les Highlands. Alors qu'elle était veuve depuis à peine un an, on avait forcé ma tutrice à se remarier avec cet odieux personnage qui convoitait ses terres et qui, à titre de lieutenant et justicier royal sur tout le territoire qui englobait le comté de Ross, exerça les pressions nécessaires pour les obtenir. En outre, Alexandre Stewart était le troisième fils de Robert II et dès qu'il eut manifesté son intérêt pour le comté de Ross à son royal père, sa cause fut entendue et devint chose faite. Dame Euphémia n'eut d'autre choix que de se soumettre.

Je crois qu'elle détesta ferme son nouvel époux dès ce jour. Heureusement, il ne cohabita jamais avec elle. En fait, je pense que le comte de Buchan ne séjourna pas plus de deux jours consécutifs à Dinkeual, préférant sa forteresse de Lochindorb où, disait-on, il vivait avec sa concubine au milieu de ses sbires et de ses bâtards. Néanmoins, chacune des visites impromptues qu'il effectuait à Dinkeual nous plongeait dans une terreur extrême, qu'on habitât le château, le bourg ou le comté. Lors de son passage, Alexandre Stewart ne se gênait ni pour vandaliser le donjon, ni pour malmener et navrer* nos domestiques et il lui était même arrivé, en l'absence d'Alasdair, de lever la main sur mon infortunée tutrice, incident qui m'avait fortement ébranlée.

Depuis maintenant un an, dame Euphémia adressait des plaintes répétées à l'archevêque en vue d'obtenir

---

* Les mots suivis d'un astérisque sont définis dans le lexique à la fin du roman.

la dissolution de son mariage, mais les autorités ecclésiastiques hésitaient à se prononcer en faveur de sa demande contre un membre de la famille royale. Cependant, et heureusement, ma tutrice avait un puissant allié en la personne de l'évêque de Moray. Elle entretenait avec ce dernier une longue amitié qui remontait à l'époque où son premier mari, sir Walter Leslie, était revenu d'un long pèlerinage en Terre sainte. Cet excellent homme avait ramené dans ses sacs quantité de curiosités qui nous fascinèrent, Mariota et moi, qui étions alors âgées de six ans. Nous découvrîmes ses trésors avec émerveillement : étoffes, tapis de soie, bois de santal, épices, colliers et même un petit singe qui ne survécut qu'un an. Mais surtout, nous nous gavâmes des histoires inépuisables qu'il nous racontait devant l'âtre dans la grand-salle. En outre, sir Walter Leslie rapportait dans sa besace une appréciable récolte d'insignes de pèlerinage et deux reliques qu'il offrit obligeamment à l'évêque.

Après la mort de son mari, dame Euphémia n'hésita pas à financer la construction d'une chapelle en sa mémoire, à l'intérieur même de l'imposante cathédrale de Fortrose, scellant ainsi son prestige de comtesse bienfaitrice aux yeux de l'évêché et de toute la noblesse des Highlands. Depuis, l'évêque de Moray tenait ma tutrice en très grande estime et il la recevait régulièrement dans son palais épiscopal. C'est d'ailleurs là que s'ébaucha le projet de rédiger une version de la Bible en langue vernaculaire, louable initiative dont se targuaient bon nombre d'évêchés partout dans le monde chrétien en cette fin du XIVe siècle. Et bien sûr, quand dame Euphémia m'eut proposé de besogner à cette transcription avec notre vieux clerc, je n'hésitai pas, entraînée par son enthousiasme exubérant et par ma passion pour tout ouvrage de langue et d'écriture : en plus du gaélique qui était ma langue maternelle, je maîtrisais aussi le scot et un peu le français ; ce projet allait me procurer les notions de latin qui manquaient à ma connaissance.

La forte personnalité de la comtesse de Ross était chose admirable : j'estimais au plus haut point son esprit d'initiative, sa vaillance et sa ténacité. En femme de tête, opiniâtre et sagace, elle ne s'avouait jamais vaincue et elle bataillait pour ses droits avec le cran d'un sanglier. Je crois qu'en plus de jouer l'incomparable rôle de tutrice pour moi, elle servait d'édifiant modèle pour la jeune femme de vingt-trois ans que j'étais.

Orpheline, j'avais passé toute ma vie à Dinkeual. Dame Euphémia m'y avait élevée et éduquée avec la même générosité et la même attention qu'elle avait prodiguées à ses propres enfants, sans jamais souligner notre différence de rang. Je ne connus presque pas ma mère, une servante de la maison qui avait donné le sein à Mariota en même temps qu'à moi. Mais avant que nous n'ayons atteint notre troisième année, une fièvre avait emporté notre nourrice, et la comtesse n'avait pas osé séparer les deux enfants indissociables que nous étions déjà. Ainsi me considérais-je depuis toujours comme une Leslie ; Mariota devenant ma sœur ; Alasdair, mon frère ; sir Walter Leslie, notre honorable père, et dame Euphémia, notre auguste mère.

Je soupirai en pensant à Mariota et aux lettres interminables qu'elle m'écrivait depuis son départ avec son mari pour la mer des Hébrides, sur la côte ouest écossaise. Comme ma sœur de lait me manquait ! Comme j'aurais aimé l'accompagner là-bas ! Mais mon devoir m'avait alors commandé de rester auprès de la comtesse et de la soutenir dans cette rupture avec sa fille. Ce que je ne regrettai en rien, car la vie à Dinkeual me permettait de faire d'intéressantes rencontres et de parfaire mes manières au contact de la noble société qui nous entourait, ce dont Mariota semblait malencontreusement être privée, tout isolée qu'elle était chez son Seigneur des Îles.

Je levai les yeux sur le visage impavide du clerc qui s'était tu et me regardait d'un air interrogateur. Il caressa la tranche de la Bible avec un mouvement lent de son pouce plissé, ce qui produisit un léger crissement dans l'air immobile de la grand-salle.

« Nous avons bien labouré aujourd'hui, lui dis-je en me déliant les doigts. Terminons ici les écritures, si vous le voulez bien… Nous reprendrons la traduction demain après matines.

– À votre convenance, Lite », fit-il, en refermant l'énorme livre dans lequel il glissa une feuille racornie pour marquer la page. Il se dégagea de son pupitre en serrant sa tunique autour de lui et quitta la pièce d'un pas lourd, les mains derrière le dos et la tête penchée, ployant comme arbre sous la pluie.

Je me levai à mon tour et gagnai la petite porte dissimulée qui donnait sur la galerie de bois couverte, accrochée au mur du donjon, au-dessus de la cour intérieure. Dame Euphémia y marchait en un va-et-vient agité, s'éventant la poitrine à l'aide d'un pan de sa coiffe. Ses yeux vifs fixaient les eaux de l'estuaire de Cromarty qui miroitaient au-delà du mur crénelé bordant le chemin de ronde. Courtaude, la taille épaisse, l'allure fière et affairée, elle empoignait énergiquement le pli de sa robe à chaque mouvement de pivot qu'elle exécutait, une fois parvenue aux extrémités de la rambarde.

« Quel temps lourd ! me lança-t-elle en me voyant. On a peine à croire que le mois de mai vient juste de finir… Et Alasdair qui ne revient pas. Ah dame ! pourquoi a-t-il fallu qu'il parte en campagne sur la côte ouest au moment où notre vieux roi s'est éteint et que le Parlement ne se décide pas à nommer son successeur ? Voilà plus d'un mois et demi que Robert II est mort : si l'on attend trop, son cadavre va pourrir dans sa châsse avant d'être inhumé. Toutes ces tergiversations ne me disent rien qui vaille. Je comprends assez qu'on soit embarrassé de couronner cet estropié de John de Carrick, mais n'est-il pas l'aîné des fils du roi ? Ah ! que j'abomine cette situation où l'Écosse n'a pas de monarque… Mais plus encore celle où Dinkeual est privé de son gardien !

– Ne vous inquiétez pas, comtesse, la rassurai-je. Même à l'autre bout de l'Écosse, votre fils est mieux renseigné sur la maison royale et le Parlement que le chroniqueur de la cour. Dès que la succession au trône sera entérinée et que la date des funérailles et du couronnement sera fixée, Alasdair l'apprendra et nous le verrons revenir à Dinkeual à temps pour nous emmener voir la cérémonie à Scone !

– Ma pauvre fille ! Ce n'est pas tant la peur de manquer cet inévitable événement qui m'énerve que d'attendre qu'il se produise. Avec la garnison réduite qu'a laissée Alasdair ici, j'épuise ma patience… »

Je haussai les épaules dans un geste d'impuissance et humai l'air plutôt froid de cette fin d'après-midi. Pour estimer la température accablante, la comtesse devait encore souffrir de ses bouffées de chaleur passagères qui l'exaspéraient et la rendaient irascible. Je décidai de m'intéresser à la vue qu'on avait à cette hauteur du donjon. Scrutant la route au loin, je décelai un halo poudreux qui annonçait l'arrivée de cavaliers émergeant du bourg. Mon cœur bondit et je me pris à espérer qu'il s'agissait d'Alasdair rentrant avec ses hommes d'armes.

Depuis le décès de son père, l'unique fils Leslie assumait la gérance du comté de Ross avec sa mère et s'acquittait de toutes les tâches reliées à la protection du domaine, y compris celle d'exercer une étroite surveillance de son beau-père. Car le désavantageux contrat de mariage de la comtesse de Ross déshéritait Alasdair de ses titres au profit de la descendance que l'union avec Alexandre Stewart produirait. Mais comme il y avait peu de chance que dame Euphémia ne procréât de nouveau, son mari ruminait sa rancœur.

Ce dernier manifestait son ressentiment en lançant ses hordes de caterans* pour chaparder, détruire et ravager les terres dont Alasdair hériterait finalement au décès de la comtesse. Je trouvais que mon frère, d'un an mon aîné, démontrait une patience et une prudence exemplaires envers le comte de Buchan et je me demandais souvent comment il arrivait à faire preuve d'une maîtrise et d'une retenue si grandes à son égard. Là où d'autres jeunes hommes se seraient vivement rebiqués et battus, Alasdair Leslie affrontait son Goliath de beau-père sans jamais coup férir, mais en opposant toute la fermeté propre à celui qui est dans son droit et sait qu'il l'emportera à son heure.

«Là, regarde Lite : une troupe vient! lança soudain dame Euphémia, en indiquant l'avancée des cavaliers que j'examinais depuis un moment. Peux-tu discerner qui ils sont? Vois-tu un blason ou une bannière?

– Non, comtesse, répondis-je en mettant ma main en visière. Je ne pense pas avoir le temps de les identifier, car ils ne tarderont pas à être cachés de notre vue durant leur montée au château. Il faudrait se trouver dans le bastion* pour détailler ces arrivants. Mais je ne crois pas que ce soit Alasdair, ma dame. Ce groupe-ci ne me semble pas assez nombreux pour qu'il s'agisse de son escorte.»

Le château de Dinkeual était érigé sur un piton rocheux dont l'escarpe assez abrupte plongeait dans une futaie qui masquait la piste sinueuse grimpant jusqu'à la face nord des murs d'enceinte. Comme la grand-salle où nous nous tenions le jour occupait tout le côté sud du donjon, éloignée du bastion par le corps de garde, nous avions rarement l'occasion d'assister à l'arrivée des visiteurs. En effet, à moins de traverser l'étage entier à toute vitesse, nous ne pouvions les surprendre avant qu'ils ne mettent pied à terre et, le plus souvent, avant même qu'ils ne soient entrés dans le donjon.

Et c'est bien ainsi que cela se passa, ce malheureux troisième jour de juin 1390 : la comtesse et moi demeurâmes coites sur la galerie à prendre l'air alors qu'à l'autre extrémité du château, à la porte du pont-levis, sous le commandement résigné de la sentinelle postée dans le bastion, la herse* de Dinkeual se levait pour livrer passage à Alexandre Stewart et à sa horde de caterans.

À son corps défendant, la garde de Dinkeual ne s'était pas interposée à l'entrée de l'intraitable mari de la comtesse. Jetant des regards craintifs sur Alexandre Stewart et ses cinq guerriers casqués, toute la domesticité s'était tassée le long des murs en se mordant les lèvres et en serrant les poings. Pour l'heure, le seul souhait des gens du château était que les foudres du tyran passent promptement et sans causer trop de dégâts.

Le comte de Buchan laissa deux de ses hommes au rez-de-chaussée et, avec les trois autres, il grimpa l'escalier qui menait à la grand-salle. Devant la porte, il s'arrêta un moment, le souffle court, et lança un bref regard derrière lui pour s'assurer que ses hommes étaient sur ses talons. Puis, d'un bras autoritaire, il poussa les deux battants et pénétra dans la pièce en vociférant. Alexandre Stewart, fin de la quarantaine, était pourvu d'un gabarit corpulent et massif, noir de poil et de vêture*. L'œil paillard d'un bleu presque violet dissimulé sous un sourcil broussailleux combiné avec un air de piaffe perpétuel lui composait une trogne rebutante qu'il semblait afficher depuis le berceau.

Au tintamarre qu'il fit en entrant, la comtesse se rua à l'intérieur de la grand-salle juste à temps pour voir les hommes refermer et barrer les battants de la porte et se disposer en faction devant elle. Les mains sur les hanches et la barbe frémissante, son mari s'était avancé au centre de la pièce et promenait un regard calculateur sur les meubles et objets tout en la haranguant : « Vous voilà, comtesse! Je suis étonné de vous trouver à Dinkeual plutôt qu'à Forres. Serait-ce que vous avez choisi de pisser dans une autre oreille que celle de ce bougre* d'évêque de Moray? Je crois avoir deviné laquelle…

« – Que faites-vous ici ? s'étrangla la comtesse. Ne vous a-t-on pas interdit le château en novembre dernier ? Comment osez-vous agir contre la prescription que vous ont édictée les prélats ?

– La prescription ! Je vais la leur rentrer au fond de la gorge à coup d'éperons quand je les reverrai, mais aujourd'hui, c'est vous qui allez regretter les manigances et fallaces* que vous me faites dans le dos avec le comte de Fife, mon frère.

– Que voulez-vous dire, mécréant ? » fit la comtesse d'une voix outragée.

Les yeux exorbités, dame Euphémia s'était prudemment déplacée derrière un fauteuil, tandis que sa pupille était demeurée en retrait sur la galerie, tout près de la porte ouverte, prête à intervenir au premier signe de sa tutrice.

« Pas de braverie ici, comtesse ! poursuivit le comte de Buchan d'une voix menaçante. Sachez que je n'ignore rien de votre complot pour me démettre de mes fonctions de lieutenant et justicier des Highlands. La semaine dernière, votre bon ami le comte de Fife a fait passer au conseil la résolution d'octroyer mon titre à son fils Murdoch. Mais voilà, je ne suis pas dupe : vous êtes là-dessous puisque les évêques de Moray et de Ross sont de ceux qui ont demandé ma démission. Tous autant que vous êtes, vous profitez du décès de mon père pour mettre au point vos petites combines.

– Vous êtes dans l'erreur, répliqua la comtesse d'un ton qu'elle voulait calme. Je ne savais même pas que l'on cherchait à vous remplacer à ce poste, vous me l'apprenez à l'instant même. Mais je trouve néanmoins que c'est une excellente décision : il y a longtemps que vous n'êtes plus digne de cette charge. Sur les terres qui sont placées sous votre autorité, vous provoquez plus de conflits que vous n'en réglez. C'est votre trop grand appétit à détruire et à occire qui est l'artisan de votre déchéance et vous n'avez qu'à vous en prendre à votre propre incurie.

— Taisez-vous, morbieu! Non contente de faire japper vos évêques contre ma vie personnelle, vous lancez maintenant mon frère à l'assaut de mes titres. L'hiver dernier, grâce à vos bons offices, on m'a condamné à chasser ma maîtresse de Lochindorb tout en me défendant, dans le même édit et sous peine d'excommunication, de vous revoir, vous, ma légitime épouse. Mais voilà, je n'ai l'intention ni de répudier la mère de mes enfants, ni de renoncer à un héritier légitime qui ne peut venir que de vous. Sans cette descendance, je perds Ross, vous le savez et vous vous y employez traîtreusement. Depuis que nous sommes mariés, c'est à coup de potions ou de magies diaboliques que vous empêchez mon fruit de pousser. Mais je vais y mettre un terme et vous me le donnerez, cet héritier. Je l'exige, comme tout mari est en droit de le faire... et céans*!»

Ce disant, le comte de Buchan avait enfoui les mains derrière les pans de son manteau et s'activait à ouvrir son haut-de-chausses. La comtesse de Ross recula prestement vers l'âtre et s'empara d'un tisonnier dont elle menaça son mari avec des accents aigus de panique dans la voix: «Arrière, scélérat! Ne me touchez pas! Je n'ai jamais usé de tels procédés sacrilèges contre la procréation, d'ailleurs tout à fait inutiles, car je suis d'âge stérile. Alexandre Stewart, je ne vous donnerai ni fils ni fille, quelles que soient l'ardeur et la persévérance que vous mettriez à m'engrosser et la vigilance que vous exerceriez sur mes faits et gestes par la suite.

– Euphémia, laissez-moi juge de vos capacités et de ma semence, ricana grassement Alexandre Stewart. Rangez votre hallebarde ; inutile de crier et d'appeler, vos gens ne viendront pas ; mes hommes s'occupent d'eux… Les braves que voilà au fond de la salle viennent assister au spectacle que vous offrirez et ils pourront me seconder, si vous m'y obligez. »

Pâlissant d'effroi et comprenant que la lutte pour se soustraire serait aussi brutale que vaine, la comtesse laissa tomber le tisonnier à ses pieds. Elle avait remarqué que, durant tout l'échange, sa pupille n'avait pas été repérée et espérant détourner d'elle l'attention de ses assaillants, elle évita de regarder en direction de la porte de la galerie quand elle lança d'une voix pressante : « Lite, le beffroi*… »

Il se fit aussitôt un mouvement sur la galerie et l'on entendit des pas précipités sur son plancher de bois. Surpris, le comte et ses trois hommes dirigèrent leurs regards à cet endroit en même temps. Avec un signe de la tête en direction de l'ouverture, le comte de Buchan s'adressa à l'un de ses sbires : « C'est sa pupille, fit-il sur un ton ironique. Elle va monter sur le toit et sonner la cloche. Vas-y, MacNèil, et empêche-la. Tu prendras ta picorée* avec elle puisque tu n'assisteras pas à la mienne. »

Je survolai plus que je ne franchis la passerelle de la galerie jusqu'à la tour d'angle dans laquelle je m'engouffrai en tenant mes jupes au-dessus de mes mollets pour faciliter mon ascension. Il me fallait atteindre le toit et me rendre au beffroi avant d'être rattrapée par celui que le comte venait de lancer à ma poursuite.

Peu après le décès de sir Walter Leslie, dame Euphémia avait fait ériger ce petit clocher au sommet du donjon en prévision d'une attaque du château dont sa garde n'aurait pu venir à bout. Elle semblait n'avoir jamais douté du soutien que les habitants du bourg manifesteraient à l'appel de sa cloche et nous n'avions encore jamais eu l'occasion de vérifier le fait. Les tempes mouillées, les jambes flageolantes et le cœur palpitant, je priais, tout en grimpant, que le miracle se produise et que les braves gens de Dinkeual viennent en aide à leur comtesse dans cette circonstance extrême où elle était privée de la protection de son fils.

Mais encore fallait-il que je réussisse à donner l'alarme et j'entendais le bruit inquiétant que faisait mon poursuivant en gagnant du terrain dans l'escalier à vis qui, me sembla-t-il, n'en finissait plus de tourner sans jamais parvenir à son aboutissement. Soudain, j'atteignis le palier du dernier étage du donjon et je quittai l'escalier pour m'y engager en espérant semer l'homme. Je traversai la pièce déserte en trois enjambées et m'engouffrai dans la tour de l'angle opposé. Mais, au son feutré que faisaient les pas du maraud mêlé à sa respiration sifflante, je devinai qu'il n'avait pas poursuivi sa montée dans l'autre tour et qu'il était toujours dans mon sillage. Si j'avais un quelconque avantage sur lui, c'était bien celui de connaître parfaitement le parcours jusqu'au beffroi avec ses obstacles, ses cachettes et les détours possibles. Et avant de m'avouer vaincue, je comptais bien tirer le meilleur parti de cette prérogative.

Sur les quatre tours d'angle que comptait le donjon, deux n'étaient que des tours de guet et ne débouchaient pas sur le toit alors que les deux autres y donnaient accès, dont celle dans laquelle je venais de m'engager. Celle-là, exposée aux vents dominants, était munie d'une porte destinée à empêcher la neige de s'accumuler dans l'escalier en hiver. J'espérais la franchir et réussir à la barrer derrière moi, ce qui me donnerait suffisamment d'avance pour atteindre le beffroi. Ainsi, mon poursuivant se buterait sur cet obstacle, devrait rebrousser chemin et chercher à atteindre le toit par l'une des trois autres tours. Avec un peu de chance, il choisirait une tour sans issue et son errance me permettrait de donner l'alarme et de retraiter ensuite.

Là-haut, à l'instant où j'émergeai sur le toit, une forte bourrasque me coupa la respiration et souffla ma coiffe qui s'envola dans les airs. Je me jetai contre la porte que j'eus à peine le temps de refermer avant d'entrevoir le casque de mon traqueur poindre au détour de l'escalier. La barre n'avait pas beaucoup servi et elle fut facile à rabattre malgré le tremblement de mes mains. Puis sans perdre une seconde, luttant contre les forts vents qui me déportaient, j'escaladai le faîtage de bois vermoulu jusqu'au beffroi où je m'emparai de la corde de lin qui battait contre sa paroi.

« À l'aide ! À l'aide ! » gémis-je à l'unisson du son grêle de la cloche que je sonnais avec la dernière énergie, les yeux fixés sur la porte ébranlée par les assauts de celui qui était à mes trousses. Mon espoir de le voir rebrousser chemin fut vite anéanti par la pointe d'une dague qui prit le relais des secousses qu'il faisait subir à la porte pour l'ouvrir. Sous son impulsion, la barre se souleva docilement et le poursuivant que j'évoquais jusqu'alors se concrétisa devant mes yeux apeurés. Bien que de taille très moyenne, ses longues jambes nues sous son plaid* le faisaient paraître élancé. Sur sa tête, un moiron* avec des rabats protecteurs sur les oreilles et le nez ne laissait voir de son visage que les yeux d'un bleu profond et le menton garni d'une barbe roux clair, presque blonde.

Il remit tranquillement sa dague dans sa ceinture et grimpa jusqu'au beffroi derrière lequel je m'étais glissée sans pour autant cesser de secouer la corde de la cloche. Mais c'étaient là mes derniers coups : je sentis mon poignet saisi et écrasé, ce qui me fit lâcher prise. Aussitôt, je fus projetée par terre et déboulai jusqu'au parapet, à vingt pas de la tour dont la porte était encore béante. Le temps de me relever et mon assaillant y était redescendu, m'en bloquant l'accès. Le cœur battant à tout rompre, comme s'il eût voulu sortir de ma poitrine, le visage fouetté par mes cheveux épars qui m'aveuglaient presque, je me plaquai contre le muret auquel je me retins et j'entrepris de reculer en direction de l'autre tour, sans quitter l'homme des yeux.

Il sortit alors de sa position de repli et, faisant quelques pas vers moi, il jeta un œil par-dessus la rambarde. Il se raidit aussitôt et je perçus le mouvement de recul que la vue de l'abîme d'une centaine de pieds provoqua chez lui. «Cet homme souffre du vertige», songeai-je immédiatement. Quand mon poursuivant reporta son attention sur moi, nos regards se croisèrent. Immobile, il me scruta durant une interminable minute et je lus clairement la contrariété dans ses yeux: il avait compris que j'avais décelé sa faiblesse. Je ne pus réfréner le sourire qui me vint aux lèvres en décidant de ne plus progresser vers l'autre tour: tant que je demeurerais à bonne distance des abris que constituaient pour lui les quatre tours du donjon, je pouvais croire qu'il ne s'aventurerait pas à me rejoindre. En plein milieu du parapet, je me plaçai dos au mur et, ce faisant, je projetai la tête en arrière, presque au-dessus du vide. Aussitôt, le vent aspira mes cheveux derrière moi en dégageant mon visage sur lequel devait certainement flotter un air de défi.

«Petite futée», siffla-t-il. Puis, sans rien ajouter, il recula vers la tour et s'y adossa en se laissant glisser sur les talons. Là, bien protégé du vent, il s'installa dans une attente qui éteignit ma bravade en quelques minutes. En rassemblant mes cheveux qui s'emmêlaient furieusement au vent, j'examinai le pourtour du château: d'où j'étais postée, je ne pouvais pas distinguer le chemin du bourg et d'ailleurs aucun bruit laissant penser que les secours arrivaient ne me parvenait. Au contraire, un silence inquiétant montait de la cour et des étages du donjon et nourrissait mes appréhensions: a-t-on entendu l'appel du beffroi? nos gens ont-ils été molestés? qu'advient-il de dame Euphémia que je suis peut-être la seule à pouvoir défendre en ce moment? et enfin, que me veut ce couard des hauteurs?

Pour l'heure, le couard m'observait sans piper mot. La seule façon de connaître ses intentions était de l'interroger, ce que je fis bien à contrecœur. Mais il s'avisa de ne pas répondre à mes questions. «Qu'attendez-vous ici ? Vous le voyez bien, l'appel de la cloche ne semble pas avoir été entendu..., fis-je.

– ...

– N'avez-vous pas honte de profiter de l'absence de son fils pour tourmenter la comtesse de Ross dans son château ? Êtes-vous à ce point lâche ?

– ...

– Si vous êtes bon chrétien, et vous devez bien l'être, comment pouvez-vous agir sous les ordres d'un impie comme Alexandre Stewart ?

– ...

– C'est un monstre qui commande une meute de saccageurs. À la cour, tout fils du roi qu'il est, on l'appelle le « Loup de Badenoch ». Le saviez-vous ?

– ...

– Le roi est mort, il est vrai, poursuivis-je. Alors Stewart est le frère du futur roi et il n'acquerra pas davantage de respect. Vous n'avez rien à gagner à le servir... Écoutez, laissez-moi aller auprès de la comtesse, je vous le demande par charité...

– Tu pourras rejoindre ta comtesse, après, répondit soudain mon traqueur.

– Après quoi ? m'enquis-je, étonnée qu'il desserre les dents.

– Après ma picorée. Es-tu vierge ? Ça fait un bon bout de temps que je n'ai pas mis la main sur une mignote* vierge... Il n'en reste plus beaucoup dans la contrée, alors, on ne laisse pas passer l'aubaine quand elle se présente !

– ...

– Avec ta belle gorge blanche, ta toison rousse et ton nez retroussé, tu me fais penser à une hermine d'été qui grimpe au faîte des arbres... et ça me tourmente les sens! Viens ici et laisse-toi faire: plus vite je serai contenté, plus vite tu retrouveras ta comtesse. »

Je sentis mon visage s'enflammer à sa proposition et je fus encore bien plus confuse en l'entendant s'esclaffer: «Ah, ma petite Hermine, tu tournes au rouge maintenant? Tes cheveux, ta face, ta robe... tout flamboie! Approche que je me chauffe à ton feu... »

J'allais répliquer quand nous entendîmes la sentinelle commander la levée de la herse d'une voix criarde. Je me retournai d'un bloc et me penchai sur la rambarde pour voir ce qui se passait en bas. Au milieu de la cour, les hommes du comte de Buchan rassemblaient leurs chevaux, tandis que des villageois munis de piques et d'estocs se massaient sur le pont-levis avec un air qui me sembla plus mou que hardi.

«Voilà les secours, fis-je en me retournant vers mon tourmenteur. Et si je ne me trompe, votre troupe s'apprête à quitter Dinkeual... Votre maître a terminé ses affaires.

— Il n'est pas mon maître, l'Hermine, fit-il en se redressant. Je suis un homme libre et je suis mon propre maître. Je suis payé pour le service de mes armes. C'est tout.

— Un cateran!» m'exclamai-je.

Au même moment, nous ouïmes la voix tonnante d'Alexandre Stewart le héler: «MacNèil, finis-en et descends: on repart!» Le temps que je jette un œil derrière moi, le dénommé MacNèil avait disparu par la porte et je me retrouvai soudain toute seule sur le toit du donjon, les mains moites et le cœur en cavale. Je mis une bonne minute avant de comprendre que le danger était écarté. J'inspirai alors profondément et regagnai la tour d'un pas vacillant.

Pour retourner dans la grand-salle, plutôt que de descendre par une des tours, j'empruntai l'escalier intérieur des étages et je m'inquiétai de n'y rencontrer personne. Le donjon semblait étrangement désert et silencieux. La bande du comte de Buchan était-elle encore dans la place? M'étais-je trompée en voyant ses hommes se mettre en selle dans la cour?

Quand j'atteignis le palier de la grand-salle, je surpris servantes et gardes à l'entrée de celle-ci, l'air ému pour les unes et piteux pour les autres. Notre intendant tenait ma coiffe à la main et me la tendit avec un sourire penaud. Je passai la porte et trouvai la comtesse tassée au fond de son fauteuil, l'air mortifié. De ses mains tremblantes, elle triturait son hennin* abîmé tout en fixant le mur, la tête haute et les lèvres pincées. Je m'approchai d'elle et pris l'une de ses mains dans les miennes: «Comment allez-vous, comtesse? Votre mari vous a-t-il blessée?

– De toutes les façons possibles, ma fille. Je jure que c'est la dernière fois... la dernière, entends-tu?»

Puis après un moment de silence, elle m'examina avec anxiété et s'enquit de moi: «Toi, Lite, ton agresseur t'a-t-il déshonorée?

– Non, comtesse. Par miracle, j'ai réussi à le tenir à distance.

– Et tu as pu donner l'alarme, ma chérie... Je savais que je pouvais avoir fiance* en ta célérité.

– Et dans celle du bourg de Dinkeual, ma dame. Savez-vous que vos gens ont accouru à notre appel: le prévôt, le forgeron, l'armurier, les tanneurs et les bouviers! Je les ai vus, ils sont tous là, dans la cour.»

À ces paroles, ma tutrice se redressa, sourit faiblement et ajusta sur sa tête grise ce qui restait de son hennin. Puis elle eut ces mots admirables qui témoignaient bien de sa nature digne et combative : « Ne les faisons donc pas attendre plus longtemps, ma fille. Allons les remercier, comme il se doit. Mon beffroi m'a sauvée. »

C'est exactement ainsi qu'elle présenta l'événement à Alasdair une semaine plus tard, au retour de ce dernier à Dinkeual. Elle ne relata pas le quart des innommables propos échangés avec le comte de Buchan durant sa visite et ne lui fit jamais mention qu'il l'avait forcée* en présence de ses hommes. « Mon beffroi nous a sauvés », conclut-elle. Ce disant, elle me lança un œil austère qui m'imposa le silence et, malgré le fait que je brûlais de tout raconter à Alasdair, mon grand confident, j'accréditai entièrement la version qu'elle lui présenta. Comme j'étais la seule personne au château à avoir pris connaissance de l'humiliation subie par la comtesse ce jour-là, je mesurai les conséquences qu'un tel secret avait sur ma complicité avec le fils si je ne voulais pas trahir mon amitié avec la mère. Aussi, je me tus et Alasdair ne soupçonna rien. L'incident était clos et nous n'y repensâmes plus durant les semaines qui suivirent, jusqu'à ce que l'on soit de nouveau mis en présence de l'ignoble comte de Buchan, lors de l'inhumation de Robert II et du couronnement de son fils.

À la mi-juin, l'Écosse n'avait toujours pas de monarque. L'attention de ses premiers lieutenants était concentrée autour du problème de la succession et dans les officines du Parlement à Perth, les assemblées extraordinaires se multipliaient. Depuis la mort du roi, le second fils de ce dernier, le comte de Fife, qui agissait comme gardien et régent du royaume depuis quelques années, convoquait et présidait des réunions où les membres du haut clergé et ceux des familles les plus puissantes du pays discutaient interminablement du choix du prochain souverain en fonction de leurs propres intérêts. Parmi eux aurait dû se trouver le comte de Moray, sir Dunbar, mais il était retenu dans quelque tournoi en Angleterre, laissant son comté sans représentant.

Bref, la politique intérieure monopolisait les principaux agents du pouvoir en Écosse et, sur l'ensemble de son territoire, le chemin s'annonçait ouvert à quiconque voulait régler un différend à la pointe de l'épée en toute impunité. Le champ apparaissait particulièrement libre dans les Highlands et le comté de Moray, en l'absence de son protecteur, figurait parmi les plus vulnérables d'Écosse.

Presque deux semaines s'étaient écoulées depuis son incursion à Dinkeual et Alexandre Stewart n'avait rien perdu de son humeur belliqueuse. Dans sa mire, la cible suivante était l'évêque de Moray et c'est vers les riches terres de ce dernier qu'il galopait en compagnie d'une vingtaine d'hommes armés de pied en cap, sous un ciel sans nuages en ce 16 juin 1390. Partie de Lochindorb la veille, l'équipée fit sa première halte de la journée en milieu d'après-midi sur le pourtour d'un petit lac, à deux miles et demi au sud de Forres, bourg et prébende de l'évêque de Moray. Selon sa tactique préférée pour déclencher une attaque, le comte de Buchan menait sa troupe à couvert des boisés aussi longtemps que l'itinéraire vers sa destination le permettait ; puis, à l'approche des terres cultivées, la troupe fonçait à bride abattue à travers champs, saccageant tout sur la trajectoire la plus directe vers son but, que ce fût une place forte, un domaine, un bourg ou une chefferie.

Quand les chevaux se furent désaltérés et les hommes, sustentés avec les provisions de bouche dont leurs besaces étaient garnies, on se remit en selle, le cœur battant. Les cavaliers savaient que la partie exaltante de l'expédition allait commencer et l'évocation du butin substantiel qu'ils rafleraient ajoutait à leur fébrilité. Au sortir de la forêt, ils se disposèrent selon la formation habituelle, se répartissant en deux groupes : le premier, composé d'une dizaine de capitaines de la maison du comte de Buchan, et le second, de neuf caterans à sa solde depuis quelques années. Ces derniers fermaient la marche alors que leur chef chevauchait à la tête de la horde, au botte à botte avec le gros comte monté sur un destrier noir.

Outre leur position prépondérante dans la colonne, les hommes attachés au comte se distinguaient par le blason brodé sur leur haubert où figurait une tête de loup, l'effigie de la baronnie de Badenoch, et par la teinte noire qui dominait dans leur équipement, que ce soit sur leur propre vêture, casque, plastron, gantelets, bottes, ou sur leur monture, selle, harnachement et même pelage. Ainsi parés, ils étaient reconnaissables, même à bonne distance, par tout paysan, marchand, prélat ou shérif établi sur le territoire de l'ancien justicier des Highlands, une région qui couvrait tout le tiers supérieur de l'Écosse.

Et invariablement, l'apparition de la meute du comte de Buchan présageait misères, fléaux et calamités aussi sûrement qu'un ciel noir annonce un orage. Aussi, quand montures et cavaliers, claymore* en main, commencèrent à déferler sur les terres de l'évêque de Moray, les fermiers et tâcherons éparpillés dans les prés s'empressèrent de s'éclipser, qui dans les granges, qui dans les dépendances les plus proches. Maudissant leur impuissance et leur malchance, les braves gens, pétrifiés, assistèrent au massacre du bétail et au saccage des labours : l'œuvre de quatre mois de sueurs fut ainsi anéantie en quelques minutes. Les habitants du bourg ne furent guère plus fortunés que leurs compères des champs. Aucune boutique n'échappa aux torches et aucune maison, au pillage. Les appentis s'effondrèrent les uns sur les autres, les ateliers furent saccagés et même le puits communal fut corrompu par les carcasses de cochons qui avaient eu le malheur de se trouver sur le passage de la milice. Tous les manants* qui pouvaient se barricader offrirent la meilleure résistance aux forbans, mais les autres subirent coups et navrements*, viols pour les femmes et mutilations pour les hommes.

La dévastation du bourg de Forres prit une bonne heure, mais sa ruine était complète quand le comte de Buchan le quitta enfin pour gagner le palais de l'évêque, but ultime de son raid. Sis sur un promontoire au sortir du village, l'opulent édifice en pierres de taille comptait deux étages, un jardin intérieur et une chapelle. La dizaine de domestiques qui y étaient attachés avaient eu le temps de fuir avant que la troupe de pillards n'arrivât. Quand Alexandre Stewart constata leur désertion et l'absence de leur maître, l'évêque de

Moray, son déchaînement n'eut plus de limite. Avant d'être entièrement brûlées, les pièces somptueusement meublées furent vidées de tout ce qui pouvait constituer un butin transportable. Au plus fort de l'opération, alors que le comte de Buchan se dépensait à l'étage avec ses capitaines, les caterans gardaient le rez-de-chaussée qui logeait les cuisines, le cellier et la chapelle, cherchant leur récompense parmi les décombres.

Après une brève incursion dans la chapelle, leur chef leur en interdit l'accès. Comme elle renfermait les seuls objets de valeur disponibles à ce niveau du palais, les hommes se mirent à maugréer sur leur part de picorée :

« Taisez-vous, gronda leur chef. S'en prendre aux biens d'un évêque, c'est déjà un sacrilège. Voulez-vous ajouter à votre délit la profanation d'un lieu sacré ? N'oubliez pas que vous êtes déjà payés pour guerroyer dans les rangs du comte. Tenez-vous-en à ses pécunes*. »

Mais, quand le palais ne fut plus que cendres, c'est avec une ardeur grandement refroidie que les caterans remontèrent en selle derrière les capitaines du comte de Buchan dont les sacoches cahotaient d'objets dérobés. Visiblement satisfaits du raid, ces derniers aspiraient à regagner leur place forte de Lochindorb, mais leur seigneur ne l'entendait pas de cette oreille : le comte voulait absolument affronter l'évêque de Moray et il envisageait de le relancer jusqu'à son siège épiscopal. Le jeudi de la Fête-Dieu venait de passer et ce culte était habituellement suivi de cérémonies se prolongeant durant quelques semaines, amenant l'évêque Bur à officier dans la cathédrale de son chapitre, de la mi-mai à la fin juin. N'accordant aucun intérêt au calendrier liturgique, le comte de Buchan avait omis de vérifier les déplacements de l'évêque quand il s'était lancé à l'assaut de Forres, convaincu de le trouver sur le domaine de sa prébende. Avec une humeur massacrante, il se hissa sur son destrier et reprit la commande de sa troupe pour marcher sur Elgin, à une distance de douze miles. Comprenant son amertume, le chef des caterans poussa sa monture à la hauteur du comte qui ne daigna pas lui adresser la parole. En route, la morosité générale s'installa et plongea les cavaliers dans un silence lourd jusqu'au moment de faire halte dans une auberge, à la nuit tombée. Là, attablés devant des chopes de bière et des jambons juteux, les langues se délièrent et chacun entreprit d'exposer son butin, et même, pour certains, on procéda à des échanges et à des partages ; tant et si bien qu'à la fin des ripailles, la gaieté avait regagné les cœurs et tous burent au succès de l'expédition du lendemain.

Alexandre Stewart et le chef cateran semblaient insensibles à l'amélioration de l'humeur de leurs hommes. Ils s'étaient isolés à une table en retrait et leur discussion portait sur les bénéfices de l'expédition que le chef cateran trouvait inéquitables pour les siens. La perte de son titre de justicier sapait sérieusement le pouvoir du comte de Buchan dans les Highlands et, face à cette autre force que représentaient les groupes de caterans sur le territoire, il préféra ménager le lien qu'il avait créé avec son vis-à-vis. D'ailleurs il avait besoin de lui pour réaliser son plan à Elgin qu'il ne pouvait attaquer avec ses seuls capitaines. Aussi, Alexandre Stewart choisit-il d'offrir à son associé plus qu'il n'aurait normalement consenti. À la fin des pourparlers, il plongea la main dans son pourpoint* et en sortit une large médaille sertie de pierres précieuses qu'il glissa sur la table.

«Ça, c'est pour toi, MacNèil, dit le comte. C'était le plus gros joyau du coffre. Je me le gardais, mais tu le mérites, alors prends… C'est un bijou remarquable.

– Trop remarquable même, murmura MacNèil en examinant la médaille. Difficile à revendre : l'inscription identifie le propriétaire…

– Quelle inscription ? fit le comte en reprenant l'objet. Mais, c'est en latin… Tu connais le latin, toi ?

– *Pro Buri Episcopi Gratia Dei MCCCLXII…* Pour Bur évêque par la grâce de Dieu 1362, récita MacNèil, stoïque. Quand j'étais enfant, on avait un vicaire irlandais comme précepteur. Il ne nous a enseigné que le latin et l'astrologie… Tout bien considéré, Stewart, j'accepte la médaille de l'évêque : de l'or, ça se fond. N'importe quel forgeron peut le faire, et des forgerons, j'en connais pas mal.»

Le lendemain, alors que le bourg d'Elgin s'éveillait doucement au bruit des bêtes et de l'eau qu'on puise, le comte de Buchan et sa troupe le traversèrent au pas. Ils s'arrêtèrent à la porte des robustes murs de l'enclos canonial qui ceinturaient la vingtaine de résidences des chanoines, dignitaires et vicaires et leurs jardins, regroupés autour de la cathédrale. D'une voix impérieuse, le comte interrogea la sentinelle sur l'emplacement de la maison de l'évêque. Le garde s'empressa d'indiquer l'édifice tout en mentionnant que l'évêque ne s'y trouvait pas, mais Alexandre Stewart entraîna son groupe à l'intérieur des murs sans accorder d'intérêt à cette dernière précision. «Bur est probablement dans sa cathédrale, fit-il à l'intention du chef cateran. Toi, avec tes hommes, tu vides toutes les maisons et tu les ardes*. Ce que vous trouverez est à vous. Moi, je donne l'assaut à la cathédrale avec mes capitaines. Si tu tombes sur Bur, tu me l'amènes. Sinon, retourne à Lochindorb par les bois en remontant la rivière. C'est sur ce chemin que je te rejoindrai. Allons-y!»

Tandis que le comte de Buchan éperonnait sa monture, imité par ses hommes, et qu'il fonçait sur l'imposant monument occupant le centre de l'enclos, MacNèil répartissait ses caterans aux quatre coins de celui-ci. Il se sentait presque soulagé de s'attaquer aux maisons des chanoines plutôt qu'à leur saint édifice. Bien connue sous le nom de «Lanterne du Nord», la cathédrale d'Elgin avait grande réputation au-delà même des frontières de l'Écosse depuis plus de deux siècles. «Envahir un tel sanctuaire doit encourir le pire des châtiments divins», songea-t-il.

Des nombreux offices célébrés sans interruption dans la cathédrale d'Elgin, la plupart se déroulaient dans le chœur et le sanctuaire, car ils ne concernaient que le clergé. En effet, ce matin-là du 17 juin, la nef était déserte quand la troupe du comte de Buchan y fit irruption par le portail de l'entrée processionnelle, avec armes et chevaux. Le bruit assourdissant des sabots sur le sol de pierres interrompit aussitôt le récit des psaumes dans le chœur et le vicaire le plus près de la clôture qui séparait la nef de la croisée du transept se précipita pour en fermer la grille. Le comte poussa sa monture jusqu'à celle-ci et jeta un œil dans le sanctuaire faiblement éclairé où se tenaient, pétrifiés, une vingtaine d'ecclésiastiques enfoncés dans leur stalle.

Sous la grande demi-colonne méridionale, la cathèdre de l'évêque était vide. «Où est Bur? tonna le comte en frappant la grille de sa claymore.

« – Son Éminence n'est pas à Elgin, mon seigneur, répondit le vicaire, l'air embarrassé. Il a été mandé à Perth où se tient un conseil spécial… Il est parti la semaine dernière…

– Cesse de mentir, filou, il s'est embarré dans sa salle capitulaire! Si tu ne m'ouvres pas cette grille, je crame les beaux retables que voilà, cette fresque au-dessus de nous, les étendards sur les piliers, les nappes, tapis, balustres: tout ce qui brûle. Tu entends, curé? Laisse passer le comte de Buchan!»

Bien que tremblant de tous ses membres, le vicaire résista à l'injonction et recula se mettre à l'abri derrière une colonne. Il n'en fallait pas plus pour déclencher l'ire d'Alexandre Stewart. Il mit pied à terre et, d'un geste de la tête, fit signe à ses hommes d'exécuter la menace. Puis, tranquillement, comme un ours en cage, il se mit à longer la grille en l'inspectant, à la recherche d'une brèche, d'une soudure défectueuse ou d'une section mal enchâssée. Voyant les flammes s'élever dans les chapelles latérales que les hommes du comte incendiaient, le grand chantre s'amena d'un pas précipité à la porte de la grille. Afin de ramener un peu de raison dans la tête du pyromane et de sauver la cathédrale, il entreprit de parlementer, mais il se rendit vite compte que son initiative était vouée à l'échec: nul argument, nulle intimidation, nulle imprécation n'avait de prise sur le comte. Aussi, ouvrit-il lui-même la porte de la clôture avec l'espoir ultime que ce geste empêcherait la poursuite du saccage.

Le vacarme que faisaient les chevaux énervés par la fumée dense, combiné aux cris de leurs maîtres, aurait couvert un quelconque ordre du comte, s'il avait été dans les intentions de ce dernier de suspendre l'opération. Ce ne fut évidemment pas le cas. Sitôt le chemin libre, sans jeter un seul regard vers la nef où la curée allait bon train, Alexandre Stewart se rua dans le sanctuaire, à la recherche de la salle capitulaire. Elle ouvrait au bout du collatéral, à la suite d'un petit vestibule dont la porte était restée grande ouverte. Le comte s'y pointa, descendit les trois marches et s'immobilisa sur le seuil : la pièce voûtée autour d'un énorme pilier central était vide. Exactement comme au palais à Forres, l'absence de l'évêque de Moray jeta le comte dans une rage destructrice. Tous les objets sacrés à portée de sa main y passèrent : les habits sacerdotaux, les calices, les ostensoirs, les cierges, le mobilier, les statues. Absolument rien ne subsista. Puis, s'emparant d'une lampe, le comte mit lui-même le feu à cette partie consacrée de la cathédrale et il ne quitta les lieux avec ses hommes qu'au moment où l'air devint irrespirable dans l'édifice.

Les flammes avaient d'abord léché les panneaux de bois des murs latéraux, puis avaient envahi les planchers des différents étages des jubés et des tours de la cathédrale, si bien qu'en une heure celle-ci ne fut plus qu'une énorme torche au milieu d'une vingtaine de foyers d'incendie circonscrits dans l'enclos canonial. Quand le comte de Buchan sortit du site embrasé, les habitants du bourg et leurs autorités, qui n'avaient pas eu le temps de se mobiliser, arrivaient par petits groupes, plus ahuris qu'effrayés. La troupe du comte de Buchan piqua vers la forêt à l'orée de laquelle les caterans l'attendaient.

Ces derniers affichaient un air sombre même s'ils savaient avoir bien besogné : leur raid se soldait par la perte de leur chef et de deux compagnons restés prisonniers dans l'effondrement d'une résidence. Le comte accueillit la nouvelle stoïquement. Ce coup du sort ne faisait qu'ajouter à la série de déboires qui l'accablaient depuis son départ de Lochindorb et il résolut de l'oublier le plus vite possible. Cependant, tout en galopant vers sa forteresse sur le chemin du retour, Alexandre Stewart vit l'avantage qu'il pourrait tirer de la perte de MacNèil auprès des caterans.

Chapitre ii

Le pardon royal

Depuis l'excommunication de son mari par l'évêque Bur, le lendemain du fameux raid sur Elgin, ma tutrice ne tenait plus en place. Les destinées de l'Écosse se jouaient à Perth et la comtesse de Ross voulait y participer ou du moins ne pas demeurer en marge des prises de décision qui pourraient la concerner. En utilisant au mieux son réseau d'influences, elle entendait protéger son comté de Ross d'une éventuelle tutelle, placer son fils Alasdair auprès du comte de Fife, et, si possible, mettre un point final à sa funeste union avec Alexandre Stewart. Je trouvais son programme ambitieux et j'éprouvais une vive curiosité pour la série d'événements politiques qui s'ouvrait devant nous. Aussi ne fus-je pas surprise de voir la comtesse annoncer notre départ, sitôt qu'elle apprit la présence de l'évêque Bur à Perth, le quatrième jour d'août.

Nous fîmes le voyage par mer, notre navire quittant l'estuaire de Cromarty le matin pour entrer dans celui de Tay, le jour suivant. Les courants et les vents en cette saison favorisèrent une traversée relativement aisée sur la mer du Nord, ce qui permit à ma tutrice de ne pas trop souffrir de nausées et de débarquer fraîche et dispose au port de Perth. Alasdair loua des montures pour lui et ses hommes ainsi qu'une voiture qui nous amena à la place St. John dans une pension bien connue de la comtesse. C'est là que nous établîmes nos quartiers pour dix jours. Nous avions retenu deux chambres dont les fenêtres ouvraient sur une étroite cour intérieure : j'en occupais une avec la comtesse et une chambrière que nous avions amenée pour notre service à toutes deux ; et Alasdair s'installa dans l'autre avec notre escorte de trois hommes.

J'aimais tout du bourg royal de Perth : l'étalement coloré des nombreuses échoppes autour du beau puits communal ; l'odeur aigre des fumoirs regroupés sur le port que la brise constante de la mer charriait ; la faune humaine composée de clercs, de nobles et de seigneurs attirés par le Parlement ; et enfin, l'omniprésence de la langue scot, que tous employaient, du simple écuyer aux puissants magistrats.

Je n'y avais pas remis les pieds depuis cinq ans et je me souvins qu'alors notre séjour avait été des plus divertissants à Alasdair, à Mariota et à moi. Aucun de nous n'avait atteint sa vingtième année, n'était marié et, secrètement, nous comptions tous sur ce voyage pour y remédier. Des trois, c'est Mariota qui était la plus belle, et Alasdair, le meilleur parti. Quant à moi, je n'offrais aucun attrait particulier, si ce n'est mon visage dont on vantait la blancheur de peau, le bleu azur des yeux et le galbe arrondi des lèvres. Pour le reste, je déplorais ma taille courte, mon nez retroussé et le roux foncé de mes cheveux plats qui évoquait davantage un pelage animal qu'une chevelure féminine.

Finalement, notre tournée à Perth n'avait été prolifique que pour Mariota. Dans les salons des maires et baillis, nous avions fait la connaissance de Donald Mac-Donald, le Seigneur des Îles, qui s'éprit immédiatement de ma sœur. J'avais assisté de loin aux tractations qui aboutirent au mariage avec ce seigneur important de l'archipel des Hébrides, me laissant rêveuse quant à mon propre avenir: comme je ne détenais ni titre ni biens, les unions prestigieuses demeuraient hors de ma portée. Quant à Alasdair, avec son port altier, sa mine intrépide et son long corps bien proportionné, il fut remarqué. Il ne perdit pas de temps à fourbir ses armes de soupirant et monta aussitôt à l'assaut des membres de l'escorte féminine de la délégation MacDonald. Son comportement, si j'ai bonne mémoire, avait grandement contrarié dame Euphémia. En effet, ma tutrice, en femme avisée, réservait son fils pour une alliance plus avantageuse en termes d'échelon social et de bénéfices pour le comté de Ross, et Alasdair apprit avec un certain dépit qu'il devait mettre un frein à ses ardeurs.

Je le lui rappelai, mi-amusée, mi-nostalgique, quand nous nous retrouvâmes, le soir de notre arrivée à Perth, tous les deux seuls après notre premier souper. «Dis-moi, Alasdair, lui demandai-je, comment s'appelait la damoiselle aux yeux noirs à qui tu contais si bien fleurette la dernière fois que nous sommes venus ici? N'était-elle pas une MacDonald?

— Elle en était une et en mai dernier, elle l'était toujours, répondit-il, l'air narquois.

— Tu l'as revue dans les Îles et elle n'est pas mariée? Voyons, c'est impossible: une telle beauté! Ne me dis pas qu'elle t'a attendu tout ce temps...

– Ce n'est pas le genre de femme à attendre quoi ou qui que ce soit, fit Alasdair sans sourire. Ce n'est pas non plus dame à épouser un déshérité comme moi. Vois-tu, Lite, je n'ai aucune chance de la séduire tant que ma mère n'aura pas récupéré les titres de notre comté pour moi.

– Justement, Alasdair, fis-je valoir. Pour espérer devenir comte de Ross un jour, il faudrait aider ta mère en ce sens et t'intéresser davantage aux jeunes filles de la noblesse. Ne trouves-tu pas plus important de poursuivre ta propre lignée que d'aller grossir une des familles du clan de ce faux roi des Îles qu'est MacDonald ?

– Tu sous-estimes fort la puissance de mon beau-frère, répliqua-t-il. Il régit un territoire immense dont la position stratégique équivaut à celle des Borders*. Son clan ne s'est jamais soumis à l'autorité royale pour la simple et bonne raison qu'il n'a aucun intérêt à le faire : les MacDonald sont indépendants de la Couronne et, crois-moi, le jour n'est pas venu où un souverain réussira à abolir leur monarchie.

– …

– Ceci dit, tu as raison, poursuivit-il devant mon silence embêté. Pour l'heure, il m'importe plus d'enlever le comté de Ross à mon beau-père que de coqueliner* avec une sylphide des Îles… »

Si le but de ce nouveau séjour à Perth visait à trouver une épouse à Alasdair parmi la noblesse, la conjoncture s'y prêtait à merveille. En effet, tout ce que l'Écosse comptait de barons, de comtes et de prélats s'étaient déplacés vers le bourg royal avec une forte délégation, dont les femmes de leur maison n'étaient pas exemptes. Les auberges et les pensions regorgeaient donc de nobles dames avec leurs filles, intéressées à occuper les premiè-res loges de la cérémonie de couronnement du futur roi, que tous croyaient imminente.

Efficace comme un bon chien leveur de gibier, ma tutrice repéra immédiatement le filon le plus prometteur parmi ce contingent féminin, soit la seconde épouse du comte de Fife, descendue à Perth avec les filles du pre-mier lit, des pucelles dans la vingtaine, possiblement en quête d'époux. Ce choix était d'autant plus judicieux que ma tutrice voyait dans le comte de Fife un allié fan-tastique pour la lutte perpétuelle qu'elle livrait à son mari. Nommé « Gardien du royaume » depuis deux ans, le comte de Fife s'avérait être l'homme mûr détenant le pouvoir effectif en Écosse et sa principale préoccupa-tion visait à miner la domination de son frère cadet, le comte de Buchan, dans les Highlands. Ce n'était un se-cret pour personne à la cour : les deux frères Stewart se vouaient une hostilité impitoyable.

Ainsi, après un début de semaine passé dans l'anti-chambre de son grand ami, l'évêque Bur, dame Euphémia poursuivit les civilités chez la comtesse de Fife. Elle s'en-ferma avec cette dernière dans un petit salon, nous lais-sant, Alasdair et moi, en compagnie des trois filles du comte dans la salle commune. J'obtins plus de succès auprès des damoiselles que mon pauvre Alasdair qui, je l'avoue, n'investit que peu d'effort à la tâche. Après la pre-mière journée de visite, aucune des filles du comte ne semblant vouloir s'accommoder de sa présence, mon frère dut battre en retraite. Dès lors, il fureta avec ses gardes du côté du Parlement où les affaires de sa mère se discutaient.

En effet, l'excommunication du comte de Buchan par l'évêque Bur était au cœur de tous les débats au

Conseil et il semblait n'y avoir plus d'autres questions à traiter que celle-là. Pour ma tutrice, cette condamnation de l'Église était une véritable bénédiction puisqu'elle était à elle seule un motif suffisant pour annuler un mariage. Je la voyais jubiler discrètement chaque fois que, au détour d'une conversation, on évoquait la vilenie de son mari. Mais à la fin de la semaine, Alasdair nous ramena une nouvelle qui sapa tous nos espoirs : le comte de Buchan avait fait appel de son excommunication auprès du plus influent évêque d'Écosse, l'évêque de St. Andrews, et ce dernier avait accepté de l'entendre. En apprenant cela, dame Euphémia pâlit sous le coup de la fureur. « Cela ne peut être! siffla-t-elle. Alexandre Stewart est un impie qui ne croit ni à Dieu ni à Diable : peu lui en chaut* d'être excommunié! Ce qu'il veut, c'est mon comté. Par tous les saints, va-t-il toujours s'en sortir ainsi? Finira-t-on par trouver quelqu'un dans ce pays capable de neutraliser mon mari? »

MacNèil se releva avec beaucoup de difficulté : ses pieds et ses poignets étaient entravés. La tête lui tournait et il dut prendre une profonde inspiration pour ne pas s'affaisser. Il examina lentement le cachot où on l'avait jeté : murs de pierre épais, sol de terre humide et malodorante ; un étroit soupirail pratiqué à un pied du plafond pour toute ouverture ; une lourde porte munie d'un petit guichet comme seul accès ; puis dans un coin, une couverture en lambeaux en guise de couche. Il grimaça de dépit, la tête bourdonnante du silence oppressant qui l'enveloppait.

Le chef cateran fit quelques pas pénibles et prudents vers la porte à laquelle il accola l'oreille. Pas un son ne lui parvint et il se laissa lentement glisser sur le sol en ayant soin de ne pas s'appuyer sur sa cheville enflée. Alternant entre des périodes de veille remplies de sa souffrance et des heures de totale inconscience, il n'aurait su dire depuis combien de temps il occupait cette nouvelle cellule. Son souvenir du transfert entre Elgin et Perth demeurait très imprécis et il se demandait si ses deux compagnons d'infortune, avec lesquels il avait été retiré des décombres dans l'enclos canonial puis serrés* en geôle, avaient suivi. «Les ont-ils amenés à Perth ou sont-ils restés à Elgin?» s'interrogea le prisonnier. Les caterans venaient de la côte ouest sur la mer des Hébrides et un lien fort les unissait. Les compères de MacNèil avaient insisté pour demeurer à ses côtés durant la razzia à Elgin et celui-ci regrettait maintenant la fatalité que leur avait méritée ce geste. Une vérité toute nue faisait son chemin dans l'esprit du chef: leur participation à tous trois dans l'incendie méritait la pendaison.

À vingt-neuf ans, MacNèil découvrait avec amertume qu'il avait touché le fond du puits. Dix années auparavant, quand son frère Parthalan, second fils Mac-Nèil, avait été reçu chevalier, suivant de près l'aîné Bryce, lui, le troisième fils de la maison, avait quitté le domaine familial. Sans autres biens qu'une claymore, un bon plaid jeté sur une chemise de lin et un cheval, il s'était joint aux jeunes rebelles du comté de Ross, qui comme lui n'étaient ni héritiers, ni soldats, ni en apprentissage d'un métier et qui, par conséquent, n'entretenaient aucun espoir pour leur avenir. Comme MacNèil jouissait d'un ascendant naturel, il était rapidement devenu le chef de la petite troupe vagabonde. Lui et ses compagnons n'étaient les hommes de personne, n'avaient ni foyer, ni toit, ni table. Ils n'obéissaient qu'à leur propre loi et leur désœuvrement les conduisit vite à semer le trouble de façon si efficace que les propriétaires des terres sur lesquelles ils chapardaient les associèrent à une horde de caterans à la solde de quelques seigneurs ennemis. C'est ainsi que MacNèil obtint ses premiers contrats de protection de la part de barons surtout intéressés à ne pas se mettre à dos la bande de gredins. Puis, en 1385, son association avec Alexandre Stewart transforma ses compères en une véritable unité de combat organisé, lui-même s'élevant au titre de chef cateran, sur le même pied que les capitaines du puissant comte.

Ne donnant ni ne recevant de nouvelles de sa famille durant toutes ses années d'errance, MacNèil n'était jamais retourné au domaine paternel à Mallaig. Quel qu'ait pu être son comportement, le jeune homme n'aurait pas encouru la considération de son père. Ce dernier, chef de clan, avait trop de fils pour les avantager tous et, comme bien des hommes, il avait choisi de miser sur ses deux aînés, au détriment des trois autres. Que ces derniers partent ou restent à Mallaig lui importait peu. Mais, des cinq fils, MacNèil avait été le seul à déserter son clan et le château de son père.

Le chef cateran plissa le front et tenta de rassembler les souvenirs qu'il gardait du domaine familial. Depuis le début de sa captivité, il avait pris l'habitude de meubler sa solitude par une observation minutieuse des pierres qui formaient les murs de son cachot. Pour oublier ses douleurs, il se prêta de nouveau à l'exercice. Peu à peu lui apparut le décor de son enfance: dans une aspérité du mur, le profil énergique de sa mère lui apparut; plus loin, dans un renflement, il revit le fauteuil de chef de clan de son père au milieu de leur salle d'armes; dans l'angle que le mur formait avec le sol, il imagina la pente rocailleuse qui menait des murs d'enceinte du château au petit port sur le détroit de Sleat. Étrangement, la simple évocation de la place forte de son clan apaisa les souffrances de MacNèil et l'endormit.

Le matin du 13 août 1390, au deuxième étage du castel où siégeait habituellement le Parlement à Perth, six hommes, les plus influents du royaume, en attendaient un septième: Walter Tay, évêque de St. Andrews. La réunion extraordinaire pour laquelle ils avaient été convoqués allait décider de l'appel du comte de Buchan et, selon une issue favorable à sa réhabilitation, permettre enfin l'inhumation du vieux roi défunt et le couronnement de son successeur, John de Carrick.

Le comte de Fife promena un regard scrutateur sur les membres de l'assemblée, cherchant à deviner qui soutiendrait la cause de son frère, Alexandre Stewart: le maréchal Keith, le comte de Mar, sir Malcom Drummond, ou sir Thomas Erskine? Puis, il termina son examen par son frère aîné, John de Carrick. L'homme, à la fin de la cinquantaine, parcourait le fond de la salle de son pas claudicant en épongeant son front ruisselant de sueur. Il semblait plus accablé que nerveux. Fife soupçonna que si Buchan recevait un appui, ce serait de ce côté qu'il viendrait.

Soudain la porte s'ouvrit pour livrer passage à l'évêque Walter Tay, flanqué de son secrétaire encombré de son écritoire. Dans leur sillage suivait un petit abbé courtaud et rougeaud, Bower, chroniqueur officiel de la cour, qui referma cérémonieusement la porte derrière lui. Puis, prenant place en retrait de la longue table, il décocha un sourire engageant au comte de Carrick qui ne lui accorda même pas un regard. L'abbé Bower adorait son métier et espérait vivement qu'il pourrait le conserver sous le règne du prochain monarque.

Au milieu d'une touffeur que l'air déversé par les larges fenêtres n'arrivait pas à chasser, la réunion menée par l'évêque put commencer. Comme Fife le craignait, son frère aîné demanda la parole le premier et produisit une lettre courroucée de Bur demandant réparation pour l'affront infligé à sa cathédrale :

« *Mon église était l'ornement du pays,* récita-t-il, *la gloire du royaume, la joie des étrangers et des voyageurs ; un objet de louanges en terres étrangères. Mais cette sainte Lanterne du Nord s'est éteinte et ne brillera plus, car on l'a brûlée…* »

Obnubilé par l'aspect de la lettre portant sur les vestiges de la cathédrale qu'il fallait absolument rebâtir, John de Carrick éluda la scélératesse du destructeur tout au long de la plaidoirie qu'il servit à ses auditeurs. Étonnamment, Walter Tay abonda dans le même sens, faisant valoir que l'incriminé avait proposé de prendre à sa charge tous les travaux de réparation de la cathédrale, ainsi que ceux de construction de toute amélioration ou agrandissement que Bur voudrait y apporter. Pour l'heure, l'offre était spectaculaire et spectaculaire elle se devait de l'être, car suspendre une excommunication relevait d'un prodige de diplomatie ecclésiastique.

Fife se mordit les lèvres sous sa moustache. Une telle présentation du repentir d'Alexandre Stewart par l'évêque de St. Andrews était de nature à rallier l'ensemble des seigneurs présents. En outre, cette solution avait l'avantage de ruiner l'excommunié s'il remplissait son engagement et de mettre un certain frein aux désordres qu'il causait. Le regard absent adopté par John de Carrick depuis que la parole était passée à d'autres convainquit Fife du bien-fondé d'un pardon à Buchan : s'il voulait continuer à occuper son poste de régent sous le règne de son frère, il fallait compter sur une paix entre les fils de la maison royale. Cependant, un aspect demeurait irrésolu avec l'arrangement soumis par l'évêque Tay : les responsables du forfait n'étaient pas châtiés.

« Son Éminence, mes seigneurs, souleva vivement Fife en s'adressant à l'un et aux autres, le crime odieux dont nous discutons a déjà encouru l'indignation de tout le royaume et personne n'a encore été puni. Une promesse de réfection de la cathédrale vous semble-t-elle satisfaisante, et le sera-t-elle aux yeux des Écossais ? Je vous le demande, ajouta-t-il en fixant John de Carrick, à vous qui allez être leur roi bientôt.

– Certes, vous avez raison, répondit Carrick en secouant sa torpeur. Mais nous détenons trois prisonniers en rapport avec ce raid : le shérif du district d'Elgin nous les a envoyés afin qu'ils soient condamnés ici. Nous allons évidemment les pendre : cela devrait convenir, n'est-ce pas ?

– Trois hommes sacrifiés pour un ravage qui aurait été perpétré par une vingtaine, voilà qui m'apparaît insuffisant, avança Fife. D'autant plus que le comte de Buchan embauche des caterans pour ses raids. Il doit avoir encore sous la main ceux qui ont donné l'assaut à Elgin...

— En effet, intervint l'évêque. Le comte de Buchan devra livrer les hommes qui ont participé au crime sous ses ordres. C'est un principe qui va de soi. Mon secrétaire va lui faire part de cette exigence dès aujourd'hui. Voilà, mes seigneurs, nous avons une entente : vous agrée-t-elle ? Pouvons-nous régler cette affaire ainsi et procéder aux cérémonies d'obsèques et de couronnement demain ? »

Les têtes s'inclinèrent toutes dans un signe d'assentiment. En dignes commissionnaires, le secrétaire de l'évêque et l'abbé Bower frémirent d'excitation et se jetèrent un regard de connivence en entendant la nouvelle pour laquelle tout le pays soupirait depuis quatre mois.

Je crois que, dès midi, la décision de l'évêque levant l'excommunication s'était répandue dans tout Perth et dame Euphémia était encore sous le choc de la nouvelle. Elle fulminait, pestait et succombait presque sous l'effet des bouffées de chaleur qui l'assaillaient. Elle avait refusé catégoriquement de rencontrer le messager du comte de Buchan quand il s'était fait annoncer. Comme Alasdair était retourné aux nouvelles au castel du Parlement, ce fut à moi qu'incomba la tâche de recevoir le coursier et d'entendre sa communication.

L'homme que ma tutrice m'avait demandé de voir à sa place n'était en fait qu'un jeunot. Tel qu'il m'apparut dans l'embrasure de la porte de notre pension, sans barbe, tête et jambes nues, je ne donnai pas dix-sept ans à ce Highlander qui baragouinait en gaélique. Il avait apparemment un message verbal pour la comtesse de la part de son mari, installé à Scone pour les obsèques de son père et le couronnement de son frère.

«Messire, lui dis-je en gaélique, la comtesse de Ross n'est pas en état de paraître. Je suis sa pupille et elle m'envoie à sa place. Voulez-vous me transmettre le message du comte?

– À la bonne heure! C'est vous que je voulais rencontrer, plus qu'elle», s'exclama-t-il effrontément.

Il me détailla avec un air encanaillé et un sourire ambigu, puis se présenta comme le fils aîné du comte de Buchan, portant le même nom que lui: un autre «Alexandre» qui me sembla posséder, en plus du nom, les manières frustes de son père. J'étais déjà indisposée à son endroit et peu encline à me montrer aimable, mais je fus carrément outragée en entendant la suite de son exposé, un projet aussi ahurissant que grotesque:

«Contre une dot de quatre-vingt-dix marcs versée par la comtesse de Ross à mon père, je vous épouse. Et c'est vous qui faites une bonne affaire...», énonça Alexandre fils sur un ton outrecuidant.

J'étais tellement abasourdie par cette annonce que j'entendis à peine les détails dont l'impudent continuait à m'abreuver avec désinvolture. Cependant, je compris bien qu'il ne s'agissait nullement d'une proposition de mariage, mais d'une décision que le comte de Buchan comptait faire entériner par son frère le lendemain, après le couronnement, dans la première session d'affaires courantes du nouveau monarque.

À la fin, me voyant pétrifiée, Alexandre Stewart fils s'avança vers moi, prit ma tête entre ses mains sales et plaqua ses lèvres sur les miennes. Son baiser gluant me révulsa le cœur. «Voilà un acompte: le reste, ça ira à demain!» lança-t-il en sortant de la pension d'un pas de conquérant. Je faillis bien suffoquer tellement mon sang bouillait après son départ. Comment allais-je présenter à ma tutrice ce plan insensé du comte de Buchan visant à me marier avec son fils? Mais surtout, comment pourra-t-elle s'y opposer? Il m'était intolérable de penser m'unir à ce bâtard.

«Mon goujat de mari est absolument infâme! vociféra ma tutrice quand je lui relatai mon entretien avec Alexandre fils. Vouloir financer la réparation de ses dégâts en m'extorquant de l'argent: voilà bien la dernière trouvaille de son esprit tordu!» Désemparée, je la regardais se démener devant la fenêtre, marchant de long en large et battant l'air de ses bras énergiques. À mon grand désarroi, je ne décelai rien dans son discours qui signifiât qu'elle s'objectait au mariage en tant que tel. Sur le coup, j'en conçus une grande affliction, puis, au fur et à mesure qu'elle exprimait son courroux, je saisis l'impasse dans laquelle nous plongeait son assujettissement d'épouse. La comtesse de Ross, depuis son remariage, avait perdu le pouvoir de décision sur les gens de sa maison, même sur moi. Seuls ses enfants échappaient à l'autorité de son second mari. Ainsi, les ententes de mariage pour moi relevaient de lui, et non d'elle.

Ma tutrice m'apprit que le testament de sir Walter Leslie m'allouait effectivement une somme de quatre-vingt-dix marcs pour constituer ma dot, ce qu'elle ne pouvait éviter d'honorer, quel que fût l'homme qu'on allait m'assigner pour époux. Ce mirobolant cadeau, qui, à l'origine, avait dû passer pour un geste d'une grande générosité de la part de sir Leslie, devenait maintenant l'acteur de mon malheur. Ma tutrice ne pouvait rien y faire, Alasdair non plus, et, bien qu'ils en fussent mortifiés l'un autant que l'autre, ils se résignèrent à me perdre par cet effarant revers de fortune.

Je ne dormis pas de la nuit, ressassant vainement les éléments de ce drame qui me comprimaient aussi sûrement qu'oignon dans sa pelure. J'abhorrais l'idée d'aller vivre à Lochindorb ou je ne sais en quel autre sordide lieu avec l'arrogant jouvenceau, et abandonner la comtesse m'affligeait plus que je n'aurais su le dire. Face au spectre de ma prochaine déchéance, j'imaginais des solutions désespérées me conduisant tantôt à m'enfuir, tantôt à me cloîtrer, quitte à retourner à Dinkeual après une période plus ou moins longue de « disparition ». Mais le matin du 14 août arriva sans que j'aie fermé l'œil ni trouvé d'issue pour surseoir à mon destin. Je m'extirpai du lit, épuisée et anéantie. Au premier regard lancé à dame Euphémia, je découvris les traces de pleurs sur son visage chiffonné et compris que notre chagrin était identique. Pour ne pas l'accabler davantage, je me composai un air impassible qui ne me quitta pas de la journée.

L'abbaye des Augustins, où l'inhumation et le couronnement devaient avoir lieu, était située dans l'enceinte du palais de Scone, à un peu moins de deux miles de Perth. Tout au long du trajet nous y conduisant, nous gardâmes le silence, ma tutrice et moi. Alasdair, qui précédait notre voiture avec ses hommes d'armes à cheval, affichait un air sombre que j'interprétai comme de l'affliction. Je n'arrivai pas à m'intéresser au paysage pourtant baigné d'une lumière radieuse, car mon esprit fébrile était préoccupé par la perspective désolante de mon prochain mariage. D'ailleurs, il me fut tout autant impossible de me concentrer sur la cérémonie solennelle de l'inhumation du vieux Robert II, ni sur celle, un peu escamotée, du sacre de John Stewart, comte de Carrick. Quand celui-ci reçut sa couronne des mains de l'évêque, c'est à peine si je saisis qu'il porterait le nom de Robert III au lieu de John II. Il en avait été décidé ainsi pour éviter de prendre un nom fâcheusement associé à l'impopulaire normand John de Baliol, roi durant un court règne de quatre ans au siècle précédent.

Alasdair avait manœuvré afin que la comtesse et moi-même ne soyons pas placées près des membres de la famille royale, si bien que, d'où j'étais, je ne pouvais apercevoir mon futur beau-père, ni son fils. Je ne les vis qu'après le couronnement, dans le cortège accompagnant le nouveau souverain de l'abbaye au palais pour assister à la première session de son règne. Bien qu'Alexandre fils demeurât à bonne distance de nous, parmi les hommes entourant le comte de Buchan, il me fixait avec un air de défi qui me fit frémir d'une rage contenue. Alasdair veillait à maintenir l'écart que l'escorte du comte avait avec notre groupe et il réussit à nous soustraire de leur proximité quand nous prîmes place dans les estrades placées de part et d'autre de la cour intérieure du palais. Il nous guida dans la première rangée du champ droit parmi les dames et les ecclésiastiques alors que le comte de Buchan et les dignitaires se dirigeaient vers les tribunes du champ gauche.

Afin d'éviter de regarder les occupants de l'estrade en face de moi et de dévisager le comte de Buchan et son fils, je me concentrai sur l'estrade d'honneur dressée à la tête de la cour. Coiffé de son diadème royal, Robert III prit lentement place sous le dais, flanqué à sa droite des évêques Tay et Bur et, à sa gauche, de son épouse, la reine Annabella et du régent du royaume, le comte de Fife. De toutes les étoffes qui scintillaient sur ces éminents personnages, je trouvai que les vêtements du roi étaient les moins admirables et ceux des évêques, les plus somptueux ; en m'attardant aux visages, je surpris une mine ennuyée chez le roi, alors que tous les autres affichaient un air de superbe. Tout en examinant ainsi la tribune royale, je prêtai attention aux commentaires qu'un abbé courtaud faisait à dame Euphémia sur les différentes procédures. Je compris que ce personnage particulièrement bien informé agissait à titre de chroniqueur royal et s'était placé là afin de ne rien manquer de la session.

Celle-ci se tint uniquement en langue scot, contrairement aux cérémonies précédentes qui s'étaient déroulées en partie en scot et en partie en latin. Elle commença par plusieurs nominations, dont le titre de comte de Carrick que le nouveau roi abandonnait au profit de son fils, le prince David âgé de douze ans ; puis le mandat de régent du comte de Fife qui devait prendre fin avec le décès de Robert II et qui fut reconduit pour une période de trois ans ; vint ensuite une fastidieuse déclaration de renouvellement de l'alliance entre l'Écosse et la France.

Tendue à l'extrême, j'attendais l'annonce des unions proclamées par la Couronne, mais elle semblait avoir été reportée à la fin de la session, car suivit une série de jugements prononcés par le chambellan grimpé sur la tribune à la dernière minute. Sur le sol poussiéreux devant la chaire royale où s'étaient présentés tour à tour les nominés durant la partie précédente de la session, nous vîmes alors défiler les accusés trouvés coupables ces derniers mois dans le district de Perth. Neuf marchands, propriétaires et apprentis ouvriers vinrent écouter, sans grande émotion, une sentence qu'ils connaissaient déjà. Le dernier jugement fit entrer dans la cour, sous bonne escorte, huit prisonniers accusés d'avoir profané les lieux saints de la cathédrale d'Elgin. Ma tutrice ne put retenir un échange de propos acides sur le compte de son mari avec le chroniqueur : « Ce ne sont pas ces pauvres hères qui devraient pâtir pour ce méfait, mais leur maître !

– Vous avez parfaitement raison, ma dame, répliqua l'abbé, qui n'avait visiblement pas identifié ma tutrice. Ces hommes-là sont des caterans à la solde du véritable responsable. Mis à part leur chef, un dénommé MacNèil, sur qui on aurait découvert un objet incriminant ayant appartenu à l'évêque Bur, rien ne prouve qu'ils sont entrés dans la cathédrale… Ce serait davantage les capitaines du comte qui ont perpétré le crime. Mais ceux-là, il ne les a pas livrés.

– Et bien sûr, personne ne s'élèvera contre cette injustice flagrante, poursuivit ma tutrice amèrement. On se contentera de ces innocents pour éviter de punir le coupable.

– S'ils n'ont pas mis les pieds dans la cathédrale, ils ont tout de même incendié l'enclos canonial, ne l'oublions pas. Ils ne sont ni aussi innocents ni aussi mécréants qu'il y paraît. Pour les soustraire à la potence, à ce stade-ci de l'exécution, je ne vois guère que le pardon royal des époux et je serais étonné qu'il se trouve dans cette assemblée huit femmes désireuses de les prendre comme maris...

– Qu'est-ce à dire?

– Bien voilà: il s'agit d'une vieille coutume monarchique anglo-normande selon laquelle tout sujet de Sa Majesté peut demander l'annulation de la peine d'un condamné en s'engageant à l'épouser. La dernière fois que ce genre de pardon a été invoqué, c'était sous Alexandre III, je crois. Il faudrait que je vérifie pour en être sûr...»

Dès que j'avais entendu le mot «MacNèil», le nom du chef cateran, j'avais rougi et mon pouls s'était affolé. N'écoutant plus ce que se disaient la comtesse et l'abbé, je tentai de retrouver mon poursuivant de Dinkeual parmi les hommes entravés qui avançaient à la queue leu leu. Ils se traînaient, en haillons, les pieds et la tête nus et ce me fut impossible d'identifier celui que je connaissais tant les condamnés étaient en piteux état. Cependant, je fus frappée par l'attitude digne qu'ils conservaient malgré tout en marchant au-devant de leur condamnation à mort. Mon regard glissa vers l'estrade des comtes, barons et dignitaires et la vue des deux Alexandre Stewart souriants me fit trembler de colère.

Dans un silence gêné de l'assistance, le chambellan termina le prononcé de la peine de pendaison pour les huit caterans. L'intérêt de l'assemblée allait de l'évêque d'Elgin au comte de Buchan: pour le premier, un air revêche accueillit la condamnation, pour l'autre, une figure décontractée et placide. Un moment d'hésitation passa dans les yeux rougis de Robert III et un rictus tordit sa bouche. Soudain, un cri de femme se fit entendre: «Clémence, Majesté! Clémence! Je réclame le pardon royal des époux.» Tous les regards convergèrent aux estrades où une jeune femme se frayait un chemin dans la première rangée. Petite et élégante, le buste dressé et le nez retroussé pointé en l'air, elle s'avança d'un pas décidé jusqu'aux gardes qui protégeaient l'accès à la tribune du roi, tandis que celui-ci demandait au chambellan de l'identifier. C'est l'évêque Bur qui la reconnut le premier: «C'est la pupille de la comtesse de Ross, Majesté. Je crois que vous devriez l'entendre...»

Robert III se redressa sur son siège et examina l'arrivante courbée en une profonde révérence, et après un bref coup d'œil au comte de Fife, il lui accorda la parole: «Que voulez-vous? Pourquoi invoquez-vous ma clémence?

– Majesté, intervint aussitôt le chambellan, les caterans ont été jugés par la cour royale, vous ne pouvez pas défaire ce jugement.

– Je le sais! siffla le roi en direction du chambellan. Je veux entendre la requête de cette dame: qu'elle l'exprime!

– Votre Grâce, dit la pupille de la comtesse de Ross en se relevant, loin de moi l'idée de douter de la qualité des juges de votre cour, et encore moins de la vôtre. Je ne demande pas votre indulgence pour tous ces hommes, mais pour un seul d'entre eux. Je veux le prendre comme époux. Accordez-moi la vie de cet homme. C'est votre prérogative que d'accorder le pardon royal des époux.

– Qu'est cela? Quel pardon royal des époux?» bougonna Robert III.

Contrarié de ne pas comprendre, il se tourna vivement vers la droite, puis vers la gauche, cherchant une explication auprès de ceux qui l'entouraient. Le comte de Fife consultait le chambellan, les évêques Tay et Bur discutaient ensemble et la reine Annabella scrutait l'estrade à la recherche de sa belle-sœur, la comtesse de Ross. Quant aux prisonniers qui étaient trop éloignés de la tribune pour saisir les échanges, ils fixaient incrédules la jeune femme qui demandait clémence au roi.

MacNèil secoua la tête afin de dégager les cheveux qui lui obstruaient la vue. Depuis sa sortie du cachot, toutes ses énergies visaient à le maintenir debout. Sa cheville avait doublé de volume et chaque mouvement lui infligeait une douleur qui irradiait jusque dans le dos. Il fit un bref inventaire de ses compagnons autour de lui, puis tourna la tête du côté des estrades, à la recherche du comte de Buchan : à la différence de ses hommes, il ne s'intéressait pas à la femme écervelée qui haranguait la tribune royale pour réclamer un improbable pardon.

Durant les consultations occultes qui se poursuivirent autour du roi, la reine Annabella, intriguée, descendit de la tribune et rejoignit la requérante qu'elle connaissait pour l'avoir rencontrée à quelques reprises. «Vous n'êtes pas sans ressources, ma chère. Votre tutrice peut vous trouver n'importe quel bon parti. Pourquoi donc voulez-vous épouser un condamné? lui demanda-t-elle avec un sourire.

— Majesté, fit la pupille de Ross avec une légère révérence. C'est le comte de Buchan qui me choisit un époux. Je préfère sauver la vie d'un criminel assujetti à l'autorité d'autrui que de m'unir au fils d'un criminel exerçant cette funeste autorité.

« – Je vois : vous tentez le tout pour le tout pour éviter d'aller vivre à Lochindorb… Remarquable ! Est-il à ce point désespérant d'épouser mon neveu, bâtard il est vrai, que vous n'ayez d'autre choix que de prendre un cateran promis à la potence ?

– Majesté, en prenant ce Highlander comme époux, le royaume perdra un cateran et gagnera un fidèle sujet qui aura contracté une dette infinie envers son souverain.

– Ma dame, vous ne semblez pas douter qu'il vous suffira d'épouser un sacripant pour le transformer en féal. Dois-je présumer que vous connaissez déjà le condamné que vous réclamez ? »

La reine n'attendit pas la réponse de la jeune femme et remonta aux côtés de son époux à l'oreille duquel elle se pencha. Sur la tribune, l'évêque Bur avait eu le temps de rappeler aux autres hommes la règle ancestrale des prononcés de sentence faisant appel à la magnanimité du roi qui accorde la grâce à un criminel réclamé en mariage.

Chaque fibre de son corps tendue à l'extrême, MacNèil observait Buchan derrière la frange de cheveux qui lui barrait le front. Si ses yeux avaient pu lancer des flèches, le comte serait mort, la poitrine criblée comme une cible de paille. Le seul regret du chef cateran était de ne pas pouvoir venger la livraison de ses compères par Alexandre Stewart et il frémissait de dégoût en pensant à la lâcheté du frère du roi. Soudain, la voix tonnante du chambellan s'éleva et MacNèil reporta son attention à la tribune royale : « Sa Majesté Robert III accorde à damoiselle Lite, pupille de dame Euphémia Ross, la vie d'un condamné pour le prendre comme mari. Que les détenus se redressent afin qu'elle fasse sa sélection !

– Je m'y oppose! s'écria aussitôt le comte de Buchan. Cette jeune femme est promise à mon fils. Chambellan, regardez bien, vous verrez son nom sur la liste des unions à proclamer...

– Silence, Buchan! Tu t'adresses au roi! lança le comte de Fife. Damoiselle Lite a fait une requête qui a été acceptée par le roi des Écossais. Nul ne peut s'y objecter.» Il se tourna vers la jeune femme et ajouta: «Allez-y maintenant, Lite, choisissez votre homme, qu'on passe à un autre point.»

Le regard malveillant que le comte de Buchan darda sur moi me glaça jusqu'aux os. Nul doute qu'il me ferait payer ma désaffection à la première occasion. J'anticipais également que sa colère viserait ma tutrice. Aussi ne devais-je pas me tromper dans mon choix et devais-je sauver l'homme capable de vouer au comte une haine équivalente à la mienne. Je me devais de retrouver MacNèil, le chef cateran. J'inspirai profondément et me dirigeai d'un pas peu assuré vers le groupe des détenus répartis sur deux rangs. Ces derniers me fixaient avec des yeux suppliants et j'eus peine à les dévisager tout en évitant de regarder en direction de dame Euphémia et d'Alasdair. Je ne voulais pas surprendre chez eux le moindre signe qui témoignerait de leur désapprobation. J'avais besoin de croire qu'ils appuyaient ma décision aussi subite qu'ultime afin d'éviter le mariage avec Alexandre Stewart fils. Pour mener à bien ma destinée sans nuire à la leur, j'avais indéniablement besoin de leur accord.

D'un seul coup d'œil, je sus que MacNèil ne se trouvait pas parmi les quatre hommes du premier rang qui étaient tous trop grands. Je passai donc au second alignement sans m'attarder, mais, au passage, j'entendis les murmures d'imploration des prisonniers qui voulaient être sauvés par mon choix. Mon cœur se serra. Chacun d'eux méritait de vivre et j'étais celle qui pouvait accomplir le miracle d'en réchapper un seul. Je baissai la tête et fermai les yeux d'amertume en m'arrêtant devant les quatre hommes suivants. Quand je les rouvris, je vis leurs pieds nus et la cheville violacée et enflée de l'un d'eux me frappa immédiatement. Mon regard remonta lentement jusqu'à sa tête et, tandis que je notais la maigreur de ses membres effilés, mon pouls s'accéléra : les longs cheveux gommés d'un roux presque blond recouvraient tout le visage du détenu. D'une main tremblante, je dégageai les yeux que je découvris bleu pâle et qui me fixaient d'un air énigmatique. «La belle Hermine de Ross se cherche un mari?» fit-il tout bas en gaélique.

Je retirai aussitôt ma main, comme si ce toucher m'avait brûlé les doigts. «C'est MacNèil!» pensai-je. Embarrassée, je ne sus quelle contenance adopter et je me retournai en direction de la tribune pour signifier mon choix; mais la voix me manqua. Le chambellan réagit aussitôt en s'objectant: «Majesté, pas celui-là! C'est leur chef et, ajouta-t-il en se tournant vers l'évêque Bur, il avait votre médaille épiscopale dans sa ceinture, Votre Éminence. S'il y en a un seul qui doit être pendu, c'est précisément cet homme…»

La protestation du chambellan et surtout l'instant de flottement qui la suivit parmi les membres de la tribune royale firent naître la panique en moi: il fallait absolument qu'on m'accordât la vie de MacNèil et non pas celle d'un des autres caterans. Reculant d'un pas devant lui, je fis écran de mon corps et tendis les bras en signe de protection :

« Majesté, je réclame cet homme, m'écriai-je. Quel qu'il soit aux yeux de la cour, je réponds de lui. Donnez-le-moi pour époux et vous n'aurez pas plus fidèle sujet !

– Comment peux-tu t'avancer de la sorte, l'Hermine ? susurra MacNèil à mon oreille. Depuis quand les maris obéissent-ils à leur femme ?

– Depuis que l'épouse arrache l'époux aux dents de la mort, cateran ! » lui répondis-je en ouvrant à peine la bouche.

L'affolement qui s'était emparé de moi l'instant d'avant se mua en colère : ce prétentieux en position des plus précaires croyait m'en imposer avec ses intimidations. Je ne bronchai pas de ma position et portai mon attention aux hommes en discussion sur la tribune royale. On semblait consulter l'évêque de Moray qui faisait des signes de dénégation. Au bout d'un moment, Robert III leva une main lasse à l'intention du chambellan et ce dernier se tut avec une moue résignée. Le comte de Fife s'avança alors et annonça la décision du roi qui était en ma faveur : on me donnait MacNèil pour époux et c'est l'évêque Bur, le principal lésé dans l'affaire, qui allait bénir l'union.

Je soupirai d'aise et laissai retomber mes bras. Tandis que des gardes vidaient la place des sept caterans qu'ils escortaient vers les cachots pour la pendaison le lendemain, un autre vint détacher les entraves des pieds et des poings de MacNèil toujours derrière moi. « Merci, belle Hermine, murmura-t-il. Je te dois la vie mais je ne comprends pas ton choix. Et surtout, la raison qui oblige la pupille de la comtesse à se marier avec un gibier de potence.

– Nous en reparlerons», lui dis-je avec humeur.

Un seul regard en direction des deux Alexandre Stewart m'apprit que les problèmes commençaient à se fomenter de ce côté; et un autre jeté sur dame Euphémia et son fils, tous les deux très pâles, me révéla l'ampleur des représailles qu'ils anticipaient du leur. Néanmoins, je me dirigeai vers eux en soutenant MacNèil qui s'appuyait sur mon épaule pour marcher et ils me firent un accueil chaleureux. En effet, dès que nous les eûmes rejoints, Alasdair me délesta du cateran et ma tutrice me donna une forte brassée*.

«Lite, quittons Scone tandis que mon mari y est retenu par le cérémonial, me dit-elle, le souffle court. Ne perdons pas de temps!

– Mais l'évêque ne doit-il pas officier le mariage avant? rétorquai-je.

– Rien ne prescrit que l'union doit avoir lieu sur-le-champ, hâtons-nous!

– Au contraire, fit MacNèil en s'adressant directement à la comtesse, cette fois en langue scot, restons ici, ma dame. Si c'est une intervention de votre mari que vous craignez, cette assemblée vous protège. Il ne tentera rien sur vous tant que vous demeurerez au palais de Scone… Plus tard, vous vous arrangerez pour partir en même temps que l'évêque Bur, à l'intérieur de son escorte même, si c'est possible…

– Il a raison, mère», ajouta Alasdair, qui se demandait bien comment il arriverait à assurer notre sécurité avec notre maigre milice de trois hommes.

MacNèil dégageait une odeur épouvantable et je m'en éloignai de quelques pas. Ce faisant, je fus interceptée par le chroniqueur de la cour qui me requérait de répondre aux questions qui lui brûlaient les lèvres depuis ma sortie à la tribune royale. Je n'osai refuser de le renseigner, mais lui tus les motifs pécuniaires qui formaient le véritable enjeu pour le comte de Buchan et ma profonde répugnance pour ce dernier et son fils. Durant mes explications, je surpris un regard interrogateur de MacNèil posé sur moi. La comtesse et Alasdair avaient apparemment décidé de rester sur place et j'en fus contrariée : maintenant que j'avais réussi mon coup, un étrange malaise m'habitait.

Le chef cateran détailla la jeune femme qui l'avait épargné, se demandant à quel saint il devait l'inespéré revers du destin qui le transformait de condamné en fiancé. Durant la dernière heure, il était passé par toute une gamme de sentiments et il ne savait plus très bien ce qu'il éprouvait : d'abord le désespoir de subir sa condamnation à mort, puis était montée en lui une haine terrible pour le comte de Buchan ; celle-ci avait laissé place à une espérance démesurée à la perspective d'être sauvé ; ensuite, une vive curiosité pour la pupille de Ross avait accaparé ses pensées pour finalement le plonger dans la souffrance de voir ses compagnons emmenés pour être livrés au bourreau.

Alors qu'il était entouré de la délégation de la comtesse de Ross, son esprit pratique explora l'avenir inexplicable et inattendu qui s'offrait à lui. Sa future vie lui apparaissait maintenant sous les traits d'une jeune femme menue et déterminée qui avait promis au roi sa réhabilitation. MacNèil ne put réprimer un sourire en se souvenant de sa rencontre avec la pupille de Ross sur le toit de Dinkeual: était-ce possible qu'elle regrettât d'avoir refusé ses avances? Comme cette hypothèse lui apparut saugrenue, il dirigea son regard vers l'estrade d'en face où il croisa celui de son rival. Cette fois, les traits du cateran se durcirent et n'exprimèrent plus que le mépris. Le comte de Buchan mit alors la main sur le manche de sa claymore et rejeta la tête en arrière avec défi. La guerre entre les deux hommes venait d'être déclarée subrepticement, mais la manœuvre n'avait échappé ni à Alasdair ni à la comtesse. Le fils et la mère déglutirent avec peine et choisirent de se soustraire à la vue de l'infâme comte. Faisant signe à leurs gens, ils entreprirent de quitter leur rang et de retraiter à l'intérieur du palais.

Là, une foule bigarrée composée de nobles, de dignitaires et de plusieurs membres du personnel de la maison royale musardait à la fraîche des murs. Certains parmi eux séjournaient au palais de Scone depuis des semaines, voire des mois, dont le médecin du vieux roi défunt qui avait accompagné la dépouille mortelle jusqu'au lieu de son enterrement. La comtesse de Ross le reconnut aussitôt et entraîna sa suite vers lui d'un pas résolu. «Maître Finch, le héla-t-elle, comme je suis heureuse de vous revoir! Il y a si longtemps que vous étiez cantonné à Dundonald qu'on se demandait si vous reviendriez au Parlement...

– Mes hommages, comtesse, fit le médecin, qui s'inclina en jetant un regard suspect sur le groupe qui l'entourait.

– Nous venons de faire œuvre de charité en sauvant un malheureux du gibet et il est fort mal en point, poursuivit la comtesse. Vous me rendriez un énorme service si vous pouviez l'examiner céans et voir ce qui se passe avec son pied…»

Ce disant, la comtesse s'effaça devant son fils au cou duquel se pendait MacNèil. Le médecin était un être débonnaire et charitable, et il ne fit aucune difficulté à satisfaire à la demande de la comtesse de Ross. Se penchant très brièvement au-dessus de la blessure, il diagnostiqua une fracture de la cheville et, du même souffle, il offrit de la réduire dans une pièce attenante au hall. La minute suivante, tout le groupe l'y avait suivi. Là, l'infatigable comtesse repéra le nécessaire pour débarbouiller le blessé et le vêtir en propre et, avant de quitter l'appartement avec sa pupille, elle ordonna à son fils de s'en occuper : «Lite et moi vous attendrons à côté. Ramène-le dans une tenue présentable et dédommage Finch généreusement. Ah, j'oubliais! Prête-moi ta bague, Alasdair; je passerai l'une des miennes à Lite : il serait plus prudent de les marier avant notre retour à Perth. Je vais surveiller la fin de la session et tâcher d'intercepter Son Éminence Bur dans ce but. Espérons que le comte de Buchan se tiendra tranquille encore une petite heure. »

CHAPITRE III

UN MARI DE CIRE BLANCHE

D ésemparée devant ma subite décision et la vitesse
avec laquelle les événements s'enchaînaient, je
n'avais pas ouvert la bouche depuis notre départ des
estrades dans la cour du palais. Dame Euphémia s'empara de mon bras énergiquement et nous sortîmes de la
loge de messire Finch. Elle prenait les choses en main
de sa manière déterminée et efficace, et je l'observais discrètement, prête à engager la discussion que ma conduite
ne tarderait pas à soulever avec elle. Mais, pour l'instant,
la comtesse de Ross ne semblait pas solliciter d'explications de ma part, toute tournée qu'elle était vers son
plan.

Durant l'heure qui suivit, elle garda un œil sur l'entrée de la grand-salle et un autre sur les allées et venues
de seigneurs et commerçants qu'elle interpellait au passage. Par les questions qu'elle leur posa, je compris qu'elle
préparait ma fuite : ainsi, elle négocia avec un banquier
une lettre de change pour ma dot de quatre-vingt-dix
marcs ; avec un avocat, un contrat de mariage et auprès
d'autres seigneurs, elle enquêta sur MacNèil, sur le clan

auquel appartenait sa famille, leur place forte et le nom de son père. « Ce n'est pas tout d'échapper au fils de mon mari, me glissa-t-elle. Il faut s'assurer que ton futur époux est en mesure de te mettre à l'abri dans un endroit sûr. Tu le sais, Lite, tu ne peux pas revenir vivre à Dinkeual. C'est là que le comte viendra te punir de t'être affranchie sans son consentement. Je suis infiniment triste de me séparer de toi, mais je suis en même temps soulagée que tu aies trouvé le moyen de t'éviter Lochindorb. Ce n'est pas un endroit pour toi. Ah, que non! Cette forteresse sur cette île est tout à fait damnée. »

Cette dernière remarque me fit frémir et, le cœur débordant de gratitude pour sa compréhension, je cachai mon désarroi quand elle me serra contre elle.

Les quelques informations que nous glanâmes sur le clan MacNèil des Highlands vinrent d'un armateur, marchand en denrées. Il nous rapporta que la seule famille MacNèil de sa connaissance était établie sur le détroit de Sleat, opérait une fabrique de sel tiré de marais salants, était rattachée au clan du même nom qui avait pour chef un certain Mànas, propriétaire de troupeaux de bœufs et d'un bon château et qui avait perdu son fils aîné dans la bataille d'Otterburn. Ce dernier détail plut beaucoup à dame Euphémia : la bataille d'Otterburn, survenue sur la frontière anglaise voilà deux années, avait fauché nombre d'Écossais recrutés dans tous les coins du pays et plus d'une famille s'était vue amputée d'un ou de plusieurs fils sacrifiés à cette cause. « Si ton cateran appartient à cette famille, supputa-t-elle, il pourrait bien être devenu héritier du domaine grâce au décès de son frère… Ce n'est pas négligeable, Lite. Tu as peut-être fait une meilleure prise qu'il n'y paraît… »

Je grimaçai en entendant le possessif qu'elle employa pour désigner MacNèil : «ton» cateran. «Ma prise», selon ses termes, ne m'inspirait guère de sympathie, nulle estime et je ne lui trouvais aucun attrait particulier. Bien au contraire, j'éprouvais un peu d'aversion pour l'homme que j'avais choisi de sauver afin d'échapper au mauvais traitement d'un autre. Il m'était tout à coup pénible d'envisager MacNèil comme l'être auquel je me lierais pour la vie. Ma répugnance devait encore transparaître sur mes traits quand MacNèil sortit du cabinet de messire Finch avec Alasdair, car il évita mon regard d'un air vexé. Je fus cependant surprise par sa transformation : ses longs cheveux mouillés étaient attachés sur sa nuque et découvraient un visage lisse et rasé, des joues creuses, un nez fin et droit, un menton fort et des lèvres minces, crispées par l'effort. Une cape de laine jetée sur un surcot de serge brune piqué au col était complétée par une large ceinture de cuir noir et par des molletières à bandelettes qui enveloppaient ses longues jambes. Alors qu'une bottine chaussait son pied droit, le gauche était enserré dans une sorte de heuse* pleine et raidie qui lui montait jusqu'au genou. Elle devait probablement renfermer des éclisses destinées à immobiliser sa cheville, car le tout semblait très rigide. D'ailleurs, MacNèil se portait sur ce pied et se déplaçait, lentement, il est vrai, mais sans l'aide d'Alasdair.

Dès qu'elle les vit, ma tutrice s'approcha d'eux et Alasdair lui fit part qu'à la demande de MacNèil il voulait lui procurer une arme avant de quitter Scone : «J'ai sûrement le temps de trouver quelque chose pour l'équiper sommairement, insista Alasdair. Je vais vous laisser ici avec nos hommes : il ne peut rien vous arriver dans cette salle, et puis, il faudrait leur permettre de faire connaissance, Lite et lui, avant que Bur les unisse...»

Nous n'eûmes guère le temps de causer, MacNèil et moi, car une pluie soudaine interrompit la session dans la cour qui se vida au profit de la grand-salle où nous fûmes refoulés dans un coin. Les membres de la tribune royale ne parurent pas, mais montèrent directement à l'étage pour le banquet avec les dignitaires. Seul le chambellan, après nous avoir repérés, se fraya un passage jusqu'à nous. Il venait s'assurer que nous nous tenions à la disposition de l'évêque pour le mariage, ce à quoi dame Euphémia fut bien aise de répondre en exhibant le certificat qu'elle avait fait rédiger à la sauvette par l'avocat, et deux alliances qu'elle sortit de son aumônière.

«Nous sommes prêts, maître, lança-t-elle. Voyez plutôt: document officiel, anneaux, ma pupille et votre cher chef cateran sont tous les deux ici, c'est complet et nous n'attendons plus que le bon vouloir de Son Éminence!

– Il n'a pas l'intention de s'éterniser à table et il vous fait dire qu'il va descendre dès qu'il..., commença le chambellan d'un air bougon.

– Dans ce cas, pourrait-il rapporter quelques morceaux de volaille? l'interrompit MacNèil avec effronterie. Je n'ai rien avalé depuis des jours et je sens que je vais défaillir si je ne me mets rien sous la dent.

– Un gobelet de vin aussi peut-être, notre condamné doit être assoiffé..., sifflai-je sarcastiquement en le fixant dans les yeux.

– De la bière ou du uisge-beatha*, cela me plairait davantage, dit-il en soutenant mon regard avec ironie.

– Impudent! Où te crois-tu pour réclamer quelque chose? À l'auberge? Dans les cuisines de Lochindorb?

Te voilà propret, vêtu de pied en cap, la cheville réta-blie, le baudrier bientôt garni, et tout ça grâce aux bon-tés de la comtesse de Ross et tu oses encore mendier ?» fis-je en m'avançant furieuse devant lui.

Devant la véhémence de mon intervention, ma tutrice recula avec le chambellan qu'elle avait empoigné par le bras pour l'éloigner. Je demeurai seule, frémis-sante de colère face à MacNèil qui me souriait d'un air imperturbable.

«Ne te fâche pas, l'Hermine, fit-il tout bas. Je ne quémande pas : je dis seulement que j'ai faim. Je sais très bien que je dois tout ce que j'ai à ta tutrice et à son fils, et qu'à toi je suis redevable de la vie même que le Créateur m'a donnée. Vois, je suis repentant. Et si tu con-tinues à me lancer des éclairs avec tes yeux de velours bleu, je vais tomber foudroyé...»

Ma main réagit plus vite que ma pensée et une gifle magistrale s'abattit sur la joue de MacNèil qui tourna la tête sous le choc. Les personnes dans notre entourage immédiat cessèrent de parler et dirigèrent leurs regards vers nous. Je me sentis aussitôt épiée. MacNèil saisit mon poignet avec la même force dont il avait usé sur le toit de Dinkeual et rapprocha son corps si près du mien que je sentis son haleine sur ma tempe quand il répli-qua d'une voix sourde et menaçante : «Il suffit mainte-nant. Tu vas me dire ce que toi, la comtesse ou son fils me voulez et pourquoi tu t'abaisses à m'épouser.

– Est-ce que je m'abaisse vraiment, MacNèil ? Je suis la fille d'une servante qui n'avait pas de mari. Toi, qui sont tes parents ?» lui répondis-je avec défi.

Il me lâcha aussitôt et détourna la tête. Au silence qui suivit, je devinai que ses origines ou son passé l'embarrassaient. Il n'était peut-être pas lié au chef de clan MacNèil, mais à une autre famille pire que celle du comte de Buchan... Je commençai à nourrir des appréhensions et cessai la conversation. Je demandai à un homme d'Alasdair, qui se trouvait près de nous, de dénicher quelque nourriture pour MacNèil et je l'abandonnai là pour retourner auprès de la comtesse. Le chambellan l'avait quittée et, voyant ma mine préoccupée, elle me prit vivement les mains et tenta de me réconforter.

Une autre bonne heure s'écoula ainsi, dans une attente oppressante. Notre groupe repéra des bancs libres dans un angle de la salle où nous prîmes place. Je demeurai avec ma tutrice, tandis que MacNèil fut encadré par Alasdair qui lui avait acheté une longue dague et par un de nos hommes qui rapportait du pain et du fromage que nous partageâmes. À sa manière d'engloutir les vivres, je compris que le cateran était véritablement affamé. En le regardant, je l'imaginai dans des conditions horribles de détention et un sentiment de compassion m'effleura. Je résolus de répondre à la question qu'il m'avait posée dès qu'un échange avec lui serait de nouveau possible. Cela advint quand le secrétaire de l'évêque Bur vint nous quérir pour nous rendre dans la petite chapelle à l'autre bout du palais où allait avoir lieu la bénédiction de mariage. En nous y acheminant, je marchai aux côtés de MacNèil et lui adressai la parole en gaélique d'une voix que je voulus calme, malgré ma nervosité :

« MacNèil, lui dis-je, le comte de Buchan a décidé de me donner en mariage à son fils pour mettre la main sur la dot que sir Leslie m'avait constituée avant de mourir. Ma tutrice et moi l'avons appris hier seulement, de sorte que nous n'avions pas d'issue pour éviter cette union détestable. Si, dans l'ordre de la session qui s'est déroulée tout à l'heure, les condamnations à mort avaient été placées après la proclamation des alliances, je n'aurais pas pu invoquer la clémence du roi pour te réclamer comme époux. Tu irais au gibet avec tes compères et, moi, je serais promise à Alexandre Stewart fils, en vertu d'une déclaration royale.

– ...

– Disons que j'ai joué mon destin et le tien pour contrer les plans du mari de la comtesse de Ross, ajoutai-je devant son silence.

– J'ai très bien compris que la comtesse et Buchan se font la guerre, dit-il. Mais toi, tu avais le choix entre huit condamnés. Pourquoi avoir pris le plus mal en point?

– Parce que tu es probablement celui qui souhaite le plus se venger du comte. Cet homme me répugne tout autant que son fils. Avec l'affront que je viens de leur faire subir, je deviens leur prochaine cible et je ne donne pas cher de ma vie si je reste dans les parages sans protecteur. Ma tutrice et son fils ne peuvent plus jouer ce rôle désormais. MacNèil, je serai honnête avec toi, je t'épouse pour que tu me défendes et que tu me mettes hors de la portée du comte de Buchan. Je compte sur ton propre désir de vengeance : voilà pourquoi c'est toi que j'ai choisi de sauver de la potence.

– Ton calcul est bon, l'Hermine. S'il y a une seule tête que je voudrais voir fichée sur une pique, c'est celle du Loup de Badenoch. Alors, côté vengeance, je suis ton homme. Ta dot doit être rondelette pour l'attirer : à combien se chiffre-t-elle?

« – Écoute, MacNèil, ce n'est pas un contrat de cateran que je passe avec toi : tu ne gagnes pas une somme
d'argent pour éliminer mon prédateur. Je t'ai sauvé la
vie pour que tu protèges la mienne et ma dot va nous
servir à m'installer à l'abri dans une place forte éloignée
de ses territoires. C'est ça, le véritable programme de
notre mariage. Est-ce clair ? Crois-tu être en mesure de
remplir ta part de mission ?

– Je devrais pouvoir me débrouiller, l'Hermine. Je
serais d'ailleurs bien mal venu de renâcler sur mon sort :
il vaut mieux être un homme marié, une riche mignote
dans ses draps, que d'être un brave célibataire couché
sous terre parmi les vers.

– Holà, MacNèil ! Il n'est pas question de paillardise entre nous. Tu ne me toucheras pas, tu ne me prendras pas et je ne serai jamais ta femme. Ois-le bien, car
c'est la condition que je mets à notre entente. Si tu ne
t'engages pas là-dessus, si tu ne me donnes pas ta parole,
je ne t'épouse pas.

– C'est un mari en cire blanche* que tu désires.
Comme ça, quand tu le voudras, tu pourras invoquer
une union non consommée à tes évêques pour te débarrasser de moi… »

Je sentis mon visage s'empourprer à cette remarque. L'aspect charnel du mariage, que j'avais dénié jusqu'à maintenant en échafaudant ma stratégie, venait de
faire surface et je n'y étais pas préparée. Mon rejet de
MacNèil aussi violent qu'inconsidéré me prit de court
tout en me révélant le fond de répulsion que mon cœur
conservait pour lui. Je ne trouvai rien à répondre à son
insinuation et il ne me donna pas davantage sa parole.
Nous entrâmes dans la chapelle les derniers et n'échan-

geâmes plus un mot jusqu'à ce que la courte cérémonie fût terminée.

Je crois que l'évêque de Moray nourrissait autant d'amitié à mon endroit qu'il vouait de mépris au comte de Buchan. Aussi m'accueillit-il en me félicitant pour l'audace dont j'avais fait preuve devant le roi dans la cour. Il eut également des bons mots pour ma tutrice et pour Alasdair et nous assura tous de sa protection. Puis, envisageant MacNèil avec morgue, il grogna une salutation et fit signe à son secrétaire de faire la lecture du contrat de mariage. Celui-ci s'exécuta d'une voix molle, s'interrompant aux passages laissés vides par l'avocat et où devaient figurer des précisions sur le futur époux. MacNèil donnait les informations manquantes sur un ton sec et le secrétaire complétait le document au fur et à mesure.
J'appris donc, en même temps que ma tutrice, et avec soulagement, que le cateran était bien le fils de Mànas, chef du clan MacNèil posté au château de Mallaig. Cependant, il n'était pas le second, mais le troisième fils, et il ne possédait aucun titre ou biens. Enfin, MacNèil révéla son premier nom : Baltair, l'équivalent en gaélique de « Walter », comme sir Leslie, ce que je trouvai étrange. La lecture du contrat divulgua à mon futur époux le montant de ma dot qui était placée sous ma gestion et qui devait servir à mon entretien ; mon âge et le nom de famille de ma mère : « MacGugan. » Je le vis sourciller à cette information, mais, pour le reste, il demeura impassible. Quand il prononça son vœu de fidélité, je fus touchée malgré moi par les accents chaleureux de sa voix. Le regard perçant qu'il me décocha au moment où je prononçai le mien était chargé de sous-entendus.

Sitôt les anneaux passés à nos doigts, l'union fut bénie promptement et ma tutrice put organiser avec l'évêque notre départ pour Perth dans sa délégation. Alasdair reprit sa bague à MacNèil, mais je ne pus rendre la sienne à dame Euphémia.

« Mon enfant, garde-la en souvenir de moi, me souffla-t-elle. Dans mon cœur comme dans celui de sir Leslie, Dieu ait son âme, tu es notre fille et toujours tu le demeureras. »

Le lendemain du couronnement de Robert III, un vent fort secouait les nombreuses embarcations qui mouillaient dans le port de Perth. Les mâts oscillaient en cadence et le vacarme des vagues contre les coques était assourdissant. Parmi les premières délégations à quitter le bourg royal se trouva celle de l'évêque de Moray et de la comtesse de Ross qui s'embarquèrent ensemble à la pique du jour afin de profiter de la marée haute et d'éviter une fâcheuse rencontre avec le comte de Buchan. La comtesse pressait sa pupille contre elle, sachant qu'elle s'en séparerait à Inverness où leur navire la déposerait avec son mari afin qu'ils poursuivent leur traversée jusqu'à Mallaig en contournant l'Écosse par la mer du Nord sur un autre bateau.

MacNèil fermait la marche de l'escorte en traînant la jambe. Ses yeux furtifs allaient sans cesse des membres de la délégation de la comtesse aux badauds sur les quais qui s'activaient autour de cageots de marchandises. Il redoutait l'arrivée impromptue de son ennemi et ses sens en alerte le maintenaient tendu comme un arc.

Quand il fut certain qu'il était le dernier passager à se hisser sur le pont, il grimpa et se tint tout près de la passerelle, prêt à la retraverser avant qu'on ne la retire. Alasdair Leslie lui fit un signe d'entendement et se porta à l'avant du navire afin d'accaparer l'attention de sa mère et de sa pupille. Ce n'est qu'au moment où le navire croisa la pointe d'Elcho que la jeune femme s'avisa de l'absence de son mari à bord et s'en alarma. « C'était son choix, lui expliqua posément Alasdair. Il préfère garder Buchan à vue que de l'imaginer prêt à surgir derrière son dos à tout moment. Il estime que c'est la meilleure façon d'assurer efficacement ta protection et d'exercer sa vengeance. Nous avons convenu qu'un de nos hommes t'accompagnerait jusqu'à Mallaig et il m'a affirmé que là, avec le contrat de mariage et ta dot en poche, tu serais accueillie à bras ouverts par son père Mànas. Voyons, Lite, tu sais bien que je n'aurais pas permis cet arrangement si j'avais cru, ne serait-ce qu'une minute, que ta sécurité était menacée... »

La pupille de la comtesse ne dit rien. Elle marcha d'un pas raide vers l'arrière du navire jusqu'au bastingage sur lequel elle s'appuya pour scruter l'horizon où le port de Perth disparaissait peu à peu. Elle serra contre sa poitrine l'enveloppe de peau qui contenait tout son avoir, en se demandant si la désertion de son mari la contrariait ou la soulageait.

Depuis son poste d'observation au coin d'une venelle pentue montant du port, MacNèil fixait le navire qui emportait Lite MacGugan. Il était satisfait de s'en être débarrassé à si bon compte. Alasdair Leslie avait marché dans sa combine avec une facilité étonnante. Le fils de la comtesse avait même payé de ses propres pécunes le coût d'un bon cheval et du harnachement. Comme son pied bandé ne pouvait souffrir les étriers, il avait fait valoir à son bailleur de fonds qu'il monterait sans selle, à cru. Alasdair Leslie lui avait alors jeté un regard admiratif et avait allongé quelques marcs supplémentaires pour ses dépenses immédiates. Puis, les deux hommes s'étaient quittés un peu comme des beaux-frères, sur la promesse de se revoir et de se vouer une entraide mutuelle. Une fine pluie commença à tomber et chassa MacNèil. D'un bond souple, il grimpa sur le dos de son cheval en s'accrochant à sa crinière et le mit au trot: «Adieu, petite Hermine, pensa-t-il. Je suis désolé, mais je n'envisageais pas de faire la guerre à Buchan avec une mégère suspendue à ma ceinture. Et puis, quelle usance un mari peut-il avoir de sa femme s'il ne peut coucher avec elle?»

L'ancien chef cateran avait suffisamment fréquenté son ennemi pour prévoir ses intentions. Le sachant à cheval avec sa délégation, car Buchan tenait en sainte horreur les voyages en mer, MacNèil se douta qu'il remonterait directement sur ses terres en quittant Scone, jusqu'à Dinkeual que la comtesse de Ross aurait regagné entre-temps. Ce parcours de plus de cent dix miles était jalonné par plusieurs places fortes du comte, dont MacNèil connaissait parfaitement la principale, au lac Lochindorb, pour y avoir séjourné durant les dernières années avec sa troupe de caterans. Aussi établit-il son propre itinéraire de poursuite en fonction de ces lieux d'arrêt et il prit la direction de Scone en sortant de Perth.

En outre, il comptait interroger adroitement le chambellan sur Tadèus Fair, l'un des caterans capturés avec lui à Elgin, qu'il n'avait revu ni au procès ni dans la cour de Scone. En effet, depuis son incarcération dans la geôle du shérif d'Elgin, Tadèus avait disparu. Si, par le plus grand des hasards, ce compagnon n'était pas mort et s'était échappé, MacNèil tenterait de le retrouver en remontant vers le nord, à la poursuite de Buchan. Dans l'âpre lutte qui s'annonçait, un ami à ses côtés serait le bienvenu. L'intuition de MacNèil lui faisait rarement défaut et, tout en galopant le long de la rivière Tay, il acquit la certitude qu'il reverrait Tadèus Fair.

Au moment où il allait quitter la rive pour prendre le chemin de Scone, MacNèil aperçut une foule massée sur le flanc d'une colline. En périphérie se tenaient en faction quatre cavaliers immobiles qu'il reconnut immédiatement et il fit bifurquer sa monture afin de se soustraire à la vue du comte de Buchan et de ses capitaines. Il s'enfonça le plus discrètement possible dans le boisé qui longeait la rivière en se penchant sur l'encolure de son cheval et contourna lentement la colline. La pluie qui avait cessé depuis une heure se remit à tomber, et MacNèil attendit un moment avant de pousser son cheval vers le site de l'attroupement qui maintenant se dispersait. Il vit le groupe de Buchan s'éloigner au galop en direction de Scone, suivi de paysans qui marchaient en rangs serrés et mouillés. La dernière foulée de son cheval lui révéla un spectacle qui lui poignarda le cœur: un large gibet exhibait ses sept compagnons nus et rigides, le cou tordu par la corde qui les pendait, sept hommes qu'il avait aimés comme des frères.

Une volée de corbeaux avides vint planer au-dessus de la colline et MacNèil les aurait tous tués s'il avait eu un arc. Sa salive eut soudain un goût âcre et il ne put réprimer les sanglots qui montaient dans sa gorge. Il enfouit son visage dans la crinière de sa monture et donna libre cours à sa peine jusqu'à ce qu'un sentiment de révolte et de haine assiège son esprit et le secoue. Alors, pour éviter de revoir le gibet, il fit demi-tour vers la futaie où il s'engagea.

Il n'avait pas fait une dizaine de pas qu'il perçut un sifflement strident provenant du faîte des arbres vers lequel il leva la tête, offrant à la pluie son visage ravagé de larmes. «MacNèil, c'est bien toi!» fit aussitôt une voix. Puis, avec l'agilité et la souplesse d'un chat, un homme émergea d'un majestueux pin, secouant les branches étage par étage durant sa descente. MacNèil fut à peine surpris de voir apparaître Tadèus Fair sous les naseaux de son cheval. De cinq ans son cadet, le cateran était plus grand et mieux bâti que lui avec une membrure* dense et saillante. Une chevelure blonde filamenteuse encadrait son visage carré au front large illuminé par de grands yeux gris. MacNèil mit pied à terre et étreignit son compagnon avec l'émotion du désespoir.

Les premières impressions que les deux hommes partagèrent portèrent sur leurs compagnons à la pendaison desquels Tadèus avait assisté depuis son repaire dans la cime de l'arbre. Puis, ils racontèrent comment ils y avaient échappé, MacNèil par son mariage et Tadèus par son évasion du chariot des détenus, quelques miles avant son entrée dans le bourg de Perth. Mettant de côté sa nouvelle situation matrimoniale, MacNèil exposa à Tadèus son plan pour venger la mort de leurs compagnons, lequel se limitait à la poursuite de Buchan jusqu'à ce qu'une occasion de passer à l'attaque se présentât.

À la fin de la journée, sur le chemin forestier qui longeait la rivière Tay vers le nord, à bonne distance de la délégation du comte de Buchan remontant sur ses terres, cheminaient deux hommes, le sang fouetté par leur rage sourde, serrés l'un contre l'autre sur une seule monture.

La barge dont nous étions les deux seuls passagers, mon escorte et moi, mit trois semaines avant d'entrer dans le détroit de Sleat par le passage de Kyle. Elle s'était arrêtée dans tous les points de ravitaillement longeant la côte déchiquetée de fjords du nord de l'Écosse, car son capitaine faisait commerce de tout ce qui était transportable sur son large pont, que ce fût du bois, de la laine ou même du bétail, prenant dans un port des produits dont il se délestait dans le port suivant pour en reprendre d'autres à son bord.

Sir Bertram, à la garde de qui m'avait confiée Alasdair, était un homme peu loquace. Sa haute stature et son air d'autorité un peu bourru avaient suffi à tenir à distance le personnel d'équipage qui m'avait lorgnée au départ d'Inverness, mais qui m'ignora durant le reste de la traversée. À bord, je n'eus pour ainsi dire d'échanges qu'avec sir Bertram et le capitaine, mais partout où nous fîmes escale j'étendis mes connaissances auprès des habitants sur l'Écosse gaélique dans laquelle nous nous enfoncions.

Mes premières constatations m'apportèrent un certain apaisement quant à l'éventualité que le comte de Buchan se lance à ma poursuite: toute la côte nord-ouest jusqu'à l'île d'Yle se trouvait sous la domination du Seigneur des Îles et le comte de Buchan, l'ancien justicier des Highlands, ne s'y était jamais aventuré. D'ailleurs je découvris avec étonnement que la famille royale, roi, reine et princes inclus, ne représentait pas grand-chose pour les braves gens habitant la côte. C'est presque toujours moi qui leur apprenais le nom du nouveau souverain et, bien souvent, la mort du précédent. Seule la monarchie du clan MacDonald semblait exister pour eux et seuls comptaient les liens qu'ils entretenaient avec elle.

Ainsi, bien avant que le port de Mallaig ne soit en vue, j'avais découvert la position du clan MacNèil parmi les Gaëls* : par sa notoriété et sa place forte, il jouissait d'une indépendance que les autres clans de la côte et des îles pouvaient difficilement revendiquer. Je compris que les MacNèil n'entraient véritablement ni dans le giron du Seigneur des Îles, ni dans celui de Robert III. Ils possédaient un domaine qui, apparemment, suffisait à leurs besoins depuis plusieurs générations et que personne autour ne convoitait. Je ne sais pas si cette information me plut. J'aurais préféré que les MacNèil se réclament du Seigneur des Îles et qu'ainsi je sois formellement à l'abri d'une revendication du comte de Buchan. Mais surtout, dès l'instant où j'avais quitté la comtesse de Ross et Alasdair à Inverness, j'avais espéré retrouver Mariota sur la côte ouest, et des liens d'assujettissement entre les MacNèil et les MacDonald auraient favorisé ce dessein.

La brume matinale se leva enfin et de mon poste d'observation à la proue du navire j'aperçus distinctement le château de Mallaig. L'édifice qui occupait la plate-forme d'une éminence rocheuse se composait d'un massif donjon carré en pierres de taille qui émergeait d'une palissade de bois, haute de trente pieds, qui l'encerclait sur trois faces et s'accrochait à la falaise sur la quatrième. À son pied, des masures se dispersaient autour de la baie qui accueillait le port et une courte plaine où ondulaient les joncs verts de ce qui devait être les marais salants. Cette première image du lieu qui allait être ma prochaine demeure me déçut en ce qu'elle me présentait un château qui ne pouvait soutenir la comparaison avec Dinkeual.

Je détournai les yeux et ne pus réprimer une moue de désillusion que sir Bertram remarqua: «Voilà l'endroit où votre cateran de mari vous met à l'abri, Lite, me dit-il, comme s'il avait lu dans mes pensées. Ce n'est pas Dinkeual, mais il n'y manque pas grand-chose pour que cela le devienne: un mur d'enceinte en pierre avec des tours de guet et un bastion, une douve peut-être, des contreforts du côté de l'escarpement et un étage supplémentaire au donjon...»

Sir Bertram avait raison, dus-je admettre. Tel qu'il était, Mallaig avait tout d'une place forte et son site offrait le potentiel nécessaire pour en faire une véritable forteresse. Je me sentis rassérénée à cette évocation et, une demi-heure plus tard, je descendis du navire d'un pas enthousiaste. La somme que je possédais me permettait peut-être de financer un projet de rénovation du château de ma belle-famille et il me sembla qu'il n'en tenait qu'à moi de recréer mon cher Dinkeual, si tel était mon désir.

À preuve que les MacNèil vivaient insouciants des attaques sur leur péninsule, aucun soldat ne vint à notre rencontre et nous dûmes laisser mes affaires au port pour gravir à pied le chemin qui montait jusqu'au château. Là aussi, aucun système de protection ne fit obstacle à notre entrée dans la cour intérieure par les battants grands ouverts de la palissade. En l'absence de gardien, sir Bertram manifesta sa contrariété de ne pouvoir se faire annoncer comme il convenait en pareille circonstance. Cependant, dès qu'il put décliner nos noms et titres au premier domestique rencontré dans le hall, nous soulevâmes un vif intérêt qui se mua en commotion chez la châtelaine quelques minutes plus tard. Elle accourut depuis la grand-salle où le domestique était allé la quérir. C'était une femme élancée, vêtue très sobrement et coiffée d'une simple guimpe alors que ses traits réguliers révélaient vivacité et chaleur. Je lui trouvai immédiatement une certaine ressemblance avec MacNèil.

«Ah, ma dame! s'exclama-t-elle, tout en nage. Vous êtes l'épouse de Baltair! C'est inimaginable, prodigieux, extraordinaire! Figurez-vous que nous ne l'avons plus revu depuis qu'il a quitté Mallaig… voilà plus de dix ans. Pourquoi n'est-il pas avec vous? Que lui est-il arrivé?

– …

– Venez, venez, que je vous conduise à mon mari… Ah oui! Je suis dame Égidia, la châtelaine, votre belle-mère, ma chère… entrez, par ici, allons. Baltair aurait pu écrire, nous avertir de votre arrivée, enfin… C'est si soudain, si incroyable…»

D'une voix saccadée, elle continua de ponctuer son ébahissement de «prodigieux» et de «extraordinaire» exclamatifs sans me laisser le loisir de prononcer une seule formule de politesse. Nous enfilâmes ainsi avec précipitation un escalier et une série de corridors jusqu'au premier étage du donjon, dans la chambre qu'occupait Mànas MacNèil, son époux, chef du clan MacNèil, père de Baltair et mon nouveau beau-père.

Là, j'eus droit à un accueil plus circonspect. De taille moyenne, Mànas MacNèil avait la tête dégarnie coiffée d'un chapeau mou et le visage buriné aux traits anguleux. Son corps rondelet était vêtu d'un simple plaid d'où émergeaient des genoux saillants au-dessus de bottes de bœuf. Il ne devait pas accorder une très grande estime ou confiance à son fils Baltair, car, avant même de retourner mes salutations et celles de sir Bertram, il réclama mes documents officiels de mariage en avouant ouvertement ne pas y croire.

Je sentis mon visage s'empourprer d'indignation en le voyant examiner la liasse de papiers que j'avais extirpée de ma besace d'une main nerveuse. C'est à ce moment-là que me revint l'attitude fermée de MacNèil quand je l'avais interrogé sur sa famille et je déduisis qu'il devait en représenter le membre blâmable. Cela me fut bientôt confirmé par dame Égidia qui crut bon de me souffler à l'oreille qu'elle et son mari savaient leur fils être un cateran depuis plusieurs années et que le clan l'avait renié en vertu des méfaits qu'on lui attribuait. Comme son air ne dénotait ni réprobation ni résignation, je conclus que le comportement de MacNèil ne l'affectait nullement.

La lecture des documents leva tout soupçon chez le seigneur Mànas dont le visage s'anima d'un large sourire quand il dénicha l'information sur ma dot. Ses sourcils se joignirent d'une curieuse façon et il consentit à me détailler d'un œil amical.

«Ruad MacGugan de Finiskaig est un homme à moi, dit-il. Votre mère était-elle liée à sa famille? En tout cas, vous avez leur tête rouge. Je me réjouis que Baltair se soit souvenu des gens sous notre protection en se choisissant une femme... Mais qu'il nous l'envoie sans paraître me déplaît... Néanmoins, je suis heureux de faire la connaissance de ma deuxième bru et soyez la bienvenue ici, avec ou sans mari.»

J'eus quelques difficultés à expliquer l'absence de MacNèil et je m'en tins à la version que j'avais mise au point pendant mon voyage: MacNèil était requis par ma tutrice qui l'avait investi de quelque mission dans le comté de Ross. Je laissai simplement entendre que sa situation de cateran lui valait un certain nombre d'ennemis, dont le comte de Buchan, l'obligeant à me mettre à l'abri et que sa famille lui avait semblé un bon endroit. Évidemment, je passai sous silence sa condamnation pour l'incendie de la cathédrale d'Elgin, détail que ses parents semblaient ignorer et que les documents taisaient également. «Pourquoi votre tutrice, Baltair ou vous-même n'avez-vous envoyé aucun message nous annonçant votre mariage et votre arrivée, ma dame? Nous aurions pu vous ménager un meilleur accueil», revint judicieusement à la charge dame Égidia.

Je me mordis les lèvres, car cette question soulignait indéniablement l'aspect de précipitation de mon union et laissait planer des doutes quant aux circonstances qui l'entouraient. Je commençais à me forger une histoire de lettre qui se serait perdue quand le seigneur Mànas proposa une version disgracieuse qui, sitôt émise, sembla tellement évidente que je l'adoptai sans broncher:

«Ne vous fatiguez pas, dame Lite, fit-il d'un air entendu. Baltair vous a probablement forcée et de surcroît engrossée et, quand la comtesse s'en est aperçue, elle a dû faire vite pour trouver le moyen de vous éloigner de sa cour. Il n'y a rien de bien sorcier là-dedans et ça ressemble aux manières de mon chenapan de fils...

— Je vous prie de retirer immédiatement vos propos abjects, mon seigneur, intervint aussitôt sir Bertram sur un ton outragé, en portant la main à son arme.

— Non, laissez Bertram, fis-je en lui saisissant le poignet. Le seigneur Mànas a vu juste. Mais, ajoutai-je en me tournant en direction de dame Égidia, je suis désolée de vous apprendre que j'ai perdu l'enfant pendant la traversée, ma dame. »

Cette révélation faite sur un ton mortifié eut l'effet escompté. Dame Égidia ouvrit la bouche et écarquilla les yeux d'incrédulité, son mari se tut, la tête engoncée dans les épaules et sir Bertram devint rouge de confusion. Je leur souris faiblement et demandai qu'on m'indique un endroit où je pourrais me retirer, ce qui secoua mes beaux-parents de leur léthargie. On me conduisit avec diligence dans une chambre aux étages supérieurs et on envoya un domestique récupérer mes bagages avec sir Bertram.

Quand, une fois seule, je m'assis sur ce qui allait désormais être mon lit, je fus frappée par la facilité avec laquelle j'avais menti et endossé l'habit de la femme abusée en déshonorant MacNèil. Persuadée qu'il ne me le pardonnerait pas aisément, je me pris à souhaiter qu'il ne refasse pas surface à Mallaig de sitôt. Et je fus exaucée, car il s'écoula deux ans avant que je ne revoie mon mari.

Cependant, je reçus régulièrement des nouvelles de lui par la comtesse de Ross avec laquelle j'entretins une correspondance assidue. En effet, un mois après le départ de sir Bertram pour Dinkeual, je reçus d'elle mon coffre dans lequel je retrouvai avec émotion tous mes objets, mes vêtements, mes livres et une longue missive de sa main élégante. Dame Euphémia me donnait, dans un ordre propre à son esprit discipliné, des nouvelles d'elle-même qui n'avait pas encore subi les représailles du comte de Buchan pour mon geste; des nouvelles d'Alasdair qui piaffait d'impatience à l'idée de venir dans les Îles pour rendre visite à Mariota et à moi; des nouvelles de Son Éminence Bur qui avait obtenu du roi des subsides pour restaurer son domaine de Forres détruit par les caterans; des nouvelles de notre projet de traduction de la Bible, qu'elle poursuivait avec le clerc de Dinkeual; et enfin, des nouvelles de MacNèil sur qui circulait le bruit qu'il avait reformé une troupe de caterans et se cachait sur les terres mêmes du comte de Buchan.

La perspective de revoir Alasdair me donna des ailes. J'espérais ardemment qu'il m'emmène avec lui chez Mariota, au château de Finlaggan sur l'île d'Yle, car je n'avais pas obtenu du seigneur Mànas qu'il me favorise cette sortie que je lui avais demandée dès que j'avais réussi un contact par lettre avec ma sœur. Bien que l'opposition de mon beau-père ne fût pas vraiment ferme, j'avais jugé qu'il valait mieux ne pas trop insister. C'était un homme au tempérament acrimonieux que tous évitaient de contrarier.

D'ailleurs, je m'appliquai à ne heurter personne au château de Mallaig. Mon accorte belle-famille observait une politesse froide à mon égard et je sentais que je marchais sur des œufs chaque fois que je faisais une remarque. Aux yeux de tous, je conservais mon statut de «pupille de Ross», courtoise, instruite, admise dans l'entourage d'évêques et de comtes, et, surtout, riche. Il leur était tout aussi impossible qu'à moi-même de m'imaginer en épouse de Baltair, le fils renégat sorti de leur vie depuis une décennie. Toutes les femmes – dame Égidia qui exerçait une influence constante sur la maisonnée; sa fille aînée Rosalind, intelligente et avisée; sa cadette Maud, une jeune femme de mon âge, sensible et discrète; et sa bru Morag, aimable mais renfrognée – me vouaient une secrète admiration et l'exprimaient en s'adressant toujours à moi comme à une invitée de marque.

Le meilleur parti que j'avais à tirer de telles attitudes résidait dans le pouvoir qu'elles me procuraient, ce que je ne mis pas de temps à comprendre. Je jouai du compliment avec les dames de Mallaig à chaque occasion qui me fut donnée et je prodiguai généreusement mes conseils et avis lorsqu'elles les sollicitèrent. Bientôt, je devins leur modèle et guide en matière de bonnes manières et de tenue vestimentaire, et mes livres figurèrent au cœur des activités et des conversations dans la chambre des dames.

Mais ce que j'obtins d'estime du côté des femmes de la maison n'eut pas d'écho chez leurs hommes que mes qualités indifféraient. Outre le chef qui ne me parlait que pour le strict nécessaire, il y avait Parthalan, l'héritier et chevalier de la maison, un gaillard méfiant qui n'accordait aucun intérêt aux femmes sinon pour se faire la main quand l'une d'elles méritait d'être battue, qu'elle soit une de ses sœurs ou une servante; le beau-frère Griogair, époux de Rosalind et qui n'avait d'attentions que pour elle, portait aussi le titre de chevalier et le sobriquet «le Pacifique» qui décrivait parfaitement sa nature; Aindreas, l'époux impétueux de Morag et le plus volubile de tous; puis enfin, Aonghus, le cadet de la famille, doté d'un esprit prosaïque et discipliné, presque militaire. S'ajoutaient aux fils MacNèil le secrétaire de la famille, messire Saxton, un vieillard grincheux qui dédaignait la part féminine de la création, y compris la châtelaine qu'il ne saluait même pas, et enfin, son fils Guilbert, un jeune homme ténébreux et appliqué qui tenait les livres à la place de son père et n'en levait presque jamais les yeux.

Peu d'enfants vivaient au donjon, mais leur turbulence laissait croire qu'ils étaient deux fois plus nombreux. Rosalind avait une fille et Morag, deux; et se joignaient au trio des petits-enfants MacNèil deux garçonnets de l'intendante et un bâtard de onze ans, attribué à Parthalan. Tout ce petit monde piaillant parcourait le château en tous sens, des écuries au toit crénelé du donjon en passant par les cuisines, se bousculant dans les escaliers à vis et les déboulant à l'occasion. Mis à part l'aînée de Morag, dégourdie et coquette, aucun des autres enfants n'accorda d'attention à mon arrivée.

Quant à la domesticité du château, bien que fort réduite de mon point de vue, elle me manifestait un respect un peu guindé et n'accédait à mes demandes qu'après avoir satisfait celles des quatre dames qui me précédaient dans la hiérarchie féminine de Mallaig. J'eus le bon goût de ne pas m'en formaliser et persévérai à témoigner mon appréciation des services qu'on me rendait, aussi négligeables fussent-ils.

Durant les premiers mois passés à Mallaig, je ne connus du château que ma chambre et les quelques pièces où les dames vivaient à peu près confinées. Ces appartements figuraient parmi les plus confortables du donjon, néanmoins ils m'apparurent rudimentaires en comparaison de ceux de Dinkeual. D'abord la chambre des dames située sur la façade sud au deuxième étage, longue, chauffée et éclairée par trois fenêtres, était sommairement meublée et décorée; puis, au premier étage, nous jouissions d'un cabinet de toilette et d'une loge encombrée de coffres et de deux métiers à tisser qui servaient pour la confection des vêtements de la famille, et une autre section près des feux était aménagée en salle d'eau avec bains et latrines; enfin, nous avions accès à la grand-salle du rez-de-chaussée que nous partagions avec les hommes de la maison à l'heure des repas ou à l'occasion de réceptions. Cette pièce de séjour occupait les deux tiers du carré de donjon, l'autre tiers, fermé par de lourdes toiles poussiéreuses, constituait la salle d'armes où le seigneur Mànas recevait et rendait la justice locale.

Je n'aimais pas du tout la grand-salle. Je la trouvais inutilement vaste et particulièrement mal chauffée par son unique foyer. Nous y grelottions hiver comme été et les murs suintaient d'humidité en permanence. Le sol dallé ne recevait jamais de jonchée* et exhalait les odeurs de l'urine dont un nombre incalculable de chiens arrosaient les piliers. La première fois que j'y pénétrai, je ne pus m'empêcher de plisser le nez, et une heure s'était à peine écoulée entre ses murs que j'avais décidé d'investir une somme prélevée sur ma dot pour rafraîchir cette grande pièce lorsque mon rôle au sein de la famille s'y prêterait.

Les abords du château me furent assez rapidement familiers grâce aux nombreuses sorties que je fis en compagnie de la châtelaine et de sa suite. Les dames de Mallaig possédaient chacune une monture et en faisaient grand usage tout au long de l'année. Excellente cavalière, dame Égidia exigeait une promenade quotidienne avec ses filles et ses brus sur le littoral ou sur les collines surplombant le port et, une fois par semaine, elle s'adonnait à la chasse au faucon dans la forêt avoisinante.

On me confia une haquenée* grise pas très jeune mais obéissante que je montai comme mes compagnes, à l'étrier plutôt qu'en amazone. Quant aux oiseaux de proie élevés à la fauconnerie pour les besoins des chasseurs et chasseuses du château, aucun ne me fut octroyé dans les premiers temps de mon séjour, car j'étais trop inexpérimentée dans ce genre d'activité. Mais mon intérêt alla grandissant et j'acquis plus tard un jeune émerillon que je pus porter fièrement sur mon poing ganté et qui me donna beaucoup d'agrément.

Contrairement au domaine de la comtesse de Ross, où il était inconcevable que les dames se déplacent sans escorte masculine, celui des MacNèil était entièrement ouvert et pratiquement sans surveillance. Dame Égidia et sa suite y circulaient librement sans l'encadrement d'une quelconque milice. À de rares occasions nous fûmes accompagnées par le seigneur Griogair ou par Aonghus, le fils préféré de ma belle-mère. Chaque fois, la présence de ces hommes superbement équipés eut l'effet de me détendre et me permit de mieux goûter le moment passé hors de l'enceinte du château de Mallaig. En fait, je mis presque un an à me débarrasser du sentiment d'insécurité qui avait présidé à mon départ de Perth et à oublier complètement la menace de vengeance du comte de Buchan.

En fait, l'aspect défensif de Mallaig me préoccupa dès mon arrivée et persévéra longtemps après. D'abord le personnel qui y était affecté m'apparaissait par trop minimal : la garnison du château comptait deux jeunes capitaines issus de la parentèle des MacNèil et seulement une demi-douzaine de gens d'armes provenant des différents fiefs relevant du domaine familial. La fonction de ces soldats se limitait à entourer le chef et ses fils quand ils partaient en expédition et j'eus connaissance qu'ils se battaient entre eux pour se soustraire à leur tour de garde dans l'enceinte où deux hommes étaient habituellement assignés le jour, et un seul la nuit. Depuis les fenêtres du donjon, il m'arrivait souvent d'observer d'un œil critique la cohorte de chiens gras et baveux, au demeurant trop bien nourris pour être alertes, à qui semblait avoir été dévolue la protection des murs.

Ces derniers, d'ailleurs, constituaient ma seconde inquiétude : la palissade de bois qui encerclait le donjon flanqué du corps de garde, de la chapelle, des écuries et des dépendances, même très élevée et bien solide pour une construction de cette nature, n'équivalait en rien à une bonne courtine en pierre, haute à souhait et suffisamment épaisse pour recevoir un chemin de ronde muni de tours de guet et de mâchicoulis. Chaque fois que je revenais d'une promenade et que je contemplais le château durant son approche, se superposait à la vision de Mallaig celle de Dinkeual avec ses lourdes fortifications et son imposant bastion au-dessus du pont-levis. Je souriais alors de désappointement en imaginant, contre l'enceinte de bois qui m'abritait avec la famille MacNèil, une attaque du comte de Buchan qui l'aurait traversée avec l'aisance de manants entrant dans un moulin ou encore abattue au premier assaut, comme bouvillons encornant des fagots d'orge.

Visiblement, le château de Mallaig et les chefs MacNèil qui s'étaient relayés à la tête du clan n'avaient pas eu à essuyer un grand nombre d'agressions dans leur histoire, car leur place forte demeurait une citadelle modeste, plus accueillante que rebutante à ses ennemis. Mais là demeurait en fait la clé de l'énigme : les Mac-Nèil n'avaient apparemment pas d'ennemis. Cela, je le découvris peu à peu durant l'hiver qui suivit, au fil des conversations qui occupaient les longues veillées autour de l'âtre dans la grand-salle où les membres de la famille se plaisaient à raconter les souvenirs des exploits passés. Je me faisais discrète et j'écoutais avidement tout ce que les hommes disaient d'eux-mêmes, des affaires qu'ils avaient menées et de celles qu'ils comptaient entreprendre. Ainsi me fis-je une idée assez juste du clan Mac-Nèil, de ses forces et de l'emplacement stratégique qu'il occupait sur la péninsule de Mallaig.

En revanche, dans le foisonnement d'informations que je recueillis sur la famille, rien n'étoffa ma connaissance de Baltair MacNèil. On n'y faisait guère allusion, et, quand cela arrivait, je m'étonnais d'entendre évoquer mon mari comme s'il eût été défunt. Personne au château ne semblait croire à son retour ni le souhaiter, et ce, malgré les quelques nouvelles de lui transmises par la comtesse de Ross, que je partageais volontiers avec dame Égidia et mes belles-sœurs.

L'explication de cette attitude de rejet me frappa lors d'une réunion dans la grand-salle où, un soir, on évoqua la bataille d'Otterburn, la participation de l'héroïque aîné MacNèil et son décès. La discussion enflammée s'avéra fort éclairante pour moi au sujet du fils Baltair en cela qu'elle me fit comprendre combien la réputation du clan avait de l'importance aux yeux des MacNèil. Que les guerres dans lesquelles ils s'impliquaient fussent menées par les adhérents des Stewart ou par ceux des MacDonald, elles sublimaient tous leurs intérêts personnels. Mànas MacNèil se faisait un point d'honneur de donner et de respecter sa parole dans les engagements qu'il jugeait nécessaires de prendre pour son clan dont le renom reposait sur celui de chacun de ses membres. En cela, la moindre tache à la réputation d'un MacNèil ternissait indéniablement l'ensemble comme pomme pourrie dans un minot. Voilà pourquoi la vie de cateran de mon mari représentait une si grande irritation pour ma belle-famille et qu'elle lui avait mérité d'en être plus ou moins banni.

Cependant, au printemps 1392, je sentis le vent familial tourner en sa faveur à l'occasion de la visite inespérée d'Alasdair Leslie. Profitant de troubles causés par Alexandre Stewart fils, qui avait lancé un raid meurtrier sur les terres d'un puissant comte, outrage qui mobilisait à la cour Alexandre Stewart père, Alasdair surgit à Mallaig sans s'y être annoncé. D'entrée de jeu, il dérouta mes beaux-parents en vantant le travail de surveillance que mon mari exécutait avec ses hommes sur les terres de Buchan à la demande du comte de Fife. Cet éloge de MacNèil, avec tout ce qu'il comportait de zones grises, ne me toucha pas outre mesure. Je n'avais d'yeux et d'oreilles que pour Alasdair lui-même et sa promesse de rejoindre très bientôt Mariota sur l'île d'Yle.

CHAPITRE IV

LE FAUX FRÈRE PRÉTENDANT

Durant les deux années où j'avais été privée de la compagnie d'Alasdair, j'avais oublié à quel point il m'était cher. Mais, de le voir évoluer à Mallaig parmi les MacNèil avec une si belle assurance et tant d'élégance, discutant d'égal à égal avec le seigneur Mànas et ses fils, forçant le respect des gens d'armes par la superbe de sa propre escorte, complimentant dame Égidia et séduisant mes belles-sœurs par ses mille et une civilités, je sentis mon cœur vibrer d'un nouvel émoi. Le constat que nous n'étions pas du même sang s'installa insidieusement dans mon esprit et je commençai à éprouver pour Alasdair ce qu'il est convenu d'appeler du désir, encore que, là, j'ignorais que c'en fut. Je mis d'ailleurs quelque temps à m'en rendre compte.

Alasdair n'était pas installé au château depuis trois jours qu'il obtint toute permission du seigneur Mànas, tant la confiance et l'admiration qu'il suscitait chez ma belle-famille étaient entières. Avec la bénédiction de mon beau-père, je pus donc préparer un coffre de voyage pour mon séjour si longtemps convoité chez Mariota.

Par une chaude après-midi de juin, Alasdair et moi quittâmes Mallaig à bord d'une barge des MacNèil et naviguâmes durant deux jours au sud, jusqu'à l'île d'Yle, enfermés dans un agréable rapprochement. En retrait des hommes d'armes d'Alasdair qui occupaient la poupe de l'embarcation, nous nous tenions à la proue, appuyés à la rambarde épaule contre épaule. Nous nous émerveillâmes de la beauté des îles dont la mer des Hébrides était semée. Sans faire escale à aucune d'elles, nous croisâmes la sablonneuse Eggeth et sa sœur, Muck, la déchiquetée Mule et la plate Colla, la sainte Iona et la blanche Colinsey. Nous partageâmes en riant les provisions de bouche, nous nous enroulâmes dans la même cape pour nous mettre à l'abri du vent et discutâmes interminablement de divers sujets concernant le royaume. En frémissant de nervosité, nous dormîmes blottis l'un contre l'autre et nous bûmes à la même bouteille en nous regardant dans les yeux. Au diapason de nos cœurs, une brise constante et presque tiède souffla sur notre équipage avec l'effet de m'exalter plus qu'il convenait de l'être. Durant cet inoubliable voyage, je me sentis renaître à la vie, à la tendresse et à la fièvre de l'aventure avec une intensité qui me laissa ébahie de moi-même et d'Alasdair.

Quand nous atteignîmes Yle, nous ne savions plus, l'un comme l'autre, si notre appétit de revoir Mariota était plus fort que notre regret de mettre fin à notre tête-à-tête. Heureusement, la joie exubérante de notre sœur nous délivra rapidement de notre malaise. Elle était descendue au quai dès que notre navire avait été repéré depuis les remparts du château de Finlaggan et elle attendait que nous accostions en battant la semelle sur la plage en compagnie de ses deux jeunes fils noirauds.

N'eussent été son sourire radieux et ses yeux pétillants, j'aurais eu du mal à reconnaître ma sœur de lait. Huit années, deux maternités et quelques fausses couches avaient épaissi chez elle tout ce qui pouvait l'être, des joues aux mains en passant par le buste rebondi et la taille. Ses cheveux avaient néanmoins conservé leur blondeur et son élocution précipitée témoignait encore de sa gaieté enfantine ; je me jetai dans ses bras, riant et pleurant tout à la fois. Une soirée fut très insuffisante pour partager nos récits de vie respectifs, tant nous voulions tout raconter sans rien omettre.

Nous fûmes inséparables durant la semaine qui suivit mon arrivée à Yle ; nous marchions bras dessus, bras dessous dans le jardin où elle réussissait à cultiver de magnifiques rosiers grimpants, priions côte à côte dans leur chapelle, mangions sur le même coin de table dans la chambre des dames et dormions dans le même lit. Sous ses sourcils épais et broussailleux, Donald Mac-Donald nous jetait un œil amusé et haussait les épaules à l'intention d'Alasdair pour lui signifier son impuissance à mettre un terme à nos retrouvailles passionnées. Par ailleurs, les deux beaux-frères avaient eux-mêmes beaucoup trop à se dire pour se sentir lésés par notre abandon. En compagnie de leurs hommes, ils chassèrent le cerf trois jours durant et se rendirent à Duart pour un tournoi duquel ils ne revinrent qu'au bout d'une semaine. Je crois qu'Alasdair y rencontra de nouveau sa sylphide des Îles, mais il ne voulut rien m'en dire quand je l'interrogeai à son retour.

Puis, le 19 juin, arriva une lettre de la comtesse de Ross qui rappelait Alasdair à Dinkeual, et le charme se rompit. La question du divorce de dame Euphémia venait de prendre un nouvel essor avec un mandat papal que les évêques de St. Andrews, de Glasgow et d'Aberdeen avaient obtenu pour enquêter «*sur le mariage d'Euphémia Ross avec Alexandre Stewart qui a donné lieu à des batailles, des meurtres et moult dommages et scandales qui perdureront et iront en s'amplifiant si cette union demeure*».

Comme une telle initiative du clergé écossais laissait présager le pire courroux chez le comte de Buchan contre ma tenace tutrice, Alasdair déguerpit de Finlaggan le même jour avec son escorte. Le hardi baiser sur la bouche dont il me gratifia en me quittant n'avait rien de fraternel et je me surpris à le lui rendre avec élan. Mariota ne remarqua rien, mais son mari, perspicace et soupçonneux, me glissa un regard qui en dit long sur l'opinion qu'il avait de moi. Désireuse de poursuivre mon séjour le plus longtemps possible à Yle, j'adoptai envers lui une attitude à la fois dégagée et bienséante. Je ne sais pas s'il fut dupe de ma finauderie, mais il ne s'objecta pas quand Mariota demanda à me garder auprès d'elle tout l'été.

Le château de Finlaggan tenait davantage du siège d'un parlement que d'une résidence noble et, dans les faits, c'est bien à quoi cette austère forteresse servait au Seigneur des Îles. Tout y était conçu dans un contexte hautement sécuritaire pour recevoir des cohortes de lords et de lieutenants venus assister aux interminables séances du Conseil des Îles, présidées par le mari de Mariota. Une double muraille d'enceinte recelait des douves profondes qu'enjambait un pont-levis surmonté d'un imposant bastion fermé par une double herse ; un chemin de ronde ceinturait la forteresse sur toutes ses faces et l'on y comptait cinq tours de guet ; des écuries immenses occupaient presque toute la surface de la cour, ne laissant qu'un étroit carré de verdure que se partageaient le jardin et le potager.

La salle d'armes et la grand-salle ne formaient qu'une seule pièce couvrant tout le premier étage du massif donjon. Nous n'y prenions aucun repas et je n'eus connaissance d'aucune réception dans cette vaste salle qui était entièrement dévolue à l'assemblée du Conseil et, pour ainsi dire, réservée aux hommes. Les femmes du château, au demeurant fort peu nombreuses, n'y étaient presque jamais admises. Nous étions reléguées au dernier étage de la résidence, où Mariota vivait avec ses enfants et ses domestiques dans une économie de mobilier qui m'étonna. Autres sujets de surprise: l'absence quasi totale de clercs et la pauvreté de la bibliothèque. Je me demandais comment Mariota, pourtant si curieuse et raffinée, arrivait à se contenter de si peu et, surtout, à ne pas s'en plaindre.

En effet, à la lecture de ses missives à Dinkeual, la comtesse et moi n'avions jamais soupçonné à quel point Mariota évoluait dans un univers clos depuis qu'elle était à Yle. Ma sœur m'expliqua qu'elle en avait souffert au début de son mariage, mais que la vie à Finlaggan était parvenue à la combler dès qu'elle avait enfanté. En l'observant avec ses fils, je déduisis que la maternité l'avait révélée à elle-même et qu'elle avait puisé un grand enrichissement dans l'éducation et l'instruction de ses enfants. Très doués tous les deux, les garçons de sept et six ans rendaient à leur mère toute l'affection qu'ils recevaient et ils ne se défilaient pas quand il s'agissait de faire étalage de leurs connaissances en grec, en latin, en mathématiques et en écriture. Les contorsions de leurs petites bouches et leurs yeux écarquillés par l'effort m'amusaient durant les leçons de langues anciennes et je devais détourner la tête pour ne pas leur laisser croire que je me moquais d'eux. Mariota leur avait appris le scot plutôt que l'anglais, langue qu'aurait préférée leur père éduqué à Oxford.

« Il ne me le dit pas, mais Donald n'apprécie guère qu'Ailig et Angus parlent scot. Son adhésion va davantage à Richard II d'Angleterre qu'à Robert III d'Écosse dont il dédaigne la cour. Je crois que, si on le laissait faire, il convertirait nos fils en petits Anglais. Il oublie un peu vite que, s'il n'avait pas été dans les bonnes grâces de la cour écossaise l'année avant son alliance avec le monarque anglais, il ne m'aurait pas rencontrée à Perth. Oh, Lite, si je n'avais pas épousé Donald, avec qui crois-tu que je me serais mariée ?

– Chérie ! Je suis convaincue que les prétendants ne t'auraient pas fait défaut si le Seigneur des Îles ne s'était pas présenté ! Pensez donc, l'héritière de la comtesse de Ross...

– Parlons-en des héritiers de Ross ! Alasdair, excellent parti, bien placé auprès du régent du royaume, futur comte et pourvu d'une confortable rente annuelle, n'est pas encore marié et toi, brillante et cultivée, jolie comme une rose et généreusement dotée, on te donne à un vil cateran !

– MacNèil n'est pas un cateran ! m'insurgeai-je avec une ardeur surprenante. Il monte la garde sur le territoire du comte de Buchan et il reçoit ses subsides directement du comte de Fife. C'est un homme libre.

– Mais enfin, Lite, aucun homme qui vit de ses armes n'est libre. Il n'y a que les troubadours, certains prêtres et les maîtres de métier qui peuvent dire qu'ils ne se réclament de personne, et encore, nombre d'entre eux s'attachent à un seigneur. Et les seigneurs eux-mêmes sont les hommes d'autres seigneurs : les chevaliers ont leurs devoirs envers les barons ; les barons, envers les comtes et les comtes, envers le roi ; les archevêques répondent des évêques qui répondent des abbés et ceux-ci régentent les prieurs et aumôniers. C'est ainsi. Il n'y a que les rois et les papes qui sont des "hommes libres", comme tu dis. Et cette liberté, ils la tiennent de Dieu lui-même.

— Je t'en prie, Mariota, ne me dis pas que ton mari n'est pas un homme libre. Que veut dire ce "Conseil parlementaire" qu'il tient ici à longueur d'année si ce n'est une forme de gouvernement ? Donald MacDonald est l'homme de qui, dis-moi ?

— Ne fais pas l'âne, voyons ! Mon mari n'est l'homme de personne, bien sûr ! Ce n'est pas pareil…

— Voilà : ce n'est pas pareil ! Ton mari gouverne bel et bien et a droit de vie ou de mort sur un grand nombre d'individus et sur le destin de leur famille ; mais cela, il ne le doit pas à la grâce de Dieu, comme Robert III ou Richard II. Que non ! Donald MacDonald règne sur tous ses gens comme son père l'a fait avant lui et comme le fera sans doute ton fils Ailig après lui. C'est une règle immuable qui fait d'eux des hommes libres. Alors maintenant, imagine qu'un individu échappe à la hiérarchie des seigneurs, celle des terres ou celle de l'Église, qu'il ne réponde à personne et de personne, alors un tel individu n'est-il pas libre ? Si fait, il l'est, et je dis que Baltair MacNèil est ce genre d'homme ! »

Mariota poussa un soupir de résignation et se tut. Elle avait toujours eu horreur de la discussion, alors que, moi, je m'en délectais. Enfants, nous l'avions si bien compris que notre goût de communiquer l'emportant, nous écartions systématiquement tout sujet à controverse afin de préserver l'harmonie de nos jeux. Un peu honteuse d'avoir dérogé à cette règle, je m'empressai d'orienter la conversation ailleurs tout en m'interrogeant sur la promptitude avec laquelle je m'étais portée à la défense de MacNèil.

Est-ce le fait que Mariota avait parlé d'Alasdair encore célibataire comme d'un parti enviable qui m'avait piquée au vif ou bien le qualificatif de «vil cateran» pour Baltair MacNèil? Je ne m'attardai pas à la question, mais je commençai à examiner celle de l'assujettissement des hommes les uns par rapport aux autres; la théorie de la liberté que j'avais servie intempestivement à Mariota m'apparut sous un angle neuf et séduisant. Ma réflexion me conduisit rapidement à classer le clan MacNèil tout entier dans les éléments «libres» de la société gaélique et j'y puisai une certaine fierté. À défaut de pouvoir épouser un noble, un laird ou un grand seigneur, un homme libre devenait un choix honorable pour moi.

Je portai un intérêt grandissant au statut des gens à Finlaggan durant le reste de mon séjour et je ne tardai pas à repérer quelques personnes qui répondaient à ma définition d'homme libre. Le plus intéressant d'entre eux était le maçon Kenneth O'Drain, un gaillard qui menait ses apprentis d'une main autoritaire; il louait son talent aux seigneurs capables de lui confier des constructions imposantes et je devinai vite qu'il s'ennuyait ferme dans les travaux d'entretien. Or, c'est ce qu'il faisait depuis cinq ans sur les propriétés de Donald

MacDonald. Quand il apprit que je venais du château des MacNèil, il me mentionna que la pierre de taille rosée des ouvrages commandés par le Seigneur des Îles provenait d'une carrière peu exploitée appartenant à mon beau-père sur la péninsule de Mallaig. Dès lors, je conçus le projet de ramener Kenneth O'Drain chez mes beaux-parents pour qu'il réalise avec ses apprentis le rêve que je caressais pour le château : l'édification d'un mur d'enceinte double en pierre, la construction d'un bastion, l'agrandissement du donjon et son réaménagement. En puisant dans les matériaux du domaine, il n'en coûterait que la main-d'œuvre, dont je prélèverais les gages sur ma dot en guise de paiement pour ma pension à Mallaig. Un point restait à régler : parvenir à convaincre Mànas MacNèil de la pertinence de mes vues.

Pour avoir les coudées franches dans sa lutte contre Buchan, Baltair MacNèil avait conclu une entente avec le nouveau justicier royal dans les Highlands, le fils de Fife. En échange d'une complète liberté de manœuvre sur le territoire autour de Lochindorb compris entre la rivière Spey au sud et le loch Ness au nord, de minces subsides et de deux hommes d'armes prélevés sur la garde de Fife, MacNèil s'était engagé à assurer la surveillance permanente du comte de Buchan.

Mais à quatre hommes, avec Tadèus et les deux hommes d'armes de Fife, tout ce que MacNèil avait réussi à faire était bien peu en regard de ses propres espérances de vengeance : deux ans de traque inutile et pénible où aucune occasion d'assaut ne s'était présentée.

Le comte de Buchan ne sortait jamais de ses retraites sans une milice d'une vingtaine d'hommes. D'abord irrité par la présence de MacNèil sur les pourtours du lac de Lochindorb et encore plus d'être suivi dans tous ses déplacements, il avait fait rechercher sa cachette par ses capitaines qui étaient revenus bredouilles. Puis, de guerre lasse, Alexandre Stewart avait fini par s'amuser de la situation. Il lui était même arrivé de laisser derrière lui des vivres dans des campements à l'intention de son guetteur, juste pour le narguer.

Le comte de Buchan avait bien trop de luttes à mener pour s'inquiéter de la faible menace que constituait l'ancien cateran, car l'étau des confiscations se resserrait autour de son domaine : toutes les concessions dont il avait joui durant son mandat de justicier royal dans les Highlands lui étaient retirées une à une. Parmi elles figurait la forteresse d'Urquhart, une de ses places fortes favorites qu'il avait tenté de conserver pour l'usage de son fils, mais que la Couronne avait reprise en 1391 sur la recommandation du comte de Fife. En représailles à cette décision, Alexandre Stewart avait lancé un raid sur le comté d'Angus depuis Lochindorb et avait envoyé son fils à la tête de la troupe pour brouiller les pistes. MacNèil n'avait pas flairé le subterfuge, se limitant à observer le départ du fils de Buchan avec son contingent, sans donner l'alarme.

Close par le décès du shérif d'Angus, l'opération d'Alexandre Stewart fils avait été un exemple de défi à l'autorité royale et le Parlement n'avait pas été dupe quant à l'identité de son instigateur : dans la condamnation émise au Conseil de mars 1392, les Alexandre Stewart, père et fils, furent tous deux qualifiés de « *traîtres et démons des Highlands*». Alors en juillet 1392, quand tomba la sanction du divorce de la comtesse de Ross, le comte de Buchan fut réduit à un domaine largement amputé. Il décida de confier Lochindorb à son fils et de partir avec sa famille et son contingent d'hommes armés pour s'établir plus au sud, à son château de Kingussie qui avait l'avantage d'être plus près du siège du pouvoir. En outre, cette place forte était plus éloignée de son ancien territoire et rendait le comte indéniablement moins menaçant pour le Parlement.

Pour MacNèil, le déplacement de sa cible mit fin à son contrat de surveillance. Avec un certain soulagement, il quitta son antre des bois, attacha son maigre bagage sur sa monture et partit dans le sillage de la cohorte de Buchan en compagnie de Tadèus. Il ne lui restait plus que lui, car les deux hommes que lui avait concédés le comte de Fife lui avaient été retirés après le raid meurtrier sur le comté d'Angus. Désormais, Mac-Nèil allait poursuivre sa traque de son propre chef, sans subsides ni instructions.

Jusqu'à Kingussie, le parcours longeait la rivière Spey qui sinuait dans une vallée déboisée. Le cours d'eau peu profond se traversait à gué en plusieurs endroits. Les deux hommes chevauchèrent sur la rive opposée à celle empruntée par le lourd équipage du comte, à bonne distance, hors de portée de flèches. Il y avait belle lurette que MacNèil ne se cachait plus des hommes de Buchan et que ce dernier ne prêtait plus guère attention à lui. Cependant, au moment de bivouaquer à la tombée de la nuit, le comte se demanda pourquoi il n'apercevait ses habituels poursuivants nulle part. Son étonnement s'accentua quand il constata qu'ils n'allumaient aucun feu. Vaguement inquiet, Buchan organisa un tour de veille de son campement et s'octroya le premier quart de la nuit.

Mais à cette même heure, les deux anciens caterans galopaient à des miles de là, en direction nord. L'idée de cesser le pistage de Buchan était subitement venue à MacNèil et il avait éprouvé certaines difficultés à expliquer sa décision à son compagnon. À force de filer sa proie pas à pas, de buter sur son éternel air impavide, de percevoir les rires qui fusaient de son groupe, d'observer ses femmes se laver à la rivière, de humer l'odeur des viandes cuites sur ses feux et d'entendre les chants paillards s'élever de son campement, un sentiment de lassitude et de dépit s'était emparé de lui. Avec morgue, MacNèil constatait qu'il vivait comme un gueux depuis maintenant deux longues années, braconnait pour se nourrir et dormait dans des abris de fortune. Lui et Tadèus n'avaient livré aucun combat, s'étaient privés de femme et avaient mangé très peu de repas à une vraie table.

Alors, au milieu de l'après-midi, les yeux fixés sur la joyeuse cohorte d'Alexandre Stewart, il prit douloureusement conscience de l'inutilité de sa quête. Il eut beau sonder son cœur, il ne retrouva pas l'élan meurtrier qui avait jusqu'alors alimenté son désir de vengeance. « Tad, fit-il soudain, arrête ! Tu vois ce détour de la rivière dans lequel Buchan s'engage ? Dès que son équipage ne sera plus en vue, on tourne bride.

– Pourquoi ? Où va-t-on ? Tu veux le dépasser par les collines et le surprendre en amont ? C'est ça, ton plan ? s'enquit Tadèus, surpris.

– Non. C'est ce que Buchan va peut-être croire, et tant mieux : qu'il se morfonde pour une fois ! Mais on ne l'attaquera pas. On laisse tomber la poursuite, admit MacNèil d'une voix sourde.

— Comment ça, on laisse tomber?

— ...

— MacNèil, réponds! Qu'est-ce que tu mijotes? insista Tadèus.

— Je ne sais pas, Tad. Je ne veux plus continuer. Tu n'es pas las d'être aux trousses d'un homme qui se moque de toi, à qui tu n'inspires aucune crainte et qui est aussi inaccessible au creux de son escorte qu'un œuf dans un nid de vautour? Moi, si. Je renonce à venger la mort de nos compagnons caterans. Que Dieu ait leur âme et qu'Il châtie le traître par une autre main que la nôtre, si telle est Sa volonté.

— Et la pupille de Ross... qui va surveiller Buchan pour elle?

— Bah! Lite MacGugan est bien plus à l'abri à Mallaig que ne l'est sa tutrice à Dinkeual. Il est d'ailleurs temps d'aller aux nouvelles de ce côté.

— C'est notre destination?

— Si tu veux toujours me suivre, viens avec moi. Alasdair Leslie est pratiquement mon beau-frère et tu vas voir comme il nous recevra. Moi, je n'aspire plus qu'à une chose maintenant: profiter d'une bonne table et d'un lit douillet!»

MacNèil n'avait pas menti. Quatre jours plus tard, les deux hommes furent accueillis à bras ouverts dans un château où toutes les mines arboraient un air de bonheur depuis l'annonce du divorce de la comtesse de Ross. Alasdair lui-même leur ouvrit la porte d'enceinte et les embrassa comme s'ils revenaient d'une victoire. Le jeune maître de Dinkeual fut soulagé de savoir son ex-beau-père sur la route de Kingussie et crut même que le but de la visite de MacNèil dans le comté avait été de l'en aviser. Aussi considéra-t-il les deux voyageurs comme ses alliés.

La comtesse Euphémia témoigna d'une égale fièvre envers le mari de sa pupille et son compagnon, et l'ardeur dont elle enveloppa ses propos en les accueillant n'était pas feinte. Elle semblait avoir effacé de sa mémoire la première apparition de MacNèil dans sa grand-salle et ce dernier se garda bien d'y faire allusion. La meilleure chambre fut assignée aux visiteurs impromptus et le repas qu'elle commanda aux cuisines le soir de leur arrivée prit les allures d'un véritable festin. Attablé dans une attitude un peu roide, Tadèus écartait les yeux d'admiration pour l'estime que son ami suscitait spontanément dans la maison de la comtesse de Ross et il lui coula discrètement des regards éloquents tout au long du repas.

D'un naturel pourtant communicatif, MacNèil se comportait avec une retenue qu'il ne se connaissait pas ; cette demeure noble et élégante l'intimidait et l'affabilité de ses hôtes forçait son amitié, sentiment qu'il n'accordait pourtant pas facilement aux gens de l'aristocratie. Lors de ce premier repas servi dans la grand-salle, il dut faire des efforts pour chasser de son esprit l'image de la comtesse insultée par Buchan. Alors qu'il n'avait jamais été préoccupé de l'impression qu'il faisait en société, il s'aperçut qu'il cherchait à obtenir une opinion favorable sur lui de la part de ses hôtes. Ainsi, pour une des rares fois de sa vie, surveilla-t-il son langage et ses manières. En outre, il se sentit épié par Alasdair quand la conversation porta sur Lite MacGugan et il se demanda pourquoi.

Après quelques jours, la comtesse et son fils finirent par aborder le sujet de la menace de Buchan que l'obtention du divorce levait, ce qui posait indirectement la question du séjour des deux anciens caterans à Dinkeual. «Je crois, messire MacNèil, que plus rien ne vous retiendra désormais dans la région, dit dame Euphémia. Nous pouvons raisonnablement penser que le comte de Buchan a renoncé à se venger de l'affront que lui a infligé Lite, si toutefois il en a eu le désir. Pour ma part, je n'ai heureusement plus rien à craindre de cet homme. Qu'il soit retourné à Kingussie avec ses gens est déjà un signe encourageant prouvant qu'il n'entretient plus de visées belliqueuses sur le comté de Ross.

— N'allons pas trop vite en affaires, objecta son fils. Buchan ne lâche pas si aisément un morceau. Souvenez-vous avec quelle âpreté il a défendu ses droits sur Urquhart et avec quelle promptitude il a accouru au Parlement pour empêcher que son fils ne soit accusé du meurtre du shérif d'Angus après le raid. N'oublions pas qu'il est le frère du roi et, à ce seul titre, il est reçu à la cour et, encore quelquefois, écouté malgré les efforts de Fife pour le spolier, ajouta-t-il en se tournant en direction de son invité. À combien d'hommes s'élève sa garnison personnelle, MacNèil? Vingt, trente, cinquante?

— Il en avait vingt-trois à Lochindorb et une dizaine d'autres dans chacune de ses sept places fortes. Pour le raid dans le comté d'Angus, il a pu lever trois cents cavaliers sous le commandement de son fils.

— Voyez, mère! En dépit de sa chute dans les Highlands, Buchan est demeuré un très puissant seigneur. Et le connaissant comme nous le connaissons, ce n'est pas la sanction de Clément VII[1] qui va vous mettre à l'abri de sa férocité… D'autant plus que désormais il faut compter avec Alexandre Stewart fils qui marche avec fracas dans les traces de son père et qui garde Lochindorb à quinze miles d'ici. Je crois au contraire que messire MacNèil a un grand intérêt à demeurer dans les parages, avança Alasdair avec emportement.

– Évidemment, Alasdair, enchaîna dame Euphémia, si messire MacNèil t'était d'une certaine utilité dans notre milice et qu'il désire poursuivre sa surveillance, je ne vois aucun inconvénient à le retenir à Dinkeual avec messire Tadèus. J'ai seulement parlé de son départ en pensant à Lite, là-bas à Mallaig…

– Lite se débrouille on ne peut mieux, je vous assure! Elle n'a pas besoin de MacNèil…», fit vivement Alasdair en avançant sur sa chaise.

Le jeune homme laissa sa phrase en suspens, confus et rougissant, puis, s'adressant à son visiteur, il fit un effort pour reprendre sur un ton neutre: «Vous m'obligeriez, MacNèil, de vous joindre à mon escorte. Votre connaissance de Buchan et de ses places fortes diffère considérablement de la mienne et la complète en quelque sorte. Elle me serait extrêmement précieuse dans les prochains mois si vous consentiez à la partager avec moi. Le prix de vos services à tous deux, messire Tadèus et vous, sera le mien.»

Le trouble momentané d'Alasdair Leslie n'avait échappé ni à MacNèil ni à dame Euphémia. Les doutes du premier se portèrent immédiatement sur Lite, alors

---

1. Clément VII, à titre de pape, signait les bulles d'annulation de mariage et de divorce des sujets du monde chrétien.

que ceux de la seconde se fixèrent sur Alasdair. Après un bref moment de réflexion, MacNèil accepta l'offre faite pour lui et son compagnon, tout en se promettant de découvrir ce que son épouse trafiquait à Mallaig pour si bien s'accommoder sans lui et pourquoi le fils de la comtesse manœuvrait à fort prix pour l'en tenir éloigné.

Jusqu'à l'hiver, au fil de ses conversations avec la comtesse, il n'obtint rien de bien tangible sur ce qui se passait au château de Mallaig; Lite semblait s'y plaire et formulait divers projets dont la majorité visaient la réfection de son enceinte et la décoration de son donjon. Quant au voyage estival d'Alasdair Leslie à Yle, aucune information ne filtra durant leurs longues heures à chevaucher au botte à botte dans le comté. Le jeune homme se refermait aussitôt qu'il était question de Lite, sauf en présence de sa mère quand celle-ci recevait une lettre de Mallaig. Alors, Alasdair se montrait aussi avide de nouvelles sur sa sœur que le mari de cette dernière, demandant la relecture de chaque missive avec une délectation exaspérante. L'engouement qu'Alasdair démontrait pour Lite finit par paraître de moins en moins fraternel aux yeux de MacNèil.

Le 5 décembre 1392, le divorce de la comtesse de Ross du comte de Buchan fut officiellement promulgué. Mais étrangement, comme si elle perdait toutes ses défenses en baissant la garde devant son ennemi juré, dame Euphémia demeura stoïque et tomba brusquement malade. Dès lors, elle ne quitta plus Dinkeual et s'en tint à ses travaux d'écriture et de traduction comme seules activités.

Alasdair, n'ayant plus à encadrer les sorties de sa mère dans le comté, formula le désir d'aller faire une visite à Mariota pour Nollaig*. Sachant sa fille isolée à Yle et particulièrement en manque de compagnie depuis le départ de Lite pour Mallaig à l'automne précédent, la comtesse ne s'opposa pas au projet. Mais, soupçonnant quelque sentiment nouveau et illicite entre son fils et sa pupille, elle insista pour que MacNèil soit du voyage et voie ses parents, au cas où Alasdair pousserait une pointe jusqu'à Mallaig. L'ancien chef cateran perçut immédiatement la réticence du fils à la suggestion de sa mère et cela suffit à lui faire surmonter le premier mouvement d'objection que l'évocation d'un éventuel retour au château natal avait suscité chez lui. «Je ne sais pas quel accueil mon père va me réserver après douze ans d'absence, mais je ne laisserai pas ma femme revoir Alasdair Leslie sans moi», songea-t-il avec méfiance.

La décision du Seigneur des Îles de réunir tout le clan MacDonald à Finlaggan pour les fêtes de la Nativité de 1392 plongea Mariota dans une telle fébrilité qu'elle me fit venir dès le premier décembre pour la seconder. J'avais quitté Yle depuis à peine deux mois que j'y revenais, le cœur joyeux. La perspective d'une grande réception où je rencontrerais les principaux membres du puissant clan MacDonald suscitait une vive curiosité de ma part et rivalisait d'attrait avec le bonheur de retrouver ma chère sœur.

Grâce au projet d'amélioration du château de Mallaig que j'avais présenté à mon beau-père à mon retour d'Yle, en septembre, je n'eus guère de difficulté à le convaincre du bien-fondé d'un nouveau séjour chez Mariota. Comme je n'avais pas réussi à ramener Kenneth O'Drain, je fis valoir au seigneur Mànas que je devais garder le contact avec le maçon si je voulais retenir ses services pour commencer les travaux au printemps. Dame Égidia, qui était gagnée à mes plans depuis le début, mit l'épaule à la roue pour m'obtenir le mandat de cette négociation en stimulant l'esprit d'initiative somnolent de son mari. Cette seconde invitation à Yle eut le mérite de précipiter une décision en latence : celle de me donner carte blanche pour mettre en branle l'ouvrage de réfection du château de Mallaig. Inutile de dire que je jubilais en approchant des côtes d'Yle.

Dès mon arrivée, après une remuante séance de retrouvailles avec Mariota, ses enfants et ses servantes, je hélai Kenneth O'Drain avec lequel j'eus à peine le temps de parler de mon offre, tant Mariota me pressait d'établir un échéancier des préparatifs de festivités. Cependant, il m'affirma qu'il travaillerait aux dessins durant mon séjour et qu'il me les présenterait avant mon départ. Je lui souris de satisfaction et dirigeai mes attentions vers mon hôtesse.

La deuxième semaine de décembre, il arriva presque chaque jour une délégation de MacDonald à Yle et c'était à qui identifiait les visiteurs le premier. Ailig et Angus se bousculaient avec les domestiques pour observer le débarquement de leur parentèle, le nez collé aux carreaux givrés des fenêtres du donjon. Ils criaient les noms de ceux qu'ils reconnaissaient et les claironnaient dans les escaliers qu'ils dévalaient en courant, jusqu'à ce que tout le monde se fût présenté dans la cour pour l'accueil des invités.

Cette joyeuse cohue me ravissait, alors qu'elle faisait naître un vent de panique chez l'inexperte châtelaine qu'était demeurée Mariota par sa façon de vivre retirée de l'agitation, au dernier étage de son donjon. Il est vrai que l'organisation du séjour d'un si grand nombre d'invités dépassait les compétences de la plus férue des intendantes et il fallut déployer des trésors d'imagination pour arriver à fournir l'essentiel de confort à tous ces gens. Fort heureusement, les dames MacDonald firent preuve d'intelligence et de souplesse dans leur installation, nous soulageant ainsi de régler une infinité de détails. En fait, j'appréciai beaucoup les membres du clan MacDonald, chacune des invitées, dames ou damoiselles, me paraissant accorte, et leurs seigneurs, plaisants. D'ailleurs, tous me témoignèrent une égale sympathie mêlée de curiosité.

Leurs innombrables coffres et cageots entassés dans le hall révélèrent un à un leur contenu, tantôt des victuailles, tantôt des étoffes et autres produits d'importation dont jouissaient les familles du clan grâce aux places fortes qu'elles tenaient sur les îles, au milieu des routes commerciales de la mer des Hébrides. Ce n'était un secret pour personne que le rançonnement faisait partie intégrante des échanges privilégiés par les Mac-Donald sur leur domaine, qu'il soit sur terre ou sur mer, comme le stipulait si bien leur devise : *Per mare per terras.* Je m'amusais de les voir exhiber sans fausse honte leurs «acquisitions» avec force commentaires sur leur provenance et leur qualité. J'assistais à ce déploiement de marchandises avec le même intérêt que si je m'étais retrouvée au milieu d'une foire.

Cela me donna à penser que, sur la mer des Hébrides, l'ouverture d'un port franc, où les biens pourraient transiter sans subir de ponction arbitraire de la part de ceux qui le géreraient, obtiendrait un grand succès auprès des armateurs et des marchands. De là à imaginer le petit port de Mallaig, avec ses marais salants et sa trentaine de chaumières, transformé en lieu d'échanges commerciaux, il n'y avait qu'un pas, que je franchis avec inspiration. Si le nombre des acheteurs dans les Hébrides s'avérait prometteur, le projet vaudrait la peine d'être examiné.

Je me mis donc en frais de noter chaque nom de bateau, de commerçant et de port d'approvisionnement mentionné à l'occasion de ces déballages de provisions et d'articles des MacDonald et, au besoin, je me fis préciser les renseignements plus flous. Chaque jour, je prenais soin de colliger mes notes sur de courtes feuilles que je reliais en carnet et, pour entourer l'opération d'une certaine discrétion, j'usai du latin. En me relisant, j'ajoutais parfois des commentaires sur mes informateurs et les impressions qu'ils me laissaient : la bonhomie de l'un, l'audace de l'autre ; ici une cousine orgueilleuse, là un oncle cupide.

J'étais justement assise à l'écritoire quand l'annonce d'une nouvelle cohorte d'invités parvint dans la chambre des dames depuis la porte d'accès aux escaliers. Ce fut Ailig qui, surexcité, nous réclama en passant en trombe : « Mère, tante Lite, venez toutes deux ! Le seigneur de Louchabre arrive à l'instant, avec ma marraine et mes cousins…

– Oh ! fit Mariota en se levant. Quelle joie pour mes fils ! Les garçons du frère de mon mari ont l'âge des miens et ils s'amusent beaucoup ensemble.

– Leur mère est la marraine d'Ailig? demandai-je en rangeant mes papiers.

– Non, elle est décédée. C'est Johanna, leur demi-sœur, qui est marraine d'Ailig. Ah, mais tu dois te souvenir d'elle, Lite, nous l'avions rencontrée à Perth avant mon mariage, Alasdair lui avait même fait une cour empressée.

– Oui, oui, je me la rappelle... une véritable beauté», murmurai-je, en emboîtant le pas à ma sœur qui descendait à la rencontre des arrivants.

Johanna MacDonald était aussi resplendissante que dans ma mémoire : un visage aux traits parfaits, encadré d'une magnifique chevelure noire, surmontait un corps long et souple aux formes généreuses cintrées dans une somptueuse robe d'un rouge grenat. Son filleul s'était jeté dans ses bras et nous eûmes quelques difficultés à nous saluer, mais je remarquai à quel point l'effet produit par son apparition, sur les femmes présentes dans le hall, était similaire : nous nous sentions aussi pitoyables que peuvent l'être des poules entourant un paon. J'appris que la damoiselle n'était pas mariée et assumait à Louchabre les tâches de châtelaine qui lui incombaient depuis le décès de sa belle-mère. En outre, elle m'apparut suffisante et hautaine dès nos premiers échanges et, malgré le fait qu'elle recherchât davantage la compagnie des hommes, elle se targuait de ne pas vouloir se marier. Cette attitude, alliée à son éclat, titillait les plus décidés de la gent masculine qui bourdonnaient autour d'elle comme guêpes au-dessus d'une fleur sucrée.

La pensée qu'Alasdair en soit peut-être encore épris m'agaça prodigieusement et, mettant le cap sur d'autres invités, moins attirants mais d'un abord plus aimable, je la délaissai. Néanmoins, les commentaires que son arrivée suscita dans l'entourage me pourchassèrent toute la journée et j'appris ainsi malgré moi beaucoup de choses sur la sylphide d'Alasdair, collectionneuse d'intrigues et croqueuse de cadeaux de fiançailles.

Une couche de neige lourde couvrait les plateaux surplombant la péninsule de Mallaig et assourdissait le pas des chevaux de MacNèil et Tadèus. Tout le paysage, qu'un pâle soleil éclairait, baignait dans une torpeur grisâtre. Soudain, au-dessus de leurs têtes, l'air fut traversé par le sifflement d'une flèche : foudroyé en plein vol, un lagopède s'écrasa mollement sur le tapis neigeux. Aussitôt apparurent trois molosses essoufflés et un archer monté sur un cheval brun, qui interpella les voyageurs d'une voix sèche : « Holà, messires ! Où allez-vous ainsi ?

— Je vais chez moi, Aindreas. Tu ne reconnais pas ton aîné ? répondit MacNèil en le dévisageant.

— Par le diable si je me trompe ! C'est toi, Baltair ! On avait fini par penser que tu ne reviendrais jamais à Mallaig… C'est la mère qui va se pâmer…

— Je te présente mon compagnon Tadèus Fair, fit MacNèil en tournant la tête vers ce dernier. Tadèus, voici mon frère Aindreas, le quatrième fils de Mànas MacNèil.

— Troisième ! rectifia aussitôt Aindreas. N'as-tu pas appris que Bryce s'est fait occire à Otterburn il y a quatre ans ?

— Si, je l'ai su. Mais la mort ne modifie pas les rangs dans une famille : le décès de Bryce ne fait pas de Parthalan le premier fils de Mànas, ni moi le second et ni toi le troisième. Tu es et demeureras le quatrième quoi qu'il arrive à tes aînés, Aindreas. Allons, rentrons au château, Tadèus et moi sommes tout transis et affamés. »

Irrité de recevoir, devant un étranger, une verte mise au point en guise de salutation, Aindreas descendit lourdement de cheval, bouscula ses chiens et ramassa sa proie en la saisissant par la flèche. Puis il remonta en selle et rattrapa son frère pour le précéder jusqu'au château. Les trois hommes pénétrèrent ensemble dans la cour parsemée de plaques de glace et de neige fondue où ils mirent pied à terre en silence. Un petit marmiton accourut à leur rencontre, pressé de voir le gibier rapporté par le seul fils MacNèil qui avait eu le courage d'aller chasser ce jour-là. Soucieux de ne pas se mouiller les pieds, il ne fit pas attention aux nouveaux venus et, avec une mine déçue, attrapa l'oiseau qu'il emporta pour le plumer aux cuisines.

Baltair MacNèil l'observa d'un œil narquois, jeta un regard à Tadèus et déclama courtoisement en se frappant la poitrine :

« Bienvenue à Mallaig, messire Baltair, et à vous aussi, messire Tadèus. Quel bon vent vous amène ? Avez-vous fait bonne route ? Entrez donc vous chauffer et boustifailler. Nous cuisons du lagopède aujourd'hui…

– Très drôle, mon frère, grommela Aindreas. Toujours aussi comédien à ce que je vois. Après avoir joué tes rôles de gredin, de chef cateran, de profanateur de cathédrales et de gibier de potence, tu essaies de mimer le retour de l'enfant prodigue. Comme tu peux le constater, l'accueil ne rendra pas justice à ton talent pour les piperies. »

Au même moment, une voix provenant du donjon s'éleva et la longue silhouette de Parthalan apparut sur le portail. Les poings sur les hanches, la moustache redressée et le sourcil froncé, il détailla MacNèil avec plus d'ironie que de surprise. «Qu'est cela? Le mari de la pupille de Ross en personne ou bien son spectre? Douze ans plus tard... c'est lui, ici, céans. Dans mes bras, vaurien!» Une franche accolade suivit cet accueil équivoque. Malgré les curieux qualificatifs dont l'affublait son aîné, MacNèil lui rendit sa salutation avec amabilité. Puis, abandonnant les chevaux à Aindreas, il empoigna Tadèus par le cou et l'entraîna à l'intérieur du donjon sur les talons de son aîné.

L'attitude de dame Égidia à l'égard de son fils Baltair différa en tout point de celle de son mari. Autant la mère se répandit en larmes et en caresses, autant le père s'abstint de montrer un quelconque émoi, évitant même de toucher son fils d'une simple brassée. Les autres membres de la famille calquèrent leur attitude sur celle du chef et se montrèrent plus polis qu'exubérants face aux nouveaux venus. Mais ceux-ci ne s'en formalisèrent pas, trop heureux d'être enfin arrivés à destination. Le confort du château compensait largement la réception mitigée de ses habitants.

La veille, à la pointe nord du loch Linnhe, les deux voyageurs avaient quitté l'escorte d'Alasdair Leslie qui s'embarquait pour Yle et ils avaient poursuivi leur route vers l'ouest en essuyant une intempérie. Ils avaient dormi sous les pins et s'étaient abreuvés aux sources; leurs plaids s'étaient raidis d'humidité et leurs pieds, engourdis dans leurs heuses. La seule vue du large foyer ronflant au fond de la grand-salle transporta d'allégresse

MacNèil et son taciturne compagnon qui s'en approchèrent tout en continuant de saluer un à un les membres de la famille qui affluaient vers eux. Mille questions se pressaient sur les lèvres des habitants du château et il leur tardait de les poser. Aussi s'agglutinèrent-ils sur les larges dalles rougeoyantes devant l'âtre, autour des voyageurs qui se chauffaient le fessier aux flammes.

« Mon frère, n'as-tu pas remarqué l'absence de ton épouse, dame Lite ? s'enquit la première, Rosalind.

– Si fait ! Où est-elle ? répondit MacNèil sur un ton désinvolte.

– Elle est partie voilà une semaine, invitée chez sa sœur à Yle pour célébrer Nollaig avec tout le clan Mac-Donald réuni.

– Ventre saint-gris ! jura MacNèil, l'œil furibond.

– Qu'as-tu ? demanda Parthalan. La pupille de Ross est libre d'aller où elle veut, à plus forte raison chez sa sœur. Tu nous l'abandonnes durant deux ans sans te montrer le bout du nez. Faudrait pas croire qu'elle va demeurer là à attendre ta visite. Elle a bigrement mieux à faire...

– Tais-toi ! Ce n'est plus la pupille de la comtesse de Ross, mais ma femme, et Mariota MacDonald n'est pas sa sœur : elles n'ont aucun lien de sang, répliqua sèchement MacNèil.

– Mais enfin, Baltair, fit dame Égidia d'une voix aiguë, tu es revenu ici dans l'escorte d'Alasdair Leslie pour revoir ta famille ou ta femme ? C'est inouï tout de même, tu engrosses cette dame, l'épouses, puis l'expédies jusqu'ici sur une traversée qui lui fait perdre son enfant, ne lui écris aucune missive durant deux ans et les seules nouvelles que la pauvre reçoit de toi lui proviennent par bribes de sa bonne tutrice. Est-ce là un comportement digne? Fort heureusement que la noble comtesse lui a assuré une belle dot, sinon je ne sais pas ce que nous aurions pu faire d'elle…»

Devant l'air ahuri de son fils, dame Égidia se tut et se tourna vers son mari, l'œil interrogateur. Ce dernier sentit qu'il était temps d'intervenir. Il enjoignit son fils de le suivre dans son cabinet et les deux hommes s'éclipsèrent d'un pas raide en plongeant l'assemblée dans un silence embarrassé. Parthalan fixa le compagnon de son frère avec insistance pour le forcer à parler, mais celui-ci s'abstint de le faire et choisit de s'isoler de la famille en gagnant le coin de la grand-salle où il avait laissé ses sacs.

Au premier étage, dans le cabinet du seigneur Mànas, la tension était aussi palpable. Calé au fond de son fauteuil, les jambes allongées et les mains jointes sur son ventre, le chef MacNèil toisait son fils debout devant lui. Malgré le courroux qu'il lui inspirait, il devait admettre que l'homme soumis à son examen avait fière allure. Il admira son corps aux membres déliés prêts à parer un assaut et, dans son regard direct, il décela un esprit hardi capable d'esquiver une question. Le dos droit, les jambes écartées et les bras croisés, Baltair MacNèil dévisageait son père sans émotion mais avec intérêt, appréciant les empreintes que le passage des ans avait laissées sur son visage de sexagénaire.

«Avant de parler des libertés que tu as prises avec Lite MacGugan, commença sèchement Mànas MacNèil, nous allons parler de la cathédrale d'Elgin. J'oublie délibérément nombre de tes forfaits qui nous ont été colportés et qui ont terni notre nom, de fois en fois. J'accepte de les tenir pour fautes de jeunesse. Tout se sait, Baltair: on y met du temps, mais on a fini par remonter ta trace partout où tu es passé dans les Highlands. Et je puis te dire que c'est une trace sur laquelle je ne voudrais même pas lancer mon chien…

– Mon seigneur, interrompit MacNèil, je n'ai rien à révéler sur Elgin, pas plus que sur mon union avec Lite MacGugan. Cela m'appartient. Vous m'avez laissé partir jadis et je ne suis plus de vos hommes maintenant. Vous n'avez aucune autorité sur moi et, en conséquence, rien à me reprocher. Par contre, j'ai parfaitement conscience d'avoir nui à la réputation du clan ces dernières années et c'est pourquoi j'espère que l'argent de ma femme redorera le blason MacNèil que j'ai terni. Si vous laissez agir Lite MacGugan, nul doute qu'elle donnera du lustre à votre domaine: elle en est capable et c'est tout à fait dans ses cordes…

– Elle a en effet un esprit d'envergure et une fortune personnelle qui favorisent la réalisation de projets avantageux pour Mallaig: je n'ai pas l'intention de le nier. Mais toi, tu ne mérites certainement pas une telle femme, pas plus que mon toit!

– Vous êtes en droit de me chasser du château et faites-le si cela vous plaît, peu m'en chaut! Mais alors, je reprends Lite MacGugan et la reconduis à la comtesse de Ross qui m'en sera infiniment reconnaissante. Mallaig, votre château, vos marais, vos troupeaux, vos lairds et leur famille, tout cela ne m'intéresse pas davantage qu'il y a douze ans. Je me complais à vivre en dehors de votre domaine et du clan.

– Ainsi, tu n'as pas l'intention de t'installer ici?

– Que non! Je regagne l'escorte d'Alasdair Leslie à Yle dès demain.

– …

– Alors, que décidez-vous? Je vous ramène Lite MacGugan ou non? Vous me retirez ou non le gîte et le couvert à Mallaig?» interrogea le fils avec défi.

Depuis le début de l'échange, Mànas MacNèil contenait avec difficulté sa colère. Il tolérait mal l'émancipation d'un vassal ou celle d'un soldat, encore moins celle d'un de ses fils. Obligé de reconnaître que Baltair s'était complètement affranchi de sa tutelle, il lui répugnait de transiger d'égal à égal avec lui et fulminait d'être coincé dans cette position. Pour masquer son irritation, le vieil homme se leva et fit quelques pas dans la pièce en évitant de croiser le regard de son fils. Il marcha lentement jusqu'à l'étroite fenêtre de laquelle il put observer durant une longue minute les glaces de la baie et les nuages lourds de neige qui roulaient au-dessus. Puis, sans se retourner, il laissa tomber son verdict sur un ton inamical: «Je n'ai jamais fermé ma porte aux voyageurs. Puisque tu es de passage à Mallaig, sois le bienvenu.

– Bien, je vous en remercie, père, s'il vous agrée que je vous appelle encore de ce nom», répondit Baltair d'une voix radoucie. Puis, sans attendre d'être congédié, il sortit du cabinet prestement.

Mànas MacNèil tourna la tête trop tard pour le voir partir. Un léger tremblement agita sa tête et il ferma les yeux un instant. «Il m'agrée que tu m'appelles père, comme je continuerai à t'appeler fils, quoi que tu fasses», songea-t-il avec douleur.

Chapitre V

Menteuse ou ribaude

« *D*ulcime Alasdair, totam tibi subdo me[2] », griffonnai-je en toutes petites lettres dans mon carnet, à côté de ma note relatant l'arrivée d'Alasdair, puis je le refermai précipitamment, effarée par mon audace. En faisant ma toilette de nuit avant de me mettre au lit, je revis le regard brûlant dont mon frère m'avait enveloppée en me souhaitant la bonne nuit en des termes équivoques : « Oh, Lite! Tu m'as tellement manqué et mon plus grand souhait est de profiter de mon séjour à Finlaggan pour refaire le plein de toi. Accorde-moi de passer le plus de temps possible en ta compagnie. Si tu n'as que les nuits à me consacrer, prenons-les... », m'avait-il chuchoté d'une voix pressante.

Je m'étais évidemment interdit d'acquiescer à sa demande : il eût été inconvenant et très imprudent de rencontrer Alasdair de nuit dans la maison de notre sœur. Cependant, son désir de moi me troublait et l'indifférence

---

2. Je m'abandonne tout entière à toi, très cher Alasdair.

dont il entourait la superbe Johanna MacDonald m'exaltait. Un revirement dans les sentiments qu'il lui avait portés s'était opéré, mais j'étais bien en peine d'en expliquer la cause et, d'ailleurs, je n'en avais cure. Tout ce que je voyais dans l'attitude d'Alasdair, c'est que j'étais la seule femme digne de son attention et cela me comblait.

N'ayant été précédé d'aucune missive, le débarquement d'Alasdair à Finlaggan le 22 décembre avait été une surprise pour tout le monde. Mariota, que ses devoirs d'hôtesse accaparaient, l'avait embrassé à la sauvette, présenté à la parentèle des MacDonald, puis me l'avait abandonné. J'avais Alasdair à moi toute seule et je n'avais certes pas l'intention de m'en plaindre : depuis que tous les invités étaient arrivés, ma sœur ne requérait plus mon aide immédiate et, au milieu de ce grand rassemblement, j'hésitais entre tenir le rôle d'hôtesse ou celui de convive. La présence d'Alasdair à mes côtés me dispensa de faire un choix. Nous circulâmes, coude à coude, d'un groupe à l'autre, comme frère et sœur en visite familiale.

Tout en donnant l'apparence de nous mêler aux MacDonald et de participer aux agapes, nous passâmes le plus clair de nos journées en un doux aparté, à discourir sur des sujets d'intérêt personnel, tels la santé de dame Euphémia, la proclamation de son divorce et ses répercussions à la cour, le départ du comte de Buchan pour Kingussie et, enfin, l'intégration de MacNèil dans la garnison de Dinkeual. Cette dernière information, qu'Alasdair me donna la veille de Nollaig, me mit étrangement mal à l'aise.

Il m'était plus facile d'ignorer l'existence de mon mari quand je le croyais aux trousses du comte de

Buchan, sur ses lointaines terres, que lorsque je l'imaginais bien installé au château de mon enfance, dans le proche comté de Ross. Je ne concevais ni d'aller vivre là-bas avec MacNèil, ni que ce dernier vienne me rejoindre à Mallaig, et je m'en ouvris désespérément à Alasdair. Celui-ci semblait s'être préparé à cette discussion, car ses commentaires ressemblèrent à des affirmations : « Son clan a banni ton mari depuis longtemps : à mon avis, il ne retournera jamais vivre parmi les siens. Tu aurais dû voir la tête qu'il a faite et le peu d'enthousiasme avec lequel il a accueilli la proposition de mère de m'accompagner dans les Îles ; et aussi, sa répugnance à se séparer de ma compagnie au loch Linnhe pour bifurquer vers Mallaig avec son compagnon. J'ai eu l'impression qu'il était de nouveau appelé au gibet…

– Oh, je t'en prie, Alasdair, tais-toi ! N'évoque pas cet épisode, pas ici, l'implorai-je.

– Soit, je n'en parle plus, mais, dis-moi, Lite, tu ne sembles pas être en pénitence à Mallaig. Quelle impression cela te fait-il d'être mariée à un fantôme et de loger chez ses parents ? Reviendrais-tu à Dinkeual habiter avec lui s'il te le demandait ?

– Dieu du ciel, que non ! Je ne souhaite pas vivre avec MacNèil, fût-ce à notre château adoré de Dinkeual et avec ta gracieuse mère. Raconte-moi, Alasdair, a-t-il formulé cet intolérable projet ?

– Bien sûr que non, voyons, ne te morfonds pas de la sorte ! Je parie qu'il n'y a jamais pensé, et même si cette idée l'effleurait, je me chargerais de l'en détourner. Tu n'en veux pas dans ton lit et je t'entends bien là-dessus. Alors, compte sur moi pour que la chose ne se fasse pas », promit-il en me pressant la main.

La sollicitude d'Alasdair à mon endroit n'était pas désintéressée et je ne fus pas dupe de son intention de tenir MacNèil à distance. Alors que j'aurais dû m'apercevoir du manque d'honnêteté de l'attitude d'Alasdair, et de la mienne en étant complaisante, j'interprétai son offre de soutien comme une marque de sa ferveur. Force était de reconnaître que nous agissions exactement comme si je n'avais pas contracté le sacrement du mariage avec Baltair MacNèil. Alasdair Leslie se comportait avec moi comme si j'étais célibataire, me faisant une cour discrète, mais soutenue. Je me complaisais en sa présence et me repaissais des sentiments que j'éprouvais pour lui et de ceux que je lui prêtais envers moi. Mon idylle me transporta de bonheur durant trois jours.

Le jour de Nollaig, au sortir de l'office du matin dans la petite chapelle bondée de Finlaggan, le charme se rompit. Deux hommes fraîchement débarqués à Yle battaient la semelle dans la cour et demandaient à être reçus par le Seigneur des Îles. Je reconnus immédiatement l'un d'eux: Baltair MacNèil! Dès qu'il les vit, Alasdair se porta vers les arrivants, suivant de près Donald MacDonald. «Voici messires Baltair MacNèil et Tadèus Fair, des hommes à moi, s'empressa-t-il de lancer par-dessus l'épaule de son beau-frère.

– Des hommes à toi? fit le mari de Mariota en dévisageant Alasdair. MacNèil se présente céans comme l'époux de ta sœur Lite, ajouta-t-il en me cherchant du regard dans l'assemblée. Dame Lite, venez ici!»

Je me détachai du groupe et m'avançai lentement, les yeux rivés sur MacNèil qui, lui, fixait Alasdair avec défi. Son apparence avait beaucoup changé en deux ans, gagnant sur le plan de l'assurance et de l'allure générale : la maigreur de son visage avait disparu et ses cheveux coupés court accentuaient la régularité de ses traits ; son maintien droit faisait ressortir la largeur de ses épaules, et la longueur de son torse contrastait avec l'image du boiteux malingre et courbé que j'avais gardée de lui. Je pris une profonde inspiration et devançai la demande du chef MacDonald : « Cet homme a raison, mon seigneur, il est bien mon mari. Jusqu'à récemment, il était embauché dans le Moray, mais il s'est joint à la garde de Dinkeual. Voilà pourquoi Alasdair le réclame comme l'un de ses hommes. »

À la stupéfaction de tous, Donald MacDonald éclata d'un rire gras et, prenant MacNèil par le coude, il le mena à Mariota d'un pas dandinant. « Ma chère, fit-il en s'adressant à celle-ci, voici le cateran que vous dépréciez depuis deux ans ! C'est en même temps l'homme de votre sœur et celui de votre frère. Dans le lit de la première et dans la garnison du second. N'est-ce pas le beau-frère idéal ?

– Soyez le bienvenu à Finlaggan, messire, fit Mariota du bout des lèvres en tendant sa main à MacNèil.

– Mes hommages, dame Mariota, je suis flatté », entendis-je mon mari répondre.

Le groupe se referma aussitôt sur eux et s'achemina vers le donjon, moi derrière avec Alasdair. L'air dépité de celui-ci démontrait assez clairement sa contrariété et je renonçai à commenter l'arrivée impromptue de MacNèil avec lui. Afin de masquer mon propre désappointement, je m'approchai du dénommé Tadèus Fair, qu'on avait laissé pour compte, avec lequel j'entrepris de faire connaissance. Il m'étonna en m'apprenant qu'il avait fait partie de la horde de caterans de mon mari et qu'il avait réussi à s'échapper des détenus avant le procès. Ses dires intéressèrent plusieurs membres de la famille MacDonald qui se délectaient de toutes les histoires de Highlanders, en particulier celles relatives aux caterans. Les hommes lui demandèrent des détails sur la tragédie d'Elgin, me délivrant ainsi de sa compagnie.

Toute la journée, je fis de mon mieux pour ne pas rencontrer MacNèil dans un tête-à-tête qui ne présageait rien de bon et je réussis assez bien à l'esquiver avec Alasdair jusqu'au souper. Mais là, je fus bêtement placée avec lui à un bout de la table alors qu'on fit asseoir Alasdair très loin de nous, coincé entre Mariota et son mari sur l'estrade d'honneur. Surmontant mon appréhension, je décidai qu'il valait mieux, durant le repas, lui tenir conversation et, si possible, en garder le contrôle. Les musiciens étant tout près de nous, je dus élever la voix pour que MacNèil m'entende. «J'ai compris que tu arrives de Mallaig, MacNèil. Comment se portent tes parents et toute ta famille? lui dis-je, l'air dégagé.

– Ils parviennent assez bien à survivre à ton absence, l'Hermine. Mais je mentirais de dire qu'ils n'ont pas hâte que tu rentres. À l'évidence, tu leur es plus chère que je ne le suis.

– Ce sont des gens honorables. Ils me traitent comme leur fille et me respectent. J'ai gagné leur confiance malgré ta détestable réputation et je m'en félicite.

– Remercie plutôt ta bourse: c'est elle qui fait le travail. Je te reconnais: tu changes de couleur comme l'hermine, selon la circonstance. Malgré tes grands airs de comtesse et tes apparences immaculées, tu n'es pas plus blanche et respectable que moi…

– Comment te permets-tu de m'insulter? lui sifflai-je, choquée.

– Ou bien tu es une menteuse et tu abuses mes parents sur mon compte, ou bien tu es une ribaude qui a épousé un homme tout en étant grosse des œuvres d'un autre. J'ai peine à choisir entre les deux hypothèses, en vérité... Dis-moi laquelle est la bonne», me glissa-t-il insolemment.

Mon sang ne fit qu'un tour et je me sentis rougir : ses insinuations me renvoyèrent deux ans plus tôt, dans le cabinet de son père où j'avais menti à ses parents pour expliquer notre mariage précipité. Je me rendis subitement compte de l'inutilité de cette décision qui avait uniquement visé à cacher sa condamnation à mort, laquelle avait été connue de toute la côte ouest quelques mois après mon arrivée. Me basant sur notre première rencontre à Dinkeual, je n'avais eu aucun scrupule à le donner pour violeur. Un insolite sentiment de honte m'envahit et m'imposa le silence. D'une main maculée du gras des viandes qu'il avait engouffrées, MacNèil me prit le menton et me força à le regarder dans les yeux. «Alors, fuyante Hermine, fit-il. Quelle est la bonne réponse : menteuse ou ribaude ?

– Menteuse», soupirai-je en me dégageant d'un coup de tête.

MacNèil fit la grimace et reporta son attention sur les mets placés sur la table. Sans un commentaire, il étira le bras vers un morceau de chapon ruisselant de sauce qu'il détacha de la carcasse d'un coup sec et déposa sur son tranchoir* pour qu'il s'égoutte avant de le manger. Légèrement confuse, les tempes humides et la gorge sè-che, je l'observai à la dérobée en m'essuyant discrètement le menton. Sous le collier de sa barbe blond roux, je remarquai, quand il renversait la tête pour déglutir, une pomme d'Adam saillante et piquetée par le rasage, qui me fascina durant un moment. Il s'en aperçut et reprit la conversation d'un ton anodin. «On peut dire que les MacDonald se surpassent dans l'art de faire bombance: c'est vraiment exquis! Fais-en part à ta sœur de lait…

– …

– J'aurais préféré une ribaude, enchaîna-t-il, la bouche pleine. Une femme menteuse, c'est plus difficile à manier. On ne peut pas lui faire confiance.

– Écoute, MacNèil, répliquai-je en me penchant vers lui: l'histoire du forçage* et de la fausse couche qu'on t'a probablement racontée, je l'ai admise pour te couvrir d'avoir commis une faute plus grave. Quand je me suis présentée à tes parents, je n'ai pas voulu qu'ils sachent que tu es un abject profanateur et que je t'avais épousé pour te sauver de la potence. Et d'ailleurs, je n'ai pas songé un instant qu'ils l'apprendraient un jour.

– Ah, je vois! fit-il en me regardant dans les yeux. Un vil cateran, pilleur et violeur, c'est acceptable pour la pupille de Ross, alors qu'un impie blasphémateur, ça, c'est impardonnable. Mais que sais-tu sur ce que j'ai réellement fait à Elgin, le 17 juin 1390? Ni toi, ni ton frère, ni ta comtesse n'y étiez. Ce que vous croyez tous, c'est ce que les juges ont décrété. Il ne t'est jamais venu à l'idée qu'ils m'ont soumis à la question* pour pouvoir m'inculper?

– Il n'y avait pas que des aveux pour t'incriminer, MacNèil, répliquai-je. N'a-t-on pas retrouvé la médaille de Son Éminence Bur sur toi: c'est une preuve, cette médaille, non?»

MacNèil détourna la tête avec une moue de lassitude et entreprit de se curer les dents avec la pointe de son couteau. Je le regardai hébétée et de plus en plus vacillante dans mes convictions. «Et s'il disait vrai…, songeai-je. Si lui et ses compagnons avaient été les victimes désignées par le comte de Buchan… S'ils n'avaient pas participé à l'incendie de la cathédrale d'Elgin… S'ils avaient été torturés pour avouer des faussetés?» Je m'éclaircis la voix et le questionnai avec anxiété: «Dis-moi, je veux savoir: as-tu commis ce crime pour lequel on t'a condamné à Scone il y a deux ans, MacNèil?

– Qu'est-ce que ma réponse peut changer pour toi, l'Hermine? Des forfaits, j'en ai plusieurs à mon actif, mais pas celui-là, lâcha-t-il en posant les avant-bras sur la table. Le 17 juin, j'ai ardé l'enclos canonial, mais pas la cathédrale. Je n'ai touché à aucun objet consacré, ni moi ni mes hommes; Dieu ait leur âme! La fameuse médaille de Bur, c'est Buchan qui l'avait dérobée à Forres et qui me l'a offerte comme tribut… Hé, l'Hermine, satisfaite? Déçue?»

Je baissai les yeux et gardai le silence. «Baltair Mac-Nèil et ses hommes ont été bafoués par le comte de Buchan, torturés par les inquisiteurs et, moi, j'accrédite une version contraire à la vérité», méditai-je avec dépit en évitant de le regarder.

Devant le mutisme de son épouse, MacNèil repéra Tadèus à une autre table, se leva et le rejoignit. Son compagnon avait été invité par le seigneur de Louchabre à s'asseoir parmi sa délégation que la présence de la belle Johanna rendait particulièrement tapageuse. Le frère du Seigneur des Îles n'avait cure des freluquets qui papillonnaient autour de sa fille à laquelle il ne prêtait aucune attention. L'imposant homme avait la réputation de mener des activités de protection très florissantes dans les Highlands, particulièrement sur d'anciens territoires du comte de Buchan, récemment libérés. Comme sa technique de contrôle s'apparentait beaucoup à celle des caterans, il manifestait un vif intérêt pour l'expérience de Tadèus. Ce dernier conversait amicalement avec lui tout en lorgnant sa fille.

MacNèil épia le manège de son ami un moment, puis il prit son relais auprès du seigneur de Louchabre, ce dernier ravi de pouvoir échanger avec un ancien chef cateran. Les deux hommes étaient en grande discussion quand la fin du repas donna le coup d'envoi à une veillée de divertissements et de danses. Les jongleurs et les musiciens avaient gagné le haut de la salle, on repoussait des banquettes et des tables pour faire de la place et les convives se départageaient entre danseurs et spectateurs. Tadèus profita de la distraction que MacNèil créait auprès du père pour entraîner la fille vers la cohue, au regard d'un attroupement d'admirateurs envieux.

Dès les premières mesures du branle qui s'organisait entre danseurs et musiciens, Alasdair Leslie se défit de ses obligations à la table d'honneur et alla rejoindre Lite avec empressement. Le jeune homme n'entendait pas se laisser freiner dans ses élans par la présence de MacNèil à Finlaggan et il voulait regagner toute l'attention de la jeune femme.

«Tu es bien songeuse, lui glissa-t-il en prenant la place vacante à ses côtés. De quoi parlais-tu avec Mac-Nèil tout à l'heure?

– De tout, de rien… de Mallaig», répondit évasivement Lite.

Notant son manque d'entrain pour le dialogue, Alasdair l'invita à danser et, comme elle ne s'y objecta pas, il la mena au milieu de la salle en lui entourant la taille d'un bras possessif.

Le geste n'échappa pas à MacNèil qui observait son rival depuis qu'il avait quitté l'estrade. Les coudes appuyés à la table, les fesses sur le bout de son banc, une oreille prêtée à son interlocuteur et un œil fixé sur l'assemblée, Baltair MacNèil avait maintenant deux couples de danseurs à épier: celui formé par Tadèus et la belle Johanna, et celui composé de sa femme et d'Alasdair Leslie. Il s'acquittait de cette activité avec l'aisance du traqueur, faite de dissimulation et de concentration, et nul n'aurait dit, en le voyant discourir avec le seigneur de Louchabre, que son esprit était occupé à surveiller. Après quelques danses, Johanna se lassa de Tadèus et dirigea ses œillades vers d'autres cibles masculines, ce qui le fit revenir à la table du seigneur de Louchabre. MacNèil accueillit son compagnon avec un regard ironique et lui glissa quelques propos salaces avant de reprendre la conversation en même temps que sa vigilance. C'est alors qu'il constata, stupéfait, la disparition de sa femme et d'Alasdair Leslie.

À l'étage inférieur, Kenneth O'Drain se sentit flatté par la demande de dame Lite de présenter ses dessins à l'élégant jeune seigneur de Ross, le beau-frère du chef

MacDonald. Il avait d'abord esquissé son croquis dans la cire d'une tablette avant de le reproduire sur du papier et il n'avait pas terminé sa transcription quand il fit entrer les deux jeunes gens dans son atelier. Néanmoins, il déroula sa feuille solennellement sur la petite table, sous les yeux émerveillés du couple. Les explications dans lesquelles il se lança visaient à décrire la partie manquante du dessin, tout autant qu'elles l'aidaient à surmonter la gêne qu'il éprouvait à exposer un plan inachevé.

«Mais c'est Dinkeual! s'exclama Alasdair Leslie en examinant le dessin.

– Bravo, maître O'Drain, félicita dame Lite. Vous avez très bien compris ce que je voulais! Voyez comme mon frère s'y est laissé prendre tellement la ressemblance est grande avec le château du comté de Ross!

– C'est insensé, Lite! dit le jeune homme. Tu n'as pas l'intention de réaliser une telle construction avec ta seule dot: bâtir une citadelle coûte une fortune...

– Si fait! Je vais y parvenir, j'en suis certaine: les matériaux ne me coûtent rien. Tu vas voir, Alasdair...»

Enthousiaste, dame Lite reporta son attention sur le maçon qu'elle encouragea à poursuivre son exposé, insouciante de l'intérêt que son compagnon accordait à la démonstration. D'ailleurs, celui-ci contemplait non plus le plan de rénovation étalé sur la table, mais la jeune femme passionnée penchée au-dessus. Il ne put résister à la tentation de lui enserrer la taille et de l'attirer contre lui, agissements qui n'échappèrent pas à Kenneth O'Drain, embarrassé.

Pendant ce temps, MacNèil s'était éclipsé de la grand-salle où la fête battait son plein et il furetait sur les étages du donjon, à la recherche du couple. Il y croisa bien peu de domestiques ou d'invités, auxquels il sourit néanmoins tranquillement en hochant la tête. Même la vieille servante à laquelle il s'informa du lieu où logeait sa femme ne s'alarma pas de sa présence et il put ainsi gagner le dernier entresol sans être accablé par le zèle méfiant de la domesticité de Finlaggan. Arrivé sur le palier, il tendit l'oreille, puis poussa délicatement la porte de la chambre des dames d'où ne lui parvenait aucun bruit.

La pièce était plongée dans une douce pénombre, seulement éclairée par deux torches fichées de part et d'autre de l'âtre et par le rougeoiement des braises qui y mouraient. MacNèil s'avança à pas feutrés vers le large lit fermé, écarta les courtines d'un geste brusque, mais n'y trouva personne. Les draps et couvertures étaient parfaitement bien tirés. En laissant retomber la tenture, il avisa un coffre de voyage placé à côté d'une écritoire, juste sous le halo de lumière ocre. Il le reconnut immédiatement pour être celui que sa femme avait utilisé à Perth et qu'on avait monté à bord du navire, le jour du départ de la délégation de la comtesse de Ross et de l'évêque Bur. Mû par un pressentiment, MacNèil s'en approcha et l'ouvrit. Les vêtements soigneusement pliés exhalèrent une odeur de lavande qui lui chatouilla les narines. Le cœur excité, il palpa les étoffes d'une main fureteuse et, ce faisant, il découvrit un petit carnet qu'on semblait avoir rangé de façon à le dissimuler. Il n'en fallait pas plus à MacNèil pour l'inciter à s'en emparer. L'exposant à la lueur de la torche, il le feuilleta durant une longue minute avec un intérêt amusé, jusqu'à la lecture d'une petite note dans la marge qui le mit en rogne. Il enfouit l'objet dans la poche intérieure de son pourpoint, puis sortit de la chambre aussi discrètement qu'il y était entré.

Dame Mariota avait bu beaucoup de vin et la tête commençait à lui tourner. Ses garçons s'étaient éloignés et se bousculaient quelque part au milieu de ses invités en liesse. De son côté, son mari parcourait la salle avec l'air satisfait d'un propriétaire qui voit s'engranger dans ses magasins le produit de ses terres. Aux côtés de la châtelaine de Finlaggan, trois aimables vieilles bavardaient entre elles en haussant le ton pour s'entendre. D'un regard circulaire, Mariota fit le tour de ses gens et constata que tout se déroulait rondement et sans anicroche. «Mission accomplie!» pensa-t-elle. Désireuse de partager son soulagement avec sa sœur de lait qu'elle tenait pour responsable de cette réussite, elle la chercha un moment des yeux et la découvrit près du grand porche en compagnie de son frère. Se levant lourdement, elle prit congé de son entourage et les rejoignit.

Ceux-ci la virent arriver au dernier moment et n'eurent pas le temps de se séparer: Alasdair tenait dans les siennes la main de Lite, qu'il pétrissait fiévreusement. Le visage rouge d'émotion, la jeune femme se dégagea furtivement et accueillit sa sœur en dissimulant son trouble, ce que celle-ci ne sembla pas remarquer. Laissant leur frère derrière elles, les deux sœurs se prirent par le bras et déambulèrent ensemble. «Enfin, nous pouvons causer! commença Mariota. Je n'ai pas eu une seule minute avec toi depuis ce matin... Quelle journée! Quelle réception! Ah, Lite, tout ça grâce à toi! Je n'y serais jamais arrivée toute seule, vraiment, je t'assure. Donald est content, regarde-le...

– C'est vrai, fit Lite en jetant un œil au chef, pour un homme difficile à satisfaire, il paraît tout à fait ravi. Tu peux être fière de toi, Mariota, car tu y es pour beaucoup, quoi que tu en penses.

– Dire qu'au début de mon mariage, je n'espérais que cela, organiser des festins et des banquets et recevoir une foule d'invités... Je m'étonne que mes aspirations aient à ce point changé. Aujourd'hui, je trouve l'opération tellement fastidieuse. Ce doit être le manque d'habitude, je suppose... s'exclama-t-elle, avant d'apercevoir Baltair MacNèil adossé à un pilier. Oh, Lite, tu ne m'avais pas dit que ton mari était aussi bel homme! Je lui trouve beaucoup de charme. Malgré sa taille très moyenne, il possède une belle prestance... Et que dire de ses yeux!

– Certes, émit Lite à contrecœur. MacNèil a meilleure allure qu'il y a deux ans...

– Ah oui? C'est vrai qu'il était alors un prisonnier en haillons, puant et blessé. J'ai oublié que tu l'as à peine connu avant d'arriver sur la côte ouest. Quel dommage qu'il ait commis de telles ignominies! Heureusement qu'avec le temps tout s'efface, surtout les actes pardonnés par la grâce du roi. En tout cas, Alasdair ne semble pas se formaliser de son passé dégradant pour l'avoir pris dans son escorte, lui et son compagnon. D'ailleurs ce dernier, avec sa haute stature, est une excellente recrue à Dinkeual. Quelle paire d'épaules et de larges mains il a: un vrai cateran! J'ai pu remarquer que tous les deux retiennent l'attention de mon beau-frère de Louchabre. Sais-tu qu'il est sans cesse à la recherche d'hommes pour ses expéditions dans le Moray? Il en perd deux ou trois tous les ans...»

Se rendant à peine compte que sa sœur s'était refermée dès l'évocation de son mari, Mariota poursuivait avec transport ce qui était devenu un monologue. De son côté, Alasdair fut abordé par le Seigneur des Îles, à qui rien n'échappait. Donald MacDonald commençait à déceler les intentions de son beau-frère et de dame Lite et, bien décidé à ce que rien ne se passe sous son toit au détriment d'un homme qui s'était présenté à Finlaggan en qualité d'époux, il décida de provoquer une confrontation.

«Leslie, dit-il d'entrée de jeu, j'offre une chambre à MacNèil et à Lite cette nuit et laisse messire Fair avec toi et ton escorte au corps de garde, jusqu'à ce que vous repartiez pour Dinkeual. Ça te va?

– Oh! En ce qui me concerne, MacNèil peut bien coucher où tu veux…, bredouilla Alasdair qui avait pâli.

– Et *avec qui* il veut?» insista MacDonald.

Furieux qu'on ait débusqué ses intentions à l'égard de Lite, Alasdair évita le regard de son beau-frère et ne répondit pas à sa question directement: «S'il veut coucher avec sa femme, c'est elle que ça regarde, pas nous.

– À Finlaggan, les maris partagent le même lit que leur femme. C'est ainsi que je l'ai décidé et c'est ainsi que cela va se passer pour ta sœur de lait et son homme. J'accorde à Lite ce que je t'accorderai à toi aussi: quand tu me rendras visite avec une épouse, je te logerai dans ma meilleure chambre des invités et tu y feras la nuit qu'il te plaira de faire avec elle!» énonça MacDonald sur un ton qui n'admettait pas de réplique.

Suffoquant de colère, Alasdair se détourna brusquement de son beau-frère et fonça en direction des hommes de son escorte, de laquelle MacNèil et Tadèus se tenaient à l'écart. Depuis son poste d'observation, Mac-Nèil n'avait rien perdu de l'entretien entre Alasdair Leslie et Donald MacDonald, sans pourtant en avoir entendu un mot. Il suivit des yeux l'hôte qui s'adressa à un domestique et capta le regard de ce dernier dans sa direction quand son maître le désigna du doigt. Il ne fut pas étonné de voir, la minute suivante, le serviteur l'aborder. Cependant, la communication qu'il lui transmit le déconcerta : « Messire MacNèil, mon maître vous assigne une chambre à partager avec votre épouse durant votre séjour. Quand il vous plaira, il me fera plaisir de vous y mener. Je suis à votre disposition, faites-moi signe lorsque vous serez prêt.

— Merci, mon brave, fit MacNèil sur un ton bienveillant. C'est ma femme qui va décider du moment d'aller au lit, aussi, je vous demanderais de lui poser la question à elle. Vous nous conduirez ensemble à cette chambre.

— À votre service, messire.

— Ayez donc la bonté de remercier votre maître pour moi quand vous en aurez l'occasion. Le seigneur MacDonald est un hôte exceptionnel, d'une grande sollicitude pour ses invités », ajouta MacNèil sur un ton pompeux. Puis, un sourire épanoui sur les lèvres, il tourna la tête en direction du groupe d'Alasdair Leslie dont il croisa le regard assassin. Il lui fit un petit salut ironique et reporta son attention sur son épouse qu'il découvrit en conciliabule avec l'hôte et l'hôtesse. Mac-Nèil eut une nouvelle moue narquoise en voyant le visage de son épouse s'empourprer : « Voilà qui ne fait pas du tout ton affaire, ma petite Hermine... », songea-t-il avec agrément.

Les dispositions du seigneur MacDonald pour loger MacNèil ne relevaient pas d'un souci de courtoisie et je ne les entendis pas non plus de cette oreille. Cela ressemblait davantage à une injonction, mais Mariota ne parut pas s'en apercevoir. Je ne pouvais donc attendre aucune aide de ce côté pour me dérober à l'arrangement. Captant le regard dur que son mari posa sur moi, je compris qu'il n'était pas dans mon intérêt, ni dans celui d'Alasdair, que je m'oppose à la décision arrêtée pour ma nuit et celle de MacNèil. Je remerciai donc Donald MacDonald du bout des lèvres tout en le fustigeant en mon for intérieur.

Sur les entrefaites, un domestique vint m'annoncer que mon mari attendait mon signal pour être conduit avec moi à la chambre des invités cédée par son maître pour notre couple. J'eus alors beaucoup de difficulté à contenir mon irritation en lui répondant une insignifiance et le sourire béat du mari de Mariota en m'entendant m'arracha presque un juron. Je demeurai collée à ma sœur pour le reste de la veillée, surveillant MacNèil du coin de l'œil. Alasdair ne rappliqua pas auprès de nous, mais sembla s'intéresser à mon mari d'une façon discrète. Après un moment, je découvris qu'Alasdair s'arrangeait pour lui faire boire du uisge-beatha par l'intermédiaire d'un de ses hommes. À la réflexion, je devinai le but de son manège et j'espérai dans sa réussite. Plus je retarderais mon départ de la grand-salle, plus j'avais de chances de maîtriser MacNèil quand nous serions seuls. Mais il démontra des capacités exceptionnelles à s'enivrer sans s'effondrer, car, au bout d'une heure et de plusieurs hanaps d'eau-de-vie, il se joignit à une ronde dans laquelle sa performance ne laissa rien à désirer. Je trouvai même impressionnante son habileté à suivre le rythme endiablé sans perdre la cadence, avec l'assurance d'un danseur frais et dispos. D'ailleurs, les femmes avec lesquelles il s'ébroua l'apprécièrent telle-ment qu'elles le retinrent pour plusieurs danses, ce qui dut achever de le dégriser, s'il avait eu à l'être. Devant cet échec non équivoque des manœuvres d'Alasdair pour mettre MacNèil hors d'état d'agir, je pris mon courage à deux mains et décidai de me retirer en le fai-sant quérir par un domestique. J'embrassai Mariota qui s'écroulait presque de fatigue, mais attendait la fin des festivités pour monter se coucher et, morose, j'emboîtai le pas à mon escorte vers la chambre des invités.

En quittant la grand-salle, comme je ne voulais pas provoquer de malencontreuses réactions chez Alasdair déjà monté contre MacNèil, j'évitai de regarder dans sa direction. Tout au long du trajet qui nous mena dans une aile éloignée du deuxième étage, mon mari, presque indifférent à ma présence, s'adressa à notre guide. Il glissa des remarques égrillardes sur le contingent féminin du clan MacDonald, ce que le domestique eut le bon goût de ne pas commenter. Les corridors que nous empruntâ-mes étaient encombrés d'invités qui allaient d'une cham-bre à l'autre, s'interpellaient et se souhaitaient la bonne nuit sans faire attention à notre passage. Enfin, nous fû-mes abandonnés devant une porte étroite que MacNèil poussa d'une main en remerciant le serviteur.

La chambre promise était une toute petite loge sans foyer ni fenêtre. Deux chaises et un lit bas sans cour-tines composaient son maigre ameublement. Une désagréable odeur de renfermé s'en dégageait et me tira un «Pouah!» de désappointement. Sans un regard pour moi, MacNèil déposa la lampe sur une des deux chaises et commença à se dévêtir en commençant par ses bottes qu'il retira debout, dans un équilibre précaire. «Ne lève pas le museau sur notre chambre, l'Hermine», fit-il en sautillant. Puis, il détacha sa ceinture à laquelle pendait une longue dague et retira ses braies en s'appuyant au montant du lit. Je me détournai, confuse, ne sachant trop quelle attitude adopter.

«Tu te couches tout habillée? s'enquit-il en me glissant un regard.

– Écoute, MacNèil, je ne sais pas ce que tu espères retirer de l'initiative de notre hôte de nous mettre dans le même lit, mais je puis te dire que je suis ici à contre-cœur. En deux ans, mon opinion n'a pas changé sur toi et je ne veux absolument pas que tu me touches. J'entends bien que tu tiennes parole là-dessus, lui dis-je en lui faisant face.

– Quelle parole? T'ai-je déjà fait le serment de ne pas te prendre? D'ailleurs, quel mari digne de ce nom ferait un tel engagement?

– Un homme qui a acheté sa vie en contractant un mariage à cette condition, lui répondis-je, les yeux fixés sur les siens. À Scone, tu n'as peut-être pas formellement prononcé ton accord aux termes que je t'ai imposés, mais, en acceptant le mariage devant l'évêque Bur, tu signifiais ton consentement», lui rappelai-je avec humeur.

MacNèil ne répliqua rien et prit place sur le lit, l'air désinvolte. Il retira lentement son pourpoint qu'il posa à côté de lui et fit passer sa chemise par-dessus ses épaules, découvrant une poitrine imberbe couverte de fines cicatrices, semblables à des lacérations. Intriguée, je l'examinai en m'imaginant la vie de combats et de sévices qu'il avait toujours menée. Quand mes yeux se posèrent sur sa verge, je sentis mon exaspération se changer en malaise et j'allai prendre place sur la chaise libre pour me donner une contenance. Comme s'il avait lu dans mes pensées, MacNèil se passa la main sur le torse en me toisant d'un air de défi : «Je te trouve bien hardie de disposer de ton mari de la sorte. Peu t'en chaut de l'envoyer traquer ton ennemi dans les bois durant deux longs hivers alors que tu te mignotes* dans le château de son père...»

Il se leva, s'avança jusqu'à moi d'un pas raide et me prit le menton entre ses doigts chauds, me forçant à lever les yeux sur lui : «L'Hermine, puisque tu ne sembles pas avoir d'appétit pour ton devoir conjugal, je suis prêt à te faire la promesse à laquelle tu t'accroches pour me refuser tes faveurs, mais à condition qu'elle soit suivie de la tienne.

– Quelle promesse? fis-je.

– Jure-moi que tu ne te donneras à aucun homme avant de te donner à moi», dit-il durement.

Je déglutis avec peine, le cou tendu par la pression de sa main qui tenait mon visage captif à la hauteur de son membre. La colère que je perçus dans la voix de MacNèil et dans la force de ses doigts enfoncés dans ma peau me pétrifia. J'eus un mouvement de peur et de répulsion et je tentai de me dégager avec les mains, mais il saisit mes poignets et me souleva. Alors, les têtes rapprochées l'une de l'autre, nos regards chargés de tension s'affrontèrent durant une longue minute. Je baissai les yeux la première.

«Je n'ai pas l'intention de me donner à quiconque, fis-je, hésitante. Je ne sais pas ce qui te fait croire cela, MacNèil.

– Toi-même, l'Hermine», grinça-t-il.

Il me lâcha subitement, s'en retourna vers le lit et fouilla les poches de son pourpoint. Il en sortit une chose que je ne distinguai pas immédiatement. Puis, faisant volte-face, il éleva sa main et exposa mon carnet à la faible lumière de la lampe. J'étais médusée en fixant l'objet, comme si je venais d'assister à un tour de prestidigitation. Je mis une bonne minute avant de réagir et de comprendre qu'il en avait lu le contenu et y avait probablement découvert l'aveu griffonné concernant Alasdair.

«Tu comprends le latin, MacNèil? dis-je, déconfite.

– Comme tous les membres de ma famille. Tu n'as pas encore découvert ça à Mallaig? Tu penses être la seule personne instruite sur la côte ouest, blanche et précieuse Hermine? Quelle mijaurée tu fais!»

D'un geste brusque, il me jeta le carnet qui vint buter sur mes pieds et il reprit d'une voix rauque dans laquelle grondait la rage: «Tu n'es pas seulement menteuse, Lite MacGugan, tu es aussi sournoise et déloyale. Je déteste les femmes de ton genre, mais ça ne change rien au fait qu'on soit mariés devant Dieu. Je te dois la vie et mon obligation envers toi ne s'effacera pas tant que je n'aurai pas tué Buchan. Ça pourrait bien devenir le travail de toute une vie: aussi va-t-on mettre un petit point au clair, céans. Vu ta fourberie, il serait dérisoire de te demander de promettre quoi que ce soit, mais, moi, je te fais un serment que je suis absolument certain de tenir: si tu prends amant, quel qu'il soit, je te jure que je vais le dépêcher* de mes propres mains, puis ce sera ton tour. C'est ainsi que vont prendre fin notre union et ma dette.»

En entendant cela, je cessai de respirer et sentis mes cheveux se dresser sur ma tête. Ma vie n'avait jamais été menacée jusqu'alors et toute l'angoisse dont mon cœur fut submergé m'apparut terrifiante, en ce soir de Nollaig. Je me mis à trembler de la tête aux pieds. MacNèil avait raison en décelant de l'hypocrisie dans mon attitude envers lui et bien des hommes n'auraient pas enduré une telle situation, m'auraient châtiée sur place. Je me penchai et ramassai mon carnet d'une main frémissante, puis je me reculai dans un angle de la chambre où je me laissai glisser le long du mur jusqu'au sol. Là, je me pelotonnai, le souffle court et l'âme poignardée par la peur autant que par la honte.

MacNèil souffla la lampe et, soudain, tout devint sinistrement noir et froid. J'épiai les bruits provenant du lit, mais je ne l'entendis pas se coucher : il demeurait là, debout à côté de la chaise, dans un silence menaçant. Tout en étreignant mon carnet dans mes mains moites, je me demandais anxieusement ce qu'il comptait faire de moi. Son immobilité dura si longtemps que je pensai qu'il était allé s'étendre sur le lit sans que je l'aie ouï, mais il n'en était rien. Je perçus enfin son approche et je me tassai sur moi-même, prête à recevoir un coup. Encore là, rien de la sorte ne survint. Il se pencha, m'agrippa et me transporta jusqu'au lit sans que j'offre de résistance. Je fus déposée sans douceur, toute roide et recroquevillée sur moi-même. Ensuite, MacNèil contourna la couche et s'allongea sur le côté opposé au mien. Je tournai la tête et distinguai dans le noir la pâleur de son dos qui disparut bientôt sous la couverture dont il se couvrit les épaules en maugréant: «Sommeille, l'Hermine. Demain, la journée sera longue: tu retournes à Mallaig et c'est moi qui t'y conduis.»

Mon cœur battait à me rompre les boyaux et mes oreilles bourdonnaient atrocement. Me forçant à lui obéir, je m'étendis doucement sur le flanc, dos à lui, mon carnet serré contre ma poitrine. Je tentai de freiner le mouvement de tremblement qui m'agitait toujours, mais en vain; au bout d'une minute, il se retourna et me demanda si je tremblais de froid ou de frayeur. N'obtenant pas de réponse, il ouvrit les draps dont il me couvrit tout en se glissant contre mon dos. Avec une adresse déconcertante, il moula son corps au mien, passa un bras autour de ma taille et logea sa tête dans mon cou. Une odeur de musc et de sueurs, mêlée à celle des vapeurs d'alcool qui s'échappaient de sa bouche, m'enveloppa soudain et, à ma grande stupéfaction, j'en éprouvai un réconfort tout à fait inattendu. Je cessai de trembler et sombrai dans le sommeil peu de temps après.

Le lendemain, je m'éveillai seule dans le lit: MacNèil avait quitté la chambre à mon insu. Fébrile, je me levai d'un bond. Mon carnet tomba sur le sol dans un bruit mat. Je le ramassai et l'ouvris, à la recherche de ma note compromettante sur Alasdair, mais quelle ne fut pas ma surprise de découvrir que la page avait été arrachée. Vaguement inquiète, je remis de l'ordre dans mes cheveux et sortis de la chambre. Sur le palier, j'hésitai entre descendre dans la grand-salle où l'on servirait le repas du matin, et remonter à la chambre des dames pour faire mes bagages. Incertaine des plans exacts de MacNèil pour notre départ, j'optai pour la grand-salle.

C'est là que je retrouvai mon mari en discussion avec son compagnon Tadèus et le seigneur de Louchabre. À mon entrée, MacNèil me glissa un regard et me sourit d'un air énigmatique, puis il s'avança à ma rencontre. «Va te mettre une coiffe, fit-il sur un ton sec. J'exige que tu en portes une désormais, comme la femme mariée que tu es.» Mal à l'aise, j'inclinai brièvement la tête en me mordant les lèvres pour ne pas répliquer et je ressortis de la salle d'un pas raide. Depuis mon mariage, la liberté que j'avais prise face à la règle vestimentaire voulant que les femmes mariées couvrent leur chevelure d'une guimpe, d'une aumusse, d'un touret ou d'un hennin m'avait plusieurs fois été reprochée par ma belle-mère et Mariota, mais je n'en avais jamais tenu compte. Je savais que la couleur de mes cheveux retenait les regards et j'aimais sentir leur poids mouvant sur mes épaules et dans mon dos. Or, c'était incontestablement un geste de défi que je posais en parant ma tête comme une jouvencelle et je ne pouvais me défiler devant l'avertissement de mon mari en public.

Je grimpais donc à la chambre des dames quand je croisai Alasdair sur un palier. Il affichait un air sombre et m'accueillit plutôt froidement: «Qu'as-tu dit ou fait la nuit dernière, Lite? J'apprends ce matin que MacNèil ne revient pas à Dinkeual: il quitte mon escorte pour s'engager à Louchabre. Ton mari m'interdit d'aller à Mallaig et me menace même de représailles si je te revois...

– Je t'assure que je n'ai rien fait, murmurai-je. Nous n'avons pas...

– Est-ce ton écriture sur ce billet qu'il m'a remis tout à l'heure?» m'interrompit-il, en extirpant de son aumônière la page manquante de mon carnet.

Incapable d'affronter son air fâché, je couvris mon visage de mes mains. Me demandant nerveusement jusqu'où MacNèil était allé dans ses menaces, je voulais m'esquiver des reproches d'Alasdair. À l'évidence, ce dernier prenait mon mari très au sérieux et semblait vouloir me chapitrer sur la preuve accablante que je lui avais fournie malgré moi. «Lite, chuchota Alasdair, tu devras être plus prudente à l'avenir. MacNèil est loin d'être l'imbécile que tu crois et il nous faudra l'estimer en conséquence. Retourne à Mallaig et entretiens tes liens avec Mariota. Je t'écrirai et ferai passer mes missives par elle. Agis de même manière pour me répondre. Nous trouverons bien le moyen de nous revoir quelque part à son insu...»

Son ton radouci me troubla et je levai les yeux sur lui, pleine d'espoir. Soutenant mon regard implorant, il porta le billet à ses lèvres et murmura: «Moi aussi, je m'abandonne tout entier, *dulcime Lititia...*»

CHAPITRE VI

DES PROJETS POUR MALLAÏG

Avec ses froids intenses, l'année 1393 fut désas-treuse pour les récoltes sur la péninsule de Mallaig. Le domaine de mon beau-père en souffrit beaucoup et, faute de main-d'œuvre bien nourrie dans la carrière de pierres, je dus interrompre à mi-parcours les travaux à l'enceinte. Kenneth O'Drain, dont l'enthousiasme ne faiblissait heureusement pas, poursuivit à l'intérieur ses ouvrages de maçonnerie en améliorant la grand-salle d'une façon si élégante que toute la famille MacNèil s'en gonfla d'orgueil. Même le chef Mànas ne tarit pas d'éloges à l'endroit de mon employé qu'il admit à sa table, parmi ses fils. Mon prestige, à titre de patron et maître d'œuvre, s'en trouva accru auprès de ces derniers, ce qui détendit considérablement l'atmosphère de méfiance dont les hommes de la maison avaient continué de m'entourer jusqu'alors.

En fait, il n'y eut que Parthalan qui se tint sur la réserve à mon endroit, et je compris vite pourquoi: MacNèil l'avait chargé d'inspecter les contacts que j'établissais à l'extérieur de Mallaig, par correspondance ou

autrement. Mon beau-frère interceptait systématiquement mon courrier, qu'il vînt de Finlaggan, de Dinkeual
ou d'ailleurs ; il m'accompagnait dans mes déplacements hors du château et il assistait à toutes les visites
que je recevais. Si cette étroite surveillance me gêna
au début, je m'en accommodai assez vite. J'en tirai
même un certain avantage par l'importance que l'attention du chevalier MacNèil me conférait aux yeux
de tous. Nous savions l'un et l'autre que ma relation
avec Alasdair Leslie était l'unique objet de cette vigilance et je pris mes précautions en conséquence. Comme
Parthalan avait la main leste avec les femmes, je m'appliquai à ne pas lui donner l'occasion de sévir à mon
endroit.

Évidemment, Alasdair ne se représenta pas à
Mallaig et, respectant la stratégie que nous avions mise
au point pour communiquer, il achemina ses missives
par Mariota qui me les apporta elle-même lors de ses visites, ou me les remit en mains propres les quelques fois
où je retournai la voir à Yle. Dans le courant de l'année, la lecture des lettres d'Alasdair en vint à ne susciter
qu'un émoi très passager dans mon cœur. Elles étaient
remplies de nouvelles de sa mère, dont la santé ne
s'améliorait guère, et elles me relataient, par le menu
détail, les nombreuses expéditions qu'il menait dans le
comté de Ross ou ses visites à Perth. Sans être vraiment
distant, le ton n'était plus celui de l'amoureux transi et,
curieusement, je n'en éprouvai aucune mélancolie.
D'abord retenue par la crainte que m'inspirait mon
mari au début de l'année, puis refroidie par mon propre
désintéressement par la suite, je pris un certain recul par
rapport à mon sentiment pour Alasdair.

En effet, mon projet de construction au château, celui d'établir un port franc et peut-être même d'organiser une foire annuelle de laine à Mallaig m'accaparaient l'esprit très salutairement. J'y investissais toutes mes énergies et, voyant ma détermination, le seigneur Mànas m'octroya l'usage d'une petite loge pour en faire un cabinet d'où je pus mener mes affaires à l'aise. Bien chauffée par la cheminée des cuisines, elle était située au deuxième étage du donjon et l'étroite fenêtre dont elle était pourvue ouvrait sur le détroit de Sleat. Je m'y postais souvent, fixant les eaux agitées et les imaginant foisonnantes de navires commerciaux venus transiger à Mallaig. En plissant les yeux, j'arrivais à évoquer avec précision leur grosse coque rebondie, surmontée de leurs mâts parés de vergues en chanvre.

Au fil des mois, et grâce à quelques rencontres, ma liste de contacts chez les marchands irlandais, anglais, hanséatiques et français s'allongea et celle des comptoirs d'importation se précisa : Poitou et Saintonge pour le vin ; Venise pour les épices, le sucre et la soie ; Malvoisie pour la cire ; Flandres pour le drap et l'huile ; Prusse pour le seigle, le froment, le riz et l'orge ; et Westphalie pour la toile de navire. Je parvins également à identifier les capitaines des nefs et des hourques engagées dans le transport maritime des produits écossais, que ce fût notre étain, notre laine, notre hareng ou notre sel. Le prix offert sur le continent pour les draps de laine et le coût de leur confection – dans laquelle plusieurs étapes étaient à prévoir, de la tonte au tissage en passant par le battage, le graissage, le cardage, le filage et le foulage – orientèrent mes recherches vers d'autres marchandises propres à justifier la tenue d'une foire annuelle.

En discutant avec Aindreas, le meilleur chasseur de la maison, je commençai à m'intéresser de près aux peaux et fourrures. Les forêts de nos terres regorgeaient de martres, d'hermines, de vairs* et de renards, et abondaient lapins, chats, moutons ou agneaux sur la péninsule, toutes bêtes pouvant servir de source d'approvisionnement pour une tannerie. Non seulement la préparation des fourrures par un pelletier requérait moins de main-d'œuvre que le travail de la laine, parce que confiée à un seul corps de métier, mais elle était infiniment moins compliquée. On estimait que l'achat de la peau brute valait huit parts contre seulement deux pour l'apprêt, alors qu'il fallait investir la moitié du prix d'un camelin* non teint pour sa confection.

Je consignais tout ce que j'apprenais dans de grands cahiers que me procura le jeune Guilbert Saxton qui avait repris la charge de secrétaire de son vieux père décédé à l'hiver 1392. Comme il était d'une efficacité phénoménale dans ses propres écritures au livre de comptes de Mallaig, il s'offrit bientôt à me seconder dans les miennes, ce que j'acceptai avec ravissement. Les yeux cachés par l'épaisse frange de cheveux qui débordaient de son bonnet en velours noir, il s'adonnait à de savants calculs durant des heures. Sa compréhension de l'arithmétique apporta une base solide à mon approche intuitive des opérations commerciales. Sa présence discrète dans mon cabinet brisait les moments de solitude que j'avais pris l'habitude de consacrer à mes projets et, malgré sa nature taciturne, Guilbert devint un excellent compagnon de travail.

Du lever au couchant, mes journées étaient employées en activités diverses qui me menaient dans tout le donjon, aussi empressée que l'intendante ou le capitaine de la garde. Je parcourais les corridors, affairée et concentrée, entrant et sortant des pièces dans la virevolte de mes jupes et soulevant des regards intrigués sur mon passage. Je lançais une brève remarque à l'un, une salutation à l'autre, un discret conseil ici, un mot de consolation là. On en vint à désirer ma venue dans chaque chambre du château.

Ma belle-mère m'estimait si indispensable au train de la maison qu'elle me demandait auprès d'elle plusieurs fois par jour, requérant mes avis sur tout : l'élaboration de menus ou la gestion de la domesticité, le choix de draps pour la confection de vêtements ou la commande d'huile à lampe, de livres. Impressionnée par mes connaissances en matière de mets et de vins, elle retira le contrôle des cuisines à l'intendante pour me le confier. Ainsi, je dus ajouter à mon horaire quotidien quelques heures à superviser la confection des pains blancs et bis, des galettes, des brouets, des bouillies d'avoine, des fromages secs ou verts*; la cuisson des volailles, des gigots de mouton et de veau; la préparation des raves en purée avec oignons, poireaux et choux blancs.

Il me revenait également de déterminer le moment propice à la cueillette des herbes odorantes, des noix, des pois et des fèves, à la taille des pommiers et poiriers de notre jardin. Les pêcheurs s'adressaient directement à moi pour proposer leurs prises de harengs, de morues ou de saumons et, en hiver, pour me vendre la graisse des veaux marins* et des baleines, que l'on utilisait pour nos huiles et nos savons. Seule la fabrication de l'ale et du uisge-beatha échappa à ma surveillance: elle demeura l'apanage de notre vieux clerc et aumônier, un ancien moine irlandais dont la réputation comme expert dans le domaine des cuves à fermenter et des chauffoirs à distiller dépassait les limites de la péninsule.

Contrairement à ce qu'on aurait pu s'attendre, mon ingérence aux cuisines plut tout autant aux domestiques qui y étaient assignés qu'à l'intendante qui en avait assumé la supervision jusqu'alors. Je découvris qu'intendante et cuistots s'étaient toujours mal entendus et que ma venue les soulageait également. Dame Égidia avait compris que je saurais mieux y faire que la matrone et je saluai son flair. Si j'avais affirmé avoir admiré la comtesse de Ross pour son intelligence et sa vivacité, je pouvais en dire autant de ma belle-mère. Elle était curieuse et avisée et elle sollicitait les opinions de chacun, quel que fût le sujet. Nous développâmes une belle complicité, elle et moi, et jamais son appui ne me fit défaut pour faire adopter mes vues par son mari.

Je m'attachai rapidement à elle et ce fut bien réciproque. Par bonheur, l'amitié de ma belle-mère n'entacha pas celle que mes belles-sœurs me portaient. Ces dernières me concédaient tous les domaines d'organisation où j'excellais, en se contentant de m'étudier et d'imiter mes manières. Elles qui n'avaient jamais quitté Mallaig se rallièrent rapidement à mes opinions en matière de mode vestimentaire. L'aînée des filles MacNèil, dame Rosalind, qui démontrait un goût très sûr pour l'agencement des étoffes et des couleurs, fut particulièrement attentive à mes idées et, avec mes encouragements, elle remit à neuf la garde-robe des dames de la maison en quelques saisons de travaux d'aiguille.

Parfois, une de mes belles-sœurs me prenait à titre de confidente et je m'acquittais de ce rôle avec d'autant plus de sérieux et de satisfaction qu'il me permettait de découvrir une infinité de détails intimes et de secrets sur chacun des membres de la famille. J'arrivai ainsi à partager leurs espoirs, déceptions, soucis et joies. Malgré mon manque d'intérêt et mon incompétence avec les enfants, je réussis tout de même à entretenir un rapport de respect avec mes nièces chez lesquelles je suscitai même un sentiment d'admiration.

Bref, au printemps 1394, mon quatrième à Mallaig, je pouvais affirmer que je n'y comptais que des alliés. Ma belle-famille me permettait une vie passionnante et harmonieuse dans son château, la favorisait même, et je me sentais parfaitement chez moi entre ses murs. Quant à mon mari, j'étais, comme sa famille, sans nouvelles de lui depuis décembre 1392. Ce silence de deux ans ne pesait visiblement à personne, comme si les MacNèil s'étaient empressés d'oublier l'existence de ce fils sitôt qu'il avait disparu de leur vue. Je savais qu'il vivait dans l'une des places fortes du seigneur de Louchabre, sur le loch Ness. Nous avions appris que ce dernier avait passé avec le comte de Moray un contrat de sept ans pour la protection de son comté contre les caterans, à raison de quatre-vingts marcs annuellement et que MacNèil recevait la majeure partie de cette somme pour assurer le service. J'estimais donc que Baltair MacNèil n'était pas dépourvu et qu'il n'avait ainsi aucune raison de revenir à Mallaig.

Étrangement, à l'automne 1394, c'est lui qui me transmit de singulière manière une information qui me bouleversa : le décès de la comtesse de Ross. Un matin de septembre, comme à son habitude, Parthalan me coupa l'accès à mon cabinet avec mon courrier à la main, évidemment décacheté. Il me remit un seul pli avec un sourire énigmatique sur les lèvres, puis s'en fut d'un pas guilleret. J'entrai dans le cabinet que je trouvai vide : mon beau-père avait dû retenir Guilbert dans son propre bureau. Prenant place à mon écritoire, j'ouvris la lettre dont je ne reconnaissais pas l'écriture et repérai la signature au bas que je déchiffrai avec stupeur : « *En ce quinzième jour de septembre 1394, ton maître et seigneur, Baltair MacNèil.* » La communication était très succincte et extrêmement mal rédigée. Elle ne me donnait aucune nouvelle de son auteur, car le but visé était de m'interdire de me rendre aux funérailles de la comtesse : « *... si j'apprends que tu as mis les pieds à Dinkeual ou ailleurs dans le comté de Ross à cette occasion, je te retire de Mallaig et te garde avec moi à chauffer mon pot comme épouse se doit* ».

Par quel intermédiaire MacNèil avait-il appris ce décès ? Je n'avais pas le moindre indice là-dessus. En captivant totalement mon esprit, cette intrigue faillit m'empêcher de pleurer ma bien-aimée tutrice. La dernière lettre reçue d'elle remontait à juin ; une autre, d'Alasdair, datée du premier août m'avait été remise par Mariota de passage à Mallaig. Dans cette missive, où il était peu question de la santé de dame Euphémia, mais beaucoup du transfert qu'elle avait fait de ses titres à Alasdair, rien ne laissait présager sa fin prochaine. Mais, en y pensant bien, je m'aperçus que la nomination de son fils comme mandataire pour tout son domaine fleurait les dispositions testamentaires : jusqu'à son dernier souffle, ma tutrice avait donc continué à craindre la mainmise de son ennemi juré sur son comté.

Au fil du temps, la haine et la frayeur que m'avait inspirées le comte de Buchan s'étaient complètement estompées en moi, mais, chez la comtesse de Ross, ces sentiments semblaient avoir conservé leur force, la tourmentant jusque sur son lit de mort. «Ah, dame Euphémia! Chère tutrice, chère comtesse...», soupirai-je. Je ressentis une vive douleur à l'évocation de son agonie à Dinkeual, privée de la présence de ses deux filles aimantes, Mariota et moi, et je méditai durant un long moment sur sa triste mort. Puis, lentement, reprenant la lecture de l'ignoble missive de MacNèil, ma peine fit place à la colère: «Comment cet impie peut-il me refuser d'accomplir mon dernier devoir envers ma tutrice? Faut-il pour cela qu'il n'ait pas de cœur ou qu'il en possède un de pierre!» pensai-je.»

Le regard aiguisé que Parthalan m'avait décoché en me remettant mon courrier me revint en mémoire. À coup sûr, mon gardien avait prévu ma réaction de rébellion contre l'indigne mise en garde de son frère et il devait espérer que je tenterais cette fois d'échapper à sa surveillance. «Je vais mettre les voiles vers Yle dès aujourd'hui, songeai-je. Qu'il me suive s'il y tient: il ne pourra pas empêcher le Seigneur des Îles de m'emmener à Dinkeual dans sa suite! Pourvu que Mariota et son mari ne soient pas déjà partis!»

Je sortis en coup de vent de mon cabinet et courus aviser le seigneur Mànas de mon départ. Je le trouvai en présence de Parthalan, de deux de ses capitaines et de mon brave Guilbert, relégué dans un coin, au-dessus du livre de comptes. À mon arrivée, ils tournèrent tous la tête en même temps et mon beau-père leva la main dans ma direction pour me signifier de me taire. D'entrée de jeu, il me déclara qu'il était au courant de la nouvelle concernant la comtesse de Ross et qu'il mettait un navire à ma disposition pour me conduire à Yle afin que je me joigne à la délégation de ma sœur de lait. «Je vous remercie infiniment, père, lui dis-je, surprise et soulagée, avant de désigner Parthalan et de demander: J'imagine que votre fils va m'accompagner, comme d'habitude?

– Si fait, mais jusqu'à Yle seulement. J'ai besoin de lui ici et vous serez sans doute partie longtemps. Montez faire vos bagages céans, Parthalan ira prévenir mon épouse de votre voyage.»

Sans plus attendre, j'emboîtai le pas à Parthalan et nous sortîmes ensemble dans le corridor. «Parthalan, lui dis-je, avez-vous l'intention de m'empêcher d'aller à Dinkeual?

– Vous venez d'entendre mon père, il me retient ici. D'ailleurs, Baltair est clair dans son avertissement: il lui suffira d'apprendre que vous y êtes allée. Je ne suis pas autorisé à vous maintenir de force au château. Je trouve néanmoins dommage pour Mallaig et les travaux en cours que vous cherchiez à désobéir à mon frère en vous plaçant dans la situation d'être contrainte à nous quitter.

– Un moment! fis-je en le retenant par le bras. Quel intérêt avez-vous à ce que j'abandonne Mallaig? Aucun. Ce que j'accomplis pour le château va indéniablement vous revenir puisque vous êtes l'héritier Mac-Nèil. Songez-y: pourquoi commettre une indiscrétion qui risque de vous faire perdre beaucoup?

– Ai-je dit que je renseignerais Baltair sur votre voyage? C'est bien inutile, d'ailleurs.

– Comment cela?

– Parce qu'il va l'apprendre par lui-même, aussi aisément qu'il a connu la nouvelle du décès de la comtesse de Ross. Il est posté au château de Bona en ce moment et ses hommes couvrent tout le territoire du loch Ness jusqu'à Dinkeual. Ils apprennent tout sur tous.

– Si je vous entends bien, vous ne lui direz rien…

– Ni moi ni personne ici, Lite. Ordre de mon père. Mallaig tire avantage de votre singulière relation avec Baltair. Tant que vous vivrez au château et lui pas, nous continuerons de prospérer. Comme vous venez de le dire, je suis le premier qui va profiter de cette bonne fortune», m'avoua-t-il, avant de s'engager dans l'aile de la chambre des dames.

Tout en grimpant l'escalier menant vers la mienne, je réfléchis à l'étrange perspective qui s'ouvrait à moi: Parthalan, qui continuait en apparence à exercer sa surveillance, obéissait dans les faits à son père et, d'une certaine manière, œuvrait dans son intérêt personnel. Les visées de contrôle que Baltair avait sur moi s'avéraient sans support effectif à Mallaig et force m'était de reconnaître que j'étais infiniment plus libre que je ne le croyais. Le clan MacNèil se trouvait dans l'inconfortable position de devoir ménager une belle-fille au détriment d'un de ses propres fils. Le choix de ma belle-famille irait-il jusqu'à s'opposer à ce que MacNèil me retire de Mallaig et me ramène avec lui? J'étais loin d'en être certaine: mon contrat de mariage octroyait des droits inaliénables à Baltair MacNèil, dont celui que son épouse vive sous le même toit que lui. Même un chef de famille et de clan ne pouvait aller à l'encontre de ce principe sacré.

En poussant la porte de ma chambre, j'abandonnai mes réflexions sur les gens de Mallaig pour me concentrer sur ceux de Finlaggan. Je devais échafauder à la hâte des arrangements pour voyager incognito parmi eux, si je ne voulais pas que MacNèil sache ce qu'il devait continuer à ignorer.

L'inhumation de la comtesse de Ross eut lieu à la cathédrale de Fortrose et réunit une imposante assemblée de nobles et de dignitaires venus de toute l'Écosse. Le cortège funèbre s'ébranla de Dinkeual par une lumineuse matinée de la fin de septembre 1394, avec les supérieurs du diocèse précédant la famille Leslie et celles des nobles du comté de Ross. Les étendards armoriés portés par les premiers cavaliers de chaque délégation annonçaient les couleurs de leur maison, conférant prestige et importance à ces funérailles. Tel un long ruban multicolore auquel s'ajoutaient des ramifications au fur et à mesure de sa progression vers Fortrose, le défilé atteignit près d'un demi-mile de long jusqu'aux abords de la cathédrale. Là, une vaste foule de paysans s'était massée, curieuse et bruyante comme une affluence de foire, ne voulant rien perdre de cet événement qui avait toutes les apparences du faste et du grandiose.

Insigne honneur, la famille royale fut représentée par le comte de Carrick, le jeune prince David âgé de seize ans, à qui le Parlement venait tout juste de confier un poste diplomatique en le nommant conservateur de la trêve avec l'Angleterre. Son déplacement dans les Highlands signifiait clairement l'estime que le roi portait à feu la comtesse de Ross. L'imposante escorte de quatre-vingts personnes du prince affichait cependant les armes* de son oncle, le comte de Fife, qui l'accompagnait.

Ce dernier et son fils Murdoch, tous deux montés sur de grands destriers et armés en guerre, semblaient davantage être à la tête d'un contingent de bataille que d'une suite d'apparat. De fait, le bruit courait depuis l'annonce de la mort de la comtesse de Ross que le comte de Buchan marcherait sur Dinkeual et détruirait le château. En outre, Alasdair Leslie avait reçu des menaces de mort des plus explicites de la part de son ancien beau-père. Le comte de Fife avait tout intérêt à ce que le fils de la comtesse de Ross soit consacré officiellement dans son titre de comte et il entoura les obsèques d'une extrême vigilance à l'endroit de l'héritier. À la cour, tous savaient que Fife comptait marier sa fille Isobel au nouveau comte de Ross afin d'agrandir son pouvoir dans les Highlands en annexant ce comté à son réseau d'influence.

Au milieu de l'après-midi, le cortège pénétra enfin dans la cathédrale au son des chants funèbres et des psaumes récités par les ecclésiastiques du chapitre de Ross. Immédiatement derrière la châsse marchaient la fille de la défunte, dame Mariota, et son frère Alasdair Leslie. Ils étaient flanqués à dextre par l'évêque Bur et à senestre par le Seigneur des Îles, gendre de la défunte. Puis venaient le comte de Carrick et le comte de Fife encadrés de gardes vêtus d'un tabard brodé du lion rampant de gueules* sur l'or, l'écu des monarques écossais.

Arrivée au chœur, la procession s'immobilisa et le silence se fit dans la cathédrale. Selon leur poids politique et leurs liens avec la famille Leslie, les différentes délégations se répartirent de part et d'autre et d'avant vers l'arrière, dans la nef et les transepts de l'édifice. Les groupes de moindre importance durent s'entasser dans les chapelles adjacentes. Quand il n'y eut plus un mouvement dans la foule, la cérémonie commença.

Tout au fond, flanquée d'hommes d'armes de Finlaggan, se tenait bien droite la pupille de la comtesse, dame Lite MacNèil. Personne ne la reconnut, tout de noir drapée et entièrement camouflée par une large cape, et ceux qui avaient noté son absence des obsèques n'auraient pu l'imaginer en cet endroit sombre, si éloignée du catafalque. Derrière elle, absorbé à détailler son escorte qu'il avait reconnue, Tadèus Fair jouait discrètement des coudes pour s'en approcher. Il atteint finalement un garde qu'il salua à voix basse et dame Lite se retourna aussitôt. Leurs regards se croisèrent un si bref instant qu'ils doutèrent de s'être entrevus. Avant que la messe funéraire n'ait pris fin, dame Lite quitta la cathédrale en catimini. Se frayant un chemin parmi les curieux, elle se dépêcha vers la voiture de la délégation MacDonald, dans laquelle elle s'engouffra.

Sortant de l'édifice derrière elle, Tadèus la vit disparaître sous l'auvent de toile. Ce faisant, il acquit la certitude qu'il s'agissait bien de l'épouse de son chef. Aussi, sans plus attendre, il récupéra son cheval à un jeune gardien et sauta en selle. À une journée de route de la tête du loch Ness, Tadèus décida de forcer l'allure de sa monture pour regagner ses quartiers le jour suivant. Le cœur fébrile, tenant d'une main crispée un pan de la bâche qui fermait la voiture, dame Lite regarda le cavalier déguerpir sur le chemin allant vers le sud. Puis, se mordant les lèvres, elle laissa retomber la toile et s'enfonça dans l'ombre de la voiture pour attendre le retour de sa délégation.

Au même moment, une autre expédition était en cours sur le loch Ness. Le temps brumeux amplifiait les moindres sons, plusieurs miles à la ronde, et Baltair MacNèil entendit le bruit sourd des sabots bien avant d'apercevoir la troupe qui s'apprêtait à traverser la rivière de décharge du plan d'eau. Le poste de garde qu'il occupait avait son siège dans une des tours du château de Bona à l'extrémité nord du loch*. Sa situation sur un promontoire lui permettait de surveiller à la fois la circulation des flottes sur les eaux et celle des troupes sur les terres marécageuses qui entouraient l'embouchure de la rivière. Un frisson d'excitation le parcourut quand il identifia le blason : « Tiens, tiens : les armes du jeune Alexandre Stewart. Voilà le fils du loup avec sa meute », pensa-t-il.

En deux ans, Baltair MacNèil avait réuni les meilleurs archers libres du comté de Moray pour faire partie de sa garnison sur sa portion de territoire à protéger. Ils n'étaient qu'une demi-douzaine, mais leur valeur compensait leur nombre plutôt réduit, et toutes leurs offensives avaient jusqu'alors été couronnées de succès. La précision de leur tir et leur vitesse au sol ou à cheval avaient systématiquement raison de leurs adversaires, aussi bien armés fussent-ils. Depuis qu'ils se battaient ensemble, les hommes de MacNèil avaient acquis une solide connaissance des capacités des uns et des autres, et une grande cohésion caractérisait leurs attaques.

En outre, ils estimaient beaucoup leur chef et lui vouaient un grand respect.

MacNèil se retrouvait avec eux comme au temps de sa horde de caterans. Conforme à sa nature indépendante et conviviale, il n'abusait pas de son pouvoir et traitait ses compagnons avec plus d'amitié que d'autorité. Il veillait à ce qu'ils fussent confortablement logés et qu'ils ne manquassent de rien. Le château était tenu par des métayers qui entretenaient une sobre domesticité qu'ils partageaient volontiers avec lui et ses hommes. Si ce n'avait été de la privation d'une épouse à ses côtés, Baltair MacNèil se serait estimé parfaitement heureux de son sort.

«À la chasse, compères! Prenez vos carquois, arcs et flèches, une belle prise vient à nous aujourd'hui!» fit-il en pénétrant intempestivement dans la salle d'armes, le sourire aux lèvres. Enthousiastes, les hommes sautèrent sur pieds, s'équipèrent et se ruèrent à l'écurie à la suite de leur chef. Chacune de leur sortie les comblait d'aise et leur procurait distraction et agrément. Aussi partaient-ils toujours en expédition de bon gré.

Sur les flancs de la colline qui surplombait la rive nord du cours d'eau, la troupe de MacNèil se déploya silencieusement et se tapit dans l'ombre de la futaie pour examiner la délicate traversée de la quinzaine de cavaliers dans la rivière froide et boueuse. Alexandre Stewart fils chevauchait à la tête du peloton et sortit le premier du lit de la rivière. Se détachant imprudemment de son escorte, il éperonna sa monture afin qu'elle gagne rapidement le terrain sec. Il n'eut pas le temps de lever les yeux sur la route qu'une flèche vint se ficher dans la terre meuble à quelques pas devant lui. Son cheval fit aussitôt un écart et il s'en fallut de peu qu'il ne soit désarçonné. «Halte-là, Stewart! Où vas-tu gaiement?» lança MacNèil depuis son couvert d'arbres. Intrigué plus qu'apeuré, le jeune homme de vingt et un ans chercha d'où lui provenait la voix et il s'avança vers la futaie. «Plus un pas ou la prochaine flèche est pour ta cotte!» clama MacNèil.

Alexandre Stewart jeta un œil derrière lui et, après avoir constaté que ses hommes étaient bloqués au milieu de la rivière, derrière une monture récalcitrante, il obtempéra.

«Bien, fit MacNèil qui, casqué et armé, émergea à pied du boisé.

– Qui es-tu, ruffian? Est-ce que ces terres t'appartiennent? fit Stewart.

– Je suis Baltair MacNèil et je représente le comte de Moray ici. Reconnais le chef cateran qui était avec ton père à Lochindorb. Rappelle-toi de moi: j'ai échappé à la potence grâce à ta promise, il y a quatre ans…

– Que le diable l'emporte, cette harpie de Ross!

– Certes… J'avoue qu'elle n'est pas facile et tu ne te serais en effet pas beaucoup amusé avec elle…

– Que veux-tu, cateran: mes pécunes, mes armes ou mon cheval?

– C'est toi que je veux. Ton père me doit encore la vie de sept compagnons et je te rançonne. Désarme céans, jeunot! Vingt flèches sont pointées sur toi et n'attendent qu'un signe de ma part. Et prends bien garde à tes mouvements, car mes archers ont la main impulsive!»

Mécontent mais néanmoins intimidé, le jeune Stewart se défit lentement de son baudrier lourd d'une claymore et d'une dague qu'il laissa tomber au sol. Ce faisant, il scruta le feuillage pour apercevoir les assaillants qui le prenaient prétendument pour cible. Souple et rapide comme un chat, MacNèil profita de sa distraction pour grimper en croupe derrière lui. Il l'immobilisa fermement en le ceinturant d'un bras et, de l'autre, il plaça la lame de sa dague sur sa gorge. Stewart se raidit et tenta de se dégager, mais six flèches se plantèrent soudain tout autour des sabots de son cheval qui se mit à trépigner de nervosité. Craignant un faux mouvement de la part de son agresseur dont l'arme le menaçait de près, Stewart cessa toute résistance.

Inquiétés par la scène qu'ils distinguaient cependant mal, les premiers cavaliers de sa troupe à sortir de la rivière s'amenèrent vers lui avec empressement. «Et maintenant, mon gentil Alexandre, tu vas faire face à tes hommes et leur dire de retourner sur l'autre rive», souffla MacNèil dans le cou de son otage. Stewart fit pivoter sa monture mais n'ouvrit pas la bouche. Alors que deux gaillards fonçaient sur eux sans avoir vu l'arme sur la gorge de leur chef, MacNèil fit un bref signe de la tête à l'intention de ses archers qui décochèrent une nouvelle salve, les abattant sur-le-champ. Sans avoir poussé un seul cri, un glissa de sa monture, un pied accroché à l'étrier, et l'autre s'affaissa sur l'encolure de la sienne, une flèche fichée de part en part de son torse.

La stupeur s'empara un instant des hommes de Stewart qui avaient eu le temps de franchir la rivière et observaient la scène depuis ses abords vaseux. Fulminant de colère, leur jeune chef se retint de les invectiver, car une pression de la lame sur son cou et le bruit discret des arcs que l'on bandait de nouveau le mirent en garde: le moindre accroc pouvait être fatal. C'est son agresseur qui parla : « Arrière, tous ! Retraversez de l'autre côté si vous voulez que votre chef vive ! Sinon, je le dépêche ! » exhorta MacNèil d'une voix tonnante.

Indécis, les hommes de Stewart se consultèrent du regard. Quelques-uns lorgnèrent les deux cavaliers qui, s'ils n'étaient pas morts, agonisaient. Les plus hardis dégainèrent modérément alors que d'autres, moins farauds, rengainaient prudemment. Certains amorcèrent même un mouvement de retour vers le cours d'eau, ce qui plongea Stewart dans un état de panique. N'admettant pas que ses hommes obéissent au cateran sans rien tenter pour le délivrer, il leur lança sur un ton où perçait le désespoir : « Mais chargez donc, espèce d'impotents ! Attendez-vous qu'on me navre ?

– Silence, abruti, ou je te coupe la langue ! » siffla MacNèil entre ses dents. Ce disant, il glissa doucement sa lame sur la peau de son prisonnier et lui infligea une légère estafilade d'où le sang se mit à couler doucement. « Voilà, mon joli, tu es navré maintenant », ajouta-t-il. Puis, à ses archers, il ordonna de décocher le tir.

Une nouvelle volée de flèches vint se planter dans les cottes des trois cavaliers les plus proches et les foudroya sans autre bruit que le bref sifflement des empennes. Cette fois, l'assaut produisit l'effet escompté. Incapables d'identifier ni le nombre de leurs assaillants ni leur position, les hommes de Stewart retraitèrent en forçant leurs montures à redescendre à l'eau. Alors, d'une voix tonnante, MacNèil leur cria ses conditions : « Dites au comte de Buchan qu'il a quinze jours pour venir sauver son fils par les armes dans un combat singulier à Bona. Passé cette date, qu'il ne se déplace pas, on lui fera parvenir la tête de son rejeton à Kingussie ! »

Quand le dernier cavalier atteignit la rive opposée, tremblant de colère, Alexandre Stewart émit un grognement résigné. Alors MacNèil rangea son couteau, lui prit les rênes des mains et dirigea le cheval sous le couvert boisé. Là, un compagnon s'empara de la bride, tandis qu'un autre ficela les mains du prisonnier au pommeau de la selle. MacNèil sauta sur sa propre monture et désigna les deux hommes pour assurer le guet: « Restez ici et voyez à ce qu'aucun d'entre eux ne repasse de ce côté. Quand il fera nuit, récupérez les armes avant de rentrer: les claymores de Lochindorb sont de meilleure qualité que les nôtres. Ce sera notre picorée d'aujourd'hui!

– Et les cinq chevaux aussi, fit remarquer l'un des hommes. Ils ne retourneront sûrement pas à la rivière sans cavalier.

– Soit, si vous réussissez à les rassembler sans vous mettre en péril, ramenez-les. Mais pas tous: laissez au moins deux bêtes afin que les hommes de Lochindorb ramènent leurs morts demain, répondit MacNèil.

– Peut-on dépouiller les corps? demanda l'autre compagnon assigné au guet.

– Non, pas ça: n'enlevez pas les vêtures. Nous ne sommes pas des gueux qui trouvent leur pitance sur les champs de bataille après la guerre, comme rats en caniveaux!»

Puis, tirant derrière lui le cheval monté par son otage, MacNèil s'enfonça dans les bois. Vingt minutes plus tard, il entra satisfait dans l'enceinte du château avec ses hommes sains et saufs et un captif ulcéré d'avoir été victime d'une embuscade levée par une milice deux fois moins nombreuse que la sienne. En passant le pont-levis, un air de parfaite jubilation illumina le visage de

MacNèil: après toutes ces années, il tenait enfin le moyen de sa vengeance.

Tadèus Fair regagna Bona le lendemain matin. Il fut surpris par l'état d'effervescence dans lequel ses compères étaient plongés depuis l'opération de la veille, événement qu'on lui rapporta aussitôt qu'il pénétra dans le corps de garde. MacNèil leva un sourcil à son entrée et sourit aux conclusions auxquelles il arrivait devant ce retour précipité. «Ainsi, te voilà déjà, mon ami. C'est que tu as aperçu ma femme à Fortrose, n'est-ce pas? avança-t-il.

— Si fait! Ta femme s'y est bien rendue parmi la délégation MacDonald, comme tu le pensais. Même si elle ne s'est pas jointe aux Leslie durant les funérailles, elle était bel et bien dans la cathédrale. Je l'ai vue comme je te vois, répondit Tadèus.

— Fort bien! Ça me fait deux chats à fouetter maintenant...», soupira MacNèil, en tournant les yeux vers l'étroite fenêtre qui dévoilait un ciel bas et lourd de pluie.

Les informations voulant que le comte de Buchan lance une attaque contre Dinkeual avaient incité Mac-Nèil à demeurer à Bona plutôt que de se rendre lui-même aux obsèques de la comtesse de Ross. Il avait désigné Tadèus pour le représenter et pour lui rapporter l'éventuelle présence de Lite MacGugan. Alors qu'à un tout autre moment la désobéissance de celle-ci l'aurait amusé, dans la situation actuelle, elle le contrariait. L'échéance de quinze jours lancée comme ultimatum à son ennemi l'empêchait de quitter Bona et d'intercepter sa femme avant qu'elle ne regagne Mallaig. Pourtant, c'est ce qu'il brûlait maintenant de faire.

Au cours de la nuit, son prisonnier lui avait révélé le but de son expédition : une incursion à la forteresse d'Urquhart dont la défense avait rejoint les forces concentrées à Dinkeual pour parer à l'attaque de Buchan. Or, apprit MacNèil, ce dernier n'avait jamais eu l'intention de mettre à exécution sa menace et n'avait pas bougé de Kingussie. Ces révélations laissaient le chef perplexe. Si le jeune Stewart disait vrai, il était plausible de croire que Buchan ne se pointerait pas avant dix jours au loch Ness pour porter secours à son fils, si toutefois telle était son intention. Car, au dire de son otage, l'opération de sauvetage du fils par le père était hautement improbable. « Il ne viendra certainement pas, avait affirmé Stewart fils avec défi. Voilà maintenant plus de deux ans qu'il m'a laissé Lochindorb avec une partie de ses hommes en m'avertissant bien de me débrouiller pour m'en tirer tout seul. Je connais mon père, il ne cédera pas au chantage, il ne se défera pas d'un marc pour payer une rançon et il acceptera encore moins un duel pour m'épargner. T'aboutiras à rien avec lui, MacNèil. C'est un coup d'épée dans l'eau que tu viens de porter. »

MacNèil se rongea les sangs tout le jour avec cette déroutante conclusion. Dans quelle mesure devait-il prêter foi à l'analyse de son prisonnier ? Il passa plusieurs heures en observation dans sa tour de guet, la tête vide. En contrebas, les eaux de la rivière paraissaient noires sous le ciel chargé de nuages et ses abords ne révélaient aucune trace de lutte. À la faveur de la nuit précédente, les cadavres avaient été enlevés par les hommes de Stewart qui étaient repartis sans bruit. « Ils vont revenir à Bona, songea-t-il. Si, comme le jeunot le pense, et j'abonde dans le même sens que lui, Buchan ne relève pas le défi, les hommes de Lochindorb vont tenter de délivrer le fils. Ils porteront sans aucun doute mon message à Kingussie et attendront la réponse de Buchan, et dans la négative, ils rappliqueront en force ici. Dans le meilleur des cas, ça nous laisse au moins une bonne semaine avant une quelconque riposte.»

En soirée, MacNèil se montra d'humeur morose. Contrairement à son habitude, il éprouva de la difficulté à rire des plaisanteries de ses hommes ou à s'intéresser à leurs parties de dés. Préoccupé, il retourna auprès de son prisonnier dans l'espoir d'obtenir quelques renseignements ou commentaires susceptibles d'étayer son évaluation de la situation. Mais, décelant l'indécision de son ravisseur, Alexandre Stewart choisit de rester muet sur le sujet et de fronder: «On dit que t'as caché ta femme dans les Îles, que tu ne la vois jamais et que t'as pas touché un seul pécune de sa dot. C'est vrai, MacNèil?

– …

– À Lochindorb, ça ne se serait pas passé ainsi. Si je l'avais épousée, je l'aurais vite bridée et lui aurais fabriqué un ou deux rejetons pour la tenir occupée. Elle t'a donné un fils au moins?

– …

– Ah, je vois! Pas d'argent, pas d'héritier, pas de coquineries: ta femme est une chiche-face*, mon pauvre MacNèil. Finalement, je suis heureux de n'avoir eu d'elle qu'un baiser. Tu m'as sauvé d'un piteux mariage…

– Quel baiser? laissa échapper MacNèil.

– Celui que je lui ai pris en lui faisant la demande, pardi! Ta garce était bien alléchante avec ses grands yeux étonnés et sa bouche ouverte comme une fleur... Mais derrière cette mignote se cachait une mégère, et c'est toi qui en as hérité!»

MacNèil sortit du cachot de son prisonnier plus exaspéré qu'il n'y était entré. Il ne se donna pas la peine de se munir d'une lampe pour monter directement se coucher et il roula longtemps dans son lit avant d'être gagné par le sommeil. Le lendemain, sa décision était prise: il irait à Dinkeual, seul. Tadèus assurerait la garde du prisonnier durant son absence qu'il se promettait aussi courte que possible. «Tad, je ne veux pas que nos archers quittent Bona... pour aucune considération. Si je venais à être pris dans les filets des hommes de Stewart, n'accepte pas de marchandage qui puisse les impliquer. C'est une affaire personnelle et je tiens à ce qu'elle le demeure», recommanda-t-il à son compagnon.

Je dormais, la tête appuyée sur l'épaule de Mariota, depuis que nous avions repris notre route. Nous avions beau nous redresser à nos moments de réveil, le cahotement de la voiture nous poussait invariablement l'une contre l'autre dès que nous glissions dans le sommeil. Ma sœur avait l'habitude de ces courtes siestes, mais, moi, je ne m'y faisais pas. J'aurais infiniment préféré chevaucher, mais nous avions convenu qu'il serait plus facile de me dissimuler dans la délégation du Seigneur des Îles en m'abritant dans la voiture couverte.

Je repris le fil des pensées qui m'habitaient depuis notre départ de Dinkeual. D'abord, l'attitude distante d'Alasdair Leslie envers moi: le décès de ma tutrice semblait avoir davantage affecté Mariota que son frère et je m'étais presque exclusivement employée à la consoler durant mon court séjour au château. Je n'avais adressé la parole à Alasdair qu'à quelques reprises, tellement son rôle d'héritier et de futur comte l'avait tenu entouré et occupé. En outre, et c'était là mon second sujet de réflexion, la famille du comte de Fife s'était montrée particulièrement encombrante; surtout la fille aînée, Isobel, que l'on pressentait pour épouser Alasdair. Les mignardises de cette pimbêche, qui n'avait aucun scrupule à briser l'atmosphère de recueillement et de deuil des Leslie pour faire sa cour, m'avaient profondément dégoûtée. Je me réjouis de constater qu'Isobel n'atteignit pas son but, car Alasdair ne lui concéda qu'une attention polie. En revanche, il se concentra sur l'entourage du père de cette dernière, de son frère Murdoch et du prince David, avec lesquels il multiplia les longs échanges.

Depuis le groupe de femmes au milieu desquelles je me tenais, je ne fus pas en mesure de connaître les sujets de conversation des hommes, mais j'acquis la conviction que les visées de la famille du comte de Fife sur Alasdair étaient bien réelles et qu'elles avaient toutes les chances de réussir. Étrangement, je n'éprouvais aucun dépit en pensant à un éventuel mariage d'Alasdair. Au contraire, je trouvais avantageux pour le comté de Ross qu'il contractât alliance à l'intérieur de la famille royale. Cette vision aurait enchanté ma bien-aimée tutrice, si elle avait pu y assister. Je tournai la tête vers Mariota qui ronflait doucement. «Ma sœur est bien mariée et mon frère le sera aussi. Il n'y a que moi dont la situation matrimoniale manque de panache, mais ça aurait pu être pire», songeai-je.

Soudain, la voiture s'immobilisa et Mariota se réveilla. «Qu'est cela?» fit-elle d'une voix endormie en se redressant. Sans réfléchir, je dégageai la toile et passai la tête hors de la voiture. Entouré de ses hommes d'armes, le mari de Mariota s'entretenait avec un cavalier solitaire qui me faisait dos. «Je ne sais pas, répondis-je en laissant retomber la toile. Un voyageur qui demande sa route peut-être... Rien d'alarmant en tout cas.» La curiosité de ma sœur la poussa à se pencher par-dessus moi et à regarder dehors à son tour. «Oh, Lite! s'exclama-t-elle après un court examen, je crois au contraire qu'il y a tout lieu de s'alarmer. C'est ton mari qui va là...»

Impulsivement, je la tirai derrière et la toile se rabattit. Dans un lourd silence, nous attendîmes d'interminables minutes en nous fixant dans les yeux, ahuries et désemparées. Mariota parla la première, invoquant le ciel afin que son mari parvienne à se débarrasser de MacNèil. Quant à moi, furieuse, je n'accordais aucune confiance à Donald MacDonald: il s'était toujours montré ouvert et amical avec mon mari et ma demande de voyager incognito dans son escorte lui avait tout à fait déplu. Il s'y était plié uniquement par égard pour Mariota qui l'avait instamment supplié d'accepter. Sur les principes régissant le comportement des époux, le mari de ma sœur savait se montrer plus intransigeant et scrupuleux que le pape lui-même. Aussi, je ne fus pas le moindrement émue quand Donald MacDonald m'envoya finalement chercher par un de ses hommes. Il en allait bien autrement de Mariota qui se mit aussitôt à sangloter. «Voyons, Mariota, lui murmurai-je avant de la quitter. Ce n'est que mon mari: il ne peut pas me dévorer. Tout au plus me battre. Je vais m'en tirer, tu vas voir. Cesse de pleurer.»

Je descendis bravement de la voiture et rejoignis le Seigneur des Îles d'un pas calme. Celui-ci discutait avec MacNèil autour d'un cheval de bât de notre équipage et ni l'un ni l'autre ne leva les yeux à mon arrivée. MacNèil fit le tour de l'animal en posant la main à plat sur son pelage, puis il examina les quatre pattes soigneusement. «Marché conclu: je le prends!» lança-t-il en se redressant. Nos regards se croisèrent et un éclair de défi passa dans le sien. Le mari de Mariota ordonna à un de ses hommes de décharger le cheval et de le seller pour être monté, puis, se tournant enfin vers moi, il me demanda sèchement d'aller chercher mon bagage: «Vous ne rentrez pas avec notre escorte, ma dame. Faites vos adieux à votre sœur rapidement, car je crois que messire MacNèil est pressé.»

J'étais sidérée. Je m'attendais à tout, sauf à cela. Mon sang ne fit qu'un tour et je me ruai sur MacNèil que j'empoignai par le bras pour l'entraîner prestement à l'écart. Il se raidit mais se laissa néanmoins faire. «Attends, MacNèil! lui chuchotai-je d'une voix haletante. Tu ne peux pas m'emmener avec toi. C'est impossible. Il me faut retourner à Mallaig. Des travaux sont en cours et je dois les diriger… Je sais, j'ai bien reçu ta lettre, mais j'ai dû te désobéir, il aurait été inadmissible que je ne me présente pas aux funérailles de la comtesse de Ross. Tu peux comprendre cela: elle était plus que ma tutrice, MacNèil, elle était une mère pour moi. En vraie chrétienne, je ne pouvais échapper aux devoirs de recommander son âme à Dieu et de soutenir sa famille endeuillée… Je suis certaine que tu n'avais pas pensé à cela en m'écrivant et j'admets que tu sois fâché. Si tu veux, corrige-moi ici, je n'offrirai aucune résistance. Mais, je t'en prie, laisse-moi rentrer à Mallaig!»

Tout en nous éloignant, nous avions gagné la lisière des arbres bordant la route où nous nous immobilisâmes. MacNèil se dégagea et fit quelques pas, songeur. Je me mordis les lèvres en silence en priant tous les saints pour qu'il revienne sur sa décision. Tranquillement, mon mari examina la cohorte MacDonald immobile sur le chemin, en attente d'un nouveau départ et j'en profitai pour le détailler : son visage avait le hâle des hommes qui vivent dehors ; sa moustache et sa barbe blond roux étaient adroitement taillées, découvrant ses lèvres pincées par un effort de concentration ; ses cheveux, que traversaient quelques fils argent, avaient repoussé depuis notre dernière rencontre et ils formaient une étroite natte effilée dans son dos ; son pourpoint de cuir clair était doublé de renard, de même que les lanières de ses heuses sans éperons ; un baudrier garni d'une claymore ceinturait ses hanches étroites. Il tourna enfin le regard vers moi et l'éclat de ses yeux bleus me troubla.

« Tu es meilleure chrétienne en respectant la loi divine qui recommande d'honorer ses parents que tu ne l'es quand il s'agit d'accomplir ton devoir d'épouse, fit-il remarquer sur un ton sec.

– C'est vrai, bafouillai-je. Je sais bien ce que tu es en droit d'exiger de moi... Tu as même raison de le faire. Mais notre union s'est conclue d'une manière si peu normale... si peu naturelle... Enfin... Je crois que notre mariage n'en est pas tout à fait un. Nombre d'époux comme nous choisissent de ne pas vivre ensemble pour toutes sortes de raisons et l'Église ne voit pas de péché dans cela...

– Notre mariage a été béni et, pour moi, il est valable, m'interrompit-il. Tu es et demeureras ma femme,

Lite MacGugan, quoi que tu en penses et quoi que tu souhaites. Entends-moi bien : je veux et j'exige que tu te comportes comme une femme mariée. Tu as un mari et tu lui seras fidèle, ce n'est pas parce que tu disposes de ta dot à ta guise que tu es libre de faire tout ce qui te passe par la tête. Je t'ai interdit de revoir Leslie et je te l'interdis de nouveau…

– Mais enfin, MacNèil, il n'y a rien entre lui et moi. Tu peux interroger messire Donald…

– Tais-toi ! C'est déjà fait : MacDonald a répondu à mes questions. Mais il ne sera pas toujours là pour te contrôler, non plus que Parthalan ou tout autre que je mettrais en vigile à tes basques. Tu ne me donnes pas d'autre choix que d'exercer moi-même cette surveillance et de te prendre sous mon toit. Et crois-moi, là où je vis, une femme est moins bien nantie que celles qui habitent la forteresse de Lochindorb !

– Tu veux une promesse ? m'empressai-je d'offrir d'une voix implorante. Je te la donne, MacNèil : je te fais le serment de ne jamais revoir Alasdair Leslie, comme tu me le demandes. Désormais, je vais m'appliquer à faire figure de femme mariée. Je serai irréprochable et personne ne te dira le contraire, ou alors celui qui médirait de moi serait un menteur et tel tu pourras le considérer. Je t'en conjure, ma place est au château de Mallaig ; permets-moi de le réintégrer… »

Le cœur battant, je suspendis là ma plaidoirie. Dans son regard scrutateur, je décelai une hésitation qui me précipita dans un fol espoir. « Que vaut la parole de Lite MacGugan ? Comment lui faire confiance ? » fit-il.

Je m'avançai aussitôt vers lui et le saisis aux épaules en plongeant mes yeux dans les siens : « Ma parole vaut la tienne, Baltair MacNèil. Fais-moi confiance... Donne-moi la chance de te prouver mon allégeance!

– Soit! souffla-t-il, au bout d'un très long moment. Scelle ta promesse par un baiser.»

Satisfaite de m'en tirer à si bon compte, je tendis mon visage vers le sien. Mes lèvres effleurèrent sa bouche, puis je me dégageai avec un sentiment de triomphe facile. Mais MacNèil me retint par la taille: «Un vrai baiser, l'Hermine. Pas une brise...» Mon sourire se figea et je rougis violemment. Son haleine chaude sur mon front, l'intensité de son regard, la pression de ses mains énergiques sur mes hanches, la proximité de nos corps tendus: tout me porta soudain vers lui. Attirée par une sorte de magnétisme, je glissai mes doigts derrière sa nuque et je pressai mes lèvres sur les siennes avec une ardeur inattendue. Sa bouche répondit aussitôt avec avidité et il m'embrassa avec fièvre. L'espace d'un instant, je me sentis défaillir entre ses bras. Puis, le souffle court, nous nous écartâmes, aussi stupéfaits l'un que l'autre.

MacNèil tourna la tête vers le groupe qui nous observait, revint à moi et me salua d'une voix rauque: «Bonne route, l'Hermine! Je me suis déjà trop attardé.» Ensuite, il fonça vers sa monture en lançant par-dessus son épaule, à mon intention: «Dieu te garde! Et le bonjour à mon père!» Là-dessus, je demeurai muette et doucement engourdie. Était-ce bien nous qui nous étions si fougueusement étreints? Incapable de réfléchir à ce qui venait de se passer, je regardai MacNèil sauter en selle, prendre congé de la compagnie du Seigneur des Îles et partir au galop. Je conservai longtemps les yeux fixés sur sa main levée dans ma direction, comme une caresse au vent.

Chapitre VII

Le courrier ailé

Le jour baissait. Une pluie fine faisait goutter les arbres balayés par un vent froid et persistant. Le sol imbibé amortissait le pas du cheval fourbu de MacNèil. Soudain, sans avertissement, l'animal s'immobilisa et le cavalier se retrouva encerclé par une petite troupe armée, sortie silencieusement de la forêt. Seul contre sept, MacNèil n'avait aucune chance. À quelques miles de Bona, en dehors de la zone de surveillance des guetteurs, l'attaque se présenta sur deux flancs et fut de courte durée. Il porta un unique coup au premier assaillant qu'il navra sérieusement et fut aussitôt désarçonné par les deux hommes suivants.

MacNèil reconnut avec déplaisir celui qui dirigeait l'opération : Ranulf, un ancien capitaine de Lochindorb, un homme dur et impitoyable. Quand il se vit ligoter sans un mot de menace ou même d'insulte, il comprit qu'on ne le tuerait point. Capturé par les hommes de Stewart, il allait vraisemblablement servir de monnaie d'échange pour son propre prisonnier. « J'ai bien fait de ne pas ramener Lite MacGugan : leur prise aurait été double», songea-t-il, en y trouvant une certaine consolation.

MacNèil ne s'était pas trompé. Quand la troupe de ses ravisseurs atteignit la pointe du loch Ness, Ranulf envoya deux émissaires au château de Bona avec la claymore de MacNèil comme gage de sa capture : « Dites aux hommes de MacNèil que, si Stewart n'a pas regagné Lochindorb avant l'échéance donnée à son père, nous plongerons notre otage dans la voûte d'eau : ce sera chef pour chef !» les mandata-t-il de rapporter. Ce que les deux hommes répétèrent rigoureusement à Tadèus qui pâlit en entendant les termes du marché. Pour avoir habité Lochindorb au temps où il faisait partie de la troupe de caterans à la solde du comte de Buchan, il connaissait bien le lieu de torture auquel le message faisait allusion. La voûte d'eau consistait en un puits aménagé dans le mur d'enceinte ouest sous le niveau du lac au milieu duquel la forteresse était bâtie. Pas plus large que la longueur d'un homme, le trou au sol dallé était constamment immergé par trois pieds d'une eau visqueuse et glacée. Les prisonniers qu'on y précipitait devaient se tenir debout pendant des heures pour ne pas se noyer et mouraient souvent de froid avant d'être remontés. Par une petite trappe pratiquée au-dessus de leur tête, on pouvait, à la lueur d'une chandelle, les examiner et, au besoin, les interroger.

Tadèus frissonna en évoquant l'endroit : il lui était arrivé de passer plusieurs heures à observer de malheureux détenus qu'on avait gardés dans cette effroyable geôle. Il se rappela même l'infortuné chanoine porteur des sanctions et des menaces d'excommunication de l'évêque Bur, que Buchan avait laissé tremper toute une nuit avant de le repêcher transi et complètement égaré. Lentement, le compagnon de MacNèil tourna l'arme de son chef entre ses mains, en caressa le manche d'une main fébrile et poussa un long soupir.

La communication des hommes de Lochindorb ne faisait pas allusion à l'épouse de MacNèil et Tadèus en conclut qu'elle ne devait pas être présente au moment de l'embuscade, ce qui favoriserait une opération d'évasion de son ami. Comme les émissaires de Ranulf ne l'avaient pas reconnu, Tadèus était en droit de penser que la garnison de ce dernier n'imaginerait jamais que celui qui détenait leur chef connaissait bien la forteresse de Lochindorb et pourrait tenter de délivrer leur prisonnier. Cependant, l'opération était hautement risquée et Tadèus le savait. Durant toute la nuit qui suivit, il s'absorba dans l'élaboration d'un plan capable de déjouer la garde de Lochindorb et d'en tirer MacNèil sans le concours d'aucun homme, tel que prescrit par son ami.

Le lendemain, à la tombée de la nuit, aux abords du lac Lochindorb, Tadèus retrouva avec émotion la grotte qui leur avait servi de repaire pendant presque deux ans, à Baltair et à lui. Il y dessella son cheval, rassembla quelques branches et alluma un petit feu, tant pour se sécher que pour se réchauffer : il souhaitait brûler suffisamment de bois pour obtenir une braise durable qui assurerait la protection de la grotte contre les bêtes nocturnes susceptibles d'inquiéter son cheval pendant son absence. Peu avant minuit, profitant de l'obscurité complète d'une nuit sans lune, Tadèus gagna les abords du lac. Il se dévêtit sommairement, ne gardant que sa chemise et ses braies à la ceinture desquelles il attacha son poignard. Puis, il descendit lentement dans l'eau, la respiration coupée par le froid saisissant, et avança jusqu'à ce qu'il perde pied. Là seulement, il nagea avec agitation pour freiner l'engourdissement de ses membres, tout en s'efforçant de ne pas être trop bruyant. Ses bras et ses jambes robustes le portèrent en quelques minutes au pied du mur est de la forteresse, celui contre lequel s'appuyaient les cuisines du château. Il avait choisi de pénétrer dans l'enceinte à cet endroit, car les ouvertures dans la muraille n'étaient pas munies de grilles, afin de favoriser l'évacuation des domestiques en cas de feu. De plus, la garde n'avait accès ni aux celliers ni aux cuisines en raison du chapardage dont les hommes d'armes se rendaient fréquemment coupables.

Après s'être hissé jusqu'à la fenêtre la plus basse, Tadèus jeta un œil à l'intérieur de la pièce vide et obscure, puis, avec une agilité étonnante, il s'y introduisit. En passant devant le foyer où une braise rougeoyante mourait, tout mouillé et frissonnant qu'il était, il fut tenté de s'y attarder. Mais la prudence et l'urgence d'agir le portèrent sans délai jusqu'à l'escalier des caves plongé dans les ténèbres. Insensible au froid du sol, il ne remarqua pas les traces humides et révélatrices que ses pieds y laissaient.

Jusqu'à ce que nous soyons arrivés à la tête du loch Linnhe, où nous attendaient les nefs de la délégation MacDonald, c'est-à-dire durant deux longues journées, Mariota ne cessa de gloser sur ma rencontre avec

MacNèil. Elle avait épié la scène depuis la voiture et n'en avait perdu aucun détail, qu'elle ressassait interminablement : « Quel cran il a démontré avec mon mari... quelle magnanimité envers toi... et son fier destrier, et sa seyante vêture... une bouche si ardente et des mains si intrépides... la couleur de ses armes et celle de ses longs cheveux. » Tout était décrit vingt fois plutôt qu'une et ce que ma sœur n'avait pas pu apercevoir, elle l'imagina, telles « la farouche expression de son regard » et « la douceur de ses lèvres ».

Me demandant si son seigneur manquait de chaleur au lit, pour que l'événement inspirât Mariota à ce point, je me fatiguai de l'écouter et ne lui répondis plus. Je trouvais exagérée sa bonne opinion de mon mari, d'autant plus qu'elle s'était appliquée à le trouver vil et méprisable depuis notre départ d'Yle. Par contre, je ne pus éviter d'entendre les commentaires acerbes de Donald MacDonald qui reprocha à MacNèil son manque de fermeté à mon endroit. À l'entendre parler, j'aurais mérité d'être enlevée et séquestrée par mon mari dans un minable refuge du loch Ness, comme il en avait eu l'intention, et c'était grâce à sa mollesse que je m'en étais sortie sans heurt.

Ces discours m'irritaient et me contrariaient. Selon mon analyse de la rencontre, Baltair MacNèil n'avait fait preuve ni de clémence ni d'indolence : il avait démontré de la perspicacité en me soutirant une promesse qui lui enlevait à la fois le fardeau de ma surveillance et celui de mon encombrement. Aussi fus-je bien aise de quitter la compagnie de ma sœur et de son mari quand leur délégation s'embarqua au loch Linnhe, me laissant avec mes bagages et une escorte de deux hommes pour me rendre directement à Mallaig par les terres. Je regardai s'éloigner leur flotte avec soulagement, l'esprit déjà tourné vers les projets et les gens qui m'attendaient au château des MacNèil. Ce monde qui était le mien et que j'avais failli perdre m'avait fort manqué.

Durant les mois qui suivirent mon retour, mes affaires progressèrent magnifiquement et j'aurais facilement oublié Baltair MacNèil, s'il ne s'était pas lui-même rappelé à mon souvenir. Il le fit de nouveau par lettre, ce qui ne manqua pas de me surprendre, au printemps 1395. Parthalan n'interceptait plus mon courrier et il fit entrer le porteur de la lettre directement dans mon cabinet. Je décachetai et parcourus la courte missive avec un air ahuri: pour la première fois depuis notre mariage, Baltair MacNèil requérait mon argent pour une de ses dépenses. En des termes courtois, mais détournés, il me demandait de verser au porteur vingt marcs pour payer un certain droit de passage pour lui et un de ses hommes dans le comté de Moray. Je ne compris pas immédiatement qu'il s'agissait d'une rançon et me rebiffai à cette sollicitation. La somme m'apparaissait extravagante d'autant plus que je ne la possédais pas.

En effet, les quatre années de travaux d'envergure à Mallaig avaient fait fondre ma dot. D'épais murs de fortification avec chemin de ronde, tourelles de guet et bastion étaient maintenant érigés tels que je les avais commandés, et le réaménagement du premier étage du donjon, de la grand-salle, de la salle d'armes et d'une chapelle adjacente était en voie d'être complété par l'équipe de maître Kenneth. Cependant, les ouvriers étaient désormais payés par mon beau-père. En effet, quelques armateurs faisant escale à Mallaig avaient enrichi le seigneur Mànas d'un petit pécule en défrayant des droits de mouillage. Exhortés par moi, plusieurs commerçants avaient trouvé plus avantageux de troquer leur marchandise chez nous plutôt que de remonter plus haut sur la côte écossaise pour la vendre. Avertis depuis un an par les producteurs des Highlands de l'existence de notre port franc, les marchands étrangers, s'étant passé le mot, l'avaient adopté. Heureux d'éviter les perquisitions onéreuses des MacDonald dans l'archipel des Hébrides, ils s'acquittaient avec bonne grâce des frais de port modestes que mon beau-père leur demandait. À ma grande satisfaction, ces échanges réussirent à placer peu à peu Mallaig sur les routes des flottes commerciales de la mer Atlantique.

Dégingandé, planté au milieu de mon cabinet, le porteur du message semblait ne pas avoir plus de treize ans. Je l'examinai de la tête aux pieds en me demandant jusqu'à quel point il connaissait les affaires de mon mari et accepterait de me renseigner sur lui. Devant son air farouche et buté, je devinai que j'obtiendrais davantage par des questions déviées. Aussi lui fis-je monter à boire et à manger et je l'interrogeai sur un ton anodin, tandis qu'il s'empiffrait en me répondant innocemment, la bouche pleine.

Parfaitement conscient de ma situation financière, Guilbert, qui était alors présent dans le cabinet, assista à cet entretien avec curiosité et nota même quelques informations sur Bona dans son cahier. De ce conciliabule, il ressortit que MacNèil et son ami Tadèus Fair étaient vraisemblablement détenus à Lochindorb par le fils du comte de Buchan et ne seraient libérés que contre une somme que ne voulait pas acquitter le seigneur de Louchabre, leur employeur. Après avoir renvoyé le jeune porteur au corps de garde pour la nuit, je parlai longtemps avec Guilbert des conclusions que nous tirions de l'interrogatoire. Nous relûmes, perplexes, la lettre de MacNèil et nous nous rendîmes à l'évidence qu'il s'agissait bien d'une rançon.

« Cela ne vous arrange-t-il pas, ma dame, que messire Baltair soit aux fers ? avança Guilbert sur un ton circonspect. Vous n'avez qu'à refuser de payer : d'ailleurs, vous ne disposez pas de la somme requise.

– Vous avez raison, répondis-je. Je ne suis pas en bons termes avec mon mari et je n'ai pas cet argent qu'il me réclame. Si celui pour lequel il travaille ne juge pas nécessaire de plonger la main dans sa bourse pour le délivrer, pourquoi devrais-je y remédier ? Tout m'incite à renvoyer le porteur sans un denier. Mais alors, Guilbert, dites-moi : que risque-t-il d'arriver à Baltair MacNèil ? Je ne suis pas assez sotte pour croire qu'un prisonnier dont personne ne se porte garant conserve la vie sauve et je devine assez bien les manières expéditives des Stewart de Lochindorb pour être convaincue des conséquences désastreuses de mon refus.

– Nous sommes peut-être dans l'erreur quant à la gravité de sa situation, ma dame. La lettre de votre mari n'a pas ce ton alarmant que la perspective de l'exécution aurait dû lui conférer…

– Entre les demi-mots de cette missive et les propos crus de son porteur, j'incline à croire les deuxièmes. Baltair MacNèil est visiblement persuadé que je possède encore une bonne part de ma dot et s'il tait sa condition de détenu, c'est uniquement par orgueil. Imaginez, Guilbert : mon mari qui aboutit prisonnier des hommes dont il devait me protéger ! Existe-t-il une défaite plus cuisante ? En vérité, je n'ai pas beaucoup le choix, mon devoir d'épouse me dicte d'intervenir.

– En ce cas, ma dame, vous êtes coincée : si vous ne doutez pas de l'issue de cette affaire et souhaitez sauver votre mari, il vous faut trouver les vingt marcs réclamés. Je crains que vous ne puissiez les requérir ni du seigneur Mànas, qui a renié son fils, ni du mari de votre sœur, qui ne vous estime guère. Ne reste plus que votre frère, le comte de Ross qui, à ce que l'on dit, ne vous refuserait rien. »

Je levai les yeux et croisai le regard énigmatique dont Guilbert m'enveloppa en me faisant sa suggestion : que savait-il de ma relation avec Alasdair ? Je me levai et m'approchai de la fenêtre dont je fermai les battants d'une main distraite en réfléchissant : quelle réception ferait-on à ma demande à Dinkeual ? Si Alasdair voit là l'occasion de punir MacNèil, il m'encouragera à l'abandonner à ses ravisseurs. Je me mis à redouter cette éventualité et le souvenir de mon serment à mon mari me fouetta : ne lui avais-je pas promis d'agir comme une épouse ? Quelle épouse se rendrait complice du meurtre de son mari ?

Je revins à ma table de travail et repris la feuille raidie d'humidité. L'écriture de MacNèil était énergique et la forme des lettres dénotait une élégance que je n'avais pas remarquée jusqu'alors. De plus, il n'avait pas signé avec la traditionnelle formule des époux, celle qu'il avait d'ailleurs déjà employée avec cet acide « *ton maître et seigneur, Baltair MacNèil*», mais il avait inscrit tout en bas de la page un assez touchant « *ton mari aimant, B. M.*»

que je lus à voix haute. Guilbert toussota et prit congé d'un air intimidé en refermant délicatement la porte derrière lui.

Restée seule dans le cabinet, je me laissai envahir par l'évocation de ma dernière rencontre avec MacNèil sur la route de Dinkeual. Étonnamment, ce souvenir ne me causa ni irritation ni agacement, mais plutôt un indéfinissable trouble. Je repliai la feuille de papier et pressai mes doigts doucement sur son pourtour : j'avais décidé de sauver encore une fois MacNèil des griffes de la mort. Une idée me vint soudain en repensant au refus du seigneur de Louchabre de le secourir : c'est au comte de Moray qu'il fallait s'adresser. Ce sont ses terres que MacNèil avait mission de défendre… Puis, déterminée et inspirée, je saisis ma plume, la trempai dans ma corne d'encre et rédigeai en latin une lettre à Thomas Dunbar, sixième comte de Moray et shérif d'Inverness.

L'échec de Tadèus dans sa tentative de sauvetage avait provoqué la libération de l'otage des caves de Bona par les hommes de MacNèil privés de maîtres et de directives. Croyant pouvoir retrouver leur chef de cette façon, ces derniers renvoyèrent le prisonnier à Lochindorb sans aucune forme de garantie en retour. Alexandre Stewart chevaucha paisiblement jusqu'à sa place forte, le sourire aux lèvres. Sa captivité l'avait fait réfléchir. Moins prompt que son père à riposter par les armes, il préférait les répressions plus subtiles et plus rentables. Bien qu'il gardât du ressentiment envers son ravisseur pour la perte des cinq hommes qu'il lui avait infligée, le jeune Stewart avait jugé que la vie du mari de la pupille de Ross pourrait lui rapporter davantage que sa mort. Comme les demandes de rançon nécessitaient infiniment plus de doigté et de temps que les exécutions, il envisagea la détention de ses deux prisonniers sous l'angle de les ménager plutôt que de les maltraiter.

MacNèil et Tadèus s'étaient donc morfondus en vain : ils ne goûtèrent pas à la voûte d'eau au retour du chef de Lochindorb. Ayant vécu quelques années dans la forteresse, les deux prisonniers y avaient créé des liens qui refirent surface durant leur emprisonnement ; ici une lingère qui avait coqueliné avec eux autrefois ; là un geôlier qui avait joué aux dés en leur compagnie ; ailleurs, un jeune écuyer qu'ils avaient bien récompensé de ses services ; et aux cuisines, de braves femmes qui, charmées par leur amabilité, les avaient pris sous leur aile. Toutes ces personnes avaient souhaité, chacune à leur façon, qu'on épargne aux deux caterans les pires châtiments. Elles remarquèrent avec soulagement que leur maître n'entendait pas les torturer. Le plus déçu de ce choix, discutable selon lui, fut Ranulf, qui avait fait de louables efforts pour s'empêcher de battre les prisonniers en attendant le retour de Stewart. Il prêta une oreille irritée aux explications que celui-ci lui fournit : «Mon cher Ranulf, si je veux que notre ami MacNèil sollicite sa gentille et riche épouse pour la rançon, car Louchabre ne bronchera pas, nous allons devoir mettre de l'eau dans notre vin pour lui conserver bonne mine. Mais ce n'est que partie remise. Je suis capable de différer mes humeurs de revanche et d'attendre le bon moment pour frapper. Je te promets que, ce jour-là, tu seras à mes côtés…»

Durant tout l'hiver que durèrent les tractations avec Louchabre, Stewart aiguisa sa patience et exigea que ses otages soient convenablement nourris dans leur cellule et protégés du froid et de l'humidité par des couvertures et une épaisse jonchée. Il poussa même les bons traitements jusqu'à jouer aux échecs avec eux pour égayer les longues veillées. Mais ces interminables parties exaspéraient Mac-Nèil qui devait subir les insultes et les plaisanteries de son adversaire sur son mariage raté. Quand les froids intenses furent passés et que la demande de rançon s'orientât définitivement du côté de la pupille de Ross, Stewart autorisa ses prisonniers à sortir tous les jours pour une promenade dans la cour sous la garde ronchonneuse de Ranulf : « Qui paierait pour se voir remettre des hommes malades au teint plus gris que cendre ? Allons, Ranulf, ne fais pas cette tête et profite toi aussi du beau temps ! » arguait le chef.

MacNèil et Tadèus bénéficiaient toujours de cette faveur le matin du 7 avril 1395 et ils sillonnaient la cour marécageuse quand, du haut de son poste de garde, la vigie annonça l'apparition d'une délégation du comte de Moray sur la rive du lac de Lochindorb. Les deux prisonniers furent prestement reconduits à leur geôle avant qu'on ait ordonné l'envoi des barques pour cueillir les visiteurs. L'arrivée du comte de Moray ou de ses émissaires fit naître un espoir fragile chez MacNèil. Si son incarcération venait à être connue par le comte et que celui-ci réclamait sa libération, comme il pouvait y prétendre dans son comté, Alexandre Stewart ne pourrait s'y opposer. Il recouvrerait ainsi sa liberté sans la devoir à l'intercession de son épouse, solution ultime qu'il souhaitait encore pouvoir éviter, d'autant plus qu'il nourrissait des doutes sur l'empressement de cette dernière à le secourir.

Sous l'œil anxieux de son compagnon, MacNèil se mit à arpenter fébrilement l'étroit réduit où ils étaient enfermés, en espérant avoir l'occasion de manifester sa présence à Moray par l'intermédiaire d'un ou d'une alliée dans la place. Mais personne ne descendit dans les voûtes durant l'heure qui suivit son retour de la cour. Excédés, les deux caterans maudissaient leur impuissance quand la porte du cachot s'ouvrit soudain sur le roide Ranulf : « Sors, MacNèil, on te demande ! Thomas Dunbar a décidé de s'en mêler, le benêt… »

L'entretien eut lieu en présence de quelques gardes et de Stewart dans le petit cabinet de ce dernier. Une chaleur étouffante y régnait, car un bûcher ronflant embrasait l'âtre et les deux fenêtres à meneaux de l'étroite pièce étaient closes. Faisant dos à la porte, le comte de Moray, qui ne semblait pas incommodé par la tiédeur ambiante, avait posé une main molle sur le manteau de la cheminée et contemplait les flammes. De taille moyenne, le cheveu rare et le ventre rebondi dans un pourpoint de soie, il affichait une trentaine nonchalante et prospère. À l'entrée de MacNèil dans la pièce, poings entravés, Moray se retourna lentement et le détailla une longue minute avant de prendre la parole sans plus s'interrompre : « Bonjour, MacNèil. Ainsi, voilà le chef cateran qui s'est bâti une si terrible réputation sur mes terres depuis des années… Je t'imaginais plus… disons, imposant. Enfin… je n'ai pas l'habitude de rencontrer les hommes de Louchabre, aussi fameux soient-ils, et c'est exceptionnel que je m'y prête. Mais la sœur de mon bon ami Leslie, comte de Ross, m'en donne l'occasion… Ta femme est pathétique, MacNèil, par écrit, on s'entend. Quelle verve ! Quelle grâce ! Quelle éducation !

Si mon secrétaire avait la moitié de son esprit, mes affaires croîtraient de façon splendide. Bref, elle s'est adressée à moi pour payer ta rançon et celle de ton acolyte. Ta brave épouse est scandalisée par la désaffection de Louchabre dans cette histoire et j'opine assez dans ce sens, mais mon contrat avec lui me désengage totalement vis-à-vis des hommes qui sont à sa solde. J'ai pour devise de ne pas me mêler de ce qui ne me regarde pas. Ta capture ne relève pas de mon autorité et... »

À l'évocation de son épouse, MacNèil s'était raidi. Il fit un effort pour ne pas laisser transparaître l'agacement que le discours de Moray suscitait en lui et il afficha un air déférent de circonstance. Quant à Alexandre Stewart, il s'était enfoncé dans son fauteuil et écoutait le comte pérorer avec une délectation railleuse. MacNèil saisit immédiatement dans l'attitude de son ravisseur qu'il était déjà assuré de toucher la somme pour sa libération et celle de Tadèus. Dès lors, il se détendit et reporta son attention sur Thomas Dunbar qui n'avait pas cessé de parler. « ... je suis ainsi fait : un homme de devoir qui ne décevrait pour rien au monde ses amis les plus chers. Puisque Leslie joint sa voix à celle de sa remarquable sœur et réclame ta libération, il ne me reste plus qu'à m'incliner et à délier ma bourse... », conclut finalement le comte de Moray sur un ton mielleux.

Aussitôt, Stewart se leva, fit un petit signe d'entendement au comte et se dirigea vers MacNèil qu'il dévisagea en sortant tranquillement une dague de son pourpoint. Un instant, les regards des deux hommes se croisèrent, puis, aussi vif qu'un éclair, Stewart effleura le cou du cateran avec la pointe de son arme. Une giclée de sang se répandit sur la chemise de ce dernier qui fit un mouvement de recul. «C'est un souvenir de moi, Mac-Nèil, fit Stewart d'une voix sourde. Juste un petit navrement, mais j'aurai d'autres occasions de faire un peu plus. J'ai eu plaisir à te laisser la vie sauve, mais tu ne pourras pas en espérer autant la prochaine fois qu'on se verra.»

Vingt minutes plus tard, MacNèil et Tadèus, encadrés par les gardes de Thomas Dunbar dans la barque, regardaient silencieusement s'éloigner les murailles de la forteresse dont ils avaient désespéré de sortir vifs*. Dès qu'ils posèrent le pied sur la rive, le comte de Moray perdit son humeur débonnaire. Il les fit monter en croupe derrière deux de ses hommes et sa délégation s'élança sur la route d'Inverness. À la première escale, tandis que les chevaux soufflaient et que les hommes se désaltéraient, Dunbar entraîna MacNèil à l'écart et le tança vertement: «Qu'avais-tu à séquestrer Alexandre Stewart? La Couronne commence à peine à avoir un peu de répit de ce côté-là… Puis, rançonner Buchan… quelle imbécillité! Si c'est Louchabre qui te l'a commandé, je vais devoir réagir.

— Ce n'est pas Louchabre, comte, répondit MacNèil sur un ton amer. J'ai capturé le fils de Buchan de mon propre chef. Par vengeance personnelle et j'ai échoué.

— Voilà le problème avec le seigneur de Louchabre et ses sbires. Vous n'en faites qu'à votre tête. Je paie pour qu'on surveille mes terres et celles de l'évêque, et tout ce que j'entends sont récits de levées d'impôts arbitraires sur nos fiefs, menaces sur nos vassaux, invasion de nos places fortes et maintenant représailles individuelles et rançonnement des membres de la famille royale! Vous, les Gaëls, vous êtes intenables! Pourquoi vous embauche-t-on, dis-le-moi?

– Parce que vous n'avez pas le choix. Je sais que Louchabre vous a forcé la main pour que vous preniez son contrat de protection et aussi que vous touchez une pension du roi pour le service du prince David dans les Highlands. La Couronne cherche toujours le moyen de saper l'hégémonie du Seigneur des Îles et elle a besoin des Gaëls pour y parvenir...

– Merci de me le rappeler, MacNèil. Nous avons indiscutablement besoin des Gaëls, du moins de certains d'entre eux. Si je t'ai sorti du pétrin dans lequel t'es allégrement fourré, ce n'est ni par compassion pour ton ineffable épouse, ni par amitié pour le comte de Ross : ces sornettes étaient destinées à Stewart. Je t'ai sauvé pour que tu travailles pour moi. Je n'ai aucune prise sur Louchabre et je crois comprendre qu'il n'en aura désormais plus sur toi. Je me trompe ?

– ...

– Enfin, MacNèil, ce ne serait pas la première fois que tu changerais de camp... Et puis, si ton ennemi juré est le comte de Buchan et que tu as encore de la reconnaissance pour ton souverain qui t'a épargné la potence, joindre nos rangs t'offrirait des occasions concrètes de pourfendre Stewart et ce revirement serait une marque de grande loyauté envers le roi des Écossais... »

Nous connûmes, cette année-là, l'un des plus chauds et humides étés de la péninsule et notre jardin produisit une quantité phénoménale de fèves, d'oignons et de pois. Les rosiers grimpants, que Mariota m'avait donnés l'année précédente, gagnèrent le faîte des murets contre lesquels je les avais plantés et je procédai à leur taille avec un réel émerveillement, tant ils étaient chargés de fleurs.

Presque chaque jour, des cohortes de paysans descendaient des plateaux avec leurs denrées excédentaires et se mêlaient aux chalutiers sur la grève en une allègre confusion dont les échos parvenaient parfois jusqu'aux fenêtres du donjon. Du haut de mon cabinet, j'observais l'animation avec un sourire de ravissement. Tout m'égayait! Je me délectais surtout de voir le château grouiller d'occupants de passage; des visiteurs, des prélats, des intendants qui allaient et venaient, sortant la famille MacNèil de son isolement. En outre, toute cette effervescence favorisait les communications et je ne fus jamais autant occupée à correspondre que durant cette période.

À la suggestion d'un marchand français, je fis bâtir un colombier dans une tourelle du château et je me mis à l'élevage de pigeons voyageurs, selon ses instructions. Il avait eu l'amabilité de me laisser deux couples de ses oiseaux pour démarrer et, à la naissance des premiers oisillons, je libérai ses pigeons avec mes remerciements les plus louangeurs. Cependant, nous étions peu de correspondants sur la côte ouest à utiliser les pigeons comme porteurs de messages et ma volière ne se grossit de nouveaux oiseaux que très progressivement. Je continuai longtemps à user de nos porteurs terrestres pour acheminer mes différentes missives.

L'échange de lettres le plus suivi fut, singulièrement, celui avec Baltair MacNèil. Il commença en mai, par une note laconique qu'il me fit parvenir d'Inverness pour m'informer de sa libération et de son nouvel emploi:

il avait quitté le seigneur de Louchabre et s'était joint avec son compagnon Tadèus à l'élite armée du comte de Moray. Si ce message me rassura sur le succès de ma démarche auprès du comte, son ton, exempt de toute gratitude à mon endroit, me frustra. Je le fis savoir à MacNèil dans ma réponse et je reçus une explication quelques semaines plus tard :

Pardonne-moi, l'Hermine. Si je ne t'ai pas remerciée pour ton intervention, c'est que je suis las de devoir ma vie à tout le monde : à toi, au roi, au fils de Buchan, à Dunbar. Quand aurai-je donc l'occasion de sauver quelqu'un au lieu d'être continuellement sauvé ?

Cette excuse qui avait toutes les apparences d'un aveu d'incapacité me laissa quelque peu perplexe. Le mois suivant, MacNèil m'apprit que le comte de Moray l'avait prêté à l'escorte du prince David, comte de Carrick, dont les déplacements dans les Highlands se faisaient plus nombreux :

… Carrick est un enfant gâté : il épuise les ressources du sud et du nord de l'Écosse en même temps et il est sous la férule de sa mère, la reine. Quand la diplomatie avec l'Angleterre l'appelle au sud, il prend ses hommes dans les Borders ; quand il s'amène dans les Highlands, il vide les corps de garde des places fortes de Ross et de Moray. Il change d'escorte plus souvent que de chemise. Dès qu'il entre en territoire gaélique, il ne parle que par le truchement des quelques Highlanders de sa délégation. D'ailleurs, je pense bien que c'est précisément la raison pour laquelle Dunbar m'envoie dans sa suite : il dit que j'ai bonne et brave gueule… En

août, il est vraisemblable que nous poussions les chevauchées jusqu'à Mallaig: Carrick veut tenter une alliance avec des seigneurs de la côte ouest contre MacDonald et je pense que mon père est dans sa mire.

Cette information me fit trembler d'excitation: si le clan MacNèil réussissait à bien se positionner sur l'échiquier politique en se rapprochant de la Couronne, les retombées sur Mallaig pourraient s'avérer très intéressantes. Toutefois, mes espoirs de recevoir la visite du prince David au château s'effondrèrent avec la lettre suivante que MacNèil m'envoya à la fin d'août:

Les affaires de cœur de Carrick prennent le pas sur celles de l'Écosse. À quoi d'autre s'attendre de la part de ce jeune étalon royal? Depuis l'automne dernier, il fréquente la fille du comte de March qui est sans doute l'homme le plus influent au sud de la Forth. Maintenant, notre prince va être obligé d'épouser la belle. March a mis les évêques de St. Andrew et de Brechin dans le coup pour obtenir un mandat papal afin que cette union soit célébrée sans être soumise au Parlement. Tout ceci fait en sorte que les expéditions de Carrick sur la côte ouest sont reportées... Je ne te verrai probablement pas cette année, l'Hermine. Dieu te protège!

Au fur et à mesure que l'été avançait, je m'étais rendu compte que ma correspondance soutenue avec MacNèil me plaisait beaucoup, car elle élargissait l'éventail de mes connaissances des affaires du royaume, qui jusqu'alors n'avaient été enrichies que par Alasdair ou Mariota. Le point de vue de MacNèil sur une foule d'aspects différait sensiblement de celui du comte de

Ross et de l'épouse du Seigneur des Îles, car il était dénué d'interprétation partisane. En outre, lire des missives de Baltair MacNèil me le montrait sous un angle nouveau qui me fascina. Sa personnalité et son jugement se dévoilaient au fil des mots, m'intriguant à chaque lecture. Je dus reconnaître que l'image de l'homme libre par excellence que je m'étais fabriquée au cours des années lui seyait de plus en plus parfaitement.

Cependant, ce que je gagnai en complicité du côté de mon mari, je le perdis en assiduité du côté de ma sœur. En effet, depuis que le port de Mallaig avait acquis une solide renommée et que nombre de marchands highlanders le fréquentaient pour écouler leurs produits, mes relations avec Mariota se refroidissaient et nos rencontres s'espaçaient. Je m'en inquiétai au début, mais le succès de mon entreprise m'empêcha de m'y attarder. Je savais pertinemment que le Seigneur des Îles pestait contre l'exode des navires commerciaux au-delà de ses territoires et la perte de sa mainmise sur cette activité fructueuse devait certainement le ronger. Songea-t-il, à l'automne 1395, à lancer un assaut sur Mallaig? Je crois que cette idée dut l'effleurer, tant sa hargne contre les MacNèil et ses difficultés avec la Couronne l'exaspéraient.

Avec son sens inné de la prudence, mon beau-père ne relevait pas les bravades qui lui parvenaient régulièrement de Finlaggan et il se tenait bien coi derrière ses murailles. Quand, autour de l'âtre, il était question de Donald MacDonald, il me jetait toujours un regard amusé que j'interprétais comme une marque de contentement vis-à-vis de la restauration de son château.

Évidemment j'éprouvais un profond sentiment de satisfaction d'être parvenue à transformer les palissades en une enceinte de pierres bien haute et bien épaisse, capable de décourager d'éventuels agresseurs. D'ailleurs, la forteresse qu'était devenue Mallaig jouait beaucoup dans l'attrait qu'elle exerçait sur les capitaines européens qui s'aventuraient avec leurs vaisseaux aussi loin dans les eaux de l'Atlantique nord. Conscient des risques qu'ils avaient pris pour s'engager dans la mer des Hébrides, mon beau-père les traitait avec moult respect et admiration. Les recevant avec les égards et les manières d'un grand seigneur, Mànas MacNèil leur faisait les honneurs de sa table et patronnait les contacts entre eux et les lairds de son clan. Ces derniers profitèrent tous joliment de ces circonstances très favorables à leurs propres négoces et, imperceptiblement, le nom de MacNèil fut magnifié dans toutes les chaumières des Highlands.

Pour sa part, dame Égidia, ma belle-mère, exultait de voir sa grand-salle transformée en un lieu de réceptions perpétuelles et je crois bien qu'en ce seul été elle rajeunit de dix ans! Quant à mes belles-sœurs, elles découvraient avec transport une vie de faste à laquelle elles n'avaient même jamais aspiré. Dans cet univers féminin monté en épingle, je demeurais la figure de proue et cela aussi me comblait d'aise.

Quand l'automne montra ses premiers signes, alors que l'établissement du port franc de Mallaig était chose acquise, je décidai de m'attaquer au projet de foire aux fourrures qui me tenaillait depuis longtemps. Je démarrai mes prospections un matin d'octobre, au moment où la saison des longues chasses reprenait sur la péninsule. Presque chaque matin, Parthalan, Aindreas et Griogair rassemblaient les archers dans la cour du château et s'équipaient pour la journée en vivres, arcs, flèches, faucons et chiens. Avant leur départ, je m'enveloppais d'une cape et descendais les saluer pour leur faire des suggestions. Je mettais l'accent sur les prises ayant davantage d'attrait pour leur peau que pour leur chair. Mes beaux-frères m'écoutaient poliment et me promettaient de rapporter quelques vairs ou lapereaux, toutefois je les savais avides de grosses bêtes fort délectables à la broche mais tout à fait triviales en manteaux. Aussi n'étais-je pas outre mesure surprise de les voir revenir triomphants avec un cerf, un sanglier ou un ours sur leurs brancards, à la fin de leurs équipées.

Quelle que soit la température ou l'heure de leur retour, je les accueillais dans la cour et les félicitais aimablement tout en lorgnant, déçue, les deux ou trois maigres vairs ou lièvres pendus au harnachement de leur monture. Parthalan me les offrait avec un air de bonhomie non feinte et je les acceptais avec une gratitude simulée. On me vidait les animaux aux cuisines et j'étendais leur peau sur des treillis dans les caves. Habituellement, les fourrures pourrissaient avant d'avoir eu le temps de sécher et les servantes finissaient par balancer leurs lambeaux avariés aux chiens.

En novembre, à tout hasard, je demandai à Guilbert de retracer dans nos cahiers de notes tout ce qui concernait le coût des différentes peaux; la quantité nécessaire pour confectionner un mantelet, une houppelande, un revers de pourpoint, une bordure de coiffe ou de manche; les procédés de tannerie et les outils; les noms des tanneurs qui exerçaient leur métier dans les Highlands; la délimitation de notre territoire de chasse et la nature des bêtes qu'on y prenait. Nous fûmes étonnés par l'abondance de renseignemênts dont nous disposions. Ensemble, nous les ressassâmes durant de longues journées afin d'en tirer un plan d'action.

Puis un soir, les chasseurs de la maison ramenèrent la meilleure prise qu'ils auraient pu me présenter : un braconnier-tanneur. « Voilà votre expert, dame Lite, fit Griogair, en se tournant vers l'homme ligoté en travers du brancard à côté de la carcasse d'un élan. Il se nomme Daidh MacGugan. Il n'est plus très jeune mais productif à foison. Il ne prend que du petit gibier au collet. Nuls chiens, nulles flèches, aucune marque sur les peaux. Il chasse de la St. Ninian[3] à Belteine[4] et récolte plus de cinq cents pelisses chaque année : du renard, de la loutre, de l'hermine, du vison, de tout. Il les tanne lui-même avec ses filles et les vend aux Anglais. Son territoire part de Finiskaig et déborde un peu trop sur le nôtre. Contre liberté, il est prêt à vous instruire sur tout ce que vous voudrez connaître de son métier. On vous l'enchaîne dans les voûtes ou dans votre cabinet ? »

On n'attacha Daidh MacGugan ni aux caves ni chez moi. Après l'avoir patiemment interrogé avec Guilbert durant toute la veillée, je décelai dans le braconnier l'associé qui faisait défaut à mes projets. Daidh était un brave veuf, mature et intelligent, qui ne demandait pas mieux que de travailler avec ses filles dans un cadre sécuritaire. Je perçus rapidement ce besoin et m'empressai de lui faire une proposition d'alliance qu'il accepta avec mesure.

---

3. St. Ninian : fête célébrée le 16 septembre en l'honneur de saint Ninian.
4. Belteine : fête païenne de la fécondité, de la terre et des animaux, célébrée à la première pleine lune de mai chez les peuples d'origine celtique.

Le lendemain, alors qu'il s'apprêtait à retourner chez lui, mue par une sorte d'intuition, je lui révélai mon nom et mes liens avec la famille Leslie. Après avoir fouillé sa mémoire, Daidh avoua qu'une de ses cousines avait jadis trouvé un emploi chez la défunte comtesse de Ross et n'était jamais revenue parmi les siens. Je me complus à croire que cette lointaine cousine de Daidh avait été ma mère. Dès lors, j'établis des rapports de grande amitié et de respect pour cet honnête homme qui devint la clef de voûte du commerce des peaux à Mallaig.

En novembre 1395, Baltair MacNèil réintégra avec plaisir le château de Bona. Au cours de l'automne, la forteresse de Urquhart était passée aux mains des Mac-Donald et le Parlement avait sommé le comte de Moray d'accentuer sa présence sur le loch Ness, porte naturelle des Highlands. Un peu à contrecœur, Dunbar y dépêcha son Gaël de service avec un petit contingent, l'enjoignant de tenir sa position sans pousser d'offensives au sud : « Je veux que tu m'avises de tout déplacement de troupe sur et autour du loch et que tu me rendes compte de tes observations chaque semaine par courrier. Je te munis de pigeons de ma volière à cette fin. Et je te préviens que, si j'apprends que tu rôdes autour de Lochindorb ou de Kingussie, je te retire tes hommes et te retourne auprès de Carrick… », avait-il affirmé, en congédiant un Baltair MacNèil demeuré insensible à son ton menaçant.

Avançant sous une neige légère et voletante, Tadèus fermait la marche de l'équipée, tout juste derrière le cheval de bât chargé des paniers contenant les pigeons voyageurs destinés à assurer la correspondance avec Inverness. En grimpant la pente abrupte qui montait au château de Bona, il laissa ses rênes, sortit sa flûte et entonna un air de gigue, tant pour couvrir l'agaçant roucoulement des oiseaux que pour manifester sa joie de retrouver ses compères archers. MacNèil se retourna sur sa monture et lui sourit : lui aussi avait le cœur en fête à l'idée de revenir à Bona, parmi ses hommes.

Ces derniers étaient tous demeurés au château après la libération de leur chef de la forteresse de Lochindorb et son transfert à Inverness, gardant espoir d'être rappelés par lui. L'accueil qu'ils réservèrent à MacNèil et à Tadèus fut aussi bruyant qu'émouvant : les embrassades, accolades, étreintes, rires et larmes occupant toute la première heure de leurs retrouvailles. Afin de souligner l'heureux retour des deux hommes, les domestiques de Bona ne furent pas en reste : aux étages, on alluma des feux dans les foyers et on sortit les paillasses et les draps frais ; aux cuisines, on pluma et cuisit à la broche des faisans et quelques canards, et l'on dénicha même un barillet de uisge-beatha pour arroser les ripailles qui suivirent. Les agapes se terminèrent bien tard dans la nuit quand les hommes, rassasiés et saouls, se turent enfin et s'endormirent pêle-mêle devant l'âtre rougeoyant du corps de garde.

Dès le lendemain, MacNèil entreprit la construction d'un pigeonnier qu'il fit installer dans un coin abrité de la cour. Il y aménagea deux sections afin de séparer les pigeonneaux à naître de leurs parents qui assuraient le courrier avec Inverness. Quand les petits pourraient voler, il les réserverait à son propre usage pour sa correspondance avec Lite MacGugan. Dans une lettre qu'il lui fit parvenir par messager au début de décembre, il informa son épouse de son intention et lui demanda d'entraîner quelques pigeons pour la liaison avec Bona. La veille de la Nativité, il fut agréablement surpris de voir revenir son messager avec la réponse de sa femme et deux pigeons du colombier de Mallaig dans son sac. Le ton tout autant que les termes espiègles de la lettre l'amusèrent :

... c'est une bonne idée, MacNèil : le courrier est telle-ment plus lent en hiver quand il se fait par route de terre. Nous avons ici une douzaine d'oiseaux dont deux pigeons appartenant à messire Jean Pantalin, négociant de vins, qui assurent la correspondance aussi loin qu'en France. J'ai sé-lectionné trois de nos pigeons que je confie aux armateurs qui font la navette sur les Hébrides et m'informent à l'avance des arrivages des produits à écouler dans notre port. Ces oi-seaux volent par tous les temps : ils sont de véritables cham-pions et je les nourris moi-même. Chaque fois que je monte au colombier dans la tour sud de notre nouveau mur d'en-ceinte, je me rappelle le beffroi de Dinkeual et je pense à toi. J'imagine que tu as disposé ton oisellerie au niveau du sol, exposée aux incursions des renards : prends garde qu'ils ne te mangent tes futurs voyageurs ailés pour Mallaig...

Dans la nuit du 26 au 27 décembre, ne trouvant pas le sommeil, MacNèil enfila chemise, chausses et manteau et quitta sa chambre. Lampe à la main, il erra silencieusement sur l'étage, puis, sans but précis, il s'en-gagea dans l'escalier menant à la tour de garde. Là-haut, tandis qu'il contemplait le ciel étoilé par l'œil d'une meurtrière, un étrange vague à l'âme s'empara de son cœur : « Pourquoi est-ce plus facile de t'écrire, fière Hermine, que de te parler ? Pourquoi me sembles-tu si proche depuis l'été, malgré toute la correction dont tu fais preuve à mon endroit dans tes lettres ? Si tu savais comme je me sens ridicule, cette nuit, de me languir de toi ! »

Soudain l'attention de MacNèil se concentra sur la lune : elle se voilait d'un disque sombre qui la fit lentement disparaître en entier. Intrigué, il se remémora les enseignements de son ancien précepteur irlandais à propos des phénomènes du ciel nocturne qui, selon le vieil homme, témoignaient de messages célestes. « Que signifie cette éclipse ? » se demanda MacNèil, le cœur battant. Il soupira et fixa la lune blanche qui amorçait le mouvement contraire, se libérant doucement de son écran noir. « Ah, mon insaisissable Hermine ! murmura-t-il. Si nous mettions fin à nos atermoiements et cessions de nous cacher l'un de l'autre ? Oublions les Alexandre Stewart, père et fils ; oublions Alasdair Leslie, Donald MacDonald, Thomas Dunbar, Carrick ; oublions aussi mon père... Je te veux, Lite MacGugan... Mais toi, me voudras-tu ? »

À soixante-quinze miles de là, appuyé au rebord de la fenêtre de sa chambre, Guilbert Saxton examinait le même prodige lunaire avec un intérêt tout scientifique. Il tenta de minuter le plus exactement possible la durée de l'événement qu'il nota soigneusement dans un carnet, puis il souffla la bougie et retourna sous les couvertures. Au matin, après l'office dominical, il fit part de son observation à dame Lite qui saisit là une explication à l'agitation qu'elle avait éprouvée dans son lit au milieu de la nuit. «Avoir deviné que le ciel était aussi fascinant, avoua-t-elle au secrétaire, je me serais levée pour l'apprécier. Au lieu de cela, je me suis remuée toute la nuit dans mes draps sans en comprendre le motif.»

Mais, le lendemain, elle entrevit une autre interprétation à son malaise: un de ses pigeons à Bona était rentré au colombier avec un message court et équivoque attaché sous l'aile par une lanière de cuir: «*Dulcime Muris totam tibi subdo me, nox Dominica dec. XXVII*[5].»

D'abord frappée par le fait que ces lignes avaient été rédigées précisément la nuit où elle n'avait pu trouver le sommeil, Lite se persuada par la suite qu'il s'agissait d'une fantaisie de son époux pour se moquer de son attachement à son frère de lait. Elle glissa le ruban de texte dans sa poche avec l'intention de ne pas relever la taquinerie dans sa prochaine correspondance, puis elle redescendit à la grand-salle. Là, elle surprit une imposante délégation étrangère se rendant dans la salle d'armes pour une réunion avec le seigneur Mànas. L'objet des discussions tendues entre ces hommes portait sur l'usurpation de blason et de sceaux. Intriguée, la jeune femme ne put résister à la tentation d'assister au débat et elle se faufila derrière le mur de cottes formé par les dos des gardes qui fermaient la marche.

«Ce n'est pas aux MacNèil à en changer, messire l'avocat, proféra Mànas MacNèil. Nous arborons cet emblème depuis plusieurs générations et je peux le prouver au Parlement s'il le faut. Les armes des MacNèil sont

_____

5. Très chère Hermine, je m'abandonne tout entier à toi, cette nuit du dimanche 27 décembre.

devenues le symbole du seul port franc sur la côte ouest et maintenant connu dans tout le monde chrétien…

– Mon seigneur, fit l'émissaire, celui qui réclame ces armoiries, en sa qualité d'armateur et de négociant en bois pour les usages de la Couronne écossaise, possède également une très grande réputation, et, si j'ose dire, plus ancienne que celle de votre port. Entendons-nous bien là-dessus : nous ne demandons pas que vous abandonniez votre emblème, mais que vous en modifiiez seulement quelques éléments de sorte que vos sceaux et les siens ne soient pas confondus…

– Mais pourquoi diable ne le faites-vous pas vous-mêmes si l'interprétation des sceaux vous gêne ? Mon clan n'en a cure alors que celui que vous représentez s'en trouve marri. Procédez donc à la transformation que vous voulez sur vos propres armes et laissons les nôtres comme elles sont !

– Seigneur Mànas, vous n'ignorez pas que les armes d'Écosse, dès lors qu'elles sont consignées au Parlement, ne peuvent être retouchées. Or les nôtres figurent sous le comté de Moray et les vôtres, qui devraient apparaître sous le comté de Ross, sont absentes du registre. Vous vous imaginez bien que nous ne ferions pas cette démarche fastidieuse sans être assurés d'être dans notre bon droit… »

Il eut beau faire et dire, à la fin, l'avocat échoua dans sa mission et dut repartir bredouille chez son maître. Cependant, le seigneur Mànas, que ce litige préoccupait plus qu'il n'aurait voulu, se morfondit tout l'hiver. Sa santé en souffrit grandement et au printemps 1396, après plusieurs mises en demeure auxquelles il n'avait pas daigné donner suite, il se résigna à solliciter l'aide de sa bru Lite. Cette dernière s'était proposée pour faire valoir ses liens avec la famille Leslie afin d'officialiser les armoiries des MacNèil au niveau du comté de Ross, ce qui se révélait la première étape à franchir avant d'obtenir une inscription au répertoire des armes écossaises du Parlement, but ultime pour protéger l'intégrité du blason MacNèil.

Encouragée par le ton neutre qu'avait repris son mari dans la correspondance qui suivit son étrange billet du 27 décembre, Lite trouva opportun de solliciter son approbation avant de sonner l'heure de son départ pour Dinkeual avec l'habituelle escorte de son beau-frère Parthalan.

Le loch Ness brillait de l'éclat nouveau que lui conférait la lumière oblique du soleil printanier et une brume légère comme un voile planait au-dessus de ses eaux. À quelques pas des murs du château de Bona, Baltair Mac-Nèil reconnut immédiatement l'oiseau qui volait droit sur l'enceinte : c'était son jeune pigeon transporté à Mallaig quelques semaines plus tôt. Il pressa son cheval et, dès qu'il eut mis pied à terre, il se rua sur le colombier, le cœur alerte. Mais la lecture de la missive de Lite Mac-Gugan barra son front d'un pli d'inquiétude :

… j'attendrai ton consentement avant d'accomplir cette mission pour ton père. Tu le sais, MacNèil, tu n'as rien à craindre d'Alasdair Leslie. De plus, il épouse la fille du comte de Fife le mois prochain. J'aurai l'escorte de Parthalan et tout devrait se régler en quelques jours à Dinkeual et, j'espère, en quelques semaines à Perth par la suite. Sur le chemin de retour, nous pourrions même faire

escale à Bona. Nous aurions l'occasion de nous voir comme tu le souhaitais... Je sais que ces histoires d'armoiries ne t'intéressent pas, mais elles ont une grande importance pour ton père, pour tout le clan et je dirais même pour le port de Mallaig et pour une éventuelle foire aux pelisses des Highlands, et là, c'est pour moi que les armes MacNèil revêtent de l'importance. Je te le demande comme ton épouse complaisante : puis-je aller à Dinkeual? Fais-moi part de ta décision très vite.

Ton obligée et fidèle, Lite

MacNèil jeta un regard désabusé sur deux pigeons provenant de Mallaig qui se tenaient serrés l'un contre l'autre dans le colombier. Comme il disposait du courrier ailé sous la main, il n'avait ainsi aucune raison de différer sa réponse à son épouse.

« Ah! que j'exècre ces situations où je dois accorder une confiance que mon cœur ne parvient pas à éprouver!...», songea-t-il avec anxiété. Le soir venu, il s'ouvrit de son dilemme à son ami Tadèus. Celui-ci l'écouta attentivement, épiant sur son visage les signes qui témoignaient de son agacement. « Ne voulais-tu pas revoir ta dame? lui dit-il à la fin. Pourquoi ne pas profiter de cette occasion? Écris-lui que tu l'autorises à condition qu'elle te rende ensuite visite à Bona.

– Une promesse de visite... Par Dieu, Tad! Faut-il qu'un homme accorde des permissions à sa femme pour qu'elle lui fasse la faveur de se montrer la face une fois l'an? Comment diable en suis-je réduit à cette quête grotesque?

– Voyons, MacNèil... pourquoi te mettre martel en tête? Écris tout simplement à ton épouse que tu n'as pas foi en elle, que tu te soucies des armoiries de ta famille comme d'une guigne et que tu iras lui présenter tes hommages à Mallaig quand il te siéra…

– C'est ça, c'est ça… Tu peux en parler à ton aise, toi qui n'as ni femme, ni parents, ni blason. D'ailleurs, tu n'auras jamais le souci de répondre à une lettre puisque tu ne sais pas écrire. Plût au ciel que je n'aie jamais entrepris cette dérisoire correspondance avec Lite Mac-Gugan!»

Il fallut pourtant que Baltair MacNèil s'installe à son écritoire et prenne la plume pour transmettre à son épouse une décision qu'il s'était juré de ne jamais prendre envers elle, c'est-à-dire lever un interdit.

Chapitre VIII

Double échec d'une mission

Je n'aurais pu tomber plus mal en me présentant aux portes de Dinkeual, ce premier jour d'avril 1396 : Alasdair était parti depuis une semaine au château de sa fiancée à Stirling. Je me reprochai mon impatience d'avoir quitté Mallaig aussitôt après avoir reçu l'autorisation de MacNèil, sans attendre la réponse d'Alasdair à l'annonce de ma venue. Mais l'aimable intendant du château me réserva un accueil si émouvant que j'oubliai ma déconvenue sur-le-champ.

Je retrouvai avec un égal bonheur le vieux clerc avec lequel j'avais passé tant d'heures sur les ouvrages de traduction de ma défunte tutrice, et toute la domesticité qui s'empressa autour de moi en me faisant les frais de la maison comme à un membre de la famille. Nous déplorâmes, les uns et les autres, les trop courtes retrouvailles qui nous avaient réunis deux ans auparavant, lors des obsèques de la comtesse.

Parthalan, impressionné malgré lui par le riche décor des pièces que nous traversions en bavardant, se tint silencieux durant l'heure qui suivit notre arrivée. Il n'ouvrit pas davantage le bec au moment de passer à table et j'eus beaucoup de peine à obtenir une réponse de lui quand je lui souhaitai une bonne nuit. Cette étrange attitude de gêne, qui ne lui ressemblait guère, trouva son explication le lendemain quand je compris que l'absence d'Alasdair l'indisposait. Parthalan était sans doute le moins voyageur des fils MacNèil et la perspective d'être rivé dans une maison étrangère pendant un temps indéterminé l'insupportait. Je rédigeai à la hâte une note à Alasdair afin qu'il m'informe de la date de son retour à Dinkeual, ce qui eut l'heur d'apaiser mon beau-frère. Puis, pour tromper notre attente, j'entrepris de lui faire visiter la forteresse de fond en comble. Il nota avec beaucoup de perspicacité les ressemblances entre le château et celui de Mallaig restauré, et il me félicita pour la conformité de mes réalisations avec le modèle.

Je ne sais comment, au cours des jours suivants, nous en vînmes à aborder les thèmes plus privés de nos enfances respectives. Le pouvoir évocateur de la visite des pièces où j'avais grandi me poussa sans doute à lui confier spontanément mes souvenirs et lui me rendit la pareille. Un matin que je lui montrais la bibliothèque, il me parla de l'éducation que les enfants MacNèil avaient reçue. «Parmi nous tous, Rosalind est celle qui a donné le plus de satisfaction à nos parents sur le plan des études : elle demeurait de longues heures en compagnie de notre précepteur bien après la fin de la classe et je me rappelle même un hiver où elle avait poussé le zèle jusqu'à ne s'adresser à la famille qu'en latin… Quelle poisse! Bryce et moi, nous n'avions qu'une idée en sortant de la salle d'études : épier les soldats dans le corps de garde et essayer de leur escamoter leurs armes… Baltair était le plus dissipé des enfants. Il passait son temps à se moquer du maître et de nous, et il semblait ne vouloir rien apprendre. Mais nous fûmes tous abasourdis, la dernière journée de son instruction, de l'entendre réciter dans un latin impeccable les noms de tous les astres et des constellations, les mois de l'année, les dates de célébration des saints et les noms des rois de l'empire byzantin. Quelle mémoire !

– S'intéressait-il, comme vous et votre frère aîné, au domaine des armes ? lui demandai-je.

– Pas aux armes comme telles, mais à la bataille, oui ; continuellement. Baltair était obsédé par ses poings et il ne s'écoulait pas une seule journée sans qu'il se soit bagarré. Jamais avec plus petit que lui : je crois qu'il ne s'est battu avec Aindreas que lorsque celui-ci a atteint sa taille. C'est à Bryce et à moi qu'il s'en prenait le plus souvent. Évidemment, vu sa constitution et les nôtres, il était défait à coup sûr. Mais il nous a cassé des dents à tous deux sans jamais en perdre une seule... Pardi, c'est qu'il était agile et cognait dur, le drôle !

– J'imagine que son comportement indiscipliné ne vous a pas manqué quand il a quitté Mallaig...

– Je pense que toute la famille a soupiré d'aise le jour de son départ, car il était devenu parfaitement insupportable à force de crâneries et de provocations. Mère et Rosalind sont les seules de la maison à l'avoir vraiment regretté, mais pas très longtemps. Pour ma part, j'ai conservé, durant quelques années, une vive curiosité pour la façon dont Baltair vivait et s'était taillé un renom de cateran. J'imagine qu'il a dû être comblé de trouver si éloquemment à employer ses poings et à livrer des batailles quotidiennes... »

L'évocation de la jeunesse de mon mari par mon beau-frère me rendit songeuse. Elle sembla avoir eu le même effet sur Parthalan, car il ne cessa de s'interroger sur les différentes relations que son jeune frère avait développées en dehors du clan. Je fus évidemment bien en peine de le renseigner sur cet aspect.

Puis, quelques jours plus tard, à l'annonce par courrier du retour d'Alasdair prévue pour la fin avril, Parthalan m'annonça son intention de pousser une chevauchée jusqu'à Bona. Il alléguait que le château de Dinkeual m'assurait toute la sécurité souhaitée et qu'il se sentait complètement inutile en ses murs : «J'ai largement le temps de me rendre à Bona, d'y passer un jour ou deux avec Baltair et de revenir avant que le comte de Ross n'ait regagné sa forteresse. Je serai présent durant vos pourparlers avec lui, Lite, ne vous inquiétez pas. Si vous avez un message à transmettre à Baltair, je peux le lui porter. Je suis certain qu'il sera enchanté d'avoir de vos nouvelles tout autant que de me recevoir.»

Mon beau-frère partit donc gaillardement pour Bona, mais sans message à MacNèil de ma part, me laissant isolée et désœuvrée dans le château de mon enfance. La journée qui suivit favorisa des promenades au jardin et sur les remparts où un parfum douceureux exhalé par la bruyère environnante embaumait l'air, mais la pluie du lendemain me refoula à l'intérieur. Je refis alors le tour de toutes les pièces, cette fois silencieuse et seule, m'imprégnant de ce qui avait constitué mon bonheur d'antan. À l'étage des domestiques, je tentai d'imaginer ma mère, cette jeune MacGugan, peut-être de la parentèle de Daidh, qui avait été brièvement à l'emploi de ma tutrice; dans le cabinet d'étude, je feuilletai longuement la grosse

Bible illustrée qui avait servi à l'interminable ouvrage de traduction; dans la chambre de feu la comtesse, je déplaçai et replaçai avec un grand recueillement chaque objet qu'elle avait chéri; dans les appartements que j'avais habités avec Mariota, d'autres images affluèrent en évoquant d'autres souvenirs heureux et enveloppants. Et enfin, je pénétrai dans la chambre d'Alasdair, sans trop savoir ce qu'elle m'inspirerait.

Voilà que je m'y absorbai pendant toute une journée, tant ses murs me parlèrent: ici une cotte qui avait gardé la forme de son corps reposait sur son coffre; là ses chapeaux de velours pendus à des crochets; dans son lit, le creux de l'oreiller à l'endroit où il enfonçait la tête; sur le bahut, épars, son nécessaire à rasage; adossées au mur, près de la porte, deux claymores qu'il n'utilisait plus et qui semblaient méditer sur leur rejet; puis, sur son écritoire, l'élégante corne d'encre et ses plumes alignées par ordre de couleur, allant du gris du faisan au noir du corbeau. M'approchant de la table, j'en saisis une et songeai, rêveuse, à la correspondance que nous avions entretenue depuis mon départ pour Mallaig. «A-t-il conservé mes lettres?» me demandai-je, la curiosité en alerte.

Sans hésiter, j'ouvris coffrets et tiroirs les uns après les autres et je ne fus pas longue à mettre la main sur l'épaisse liasse que formaient la soixantaine de lettres que je lui avais écrites en cinq ans. Cette découverte ne me surprit qu'à demi, car je savais mon frère très conservateur. Cependant, poussant plus loin la perquisition, je tirai à moi un long boîtier de jonc qui me révéla un côté d'Alasdair tout à fait inattendu: au milieu d'un ensemble d'outils à sculpter, comme des petites cisailles, des poinçons et des limes, trônait un ouvrage d'ivoire inachevé. Il s'agissait d'une magnifique scène d'amour courtois qui s'étalait autour et à l'endos d'un miroir à main : une dame présentait une couronne tressée à son soupirant, d'une main et, dans l'autre, elle tenait un lévrier. Les visages des amants, les plis de leurs vêtements et les motifs floraux, tracés tout en finesse, étaient particulièrement bien réussis.

Étonnée, j'admirai l'œuvre d'Alasdair sous tous ses angles. Puis j'aperçus, sous les outils, un paquet de feuilles pliées, couvertes de poussière d'ivoire. Je les saisis et les examinai une à une. Un seul sujet dessiné à la sanguine y figurait : la fête de Belteine avec la célébration du feu, la cérémonie de l'union charnelle du dieu et de la déesse et les danses des jeunes filles autour du mât de mai. Je découvris avec stupeur que toutes les représentations féminines possédaient mes traits de même que la couleur de mes cheveux ! Certaines scènes, qui suggéraient l'acte de copulation, dévoilaient un buste nu, le galbe d'une hanche et des chevilles qui me firent rougir. Et, comble de mon ébahissement, toutes les esquisses sans exception portaient la même inscription : « *Belteini Lititia*[6]. »

Je replaçai fébrilement les feuillets, les outils et le miroir dans leur boîte, comme s'ils me brûlaient les doigts, et je sortis précipitamment de la chambre. Je me gardai bien d'y revenir et me tins dès lors dans la grand-salle, mais le trouble que j'avais éprouvé en découvrant l'engouement d'Alasdair pour ma personne et mon association à la fête de la fécondité ne me quitta guère.

---

6. Lite de Belteine.

C'est dans cet état d'émotions à fleur de peau qu'Alasdair me trouva, trois jours après que Parthalan m'eut quittée. Désireux de ne pas retarder mon affaire, Alasdair n'avait pas hésité à sauter à bord d'une barge avec son secrétaire et ses hommes d'armes pour rentrer rapidement quand l'occasion d'une traversée vers l'estuaire de Cromarty s'était présentée, le lendemain du départ de son messager. Maintenant, il se dressait devant moi, superbe dans son pourpoint de velours blanc, avec sa moustache bien frisée et ses yeux noirs et brillants qui me scrutaient avec dévotion. «Lite, ma chérie, je te trouve bien pâle, me dit-il après m'avoir examinée. Quelque chose ne va pas? Où est le beau-frère dont ta lettre faisait mention?

— Messire Parthalan est allé retrouver MacNèil à Bona. Je l'attends demain ou après-demain... Nous ne pensions pas que tu reviendrais si tôt.

— Tu ne t'inquiètes pas pour lui au moins? Y a-t-il des difficultés du côté de ton mari, de nouvelles menaces?

— Rien de cela, Alasdair, tout va bien, je t'assure», lui affirmai-je en tentant de me ressaisir.

Mais les dessins d'Alasdair me hantaient et je parvenais mal à détourner mes pensées de l'envoûtement provoqué par les évocations de Belteine. Au souper, que nous prîmes en compagnie de son secrétaire et du vieux clerc, j'eus du mal à détacher mon regard des mains soignées d'Alasdair. Je les imaginais à l'ouvrage, sculptant et lissant les formes arrondies dans l'ivoire, et bientôt, le vin aiguillonnant mon inspiration, je les figurai en train de caresser les courbes de mon propre corps. Je devais être bien rouge à la fin du repas, car Alasdair m'invita à sortir dans la cour pour prendre l'air.

Bien décidée à calmer mes élucubrations et à ramener un peu d'ordre dans mon esprit, je me tins à quelque distance de lui et j'orientai résolument la conversation sur sa fiancée Isobel et son futur beau-père, l'éminent comte de Fife. Alasdair raconta volontiers son récent voyage à Stirling. Il fit d'abord l'éloge de Fife, frère du roi, et de la mainmise que cet homme exerçait sur le Parlement. Il prit soin de me préciser l'importance pour tout seigneur écossais de se trouver dans les bonnes grâces de son futur beau-père.

Puis, glissant à mes côtés et me prenant furtivement le bras, il aborda, avec un peu moins d'enthousiasme, le sujet de ses relations avec Isobel Stewart. Il se plaignit d'avoir englouti durant la dernière année une petite fortune en colifichets pour satisfaire à une cour auprès de la damoiselle, que les arrangements arrêtés avec Fife rendaient pourtant bien inutile. En outre, il doutait du bon sens de la fille du comte pour gérer une maison aussi exigeante que celle de Dinkeual. Selon Alasdair, Isobel Stewart n'était pas totalement dépourvue de talents et de qualités, mais elle manquait de ceux et celles qui distinguaient la vraie châtelaine des dames de cour et de leurs suivantes. Soudain, s'avisant du soir qui tombait, il m'entraîna dans le donjon. «Lite, j'aimerais te montrer un cadeau que je prépare depuis quelque temps et que je destinais justement à celle qui serait ma fiancée. Montons, cela se trouve dans mon appartement... Je voudrais avoir ton avis....», fit-il, en me conduisant d'une main ferme vers l'escalier menant aux étages des chambres. Je pâlis et tentai de me dégager de son emprise. «Pas ce soir, Alasdair, je préférerais me retirer. Demain, si tu veux...», soufflai-je.

Mais ce fut peine perdue, il était déterminé à me montrer ce présent que je redoutais de voir et il ne ralentit même pas son allure. «Demain, Lite, nous réglerons ton affaire d'armoiries avec mon secrétaire. Pour le moment, viens avec moi, cela ne prendra qu'une minute», fit-il.

La chambre, faiblement éclairée par le chandelier qu'une servante avait allumé un peu plus tôt pour son maître, me parut plus exiguë et clandestine qu'à la lumière du jour. Je crus étouffer quand Alasdair me fit asseoir à sa table de travail et je lui demandai à boire, mais, le voyant aussitôt me servir du vin dans un large gobelet d'étain, je le regrettai. Je fus encore plus dépitée qu'il s'en verse une double rasade. Ensuite, comme je l'appréhendais, il s'empara de son boîtier en jonc qu'il ouvrit avec une sorte de retenue. L'air extasié, il saisit délicatement le miroir, le souleva devant la lueur dansante des bougies et le fit lentement pivoter afin que j'en admire les deux faces.

«C'est adorable…, me forçai-je à prononcer.

— Vraiment? Cela te plaît? demanda-t-il en déposant l'objet entre mes mains. Il est presque terminé. À quel artisan crois-tu que j'ai confié ce travail?

— Je n'en ai pas la moindre idée…

— Eh bien, je vais t'étonner, Lite, cet artiste est devant toi…

— En effet, voilà qui est fort surprenant… Quelle maîtrise de ton art! Depuis quand sculptes-tu ainsi, Alasdair, dis-moi?

— Depuis très longtemps. En fait, j'ai appris à ciseler à sept ans quand père m'a donné un petit poinçon et ce morceau d'ivoire rapporté de son pèlerinage, en m'encourageant à *"faire chanter le matériau"*, comme il disait. J'ai peiné sur cet ouvrage que j'ai abandonné et repris un nombre incalculable de fois dans le secret de ma chambre... Puis quand tu es partie pour Mallaig, je me suis attelé à la tâche plus sérieusement.»

Il se tut et me dévisagea avec une ferveur insoutenable. Je déglutis avec peine et, pour faire diversion, je reposai le miroir dans le boîtier et me levai. Alasdair en profita pour me saisir les mains et m'attirer à lui. «Lite, tu as été ma source d'inspiration... C'est toi qui devrais être ma fiancée, car c'est pour toi que j'ai façonné ce miroir. Que n'aurais-je dû m'écouter et t'épouser au lieu de te laisser aller vers cet ignoble cateran!

– Tais-toi, Alasdair! Ne parle pas ainsi! Tu ne pouvais pas m'épouser...

– Si, je le pouvais et je le devais! Mais, au lieu d'écouter mon cœur, j'ai obéi à ma mère. Comment a-t-elle fait pour n'éprouver aucun scrupule à consentir à ce mariage éhonté avec le fils de Buchan!»

Révoltée par ses paroles, je me dégageai. «Attends! Tu ne peux dire de telles choses. Ta mère était obligée par son mari de me soumettre à cette union, et tu le sais parfaitement...

– Bien sûr, mais ce que tu as fait toi-même pour éviter ce mariage, j'ai proposé à ma mère de le faire, la veille du couronnement... Lite, je lui ai demandé ta main et elle a refusé en me faisant promettre de ne t'en rien dire jusqu'à sa mort.»

Je reculai de quelques pas, abasourdie. «Dame Euphémia aurait donc pu intervenir pour me sortir de cette impasse et elle avait choisi les intérêts de son comté...», pensai-je, oppressée. Une désagréable sensation de déconfiture m'envahit et, sur le coup, j'en voulus à Alasdair de ternir aussi cavalièrement l'image de ma bien-aimée tutrice en me faisant revoir l'événement sous un nouvel angle. Il dut lire le désarroi sur mon visage, car il me resservit à boire. «Pardonne-moi, Lite. Je sais: ce doit être un choc d'apprendre cela maintenant. Dis-toi seulement que mon silence m'a pesé comme une véritable torture durant toutes ces années. Mais, ce soir, je n'ai pu résister à te révéler le grand secret de mon cœur...»

Ce disant, il me tendit le gobelet plein à ras bord que je pris automatiquement et vidai d'un trait, sans plus réfléchir. La tête me tournait déjà et je me sentis ramollir. Alasdair s'en aperçut et me conduisit vers le lit tout en poursuivant sa plaidoirie d'une voix pressante: «Je t'aime, Lite et je t'ai toujours aimée. Tu as épousé un autre homme et je vais épouser une autre femme dans une semaine... Mais cette autre ne te vaut pas et elle ne te remplacera jamais dans mon esprit... Lite, mon amour, sois à moi avant que je ne me donne à elle... Je t'en conjure! Ne me fais pas souffrir plus longtemps...»

La supplication se perdit dans mon cou où Alasdair posa ses lèvres brûlantes. Ses mains, sur lesquelles j'avais fantasmé deux heures plus tôt, s'insinuèrent sous les plis de ma robe et dans mon corsage avec un art consommé de l'effleurement. Je suffoquai, palpitai et haletai, incapable de faire un geste ou d'émettre un mot susceptibles de freiner ses ardeurs. Au contraire, je m'aperçus avec hébétude que je rendais à Alasdair chacun de ses baisers et que mes mains cherchaient maladroitement à libérer son torse de son pourpoint. Je sombrai bientôt dans une sorte de langueur enivrante, l'âme chavirée et la tête résonnante des images suggestives de la fête de Belteine.

Accroupi au pied d'un arbre, face au majestueux loch Ness, Baltair MacNèil avait posé sa claymore en travers de ses cuisses. Il méditait sur la visite inattendue que lui avait faite Parthalan et sur les souvenirs de sa famille qu'elle avait éveillés. Avec contrariété, il constata que son indifférence pour Mallaig avait fait place à de la curiosité au cours de la rencontre avec son frère aîné.

Après avoir longuement observé le reflet ondulant de la première pleine lune de mai sur les eaux, il reporta son attention aux deux grands bûchers dressés sur la grève, à vingt pas l'un de l'autre. On s'apprêtait à faire défiler les brebis entre les feux purificateurs. L'air particulièrement doux fleurait le sapinage humide, et le son des flûtes mêlé aux bêlements effrayés ajoutait à l'ambiance mystérieuse de la fête nocturne de Belteine. À force d'insister, Tadèus avait persuadé son compagnon d'assister à cette cérémonie inusitée que la vieille Brigits, l'épouse de l'intendant de Bona, avait organisée pour ses troupeaux.

« Tu ne peux pas me laisser y aller seul, MacNèil, avait imploré Tadèus quelques jours auparavant. On m'a choisi pour symboliser le dieu Beli, et Anna Chattan pour être la déesse Maïa : tu te rends compte, elle n'a pas quinze ans et j'en ai le double ! Je tremble à l'idée de m'unir à elle pendant les offrandes…

— Tu n'avais qu'à refuser de jouer ce rôle. Pardi, tu es chrétien ou non, Tadèus Fair ?

— Évidemment que je suis chrétien, mais il ne s'agit que d'une coutume pour bénir les brebis, les champs et célébrer le renouveau de la terre…

– ... et honorer les dieux païens de la fertilité en te livrant à des pratiques bestiales!

– Comme tu y vas, MacNèil! Il n'y a rien de bestial à déflorer une nubile consentante. Tu en as déjà fait autant, sinon davantage... Bien sûr, messire Baltair est maintenant un homme marié et il préfère s'abstenir de coqueliner que de devoir s'en confesser. Si cela se trouve, ta femme ne s'en prive pas et tu n'en sauras jamais rien!

– ...

– Allons, MacNèil, fais un effort. Je te le demande comme un ami qui sollicite ton soutien... En plus, la moitié de la garnison va s'y rendre. Quel mal y a-t-il à te joindre à tes hommes et à marquer ta sympathie pour l'intendant et son épouse qui nous fournissent le pain et le fromage?»

Le dernier argument de Tadèus avait emporté Mac-Nèil: les métayers qui tenaient le château de Bona pour le comte de Moray étaient le ménage le plus bienveillant qu'il ait connu et il aurait tout fait pour ne pas les vexer. L'homme, un être dur à l'ouvrage, honnête et accommodant, élevait des moutons sur les hauteurs du loch et cultivait un étroit champ d'épeautre et d'orge. Son épouse, une femme ridée et sèche, n'avait jamais enfanté, mais, peut-être pour cette raison, elle avait développé des talents de sage-femme, de guérisseuse et même de druidesse. Elle fabriquait des potions fertilisantes ou abortives qui avaient établi sa renommée auprès des femmes venant parfois d'aussi loin qu'Aberdeen pour la consulter. Elle avait notamment la réputation de lire dans la pupille des yeux les malaises sournois dont souffraient les gens sans qu'ils aient à ouvrir la bouche. Bien que MacNèil la tînt un peu pour ensorceleuse, il lui devait, à elle et à son mari, beaucoup du confort dont il jouissait à Bona. Cela eût été un affront de sa part que d'ignorer les usages et les croyances de ce couple magnanime.

Cependant, il ne s'approcha du site de la cérémonie de Belteine qu'au moment où une dizaine de jeunes filles furent invitées à se regrouper autour du pieu au sommet duquel pendaient de longs rubans de couleur qu'elles devaient tenir en dansant. Discrètement, MacNèil rejoignit les hommes répartis de part et d'autre des brasiers. La vieille Brigits prit alors les mains de Tadèus, qu'on avait recouvert d'une vêture de feuillage, et celles de la jeune Anna, toute drapée de blanc, et elle les pressa dans les siennes en psalmodiant une sorte d'incantation. Puis, elle les libéra en les poussant en dehors du cercle, vers la forêt à l'orée de laquelle on leur avait aménagé une hutte de branchage.

MacNèil remarqua la démarche raide de son ami, celle, toute en hésitations, de sa compagne, et il sourit rêveusement. Quand la musique et la longue danse du mât de mai commencèrent, perdu dans ses pensées, MacNèil leva les yeux sur l'astre blanc et il soupira : l'accouplement de Tadèus et d'Anna devait durer le temps de cette danse et il se prit à imaginer la scène. Chaque tour des jeunes filles enroulait les rubans le long du mât ; quand il en fut entièrement recouvert, le son des flûtes s'éteignit et les danseuses se tournèrent alors vers les hommes attentifs. Une première tendit la main à l'un d'eux, une deuxième, puis une troisième firent de même et dix nouveaux couples se formèrent ainsi. De peur d'être sollicité, MacNèil quitta l'assemblée, sans un regard en direction de la hutte où son ami terminait sa prestation de dieu avec Anna Chattan.

Le lendemain, le corps de garde de Bona était envahi par une faune féminine inhabituelle. Quelques hommes avaient invité leur conquête à partager leur couche, ce qui était le cas de Tadèus. Ils avaient pleinement conscience de la brièveté de leur union et ils entendaient en profiter tant que le chef tolérerait les jeunes filles dans la place. Après ce délai de grâce, chacun retournerait à sa condition de célibataire, heureux du divertissement et reconnaissant envers celle avec laquelle il l'avait partagé. La jeune Anna Chattan, pour sa part, se morfondait à la perspective de devoir laisser Tadèus, dont elle s'était entichée, et repartir vers son clan l'affligeait. Elle s'empressa autour de la vieille Brigits durant tout le jour, l'aidant aux cuisines et sur les étages, bien décidée à obtenir une place de domestique. Le manège de sa compagne émut Tadèus et le flatta. Il voulut obtenir l'appui de son ami pour la garder avec lui à Bona, mais celui-ci se déroba à toute conversation privée.

Il en fut ainsi pendant la semaine qui suivit la fête de Belteine, alors que le chef multiplia les sorties avec une partie de sa garnison, laissant l'autre à sa félicité dans les alcôves du corps de garde. Un soir, alors que MacNèil regagnait l'enceinte, il croisa la délégation de Parthalan et de Lite sur leur chemin de retour de Stirling. Dès qu'il les aperçut depuis les hauteurs du loch, son cœur bondit et il se porta à leur rencontre au galop. «Salutations, Parthalan et à toi aussi, Lite MacGugan! lança-t-il gaiement. Vous honorez votre promesse de visite plus à bonne heure que je ne l'espérais. Je suis vraiment comblé, ébahi, médusé!

« – Ce n'est pas trop tôt, protesta Parthalan sur un ton faussement bourru. Nous sommes en selle depuis plus de sept heures et nous avons grand besoin de relâcher, alors conduis-nous chez toi sans délayer*. Tu nous abreuveras de tes compliments plus tard... »

Lite, que son mari avait dévisagée durant les salutations, se contenta d'un petit signe de tête dans sa direction. À son air tendu, MacNèil présuma l'échec de la mission à propos des armes de la famille MacNèil. Mais il choisit de réserver ses questions pour Parthalan dont la visite le mois précédent avait créé un climat favorable aux confidences. Plaçant sa monture à la hauteur de celle de son frère, MacNèil entraîna la délégation sur le sentier sinueux grimpant vers le château. Tout en chevauchant au botte à botte à la tête du groupe, les deux hommes s'entretinrent en aparté jusqu'à ce que les palissades de Bona apparaissent au sommet de la butte. À ce moment-là, toute jovialité avait disparu sur le visage de MacNèil. Il venait d'apprendre que sa femme était restée deux jours entiers avec le comte de Ross avant que Parthalan n'ait regagné Dinkeual.

« Comment Lite se comportait-elle avec Leslie ? interrogea-t-il, soupçonneux.

– Écoute, Baltair, il ne s'est probablement rien passé entre eux. Quand je suis arrivé, les papiers que nous requérions pour les armoiries étaient signés et scellés. Ta femme ne semblait pas vouloir s'attarder et Leslie n'a rien fait non plus pour nous retenir ; il a organisé notre départ par mer, le jour même. Savais-tu qu'en ce moment Alasdair Leslie est marié et que la fille de Fife est la nouvelle comtesse de Ross ?

– Si fait, tout le monde sait ça! Écoute, Parthalan, ma femme prend-elle cette mine renfrognée pour moi tout seul ou l'affiche-t-elle avec toi depuis le début du voyage?

– Ne t'inquiète pas de son humeur: elle était déjà soucieuse à Dinkeual. D'abord, elle anticipait de ne pouvoir obtenir l'inscription de nos armes à Stirling en raison de leur similitude avec un autre blason et, là, c'est exactement ce qui s'est passé. Comme ses appréhensions se sont révélées fondées, elle n'a pas quitté son air préoccupé. En fait, je crois que cette affaire la rend malade; toujours pâle et frissonnante, elle a perdu l'appétit et même monter à cheval lui est pénible...

– ...

– Tu sais, Baltair, ta femme est habituée à ce que ses entreprises soient couronnées de succès. Elle réussit tout ce qu'elle touche et elle plie ses adversaires à ses idées et à ses volontés. Mais, durant les semaines passées dans les antichambres de Stirling, elle n'a pu infléchir la décision de personne... J'ai parfois l'impression que, dans cet incurable royaume, on ne peut rien obtenir sans l'influence d'un Stewart...»

MacNèil n'écoutait plus. Les victoires que son épouse remportait ou perdait sur le terrain des affaires lui importaient infiniment moins que les faveurs dérobées qu'elle récoltait dans la famille Leslie. Sur un ton sec, il fit ouvrir la palissade et tout l'équipage s'engouffra dans la petite cour. Le retour de MacNèil au château avait été précédé de l'arrivée de deux émissaires du comte de Moray, un peu plus tôt dans la journée. Les hommes s'étaient présentés à Tadèus en réclamant son chef dont la présence à Inverness était instamment requise pour une durée indéterminée. L'ordonnance inattendue de Thomas Dunbar perturba l'accueil de la délégation de Mallaig à Bona. MacNèil fut obligé d'escamoter les présentations de son épouse aux membres de sa garnison et de renoncer à un entretien privé qui aurait pu dissiper ses doutes. Il l'abandonna au groupe des femmes et se retira avec les hommes de Dunbar.

Habituellement énergique et volubile, Lite manifesta léthargie et stoïcisme face aux gens de la maisonnée, et une certaine réserve envers son mari. Comme si elle eût voulu fuir sa présence, elle insista pour aider la femme du métayer dans la préparation du repas et disparut aux cuisines sitôt les usages terminés. Elle ne revint dans la salle qu'au moment du souper, alors qu'elle prit place parmi les femmes à un bout de la table, éloignée de son mari par plusieurs convives. Ce dernier demeura au milieu de ses hommes et il n'eut de cesse d'observer Lite tout au long du repas en s'interrogeant : « Où est passée la femme déterminée et directe qui m'écrit depuis un an ? Comment expliquer son attitude distante ? Qu'a-t-elle à me reprocher… ou à se reprocher ? »

La vieille Brigits dut percevoir la tension qui existait dans le couple, car elle s'ingénia à détendre l'atmosphère par mille et une anecdotes et taquineries à l'endroit des jeunes filles qui jouissaient de leurs dernières heures à Bona. Le chef avait en effet sonné la fin de la récréation dans son corps de garde en prévenant l'assemblée de son prochain départ pour Inverness et du retour à la vie de garnison. Un murmure de déception avait alors accueilli cette annonce anticipée : il y eut un peu de ronchonnement du côté des hommes d'armes, quelques pleurs chez leurs compagnes, puis, chacun comprenant l'impossibilité de former un ménage dans ces lieux et circonstances, les protestations moururent d'elles-mêmes.

Pour sa part, Tadèus avait réussi à présenter le cas d'Anna Chattan à MacNèil de façon à lui faire accepter de la garder à Bona : « Je ne peux pas la renvoyer dans son clan, MacNèil : son père va la tuer s'il apprend qu'elle est grosse.

– Déjà ?

– Ben oui... C'est la vieille Brigits qui le lui a dit. Il paraît qu'elle ne s'est jamais trompée : elle voit ça dans les yeux. Moi, je la crois et je ne laisserai pas aller Anna. Si tu ne veux pas qu'elle reste au château, tu m'obliges à faire un choix douloureux... »

Jusqu'à ce que je rencontre cette druidesse de Brigits, j'avais réussi à éloigner de moi le spectre d'une grossesse inopportune et des moyens pour y mettre fin. L'idée d'être tombée enceinte à la suite de ma nuit avec Alasdair m'avait brièvement effleurée à Stirling, un matin où je m'étais levée chiffonnée et le cœur fade. Les conséquences qui en résulteraient m'avaient tellement fait horreur que j'avais décidé de bannir ces réflexions funestes de mon esprit. Mais, comme des fourmis qui refont inlassablement le même trajet, ces pensées noires retrouvèrent insidieusement leur chemin et me hantèrent durant mon voyage de retour. Je n'osai pourtant les affronter, me refusant à leur accorder le statut de problème majeur qu'il faut régler incessamment.

Mais, à la minute où je revis MacNèil, affichant une allure fière et décontractée du haut de son cheval, me souriant de bonheur et hélant notre équipage d'une voix enjouée, l'idée de ma grossesse redoutée prit aussitôt la forme d'une massue prête à s'abattre sur ma tête. Paralysée par un sentiment démesuré de honte et d'alarme à la fois, je n'osai lever les yeux sur MacNèil, ni lui parler, ni même lui retourner sa salutation convenablement. Dès ce moment, mon écart de conduite à Dinkeual prit des proportions intolérables à mes yeux, passant de faiblesse momentanée à geste de haute trahison, et, cédant à la panique, je me rendis compte que je brûlais d'agir. Le dépit que j'avais jusqu'alors ressassé face à l'échec de ma mission à Stirling fut instantanément relégué au second plan.

À peine une heure après mon arrivée à Bona, dans la voûte enfumée où la vieille intendante chauffait ses marmites, je m'appliquai à raisonner à contre-courant de son bavardage dont l'à-propos me sidéra: «Nous avons connu une cérémonie de Belteine émouvante, ma dame, la semaine dernière, racontait-elle tout en me montrant ses fioles d'élixir. Deux jeunes participantes portent déjà en elle les germes fécondés. Quelle merveille que la nature du Tout-Puissant! Chez ces jouvencelles, nul besoin des potions fertilisantes que voilà, ni du liquide qui tarit leur nid comme cette mixture, et encore moins des décoctions abortives qui détruisent leur fruit comme celles conservées dans ces pots. Que non, ma dame! Les jeunes filles de Belteine sont destinées à enfanter et c'est pourquoi Dieu y pourvoit si aimablement...»

Je dus sourire à la commère pour ne pas éclater de désespérance en entendant ses propos candides. Cepen-

dant, je considérai froidement les informations inattendues qu'ils contenaient ; avec l'étalage de ses connaissances sur les entrailles féminines, la vieille Brigits m'offrait,
à son insu, une des trois solutions à mon problème, sans
doute la plus méprisable d'entre elles : l'avortement. Je
repoussai immédiatement cet acte qui eût fait de moi
une grande pécheresse en plus de détruire la part tangible d'amour que je vouais encore à Alasdair, malgré
l'égoïsme dont il avait fait preuve en me saoulant pour
me conduire au lit.

Ne me restaient plus que les deux autres dénoue-
ments à examiner, soit celui de faire porter par MacNèil
la paternité de l'enfant à naître, s'il y avait bel et bien un
enfant dans mon ventre, en couchant avec lui avant
qu'il ne quitte Bona ; ou, encore, tout lui avouer plus
tard, à la naissance de l'enfant à Mallaig, et implorer sa
clémence et son pardon pour ma trahison. Cette dernière option me sembla la plus périlleuse d'entre toutes,
en ce sens qu'elle m'exposait à la vindicte générale et à
des représailles extrêmes. Elle mettait en jeu ma vie,
celle d'Alasdair et probablement celle de l'enfant bâtard,
car je ne doutais pas une seconde que MacNèil mettrait
à exécution sa menace de mort, aussi loin remontait-elle
dans le temps. Et, dans cette tourmente, je ne bénéfi-
cierais certainement pas de la protection de sa famille.
Par contre, si je n'avais pas conçu, le choix du silence
était le meilleur. Comme j'aurais voulu poser la question
ultime sur l'état de mon giron à la vieille Brigits, ce jour-
là ! « Étais-je ou non grosse ? Devais-je me compromettre encore plus que je ne l'étais aux yeux de MacNèil ? »

Le souper, que tous prirent ensemble dans la salle
commune, me fut particulièrement pénible. Je tentais

lamentablement d'engager la conversation avec mes compagnes de table et je n'y arrivais pas. Leur futur départ de Bona les rendait fébriles et indifférentes à ma présence et elles n'avaient d'oreille que pour les histoires racontées par la vieille Brigits. D'ailleurs le sujet de Belteine, que cette dernière affectionnait, me mettait tellement au supplice que j'évitais de regarder les femmes et d'acquiescer aux commentaires qu'il suscitait chez elles. C'est ainsi qu'à plusieurs reprises mes yeux glissèrent vers l'autre bout de la table où MacNèil s'absorbait en débats animés avec ses capitaines, Parthalan et les émissaires du comte de Moray.

Je détaillai mon mari à la dérobée, m'interrogeant sur ses dispositions envers moi. Chaque fois que nos regards se croisèrent furtivement, je ne détectai cependant que retenue et concentration dans son attitude. « Qu'espérait-il de ma visite ? Quel accueil réserverait-il à une tentative de rapprochement entre nous ? Aurais-je à déployer beaucoup d'efforts pour le séduire ? » me demandai-je anxieusement tout en grignotant ma pitance du bout des dents.

À la fin du repas, l'intendant du château invita les convives à boire à la santé de MacNèil qui avait si généreusement permis le séjour des jeunes filles à Bona et je mêlai mes vœux à la clameur. Notre ovation fut aussitôt suivie par le témoignage de reconnaissance de la vieille Brigits pour les libertés accordées par mon mari à la suite de la cérémonie de Belteine : « Mes sires, remerciez bien votre chef qui a favorisé l'union de plusieurs d'entre vous avec les pucelles de notre contrée. C'est la preuve de sa grande prodigalité et de son souci d'honorer la nature. Par la voie féconde des mâles placés sous son autorité, il a favorisé l'accomplissement du miracle de la procréation. Il y a, dans cette salle, au moins trois femmes qui vont engendrer cette année, dont certainement deux à la suite de la fête du mât de Belteine. Elles portent en elles le fruit précieux…»

Incrédule, je fixai la commère qui poursuivait avec inspiration son discours élogieux sans se préoccuper du remous de chuchotements qu'il provoquait. Les jeunes filles se poussaient du coude et se dévisageaient les unes les autres, en tentant de découvrir les fécondées auxquelles l'intendante faisait allusion. En parcourant la salle des yeux, je réalisai soudain avec affolement que je devais être cette troisième femme enceinte, celle qui ne le devait pas aux ébats de la fête de Belteine, dont parlait en toute innocence la vieille Brigits. Je rougis violemment et, accablée d'inquiétude, je ne pus me retenir de jeter un coup d'œil à MacNèil. Le regard méfiant dont il m'enveloppa à ce moment précis me figea.

Je reportai mon attention à mon tranchoir encore tout couvert de viandes et je me forçai au calme. Même si les annonces de la druidesse avaient pour moi valeur de réponse au questionnement sur ma grossesse, elles ne pouvaient constituer un indice et encore moins une preuve de mon état pour MacNèil. Je me devais donc d'adopter un air détaché et serein si je voulais que le plan qui s'imposait désormais à moi ait quelques chances de réussite.

MacNèil cessa de sourire. Ses mâchoires se contractèrent et il n'eut plus d'yeux que pour Lite immobile et rouge de confusion. « Ton teint te trahit, l'Hermine… », pensa-t-il amèrement. Alors qu'il se demandait quel comportement son épouse allait adopter avec lui, une lueur d'ironie traversa son regard : « Que vas-tu faire maintenant ? Si j'ai vu juste, tu vas tenter de m'amadouer… Voyons comment tu t'y prendras pour entrer dans mon lit… », se dit-il.

Pour ne pas rendre la partie facile à son épouse, MacNèil décida de la laisser venir à lui. À la fin du repas, il lui adressa un petit salut laconique, se leva et entraîna Parthalan et les deux émissaires de Dunbar au corps de garde. La promptitude de la réaction de Lite le surprit. En effet, à peine quelques minutes plus tard, elle le rejoignait et, interrompant la conversation, elle lui demanda de lui montrer son colombier, sur un ton d'affabilité inusitée : « J'ai compris que vous partez demain, mon seigneur et j'aurais aimé voir vos pigeons voyageurs… et les miens qui assurent notre correspondance. Pourrions-nous prendre quelques moments ensemble ?

– À ta guise, Lite. Je peux te faire visiter tout le château si le cœur t'en dit… », répondit-il, l'air dégagé.

À la faible lueur d'un chandelier, MacNèil guida sa femme jusqu'au fond de la cour, pour voir le peu qu'il y avait à voir d'un colombier en pleine nuit. Ce faisant, il prit un malin plaisir à son embarras et aux efforts qu'elle faisait pour donner à leurs échanges un caractère plus personnel. Lite aborda évidemment le sujet de leur correspondance qu'il fit avorter, vu son potentiel de familiarité. Témérairement, elle tendit alors une autre perche en manifestant le désir de voir l'endroit où il passait ses journées. Cette demande les fit grimper, l'un sur les talons de l'autre, dans la tour de guet. MacNèil ouvrit à Lite la petite pièce dénudée qu'il lui présenta comme son cabinet, puis il se tut de nouveau. Cherchant laborieusement à relancer le dialogue, Lite fit quelques pas et s'approcha d'une meurtrière par laquelle elle jeta un coup d'œil à l'opacité nocturne. «On n'aperçoit pas grand-chose par cet orifice... Tu ne dois jamais venir ici la nuit, je suppose..., dit-elle.

– En effet, je suis habituellement dans mon lit la nuit, à moins que je ne désire admirer la lune. Dans ce cas, je n'ai pas meilleur point de vue sur la voûte étoilée que par cette meurtrière. Je me rappelle d'ailleurs avoir observé une éclipse de lune, l'hiver dernier...

– Ah... oui! Tu m'as écrit une note, cette nuit précise. Malheureusement, je n'ai pas bien compris où tu voulais en venir et c'est pourquoi je ne t'ai pas répondu. Je constate maintenant que l'événement t'avait galamment inspiré...

– Bon! trancha-t-il. Il est vraiment tard : tu as fait une longue route aujourd'hui et j'en ai une aussi longue à parcourir demain : il est temps de te montrer ma chambre, à présent.

– Bien volontiers!» fit Lite, soulagée à la perspective de voir enfin la visite aboutir à l'endroit où son entreprise de séduction se dénouerait.

En longeant les corridors du donjon, le souvenir pénible de la chambre des invités de Finlaggan où ils avaient dormi ensemble pour l'unique fois refit surface dans l'esprit des époux qui se gardèrent bien d'y faire allusion. Ni l'un ni l'autre ne souhaitaient raviver cet épisode éprouvant et ils préférèrent maintenir entre eux un silence, pourtant lourd de sous-entendus. MacNèil évita de regarder Lite qui marchait à ses côtés et dont les jupes frôlaient ses jambes à chaque pas. Il lui tenait rigueur de son rejet durant toutes ces années et il s'appliquait à imaginer une situation qui la forcerait maintenant à quémander ses faveurs. De son côté, Lite méditait sur la fragilité du climat de rapprochement auquel elle pensait être parvenue.

À la chambre, MacNèil précéda sa femme et, en silence, il alluma les lampes de la pièce. Puis, lui faisant dos, il activa la petite braise du foyer à l'aide d'un tisonnier. Il l'entendit entrer à pas mesurés et il se déplaça subtilement pour l'observer. Elle détaillait chaque objet que la lumière ocre des mèches enflammées révélait, et en déplaçait quelques-uns discrètement. Avant qu'elle n'ait terminé son examen des lieux, MacNèil regagna la porte restée ouverte et lui adressa ses vœux de bonne nuit.

«Quoi, MacNèil, tu ne couches pas ici? fit Lite, prise au dépourvu.

– Non, tu dois être épuisée et je vais te laisser ma chambre. Je dors au corps de garde, au cas où tu me chercherais, répondit-il en amorçant un mouvement pour sortir.

– Pourquoi? Attends: ne pars pas! Tu peux coucher ici... Cela ne me dérange pas..., balbutia-t-elle.

– Il est préférable que je ne partage pas mon lit avec toi: je ne suis pas sûr de pouvoir me contrôler après toutes ces histoires de Belteine. N'était-il pas convenu entre nous que je ne te touche pas? Or, tu vas voir, l'Hermine, je suis un homme de parole...

– Ah, MacNèil! Je voulais te dire... J'ai changé d'avis sur notre mariage.

– Vraiment? Et comment cela t'est-il subitement venu? Raconte-moi...

– Voilà : en réfléchissant à ma condition, je me suis dit qu'il serait propice que j'aie un enfant… En fait, je suis la seule épouse à Mallaig à ne pas en avoir…

– …

– Je crois que l'opinion de ton père sur toi changerait si j'enfantais un fils…

– En quoi l'opinion de Mànas MacNèil sur moi te concerne-t-elle ? Elle ne m'importe même pas !

– Je le sais… vous n'êtes pas en très bons termes, mais cela pourrait changer, un jour. Et il y a autre chose : je pense souvent à l'inconfort de ma position au sein de ta famille. Maintenant que je n'ai plus ma dot pour payer… disons… ma pension, je dois apporter autre chose pour justifier ma place au château. Alors une descendance mâle offerte à tes parents qui n'ont eu que des petites-filles jusqu'à maintenant, si on exclut le bâtard de Parthalan, cela pourrait renforcer les liens…

– … renforcer des liens… Avec mes parents, non pas avec moi, mais en couchant avec moi ! Quelle idée grotesque, l'Hermine !

– Écoute, MacNèil, je comprends ton manque d'enthousiasme à me prendre après mes refus et je me sens maladroite de te faire cette demande. J'aimerais que tu la considères comme un service à rendre à ton épouse. Si tu ne répugnes pas à l'honorer, évidemment… MacNèil, je t'en conjure, veux-tu accomplir ton devoir d'époux… ce soir même ? »

Baltair MacNèil eut du mal à contenir l'exaspération mêlée de colère que l'argumentation tarabiscotée de sa femme faisait naître en lui. Il referma la porte, s'y adossa, bras croisés et jambes écartées, et contempla Lite MacGugan un long moment comme s'il la voyait pour la première fois. Ce qu'il découvrit lui déplut : une garce en robe de soie, félonne, manipulatrice et sans cœur. «Déshabille-toi!» ordonna-t-il enfin d'une voix coupante.

CHAPITRE IX

L'inusitée conquête

Après l'inepte visite du château de Bona, l'air détaché de MacNèil commençait à m'énerver et je me sentis ambivalente en marchant à ses côtés pour nous rendre enfin à sa chambre. Il m'y précéda d'une démarche rigide et je le suivis presque sur le bout des pieds. La pièce dégageait un climat d'intimité tout à fait singulier pour l'appartement d'un mercenaire. Les murs étaient entièrement tendus de draperies aux fils argentés ; le mobilier sculpté en bois de rose brillait du lustre de la cire fraîche ; un épais tapis de laine brute couvrait le sol dallé et aux quatre montants du lit tout en volutes pendaient de très belles courtines de drap brodé qui me firent penser à celles qui ornaient le lit de ma sœur Mariota à Yle.

Sur les bahuts et tables s'étalait une série d'objets hétéroclites qui captèrent tout de suite mon attention : une paire de ciseaux et un couteau ornés des mêmes motifs d'entrelacs ; une aiguière d'étain en forme de cerf avec une anse, un pied et un bec en or ; une boussole enchâssée dans un écrin de cuir ; deux chandeliers tripodes à tête de dragon ; un ensemble de cuillères dans une custode de cuir gaufré ; un hanap ; une corne de chasseur ; un rasoir et un peigne ; une aumônière avec fermoir en argent et trois boucles de ceinture ouvragées. Monté sur une chaîne en or, un talisman en forme de bulle me fascina. Je le saisis pour mieux le voir, me demandant quand MacNèil l'avait acquis ou qui le lui avait offert.

En fait, tout le contenu de la chambre suscitait chez moi la même interrogation : comment pareil nomade, tantôt à l'emploi de l'un, tantôt à l'emploi de l'autre, avait-il accumulé tous ces biens, élégants pour certains et pratiques pour la plupart ? J'allais lui poser la question quand je l'entendis prendre congé de moi. Je me retournai d'un bloc : main sur la poignée de la porte, affichant ce même air distant qu'il avait adopté depuis le début de la soirée, MacNèil m'informait qu'il dormirait au corps de garde. Je blêmis : jamais je n'avais prévu qu'il me prêterait sa chambre et s'esquiverait. Il me fallait absolument le retenir, mais, prise au dépourvu, je bafouillai la première excuse qui me vint à l'esprit : « Tu peux coucher ici, cela ne me dérange pas. »

Il s'ensuivit un échange effréné dont je perdis, hélas, le contrôle. Sur un ton acrimonieux, MacNèil se retrancha derrière une promesse qu'il ne m'avait jamais faite : celle de ne pas me toucher. Il me rappela ainsi très judicieusement le mariage spécieux auquel je nous avais contraints tous les deux depuis six ans. D'avoir trahi mon propre serment de fidélité aurait dû me plonger dans la honte, mais, au lieu de cela, presque avec défi, j'émis tous les arguments qui me passaient par la tête pour expliquer ma volte-face sur le plan du devoir conjugal.

En même temps que je voyais MacNèil se tendre à chacune de mes paroles, je m'entendais avec horreur développer ma requête auprès de lui, comme si j'avais mené une discussion d'affaires avec un marchand. Ce fut là une grave erreur. Au lieu d'essayer de comprendre MacNèil et de déceler ce que je pouvais lui apporter, je lui déballai des raisons toutes plus fausses les unes que les autres pour l'amener à accomplir un acte auquel il ne s'était probablement jamais refusé jusqu'à maintenant. Enfin, quand il me siffla avec mépris de me déshabiller, je saisis toute l'ampleur du ressentiment que mon discours avait fait naître en lui.

Je ne pouvais plus reculer et, malgré la muflerie de son injonction, je me cachai derrière une courtine et m'exécutai sans délayer. La nervosité rendait mes doigts gourds et me mettait en nage. Fébrilement, je laissai tomber sur le sol la dernière pièce de ma vêture et j'attendis en tremblant. «Sors de là et va te mettre près de la lampe que je te voie!» fit alors MacNèil sur un ton acerbe. Me dégageant du lit, je fis quelques pas en direction de la table au centre de la pièce qui rayonnait dans le halo doré de la lumière dansante. «Enlève ta coiffe, défais tes tresses et retourne-toi!» commanda-t-il encore.

Paralysée par la gêne, j'eus du mal à lever mes bras nus par-dessus la tête pour dénouer mes cheveux. Les rubans offrirent quelque résistance et, au bout d'un moment qui me sembla interminable, ma tignasse rousse ondula enfin librement sur mes reins. Je pivotai lentement pour découvrir que MacNèil n'était plus à la porte, mais au lit. Il s'était dévêtu sans que je m'en rende compte, s'était étendu, les jambes allongées et les bras croisés derrière sa nuque, et il m'observait d'un œil critique. Interdite et rouge d'émotion, je n'osais faire un geste ou quitter son regard des yeux. «Si tu veux ma semence, l'Hermine, tu vas devoir venir la chercher...», dit-il insolemment.

Maudissant son arrogance, je m'avançai vers le lit que je contournai pour prendre place à ses côtés. Au moment où j'allais me coucher, il m'en empêcha en étendant un bras en travers du matelas : «Pas ici... mets-toi sur moi!

– Qu'est-ce à dire? fis-je, déconcertée.

– Monte-moi et retire-moi ce dont tu as tant envie...

– MacNèil, tu ne peux m'imposer ça! C'est de la fornication de procéder ainsi, tu le sais bien : l'Église l'interdit formellement et puis cela engendre des lépreux!

– Balivernes de curés qui se méfient de la jouissance des femmes! s'exclama-t-il. À Lochindorb, les filles nous chevauchaient toutes les fois où elles brûlaient de désir et que nous revenions d'expédition trop épuisés pour les prendre autrement. La forteresse était remplie de nos bâtards et, durant les quatre ans où j'ai vécu là, je n'ai jamais vu sur aucun d'eux le moindre signe de lèpre...

– Tais-toi! Quel besoin as-tu de me dévoiler les avilissements auxquels tu t'es livré avec les garces du comte de Buchan?» laissai-je échapper.

Soudain grave, MacNèil se redressa sur un coude et s'adossa aux oreillers. Son regard s'était assombri quand il le détourna de moi pour le plonger vers le fond de la chambre. Nous demeurâmes un long moment en silence, durant lequel je m'assis tout au bord du matelas. Puis, abandonnant son air discourtois, il me raconta, d'une voix éteinte et presque triste, la solitude et l'aridité dont était pétri le quotidien d'un guerrier libre : interminablement plongé dans des rixes et des bagarres ; bénéficiant de tous les gîtes où ses armes le menaient, mais n'en ayant aucun où on l'espérait chaque soir ; se contentant de liaisons passagères avec des ribaudes auxquelles il ne pouvait garantir ni défense ni biens ; privé des relations familiales qui assurent nom et protection ; dépouillé de bonheur et de la moindre affection, si ce n'est la camaraderie de ses compagnons d'infortune. « Et il s'en trouve, comme toi, l'Hermine, pour croire que j'ai vraiment choisi cette vie-là, qu'elle me comble et qu'elle m'apporte la félicité », conclut-il amèrement.

Ses révélations, aussi inattendues que troublantes, me désarçonnèrent. Je baissai les yeux sur le drap où ses mains aux jointures noueuses reposaient. Comme elles différaient de celles d'Alasdair ! Une force tranquille s'en dégageait et je me surpris à les contempler avec admiration. « Ces mains-là ont toujours cogné et frappé, pensai-je. Elles ne pouvaient pas compter sur d'autres pour se défendre ni pour attaquer, comme celles d'Alasdair qui ont eu tout le loisir de ciseler l'ivoire et de dessiner... » Il était vraiment inopportun d'établir une comparaison entre mon frère et mon mari, mais elle s'imposait à moi qui étais piégée comme je ne l'avais jamais été. Les deux hommes n'étaient certes pas faits du même métal : l'un affichait noblesse et pacifisme et m'avait pourtant déshonorée sans manifester aucun scrupule ; alors que l'autre, prétendument rustique et brutal, n'avait jamais levé la main sur moi, ni pour me battre ni pour me forcer.

J'en étais là dans mes réflexions quand MacNèil reprit la parole avec un ton qui avait retrouvé ses accents âpres : «Plus je te scrute, l'Hermine, plus je pense que tu aurais dû vivre chez Stewart à Lochindorb, plutôt que chez les miens à Mallaig. Ta place était là, et la mienne, sur un gibet. Toi, tu aurais connu la vie que tu mérites et, moi, je ne me serais pas nourri d'espoirs vains à ton endroit. Avec tes plans et tes manigances, tu t'imagines être une dame, mais, en vérité, tu ne vaux pas mieux que les ribaudes de Buchan.

– Pourquoi m'insulter, MacNèil?

– C'est toi qui m'insultes, l'Hermine… Tu m'humilies en me demandant ce que tu me demandes avec la manière et les prétextes dont tu uses…»

À ce moment précis, je ne pus supporter l'intensité de son regard et je cachai mon visage dans mes mains. Une vague de honte intolérable et de mépris pour moi-même me submergea et je fondis en larmes. Combien de temps dura ma crise de désespoir? Je l'ignore. Mais je pleurai sur mon infamie avec une telle violence qu'à la fin j'étais complètement anéantie. Alors, je sentis la main de MacNèil repousser doucement les mèches de cheveux qui masquaient mon front comme un rideau. «Regarde-moi, murmura-t-il.

– Ah, MacNèil…, réussis-je à dire entre deux sanglots. Tu as raison : je suis ignoble. Il faut que je t'avoue que…

– Non, tais-toi! m'interrompit-il en posant deux doigts sur mes lèvres. Surtout, ne me dis rien qui m'obligerait à respecter ma parole. Entends-moi, l'Hermine, je ne veux pas t'occire. Ni toi… ni l'autre.»

Je doutai d'avoir bien ouï et plongeai mon regard incrédule dans le sien. J'y lus une détresse si grande que mon cœur chavira. «MacNèil sait…», pensai-je, submergée par un sentiment de gratitude pour son attitude réservée. Je m'emparai de sa main et j'y posai ma joue mouillée. «Tu m'as dit, une fois, que tu détestais les femmes de mon genre…, dis-je. Je voudrais savoir s'il existe un moyen de modifier ton opinion sur moi.

– Ce moyen existe, Lite. Mais il te faudra utiliser ton cœur… Le moyen infaillible pour m'amener à te considérer autrement, c'est de me chérir… vraiment et amoureusement. Comme tu ne l'as jamais fait pour aucun homme et comme je ne l'ai jamais été par aucune femme.»

Dans la chambre redevenue soudain silencieuse, une brise souleva la tenture devant la fenêtre ouverte. Assise jambes repliées sous elle, face à son mari, Lite Mac-Gugan frissonna. Elle rassembla ses cheveux sur sa nuque pour dégager son visage ruisselant. Puis, d'une main peu assurée, elle caressa pour la première fois la peau de l'homme. Celui-ci retint son souffle en la dévorant des yeux et, sans bouger un muscle, il goûta le toucher délicat de son épouse sur son cou, ses épaules, puis sur son torse où les doigts humides s'attardèrent sur chacune des cicatrices dont il était abondamment marqué.

Plus l'exploration de la jeune femme progressait, plus MacNèil avait du mal à ne pas réagir. Les mains lui démangeaient de s'emparer d'un sein, de palper une cuisse ou une hanche, mais il voulait, par son immobilité, amener sa femme à éprouver du désir pour lui. S'il la frôlait, ne serait-ce que du dos de la main, il perdrait tout contrôle et s'abattrait sur elle avant qu'elle n'ait éprouvé un seul frisson.

Peu à peu inquiète de l'inertie de son mari, Lite revint à son visage qu'elle saisit entre ses mains pour interroger son regard. Elle découvrit dans les yeux bleus une ardeur contenue et un désir flamboyant, comme braises incandescentes, qui la firent frémir. Voulant répondre à cet appel muet, elle tendit ses lèvres vers celles de MacNèil et brisa aisément ses défenses par un baiser tout en douceur.

N'y tenant plus, MacNèil entoura de ses bras le corps blanc et menu de son épouse, le pressa contre son torse et, basculant sur le dos, il l'étendit sur lui. Maintenant qu'elle avait commencé à embrasser son mari, Lite ne pouvait plus s'arrêter, parcourant son visage, son cou, puis revenant à sa bouche avec une sorte de frénésie. Mais, quand elle sentit son membre viril se raidir contre sa cuisse, elle dressa la tête et cambra le dos. Aussitôt, MacNèil saisit ses hanches et leur imposa un lent va-et-vient en chuchotant : «Là, là, ma douce, mon Hermine toute blanche… prends-moi.» À chaque mouvement, les mèches rousses de Lite balayaient la face de l'homme et l'excitaient : il tourna la tête pour contenir encore son désir. Il ne pénétra son épouse qu'au moment où il l'entendit ahaner de plaisir au-dessus de lui. Alors, tout vibrant, MacNèil laissa éclater sa jouissance à l'unisson des tressaillements de Lite.

Celle-ci retomba sur lui en poussant un soupir semblable au feulement d'un chat sauvage et il l'emprisonna dans ses bras. Ils demeurèrent longtemps lovés l'un contre l'autre, silencieux et somnolents, avant de s'endormir tout à fait. Plus tard, au cœur de la nuit, MacNèil, que la faim du corps de son épouse tenaillait de nouveau, l'enlaça avec la même ferveur et l'amena à un nouveau sommet de volupté. Encore une fois assouvis et épuisés, sans avoir prononcé un seul mot, ils replongèrent dans le sommeil jusqu'aux premières lueurs du matin.

MacNèil s'éveilla le premier et, en repoussant délicatement le drap, il contempla la jeune femme de tout son saoul. La toison rousse sur son bas-ventre, celle plus pâle de ses aisselles et celle plus fauve de sa chevelure, contrastant avec la blancheur de sa peau satinée, le captivèrent et il ne put réfréner l'envie d'effleurer le corps alangui. Les yeux clos, Lite sortit doucement de sa torpeur et laissa son mari agir sans remuer. Les délices inédites auxquelles leur nuit les avait conviés l'étourdissaient encore et elle n'osait croire au dénouement de la démarche entreprise avec tant d'appréhension.

À la façon de respirer de son épouse, MacNèil devina qu'elle ne dormait plus et ses caresses se firent alors plus appuyées. Il la posséda cette fois-là avec fougue, sans l'attendre ni chercher à accorder son plaisir au sien. Puis, se retirant, il roula à ses côtés et sortit du lit. S'attarder quelques minutes de plus contre le corps féminin lui aurait été fatal : il aurait échafaudé des plans pour garder sa femme auprès de lui tout en sachant qu'elle s'y opposerait et qu'il lui donnerait raison. Car, une chose était claire dans son esprit : il la perdrait plus sûrement en la faisant vivre à Bona qu'en la retournant à Mallaig. Assurer la protection de Lite au loch Ness était chose impossible en demeurant au service du comte de Moray.

Pour ne pas faiblir dans sa décision, il se força à prendre un ton désinvolte en enfilant ses vêtements : « Avec cette dernière ration, tu as tiré toute mon essence. Tu devrais en avoir assez pour nous fabriquer un héritier. N'oublie pas d'emporter deux de mes pigeons à Mallaig, l'Hermine : ils me rapporteront les résultats de notre labeur.

– Il faut vraiment que tu ailles à Inverness aujourd'hui ? Tu ne peux pas partir demain... ou après-demain ? Nous avons été si peu ensemble...

– Oh oui, il faut que je me sauve ! Et bien plus encore après la nuit que tu m'as donnée. Si je reste une minute de plus dans la chambre, je m'y barricade à jamais !

– Alors je suis satisfaite, MacNèil. Cela veut dire que ton opinion sur moi a changé.

– J'aimerais qu'il suffise d'une seule nuit pour en arriver là, répondit-il gravement, en la regardant dans les yeux. Tu m'as bien chéri dans ce lit, c'est vrai, mais je sais très bien que je ne t'ai pas déflorée. Alors, je ne suis pas le premier et le seul homme dans ta vie. Je vis loin de tes yeux et je ne peux pas présumer que je resterai près de ton cœur.

– Tu le peux ! MacNèil, où que tu sois, tu seras près de mon cœur désormais, je te le jure !

– Attention, l'Hermine, ne jure plus de rien ! » fit sévèrement MacNèil, en saisissant le menton fin de sa femme entre ses doigts.

Une lueur d'inquiétude traversa le regard de Lite MacGugan. Son mari ne l'embrassa pas et sortit de la chambre sans jeter un regard derrière lui. Quand elle descendit dans la salle commune, une demi-heure plus tard, MacNèil avait déjà quitté le château avec ses hommes.

La purée d'orge et de miel, que la vieille Brigits me servit ce matin-là, me souleva si bien le cœur que je dus me précipiter aux latrines pour ne pas vomir dans la salle. Pourtant, j'éprouvais une faim à dévorer un agneau avec sa laine. J'attribuais cet appétit inhabituel à ma nuit avec MacNèil et je lus dans le regard débonnaire de l'intendante qu'elle partageait cette idée. Comment avait-elle eu connaissance de mes ébats avec MacNèil? Je n'en avais cure: cette sorcière devait tout deviner de ce qui se passait sous son toit et cela entrait dans l'efficacité de ses offices.

Elle m'avait mis de côté des sachets d'herbes à emporter pour la route. «Afin que la chevauchée ne décroche pas votre fruit, ma dame...», m'avait-elle chuchoté d'un air entendu, en les glissant dans mon sac au moment de me mettre en selle. MacNèil parti, je n'avais plus rien à faire à Bona et, malgré ma fatigue de la route de la veille, il me tardait de remonter sur le dos de ma haquenée pour regagner Mallaig. Comme Parthalan éprouvait la même impatience que moi, je n'eus pas à insister pour le convaincre de préparer notre départ avec célérité. Nos adieux à la maisonnée se précipitèrent et, dans la bousculade, je faillis oublier d'emmener les oiseaux de MacNèil dans leur panier de voyage. Ainsi, dès matines, Parthalan, nos deux hommes d'armes et moi-même franchîmes les palissades de Bona et descendîmes rejoindre la route qui longeait la rive nord du loch Ness. Nous empruntâmes la direction opposée à celle qu'avait prise MacNèil une heure auparavant et, dépassant la forteresse d'Urquhart sans y faire escale, nous parcourûmes une trentaine de miles sous un ciel couvert.

Durant tout le jour, j'échangeai peu avec Parthalan qui, au demeurant, semblait perdu dans ses pensées. Mon esprit, qui aurait dû être tourné vers l'élaboration d'une explication des résultats de ma mission à mon beau-père, se concentrait sur ma rencontre avec Mac-Nèil. Des sentiments ambigus se bousculaient en moi et je ne savais plus très bien où j'en étais : alors que j'avais toujours dédaigné mon mari, son attitude magnanime envers moi forçait mon admiration. Il n'était pas dupe de mon infidélité et de l'état de mon ventre. Pourquoi m'avait-il empêché de tout lui avouer ? Voulait-il, en ignorant ma confession, éviter de battre ou de tuer une femme enceinte ? Son attitude me le laissait croire. Pourtant, MacNèil aurait été dans son droit de mettre sa menace à exécution en m'outrageant, mais au contraire il m'avait possédée en des manières si sensuelles qu'il m'avait fait découvrir des plaisirs insoupçonnés. Je devais reconnaître que ce que j'avais vécu dans les bras d'Alasdair n'était en nul point comparable aux délicieux assauts de MacNèil rompu aux ébats libertins de Lochindorb. Au seul rappel de ses caresses, un frisson me parcourut l'échine et je relevai le capuchon de ma cape pour m'isoler des regards de l'escorte.

En un savoureux silence, je me repus des souvenirs de chaque geste, chaque regard et chaque parole que mon mari m'avait adressés dans sa chambre. Quand MacNèil avait remis en question ma qualité de dame en me comparant aux femmes de Lochindorb, je m'étais sentie piquée au vif. Quand il avait réclamé mon cœur tout en se réservant de me donner le sien, j'avais éprouvé une forte envie de me lier à lui. Et c'était encore ce besoin de conquérir son attachement et son estime qui m'habitait tout entière pendant la chevauchée de retour à Mallaig. «Baltair MacNèil, songeai-je, tu me penses incapable d'affection, tu doutes de la force de mon cœur et de sa droiture, mais je vais te prouver le contraire... Tu veux être chéri comme aucune femme ne t'a chéri : eh bien, tu vas l'être, et ce, bellement par celle qui est ton épouse légitime ; par celle qui t'a repoussé, mais qui se donne le défi d'effacer cet épisode de ta mémoire ; par celle qui peut mettre dans l'amour la même ardeur qu'elle met dans les affaires... Je vais te vénérer, MacNèil, et tu finiras bien par me vénérer en retour, comme tu le ferais avec une dame de ton choix.»

Le sentier qui menait de la pointe sud du loch Oich à la pointe nord du loch Lochy serpentait entre des marécages sur une distance d'un mile. Parthalan réduisit le train de notre groupe et s'appliqua à lui faire contourner les surfaces peu sûres pour nos montures. Malgré cela, elles s'enlisèrent plusieurs fois, nous projetant d'avant en arrière en une cadence qui me donna des haut-le-cœur. Je fus soulagée d'entendre mon beau-frère annoncer une pause à la vue du loch Lochy. À cent pas de la rive, il repéra un tertre rocheux sous une pinède, et nous y mîmes enfin pied à terre. Tandis que je me délassais en contemplant les eaux calmes qu'aucune brise ne ridait, nos deux gardes s'occupèrent des chevaux qu'ils brossèrent et amenèrent boire.

Je m'avançai sur la plage caillouteuse et Parthalan vint faire quelques pas à mes côtés en me soutenant le bras. «Ma dame, me dit-il, croyez-vous que les relations de Baltair avec le comte de Moray pourraient nous être utiles dans notre affaire de blason? Je songe à cela depuis un moment. Je voudrais atténuer la déception que nous allons causer à mon père quand nous lui rendrons compte de notre mission. Comme vous le savez, Dunbar envoie parfois Baltair accompagner le prince David. Il m'a semblé, à Stirling, que les Dunbar avaient bon nom. Il s'agirait que Baltair puisse utiliser cette influence auprès du gardien des sceaux pour obtenir l'inscription de nos armes. Évidemment, le tout est de convaincre mon frère de faire un geste en faveur du clan MacNèil. Pour avoir beaucoup parlé avec lui, j'ai constaté que ses relations avec père n'ont pas changé; cependant, celles qu'il entretient avec vous m'apparaissent moins tendues...

– Parthalan! Que me racontez-vous? Quoi que vous en pensiez, j'ai toujours eu de bonnes relations avec votre frère..., répliquai-je.

– En ce cas, ce sont les sentiments de Baltair envers vous qui semblaient neutres... Peu importe où se situait le malaise d'ailleurs, puisque j'ai pu vérifier qu'il a disparu. D'après ce que Baltair m'a confié ce matin avant son départ, l'accueil tiède que vous lui aviez fait à notre arrivée à Bona s'est passablement réchauffé au cours de la nuit...

– Je vous en prie, Parthalan, ne me mettez pas dans l'embarras!» fis-je, rouge de confusion en apprenant que MacNèil avait manqué de discrétion. Mais, en y réfléchissant bien, je m'aperçus que les confidences de mon mari visaient peut-être à légitimer ma grossesse et à en faire porter l'origine sur lui. Je jetai un regard à Parthalan qui, par son imposante stature, me dépassait d'une tête. L'épaisseur de ses bras et de ses poings gantés dégageait une impression d'invincibilité qui me frappa pour la première fois.

Je m'apprêtais à relancer la conversation sur le rôle que MacNèil pourrait jouer au sujet du blason, quand Parthalan se retourna vivement en direction de la pinède. Il me fit signe de me taire et scruta le massif d'arbres. Puis, laissant mon coude, il dégaina sa claymore et traversa la plage à longues enjambées. Nos deux gardes avaient sans doute entendu le même bruit que lui, car ils s'emparèrent de leur arbalète sur le harnachement de leur monture et le rejoignirent. Je demeurai seule au milieu des galets, à quelques pas de nos quatre chevaux qui s'abreuvaient tranquillement à l'eau du loch. Le cœur palpitant, je fixai l'endroit, entre deux arbres, où mon beau-frère et ses hommes avaient disparu. Une longue minute s'écoula dans le même silence, puis j'entendis un cri suivi du choc de deux lames qui se croisent. Affolée, j'empoignai mes jupes et courus vers les chevaux afin de m'abriter auprès d'eux.

Coincée entre leurs corps massifs et chauds, je ne vis rien de l'attaque, mais j'en perçus tout le vacarme si distinctement qu'il me sembla en être: les exhortations de Parthalan à nos gardes; les injonctions de leurs assaillants; le claquement des armes qui s'entrechoquent; des cris de douleur et de frayeur; des injures; des blasphèmes; des craquements de branches et des bruissements de feuillage. Soudain, j'aperçus un très jeune homme sortant de la futaie, dague à la main, et fonçant sur moi. J'eus à peine le temps de m'agripper à l'encolure d'une des montures qu'il s'était emparé des brides des trois autres. Il sauta en selle sur l'une d'elles, me jeta un regard farouche, puis il l'éperonna en s'enfuyant avec trois de nos bêtes et tout notre bagage.

«Parthalan! lançai-je. On nous prend nos chevaux! Arrêtez-le!» Angoissée, j'écoutai le bruit des sabots décroître jusqu'à ce qu'un silence complet s'abatte sur la pinède. Au bout d'un temps infini, toute tremblante et mouillée de sueur, j'appelai et rappelai Parthalan et nos hommes, mais en vain : personne ne répondit, ni ne revint sur la plage. «Dieu tout-puissant, rendez-moi mes compagnons, ne me laissez pas seule ici!» implorai-je d'une voix étranglée. Le cheval que je tenais toujours par la sangle émit un long hennissement. C'est alors que je réalisai que c'était la monture de Parthalan et cela me secoua de ma paralysie. Entraînant la bête dans mon sillon, je partis courageusement à la recherche de son maître et gagnai les bois qui baignaient dans un calme morbide.

Le cœur battant, je parcourus ainsi plusieurs centaines de pas au bout desquels des gémissements me parvinrent enfin. Me guidant sur ceux-ci, je découvris au pied d'un arbre l'un de nos gardes, recroquevillé sur lui-même, désarmé et le visage ensanglanté. «Où est messire Parthalan?» lui dis-je en me précipitant sur lui. Il bascula sur le côté en dévoilant sa poitrine maculée de sang. Le coup qu'on lui avait porté avait ouvert son pourpoint à la hauteur des premières côtes et transpercé la peau. Cette vue me donna immédiatement le vertige et je me reculai d'un bond. «Là, ma dame…», gémit le garde, en indiquant la forêt derrière lui par un mouvement de la tête. Je levai les yeux sur les hautes fougères et j'aperçus deux autres corps étendus non loin l'un de l'autre. Parthalan gisait face contre terre, le crâne fendu, et le second garde s'était affaissé sur le dos, une flèche plantée en travers du cou. Je m'agrippai à une branche pour ne pas tomber et mis une bonne minute pour me ressaisir.

Quand la tête ne me tourna plus, je me dirigeai d'abord vers le corps de mon beau-frère dont la position ne me permettait pas de savoir s'il était mort ou vif, alors que la vue du second garde ne laissait aucun doute. Je m'accroupis du côté où le visage de Parthalan était tourné et j'approchai le dessus de mes doigts de ses lèvres entrouvertes. En y sentant un souffle ténu, je poussai un soupir de soulagement et revins précipitamment au premier garde. Celui-ci, le visage livide, était parvenu à s'asseoir en s'adossant à l'arbre. «On n'a rien pu faire, ma dame, murmura-t-il quand je me penchai sur lui. Ils étaient sept... des caterans. Ils ont guetté notre traversée des marais et nous attendaient. Ils n'en voulaient pas à nos vies: ce sont nos biens et nos armes qu'ils réclamaient. Mais messire Parthalan n'accepte jamais d'être spolié, même si ses effectifs sont insuffisants pour lutter...

– Cessez de parler et ménagez vos forces, fis-je. Mon beau-frère n'a pas été occis et je dois tenter de vous sauver tous les deux. Pour votre compère, c'est malheureusement trop tard: il a été dépêché.»

Le garde se tut et ferma les yeux. J'ouvris son pourpoint afin de constater la gravité de sa blessure et il me laissa faire en respirant bruyamment. Je palpai timidement la plaie qui me sembla peu profonde, bien que très sanguinolente. En pinçant les lèvres pour ne pas vomir, je la bouchonnai avec les lambeaux de sa chemise, puis, angoissée, je le quittai pour retourner auprès de Parthalan. Celui-ci était toujours inconscient, mais la coupure de son cuir chevelu avait cessé de saigner, laissant ses cheveux gommés et gluants. Attirées sans doute par l'odeur, des petites mouches tourbillonnaient autour de sa tête dans une valse qui m'écœura. «Il me faut absolument trouver de l'aide», murmurai-je.

M'ayant probablement entendue, le garde me fit une suggestion de sa voix sifflante : «Il vous reste un cheval, ma dame, et nous ne sommes qu'à un mile de la paroisse de Kilfinnan. Allez chercher les secours...

– Mais que ferez-vous seul ici ? Qui veillera sur messire Parthalan ?

– Moi, ma dame. Prenez l'arbalète sur son cheval et mettez-la entre mes mains. Je suis capable de m'en servir dans cette position... Vous n'êtes pas en mesure de le transporter seule... et je ne peux pas vous prêter la main. Croyez-moi, c'est l'unique chance qui s'offre à vous de sauver votre beau-frère... Je vais prier Dieu qu'Il vous soutienne et vous accompagne, dame Lite.»

Maintenant que MacNèil se tenait devant lui, l'air buté, Thomas Dunbar doutait du succès de son entreprise, car convaincre deux clans highlanders rivaux de participer à une bataille organisée en champ clos à Perth demandait non seulement de solides arguments, mais beaucoup de doigté.

«Ils ne se déplaceront pas, affirma MacNèil, en apprenant le projet pour lequel le comte de Moray l'avait fait venir à Inverness. Je vous assure, aucun Gaël ne persuadera les Chattan et les Kay de régler leurs différends devant le roi des Écossais. Ces clans-là sont parmi les plus brutaux et ils n'ont cure d'être observés quand ils veulent s'entretuer. Et quand bien même ils se prêteraient à un tel spectacle, cela ne voudra pas dire que l'issue du combat apportera la paix dans les Highlands, si, bien sûr, cela est le but visé. Dites-moi que ce n'est pas votre idée, comte...

– Si fait! J'en partage la paternité avec sir Lindsay et le comte de Carrick lui-même. MacNèil, tu ne sembles pas te rendre compte que plusieurs hommes influents du royaume se préoccupent des troubles au nord de la Forth. Nous ne venons pas à bout des rivalités claniques, ni des petits barons despotes, ni des caterans à leur solde, encore moins des MacDonald dont les prétentions monarchiques s'étendent maintenant sur le Grand Glen. Alors, le mieux, c'est le pire: un bon affrontement de gladiateurs, trente hommes de chaque côté, tous les coups sont permis jusqu'à ce qu'il en reste plus qu'un seul debout... C'est une sorte de carnage, mais cela frappe les esprits et les refroidit...»

Comme MacNèil demeurait silencieux, Dunbar reprit: «En quoi est-ce si différent de ce qui se passe dans les joutes, MacNèil? D'ailleurs, n'est-ce pas à peu près ainsi que cela se déroule chaque été au Tournoi des Îles? Si je ne m'abuse, les clans y accourent sans se faire prier, trop heureux d'en découdre avec leurs adversaires... et de récolter des honneurs.

– Eh bien voilà, comte! Les clans reviennent au combat année après année. Pourquoi une bataille rangée devant le roi refroidirait-elle les Chattan et les Kay, amènerait-elle une paix durable entre eux et, à plus forte raison, sur tout le territoire des Highlands?

– Peu m'en chaut que les Chattan déciment les Kay ou le contraire et qu'il n'en reste plus qu'un seul pour jouir de la reconnaissance royale! Le principal est d'offrir une réponse aux nombreuses plaintes à propos de la justice royale dans le nord, que ce soit dans les Highlands centrales ou sur les fiefs gaéliques. Nous avons besoin que l'autorité de Robert III triomphe sur ce plan et une belligérance supervisée entre Highlanders en témoignera d'une façon efficace. Entends-moi bien, MacNèil, je ne sollicite pas ton avis sur le bien-fondé du projet, la décision est déjà prise à un haut niveau: la bataille aura lieu avant la fin de l'été, sur la rive nord de Perth, en présence du roi et de ses nobles. Les Chattan et les Kay sont convoqués et, d'ici là, ils n'ont qu'à choisir les hommes qui combattront pour leur clan respectif. Tu es notre émissaire... ou, si tu aimes mieux, notre héraut d'armes: tu recrutes les hommes, tu t'assures de leur identité et de leur représentativité auprès de leurs chefs et tu nous les amènes à Perth: c'est ta mission et c'est pour cela que nous te payons rubis sur l'ongle...»

Ce disant, Thomas Dunbar s'empara d'une bourse de cuir sur la table et la lança à MacNèil qui l'attrapa au vol. Le geste prompt du cateran fit sourire le comte qui tendit alors la main vers le rouleau scellé contenant l'édit royal, tout en doutant que MacNèil ait à le produire aux chefs visés – le document étant rédigé en scot – et le lui remit. Puis, se tournant vers l'âtre, Dunbar s'absorba dans la contemplation des flammes, satisfait de l'entretien qui lui avait permis de débattre de son idée. Comprenant que la rencontre était terminée, MacNèil glissa le parchemin et la bourse dans la poche intérieure de son pourpoint et quitta le cabinet du comte sans un mot de remerciement ou de salutation.

Lorsque les secours venant du village de Kilfinnan, que je parvins à alerter, étaient arrivés sur les rives du loch Lochy, ils n'avaient trouvé que mon beau-frère vif: l'homme d'armes que j'avais laissé avec lui était mort au bout de son sang. Ils me ramenèrent donc deux cadavres et un blessé grave avec lequel ils me cantonnèrent dans la chaumière d'une brave veuve qui vivait avec une chèvre et trois poules. On enterra nos gardes, sans pompe ni cérémonie, dans le cimetière paroissial.

Je n'eus pas à me plaindre de l'accueil et de l'aide des villageois de Kilfinnan qui me démontrèrent beaucoup de compassion. Mais ils étaient eux-mêmes trop éprouvés par les raids des caterans et les expéditions dévastatrices des MacDonald dans la région pour nous offrir davantage que le gîte et le couvert, le temps que Parthalan récupère et reprenne la route. Pourtant, nous n'étions qu'à une quarantaine de miles de Mallaig, et il aurait suffi d'y dépêcher un messager et réclamer une escorte de renfort au seigneur Mànas pour rentrer chez nous. Hélas, je n'avais aucun moyen d'envoyer de courrier, ni là-bas ni à Bona, car les deux pigeons de Mac-Nèil avaient disparu avec ma monture sur laquelle leur panier était attaché. Ne me restait plus qu'à me morfondre au coin du feu de la veuve et attendre que Parthalan recouvre sa lucidité.

Chaque heure passée au chevet de mon beau-frère durant le long mois qui suivit l'attaque des caterans dont nous étions les deux seuls survivants m'enfonça dans une sorte de désespoir. Parthalan vivait en sursis, plongé dans une sorte de léthargie dont il n'émergeait brièvement que quelques heures chaque jour, durant lesquelles les dommages causés à son cerveau apparaissaient dans toute leur ampleur et laissaient présager le pire. Il ne me reconnaissait pas, ne se rappelait ni son nom ni celui de son clan ; il s'exprimait dans un langage dénué de sens et cherchait à frapper quiconque l'approchait ; enfin, et cela rendait les soins plus faciles à prodiguer, il avait perdu l'usage complet de la dextre de son corps, ce qui l'empêchait de se lever, de marcher et même de prendre tout objet avec ses deux mains. Je lui coupais menu son pain, le trempais dans un peu de lait de chèvre et le lui faisais avaler à la becquée. Chaque matin, je le nettoyais, lavais sa chemise et ses draps et, chaque soir, je m'endormais au pied de sa paillasse.

Dehors, la nature exubérante éclatait un peu partout : derrière les masures, un ruisseau gonflé des eaux de fonte coulait avec un gargouillis cristallin ; sur la lande, la bruyère étendait son tapis fleuri ; dans le cimetière, des fougères se déroulaient avec élégance et le lierre jaunâtre montait à l'assaut des murs de l'église. J'observais tout cela du pas de la porte, en humant l'air avec délices, puis je retournais auprès de mon malade, dans la touffeur de l'unique pièce où il gisait. Parfois, je m'assoupissais sur le banc près de lui et me réveillais en sursaut parce que la chèvre tentait de brouter le bas de ma robe ou qu'une poule picorait mes souliers.

Tout le jour, j'échangeais peu avec mon hôtesse qui n'était pas loquace, mais je ne l'appréciais pas moins. Elle démontra une réelle bonté et une grande générosité à mon endroit, estimant qu'il y allait de son devoir de chrétienne de recueillir des voyageurs démunis sous son toit, sans attendre en retour récompense et remerciements. Son attitude modeste m'encouragea à m'ouvrir sur mon état de femme grosse, car mes malaises matinaux et l'absence de mes ourses* pour un second mois ne laissaient planer aucun doute à ce sujet. À cette vieille femme, je n'avais pas de raison de cacher ma situation, mais au contraire des confidences de cette nature pouvaient certainement nous rapprocher l'une de l'autre. C'est d'ailleurs ce que mon aveu occasionna : mon hôtesse me prodigua mille et un conseils qui me divertirent et adoucirent mon tourment. Je me mis ainsi à songer davantage à l'enfant à naître qu'au rétablissement de Parthalan dont mon sort dépendait pourtant.

Baltair MacNèil et Tadèus Fair ne repassèrent par Bona qu'à la mi-juin, après avoir poussé une pointe de reconnaissance jusqu'à Aberdeen où le prince David tenait ses quartiers d'été. Le comte de Carrick avait décidé de s'éloigner de Perth et des remous que sa liaison avec la fille du comte de March continuait de provoquer à la cour. Doutant de la part que le prince avait pris dans la décision concernant la bataille de clans, Mac-Nèil avait souhaité vérifier les faits auprès de lui, mais il s'était rendu à Aberdeen en vain : le prince David ne l'avait pas reçu.

Il revint donc sur ses pas et regagna son chef-lieu de Bona. À l'approche du château, Tadèus sortit sa flûte et entonna un air gai qui fit ouvrir les portes de la palissade comme par enchantement. MacNèil entama sa première inspection de retour par une visite à son colombier où il constata la présence des deux pigeons emportés par sa femme. Le domestique qu'il interrogea lui affirma que les oiseaux étaient revenus ensemble, sans message, le lendemain de son départ et de celui de son épouse. Cette annonce l'intrigua d'abord, l'inquiéta ensuite.

Autre motif de contrariété: les frères de la jeune Anna Chattan avaient forcé les portes de Bona afin de reprendre leur sœur et de la ramener à leur clan, en demandant haut et fort réparation pour son dépucelage. MacNèil eut du mal à retenir Tadèus de répliquer céans et de voler au secours de sa compagne: «Calme-toi! Ils ne la tueront pas: ils ne la toucheront même pas. On doit aller de toute façon chez les Chattan. Tu défendras son honneur à ce moment-là...

– Quand? N'attendons pas, MacNèil: je ne veux pas qu'Anna subisse un tort dont je suis la cause...

– Écoute, Tad, je ne te retiens pas: vas-y seul. Moi, je te rejoindrai dès que je saurai ce qu'il est advenu de Lite MacGugan et pourquoi elle m'a retourné mes oiseaux sans communication...

– Tu vas te rendre à Mallaig pour rien, MacNèil. Il est possible que ta femme ait échappé les pigeons par mégarde. Cela arrive souvent: il n'y a rien d'inquiétant là-dedans.

– Si cela avait été le cas, elle m'aurait envoyé un message à son arrivée à Mallaig pour m'expliquer le retour précipité de mes oiseaux. Mais voilà un mois qu'elle aurait dû le faire... Ce silence ne lui ressemble pas, surtout après notre dernière rencontre.»

Tadèus fronça les sourcils: il n'avait pas encore réussi à percer les secrets de cœur de MacNèil dont la dernière phrase le laissait songeur. Il se demanda si son ami, dans la conquête de son épouse, avait réalisé des progrès. Bien qu'il lui en coûtât, Tadèus se garda bien de pousser plus loin l'interrogatoire et il quitta son ami, l'esprit plus tourmenté que serein.

MacNèil partit de son côté, dans le même état d'âme. Il appréhendait des difficultés pour Tadèus au sein du terrible clan Chattan. Mais, plus encore, il redoutait qu'il soit arrivé malheur à l'escorte de son frère et de Lite. Tout au long de sa chevauchée vers Mallaig en compagnie de deux de ses hommes, cette crainte se transforma en conviction. C'est à la forteresse d'Urquhart tenue par Charles Maclean, un intendant placé là par le Seigneur des Îles, que les soupçons de MacNèil se confirmèrent. Il y fit escale en fin de journée et entraperçut la haquenée de Lite dans les écuries. Évidemment, il obtint de l'intendant, réticent, une explication sur la présence de l'animal dans ses murs: «J'ai acquis cette bête assez récemment, fit Maclean. Je cherche d'ailleurs à la revendre… on m'a forcé un peu la main et je n'ai pas vraiment usage d'un tel animal: je n'ai pas de cavalière à Urquhart.

— Connaissez-vous la femme qui la montait? Est-elle venue ici?

— Je n'ai pas eu ce privilège… malheureusement. Cela m'aurait beaucoup plu, car il y a longtemps que je n'ai eu la visite de dames. J'ai transigé avec des caterans… vous imaginez bien ce que j'entends par là: cette monture a été volée. Qu'est-il advenu de sa maîtresse? Je vois que c'est l'objet de votre interrogatoire, MacNèil. Allez-vous me révéler le nom de cette dame?

— Elle s'appelle Lite MacGugan et c'est ma femme», maugréa MacNèil.

Surpris, Charles Maclean souleva un sourcil: dame Lite de Mallaig ne lui était pas inconnue. Il ne l'avait jamais vue, mais, depuis un an, il faisait le commerce des peaux de renard avec elle par l'entremise d'un trappeur vivant à Urquhart. De plus, il la savait apparentée avec la famille du Seigneur des Îles, son maître. Que dame Lite fût l'épouse de Baltair MacNèil l'étonna fort. Ébahi et impressionné, il regarda son visiteur d'un nouvel œil : « Voilà donc le mouton noir du clan MacNèil marié à l'intrépide bru du seigneur Mànas. Je crois que nos amis les caterans s'apprêtent à passer un moment difficile… », songea-t-il, non sans déplaisir.

Parthalan vociférait depuis une heure et j'étais exaspérée d'entendre son discours décousu. Je me tournai en direction de la porte ouverte en m'épongeant le front. La chaleur qui régnait dans la masure était suffocante et j'aspirais à me rafraîchir à la douceur du soir. La vieille me fit alors signe de sortir prendre l'air et je lui souris de reconnaissance.

Dehors, je m'aperçus que je n'étais pas la seule du village à chercher un peu de fraîcheur : des femmes et quelques hommes déambulaient en bavardant sur le chemin qui descendait vers le loch. Instinctivement, je leur emboîtai le pas et j'écoutai les commentaires qu'ils échangeaient sur le lever de la lune. En effet, à l'horizon sud, le disque jaune montait d'étrange façon dans le ciel : coupé dans sa moitié inférieure par une ombre opaque. « Une éclipse, me dis-je. Une autre… Serait-ce un signe, cette fois encore ? Un signe de MacNèil ? » Soudain, les deux pigeons du colombier de Bona dans leur panier me traversèrent l'esprit : « Mais bien sûr ! Si les caterans qui se sont emparés de ma monture les ont relâchés, ils sont revenus à Bona depuis belle lurette. MacNèil ne manquera pas de tirer les conclusions qui s'imposent quand il s'en apercevra et il partira à notre recherche… Plût au Ciel qu'il revienne vite à Bona!»

Ce fut la première fois de ma vie où un de mes vœux s'adressant au Divin s'exauçât aussi rapidement. À peine l'avais-je formulé que j'entendis le bruit d'une troupe qui entrait au village. Médusée, je vis apparaître sur le chemin MacNèil accompagné de deux cavaliers. Il avait réglé le pas de son cheval sur celui d'un homme que je reconnus pour être le berger de Kilfinnan et qui marchait à sa hauteur. Absorbés dans leur conversation, ils ne regardaient pas dans ma direction. Le berger s'arrêta enfin et il indiqua du doigt la masure de la veuve. MacNèil y jeta un œil, puis, soulevant son calot, il prit congé de son guide.

Au comble de l'allégresse, je ramassai mes jupes et me précipitai à sa rencontre. MacNèil eut à peine le temps de mettre pied à terre que j'étais dans ses bras, le cœur rempli de soulagement: «Te voilà, au moment même où je t'espérais, MacNèil! Dieu soit loué, nous allons pouvoir rentrer à Mallaig!

– Là, là, mon Hermine… Modère ton élan. Emmène-moi d'abord auprès de mon frère: tu me raconteras ensuite ce qui s'est passé… Tu n'as rien, toi? Les assaillants ne t'ont pas touchée? demanda-t-il d'une voix sourde, en se dégageant pour mieux me voir.

– Nous sommes les deux seuls à n'avoir rien subi de l'embuscade.

– Deux? Parthalan n'est donc pas blessé comme on vient de me l'apprendre?

« – Parthalan est très mal en point. Je veux parler de moi et de notre héritier, de l'enfant qui grandit dans mon giron…, répondis-je, en plaçant une main sur mon ventre.

– Ah!» dit-il pour tout commentaire.

MacNèil fit preuve de largesse envers la veuve qui nous avait hébergés, Parthalan et moi, quand nous quittâmes Kilfinnan le lendemain. Il distribua aussi de l'argent au curé pour le repos éternel des hommes d'armes de Mallaig dans son cimetière. Le voyant ainsi délier sa bourse comme un négociant prospère, je réalisai que, de nous deux, c'était maintenant lui qui possédait les pécunes et qu'il n'en était pas avare. Pour le transport de Parthalan, il loua à un prix honnête une petite charrette à laquelle on attela le cheval de ce dernier. L'un des hommes de MacNèil grimpa à bord de la charrette pour la mener et me laissa sa monture. C'est ainsi que je quittai le village, sous escorte de mon mari et dans un équipage qui était le sien. J'avais tout perdu de celui que m'avait fourni le seigneur Mànas à mon départ de Mallaig où je revenais avec un fils lourdement handicapé, une mission à demi ratée et une descendance en gestation.

Je méditai longuement sur ce retour peu glorieux en chevauchant derrière un MacNèil taciturne et soucieux. Il n'avait pas beaucoup desserré les dents depuis la veille. J'avais perçu l'inquiétude dans son regard quand il avait examiné son frère et il avait répondu de façon évasive à mes questions sur ses opérations pour le compte de Thomas Dunbar. Cependant, je compris que ses affaires l'appelaient et que son expédition pour nous ramener à Mallaig constituait un contretemps malvenu dans son horaire. Le désir de retrouver un climat d'intimité avec lui avait ressurgi dès que je l'avais tenu dans mes bras, mais cet espoir était resté sans écho, car Mac-Nèil demeura distant et grave. L'avais-je heurté en lui confirmant ma grossesse, ou bien était-il simplement trop anxieux pour me témoigner sa tendresse? Dans l'incapacité de répondre à cette interrogation, j'optai pour la dernière hypothèse et je m'employai à ne pas déranger ses pensées durant tout le voyage de retour à Mallaig en demeurant coite et attentive à ses côtés.

Notre arrivée au château fut aussi pénible que je l'avais anticipée. L'état de Parthalan créa une profonde commotion chez dame Égidia et dans la domesticité qui s'enfermèrent aussitôt dans une chambre avec le malade sans plus d'égards pour MacNèil et moi. Mes belles-sœurs et mes beaux-frères, quant à eux, m'examinèrent comme si le fait d'être revenue seule indemne du groupe était une insulte à la famille. En quelques heures, je sentis fondre leur affection pour moi comme neige au soleil. Mais le pire accueil vint du côté de mon beau-père. Au lieu de s'en prendre à moi pour l'échec lamentable par lequel se soldait ma campagne avec Parthalan, il déversa son fiel sur MacNèil.

Celui-ci ne broncha pas sous les injures et me signifia même de me taire quand je voulus me porter à sa défense. Je me désespérais devant cet affrontement entre le père et le fils, dont les tenants et aboutissants m'échappaient, et, à la suite de cette pénible altercation, je fus incapable de retenir MacNèil une seule nuit au château. Dans le hall où je le suivis en courant sur ses talons, je ne pus m'empêcher de l'implorer:

«Ne pars pas déjà, MacNèil. Reste un jour ou deux : ton père va comprendre que tu n'es pour rien dans ce qui est arrivé à Parthalan. Tu n'es plus un cateran et tout le prouve…

– Il le sait, mais ça ne change rien à son jugement sur moi. Je l'insupporte et il a besoin d'un bouc émissaire en ce moment. Comme je n'ai pas l'intention de lui offrir ce plaisir, je m'en vais… Et puis, je suis en service pour Dunbar et la maison royale ; il n'est pas question que je diffère mes devoirs. Avec ce que j'ai versé à mon père pour couvrir le prix de ta pension, il va bien te traiter, sois rassurée…

– Comment ! Tu payes pour moi, MacNèil ? fis-je.

– C'est normal : tu es ma femme et c'est ici que tu es encore la mieux logée pour fabriquer un rejeton. Tout est bien ainsi, l'Hermine, crois-moi. Laisse-moi partir…

– Mais tu vas revenir… tu vas m'écrire… Oh, Baltair ! m'écriai-je, éperdue, en employant son prénom pour la première fois. Tu me manques !

– Voilà qui est nouveau…, fit-il, en prenant mon menton entre ses doigts. Va céans me chercher tes pigeons si tu veux qu'on corresponde tous les deux… *dulcime Lititia* !»

Chapitre x

La désertion d'un château par les fils

En grimpant quatre à quatre les marches menant au chemin de ronde pour voir Baltair s'éloigner sur les plateaux, je me fis penser à ces épouses énamourées dont les maris guerroient au loin et qui prolongent leurs adieux le plus longtemps possible, mouchoir à la main. Cela me fit sourire, malgré le désappointement que je ressentais devant son départ.

Perdue dans mes pensées, je fixai le dos des trois cavaliers traînant derrière eux la charrette louée à Kilfinnan et la fine poussière que l'équipage soulevait. La mission en vue d'inscrire les armoiries du clan à Stirling constituait un point tournant dans mes relations avec Baltair, sa famille et Alasdair Leslie. Je n'étais certes plus la même à l'issue de mon périple : j'avais conçu, j'étais devenue l'amante de mon frère et la femme de mon mari, et, en décevant les MacNèil, j'avais perdu leur admiration. Désormais, je serais vraisemblablement considérée comme simple pensionnaire à Mallaig.

Au moment de disparaître derrière un escarpement rocheux, Baltair se retourna sur sa selle et il leva la main, paume retournée, en un geste qui me rappela celui qu'il m'avait adressé en guise de salutation la fois où nous nous étions quittés sur le chemin de Dinkeual. Je lui répondis aussitôt de la même façon, émue qu'il ait deviné ma présence sur les remparts. Un vent doux venant de la mer me caressa le visage et je tournai la tête pour admirer le coucher du soleil, plus rêveuse que jamais : « Non je ne suis plus la même femme, me dis-je. Et toi non plus, Baltair, tu n'es plus le même homme… du moins à mes yeux. Désormais, je vais m'employer à ce que ta famille découvre le capitaine respecté que tu es. »

Dame Égidia et Rosalind ne me battirent froid qu'une seule journée, alors que les autres membres de la famille réfrénèrent leurs élans amicaux à mon endroit encore une bonne semaine. Pour ne pas les heurter, je me tins discrète dans ma chambre, ne me présentant parmi eux qu'au moment des repas dans la grand-salle. Une servante bavarde, qui s'était ennuyée de moi durant mon absence de Mallaig, m'apprit que Rosalind était en début de grossesse, ce qui expliquait probablement la bienveillance dont cette dernière et ma belle-mère m'entourèrent dès le lendemain du départ de MacNèil.

En effet, le seigneur Mànas avait annoncé mon état à son épouse et je crois que tous deux n'étaient pas insensibles à la progéniture mâle que cela laissait espérer pour le clan. Sans dire que mes beaux-parents adoptèrent une attitude empressée envers moi, je remarquai qu'ils eurent des égards pour mon confort : le seigneur Mànas offrit de rafraîchir mes appartements et dame Égidia veilla à ce que les cuisinières du château me préparent ce dont j'avais envie pour me nourrir.

Je profitai de ce vent de bienveillance pour demander au maçon d'agrandir l'âtre vraiment trop étroit de ma chambre et de refaire les fenêtres dont la pierre des alcôves se désagrégeait sous l'effet de l'humidité. Quant à mon cabinet, dont je gardai l'usage, il demeura mon refuge privilégié. Guilbert osa moins y venir, mais, chaque fois qu'il se le permettait, il s'enquérait de ma santé et de mon mari d'une assez touchante façon. Il s'offrit même de monter au pigeonnier à ma place pour envoyer mes courriers et recueillir ceux que mes oiseaux rapportaient.

Son amitié me fut très précieuse cet été-là et elle facilita certainement un rapprochement avec mon beau-père. Comme Guilbert me tenait au courant des affaires de ce dernier, je pus mieux mesurer les retombées de ma mission ratée à Stirling et redevenir subtilement la conseillère que j'avais toujours été sur les questions de commerce et de développement du port de Mallaig. Ainsi, je découvris que le seigneur Mànas avait définitivement tourné la page concernant la similitude entre les armoiries du clan MacNèil et celles du clan Keith avec lequel il avait une controverse. Pour se débarrasser de leurs prétentions, il leur avait signifié par lettre que la demande d'inscription des armes Mac-Nèil avait été faite au commissaire aux sceaux et qu'en attendant la réponse il continuerait à utiliser ses armoiries, telles qu'elles avaient été définies par la tradition de son clan. Cette communication faite en juin resta sans écho de la part de son opposant et nous n'en entendîmes plus parler.

Au troisième étage du donjon, dans ses appartements jouxtant ma chambre, Parthalan fit quelques progrès de réhabilitation : sa dextre regagna peu à peu de la mobilité grâce aux exercices que Struan, son fils bâtard âgé de quinze ans, avait la patience de lui faire faire quotidiennement. Cependant, l'esprit de mon beau-frère demeurait confus. C'était d'ailleurs assez étrange de voir que nous étions les seuls, Struan et moi, que Parthalan reconnaissait et appelait par leurs noms. Comme on pouvait s'y attendre, mon beau-père fut très affecté par l'état de son fils aîné. Bien qu'il tentât de n'en laisser rien paraître publiquement, il était rongé par la peine et sa santé connut une nouvelle rechute. Son humeur prit la même tangente et il devint très difficile à supporter, même pour ma belle-mère.

Aindreas, que l'incapacité de Parthalan avantageait sur le plan de la succession éventuelle à la tête du clan, se mit en frais de jouer le rôle de ce dernier auprès de son père et il cessa de chasser et de sortir pour plutôt fureter tout le jour dans la salle d'armes ou dans le cabinet paternel. Malheureusement pour lui, cette attitude opportuniste offusqua le seigneur Mànas qui n'était pas prêt à renoncer à Parthalan comme héritier. En août, Aindreas fut envoyé au loch Morar avec son épouse et ses filles pour établir un poste d'avant-garde sur le territoire montagneux des MacNèil. L'équipe de maçons le suivit afin d'ériger les bases d'une place forte pouvant soutenir cet office et construisit très rapidement une large tour carrée et crénelée dans laquelle la famille aménagea. Ce départ ne se fit pas sans protestations de la part de mon beau-frère et de ma belle-sœur et ils m'en voulurent atrocement de cette décision qui leur apparaissait injuste à tous égards, mais dans laquelle je n'avais pourtant aucune part. Je me gardai bien de me défendre en leur tenant tête et je dus assister, impuissante, à la détérioration de l'ambiance au château.

Chacun s'esquivait à sa façon. L'aînée de la famille, Rosalind, pour ne pas afficher de parti pris, se referma sur sa grossesse et s'isola avec sa fillette dans ses appartements. Son mari Griogair passait ses journées à délimiter de nouveaux pâturages au sud de la péninsule pour un cheptel de bœufs dont il avait fait l'acquisition au printemps et il ne rentrait de la lande que très tard après le coucher du soleil. Maud, la fille cadette de la maison, âgée comme moi de vingt-neuf ans, obtint de faire un pèlerinage à la sainte île d'Iona et fut absente tout l'été. Aonghus passa plusieurs semaines à Finiskaig chez Daidh, notre tanneur, pour surveiller la production à ma place, car les émanations puantes de la tannerie m'incommodaient trop, puis il s'embarqua sur un esquif en partance pour la côte est de l'Écosse avec les peaux prêtes à vendre. Quant à dame Égidia, elle évitait l'entourage de son mari en se jetant corps et âme dans les nombreuses réceptions et visites qu'amenait l'achalandage estival du port.

Pour ma part, je sortis le plus possible, faisant de longues balades à pied quand la température le permettait, sinon me réfugiant dans mon cabinet pour correspondre. J'écrivis surtout à Baltair, mais je ne reçus pas beaucoup de réponses à mes lettres. En effet, les quelques missives qu'il me fit parvenir durant l'été par mes pigeons n'arrivaient pas de Bona, mais de différents endroits dans les Highlands centrales qu'il parcourait pour organiser une sorte de tournoi devant avoir lieu à Perth en présence du roi. Mon mari me donna peu de détails sur son emploi du temps, mais je compris que ses tâches nécessitaient de nombreux déplacements. Dans aucune de ses communications, il ne fit allusion à ma grossesse ou s'enquit de sa famille. Aussi, ne sachant si l'on faisait suivre son courrier ou si Baltair en prenait lui-même connaissance à Bona, je répondis à ces lettres sur un ton moins intimiste que j'aurais souhaité et je restai muette sur l'état de mon ventre. Cependant, en ce qui avait trait aux événements familiaux, je le tins rigoureusement au courant du départ d'Aindreas, de celui de Maud et d'Aonghus, de l'amélioration de la santé de Parthalan et de la détérioration de celle du seigneur Mànas.

Je ne fus jamais aussi introvertie que durant cet été 1396 alors que j'étais enceinte et confusément éprise de mon mari. Souvent, au moment de me dévêtir pour la nuit, j'appréciais les changements de ma silhouette et les partageais avec lui dans d'interminables monologues que j'adressais à la longue glace sur pied de ma chambre. En lissant ma chemise sur mon corps, je faisais remarquer à l'absent la rondeur de mon ventre et le gonflement de mes seins. Puis, je me retournais et contemplais ma chevelure rousse répandue en cascade dans mon dos, en me demandant si l'enfant qui grandissait dans mon ventre allait ressembler à Alasdair. «Seras-tu choqué, disais-je à Baltair, si notre rejeton n'a ni cheveux roux, ni yeux bleus, ni aucun de nos traits communs? Le reconnaî-tras-tu pour tien quand même?»

MacNèil s'était trompé. Contre toute attente, les Kay et les Chattan acceptèrent l'invitation de Robert III à se battre trente contre trente en champ clos à Perth. La haine qu'ils se vouaient était à ce point obsessionnelle que n'importe quel défi leur permettant de se pourfendre mutuellement était d'emblée relevé par leurs chefs. Là où MacNèil échoua dans son mandat, ce fut dans l'établissement de la date de la rencontre. Les Chattan et les Kay s'entendirent pour repousser l'échéance en septembre afin de mieux se préparer et de superviser les travaux agricoles estivaux sur leurs terres. Le choix des trente combattants fut la pierre d'achoppement des nombreux arrangements et tractations qui passionnèrent les chefs des deux clans tout l'été et qui força MacNèil à faire une navette constante entre les places fortes des différentes familles associées à chacun d'eux.

Faite par le chef, la sélection des hommes du clan Chattan plongea MacNèil dans un singulier désarroi, car Tadèus avait été aligné sur les rangs. En effet, dès que son ami s'était présenté au père de la jeune Anna, il avait été contraint au mariage qu'il n'avait pas refusé, puis il avait prestement été enrôlé dans l'élite des guerriers comme nouveau membre du clan Chattan. MacNèil ne doutait pas des qualités d'armes de Tadèus : son maniement de la claymore était redoutable et son endurance n'avait d'égale que sa force physique. Cependant, une mêlée sauvage telle que s'annonçait la bataille à Perth décimerait les meilleurs comme les pires guerriers. S'il ne devait rester qu'un seul homme vif après le combat, les chances étaient minces que Tadèus fût celui-là.

Les eaux vives et froides de la rivière Tay gonflée des pluies de septembre coulaient en un bouillonnement continu et contournaient Perth en entourant le bourg pour se jeter dans l'estuaire de Firth. Sur la butte de la rive nord, une clôture légère délimitait le champ à l'intérieur duquel devait avoir lieu l'affrontement, un espace de terre battue presque carré mesurant trois cents pieds de large. En l'endroit le plus élevé du monticule, une estrade avait été dressée pour accueillir l'assistance royale composée de Robert III et d'une quarantaine de nobles, dont ses frères, les comtes de Fife et de Buchan, et son fils, le comte de Carrick.

MacNèil avait autorisé un forgeron nommé Wynd à s'installer derrière la structure avec feu et enclume pour réparer, au besoin, les équipements sur place, mais c'était là la seule échoppe présente sur le site. Les campements des clans rivaux s'étendaient tous deux sur la rive sud de la Tay, à bonne distance l'un de l'autre : leurs tentes, leurs foyers et les enclos pour leurs chevaux formaient un ensemble inquiétant tenant de l'aménagement militaire et dans lequel on ne décelait aucune présence féminine.

MacNèil jeta un regard morne sur la lice et sur l'estrade, vides pour le moment, mais qui seraient envahies bientôt par une centaine d'hommmes, les uns venus voir, et les autres, donner un spectacle affligeant. En ce matin du 12 septembre 1396, tout était prêt et conforme aux prescriptions de Thomas Dunbar pour ce qu'il appelait «la bataille des clans». Soudain, reportant son attention sur la rive sud de la Tay en contrebas, MacNèil aperçut une colonne de cavaliers précédée des bannières royales et il descendit la pente pour les accueillir. Quand toute la délégation eut mis pied à terre, ce ne fut pas le comte de Moray, mais le comte de Fife qui vint à MacNèil, en compagnie de deux hommes munis d'écritoires portatives qu'il présenta comme les chroniqueurs de la cour : « Voici messires Bower et Wyntoun qui ont quelques questions à te poser, MacNèil. Ils vont consigner un compte rendu de la bataille et ses résultats. Ils ont besoin des noms des combattants, de ceux de leurs chefs-lieux, du détail des armoiries et de toute autre information significative : leurs écrits officialiseront l'événement et la victoire d'un clan. Il n'y aura pas d'autre annonce avant la bataille que celle des termes du combat, qui sera faite par le comte de Moray : les claymores sont les seules armes autorisées et tous les coups sont permis. Le combat durera le temps qu'un camp élimine l'autre. S'il y a litige sur l'identité de participants, ce sera ta parole qui fera foi de la conformité de l'organisation. »

MacNèil acquiesça d'un bref signe de tête et Fife s'en retourna vers l'estrade. Les deux chroniqueurs souriaient aimablement, comme s'ils s'étaient trouvés en présence de l'arbitre d'un jeu de balle, mais MacNèil ne les regardait pas. Un frisson le parcourut tout entier : il venait de distinguer Alexandre Stewart aux côtés du roi. Il remarqua que son ennemi avait vieilli et grossi, se déplaçant avec une certaine lourdeur tout en roulant toujours des épaules. Le comte de Buchan affichait son habituelle mine revêche et il se dégageait encore de sa personne un mélange d'effronterie et de violence.

Faisant un effort pour reporter son attention sur les deux chroniqueurs, MacNèil les invita à le suivre derrière l'estrade afin qu'ils disposent plus commodément leur matériel. Dans le but d'accélérer le processus, il sortit de son pourpoint sa propre liste de noms et proposa aux deux scribes de leur en faire lecture pour qu'ils la prennent en note. Mais, dès les premières minutes de la dictée, les trois hommes furent interrompus par un représentant du clan Chattan. «Messire MacNèil, fit l'émissaire, nous ne sommes que vingt-neuf: Ivar Davidson est parti. Qu'est-ce qu'on fait?

– Où est-il? Ne pouvez-vous pas le ramener et l'obliger à s'aligner?

– Davidson a déguerpi avant l'aube et on vient seulement de l'apprendre. À cette heure, il est sûrement loin et nous ne pourrons pas le rattraper à temps… Je crois que les Kay devraient retirer un de leurs hommes pour que le compte soit égal…

– … ou que vous trouviez une doublure pour votre déserteur.

– Le chef ne veut pas courir le risque d'intégrer à notre formation un guerrier qui lui est inconnu…»

En son for intérieur, MacNèil partageait les appréhensions des Chattan. Il aurait suffi que le remplaçant soit un fourbe pour que la victoire échappe au clan, par contre la désaffection d'un des leurs n'était pas son fait et il ne pouvait déroger aux normes du combat établies depuis longtemps par la Cour. Il regarda tour à tour Bower et Wyntoun qui gardaient leur plume en l'air dans un même mouvement suspendu et attendaient sa réponse avec un grand intérêt. «Voilà un fait inusité, messires, leur dit-il avec désinvolture. J'espère que vous le retiendrez dans votre compte rendu.» Puis, revenant à l'émissaire des Chattan, il ajouta: «Dis à ton chef qu'il lui faut trouver un remplaçant à Davidson. Je suis désolé, mais nous nous sommes entendus pour trente hommes, non pas vingt-neuf.»

Un peu en retrait auprès de ses feux, le forgeron avait tout entendu de l'échange et, s'avançant vers Mac-

Nèil, il proposa ses services d'une voix déterminée : « Si messire MacNèil accepte mon inscription et que les Chattan me font confiance, je peux combattre dans leur camp...

– Qui êtes-vous et combien cela en coûtera-t-il à Chattan ? s'enquit immédiatement l'émissaire.

– Je m'appelle Wynd, répondit l'homme, et je suis maître forgeron indépendant. Je demande une couronne d'or. C'est pas payé cher, car je suis aussi solide à l'épée qu'à l'enclume et je garantis toujours mon travail. J'assure le chef Chattan d'occire une demi-douzaine de Kay, tu peux le lui dire... »

Parce qu'il connaissait le forgeron, MacNèil savait que les Chattan ne dénicheraient pas, à pied levé, un meilleur et plus fiable guerrier que Wynd. C'est pourquoi il lança à l'émissaire qui s'empressait de retourner vers son campement : « C'est à prendre ou à laisser ! Je n'ai pas l'intention de retarder le combat... » Le reste de sa phrase se perdit dans le vent qui battait les bannières et dans le grattement effréné des plumes de Bower et Wyntoun qui enregistraient l'inouï incident sur leurs feuilles épaisses.

Wynd fut bel et bien inscrit dans le clan Chattan et il remplit sa promesse. Il dépêcha à lui seul sept hommes du clan Kay qui perdit la bataille, son unique combattant survivant prenant la fuite en plongeant dans les eaux glacées de la rivière Tay. À l'issue du duel, dix hommes du clan Chattan se tenaient debout, hagards et ensanglantés, au milieu de l'arène jonchée de quarante-neuf cadavres encore chauds. Durant une longue minute, ils s'interrogèrent les uns les autres du regard, avant de pousser leur formidable cri de guerre pour saluer leur victoire.

Bower et Wyntoun consignèrent dans leur cahier que le combat avait à peine duré une heure, mais avait été d'une rare violence. Robert III se montra satisfait de la « bataille des clans » et avoua même aux chroniqueurs abasourdis avoir prisé le divertissement. Puis, avec sa délégation, il quitta l'estrade de son pas claudicant, sans plus d'égards pour les combattants qui reçurent leur récompense des mains d'un Thomas Dunbar à la mine stoïque.

Le seul dignitaire à vouloir exprimer son exaltation aux vainqueurs fut le comte de Buchan dont les yeux bleus brillaient encore de la lueur perverse que la vue des lames ensanglantées y avait allumée. Ce dernier serra les dix guerriers rescapés l'un après l'autre contre son torse, avec des effusions presque paternelles, tout en leur offrant des postes dans sa milice personnelle, proposition que chacun, accablé et désabusé, déclina.

Du recoin formé par les montants des échafauds, d'où il avait observé tout l'affrontement, émergea Mac-Nèil qui s'engagea lentement sur la piste rendue boueuse par le sang des victimes, en contournant les cadavres. Totalement écœuré et désespéré, il s'agenouilla près de celui de Tadèus, tombé parmi les premiers du clan Chattan. Se penchant sur le visage aimé couvert d'un sang noir qui avait commencé à former des croûtes, la vue brouillée par les larmes, il embrassa tendrement le front de son compagnon. Dans son recueillement, Mac-Nèil ne put surprendre le sourire perfide sur les lèvres d'Alexandre Stewart qui l'épiait à ce moment-là.

Longtemps après le départ des spectateurs et des combattants, une fine pluie commença à tomber et

Thomas Dunbar donna l'ordre de ramasser les cadavres et de les répartir selon le clan qui les réclamerait. Se secouant de sa torpeur, MacNèil ramassa l'arme de Tadèus, la glissa dans son propre baudrier et empêcha les hommes de Dunbar de toucher à sa dépouille: «Celui-ci est à moi: je m'en occupe! siffla-t-il entre ses dents serrées.

– Il est à sa veuve, messire… une Chattan, fit remarquer le représentant Chattan, qui veillait à l'identification des siens.

– Non, c'était un de mes hommes et je m'occuperai de sa veuve: faites le message à ses parents», répliqua MacNèil sur un ton acerbe. Puis, empoignant les bras de Tadèus, il hissa péniblement le corps sur son dos et l'emporta.

Je me trouvais sur le quai quand le vaisseau devant ramener Aonghus à Mallaig accosta à la fin d'octobre. Mon beau-frère n'était pas à bord, mais il avait fait porter par le capitaine un colis qui m'était destiné et une lettre à son père, expliquant sans doute son absence. Je pris congé des visiteurs que j'accompagnais alors et, tenaillée par la curiosité, je remontai au château avec empressement, l'envoi d'Aonghus sous le bras.

Je passai d'abord par le cabinet du seigneur Mànas pour lui remettre la lettre, avec l'intention de m'éclipser aussitôt vers le mien pour découvrir le contenu de mon paquet, mais il me retint. Mon beau-père me demanda d'ouvrir son courrier et de lui en faire la lecture, tout en rabrouant Guilbert dont il critiquait la qualité de lecteur. Depuis un an, la vue du seigneur Mànas avait considérablement baissé et il ne pouvait plus lire sans aide. Mon pauvre Guilbert me fit un signe d'impuissance et se rassit sur son tabouret. Il avait l'habitude des sautes d'humeur de son maître et s'en accommodait avec indulgence. Je lui souris et m'exécutai : je détachai le sceau, dépliai la lettre et lus à voix haute.

Tant par son ton que par son objet, la communication d'Aonghus nous sidéra tous les trois : mon beau-frère avait fait la rencontre d'un seigneur du clan Fraser à Inverness, était tombé amoureux de sa fille et comptait s'installer sur les terres que celle-ci recevrait en dot. Du même souffle, il proposait d'établir une liaison avec le port de Mallaig et de se charger de la flotte du seigneur Mànas quand ses navires transiteraient sur la côte est. Aonghus ne sollicitait aucune permission paternelle, aucun avis, ne formulait aucune plainte : il avait vingt-sept ans et exposait à son père, non pas le projet d'un fils, mais la décision d'un homme fait. Le seigneur Mànas demeura étrangement silencieux. Alors qu'une telle annonce d'émancipation aurait dû faire éclater son courroux, elle ne lui soutira même pas un commentaire. Je constatai soudain que mon beau-père avait graduellement glissé dans la peau d'un vieillard et qu'il allait bientôt laisser sa place de chef à sa descendance. Or ses fils avaient abandonné sa maison. Ne lui en restait plus qu'un seul, son aîné, sur qui on ne pouvait désormais compter. En cheminant vers mon cabinet, je me dis qu'il était temps de rappeler Baltair au château de Mallaig.

Enfermée dans mon cabinet, je défis les ficelles qui sanglaient mon colis et le déballai avec précaution : le

miroir d'ivoire ciselé d'Alasdair m'apparut avec une lettre. Je demeurai un long moment interdite, n'osant ni
toucher l'objet équivoque ni décacheter le pli compro-
mettant. « Ah, Alasdair ! implorai-je secrètement, ne re-
commence pas à me tourmenter avec tes déclarations
d'amour… » Puis, anxieuse, je lus la lettre du comte de
Ross, mari d'Isobel Stewart et fils Leslie, que je ne pouvais plus appeler « mon frère » :

*… quelle joie pour moi de savoir ton beau-frère
Aonghus MacNèil emberlificoté chez les Fraser d'Inverness,
car il est ainsi fort bien placé pour assurer le courrier entre
nous… Ma bien-aimée Lite, ton silence me torture tant et
tant : ces cinq derniers mois m'ont paru une éternité. Je n'ai
cessé de penser à toi, mon unique, ma merveilleuse…
Comme je m'y attendais, ma vie d'homme marié ne m'apporte que désenchantement. Isobel est tout de suite devenue
enceinte et elle ne m'adresse la parole que pour discuter du
train de maison. Elle ne s'intéresse qu'à son ventre, au détriment de celui qui l'a ensemencé. Mon épouse ne mérite
certes pas ce miroir que j'ai terminé, le cœur tout rempli de
toi, et que je t'offre en témoignage de mon attachement et
de la constance de mes sentiments. Qu'avons-nous à faire
de la fidélité conjugale qui n'a pas de place dans nos maria-
ges malheureux ? Lite, je te demande incessamment de devenir ma maîtresse. Nos destinées sont intimement liées depuis notre enfance et, après notre brève étreinte à Dinkeual,
j'ai su que nos corps n'auraient de cesse de s'unir… J'ai
appris ton échec à Stirling concernant les armoiries des
MacNèil et, comme je ne puis venir à Mallaig, je vais me
servir de ce prétexte pour t'en faire sortir régulièrement :
avec l'aide de mes nombreuses relations au Parlement, je*

suis en mesure de relancer l'affaire de ton beau-père et il n'y verra que du feu... Et toi, mon amour, je te tiendrai enfin dans mes bras et je m'abreuverai à ta source de tout mon saoul...

Incapable de poursuivre la lecture plus longtemps, je rabattis le pli de la lettre avec brusquerie. Il émanait des propos d'Alasdair une désinvolture et une insistance qui m'indisposèrent d'abord, puis me choquèrent après réflexion. Comme il était commode au comte de Ross de prendre maîtresse hors de son milieu et, de surcroît, de choisir une parente, car personne ne soupçonnerait la nature de leur relation! Ainsi, une seule nuit avait suffi à Alasdair pour s'approprier l'expression de mes élans charnels et il décidait de la stratégie de nos réunions en s'immisçant dans les affaires du seigneur Mànas, comme si je n'avais pas à être consultée sur la déloyauté dont j'aurais à faire preuve au sein de ma belle-famille. C'en était trop! «Alasdair Leslie, tu es peut-être le père de mon enfant, mais je ne serai pas ta maîtresse. Tu auras peine à le croire, mais ma considération ne t'est plus acquise: je préfère cent fois avoir pour homme un ancien cateran avec un cœur féal qu'un comte avec un cœur ployable», pensai-je en jetant la lettre au feu.

Je n'avais nulle envie d'écrire à Alasdair et je décidai de remettre à plus tard ma réponse à ses prétentions. Finalement, il ne me restait plus qu'à disposer du miroir, car une femme mariée ne pouvait recevoir ni accepter un présent de ce genre et il était hors de question que ma belle-famille ait vent de ce cadeau. Le dissimulant dans ma large manche, je regagnai ma chambre à pas rapides et, là, je lui cherchai une cachette. Avec, pour tout mobilier, un bahut, un coffre, le lit, une table et deux chaises, je ne voyais pas d'endroit idéal pour escamoter l'objet. Je me rappelai soudain que le maçon, en rebâtissant l'alcôve de ma fenêtre, avait utilisé une pierre creuse pour aménager un banc de lecture. Il l'avait recouverte d'une dalle sur laquelle j'avais disposé un gros coussin. C'est dans cette cavité que je rangeai l'audacieux présent d'Alasdair, résolue à en oublier l'existence.

Les Chattan rentrèrent chez eux sans tambour ni trompette. Marchant derrière trois voitures remplies de leurs morts, les hommes ruminaient une victoire qui avait le goût amer de la défaite. Avec dépit, ils réalisaient que cette « bataille des clans » n'avait été qu'un leurre de la part de la Couronne pour distraire le roi et qu'ils n'en retiraient rien d'autre qu'une triste gloire sur les Kay. L'enjeu offert par le comte de Moray se limitait à un dérisoire pardon pour les méfaits impunis accumulés par le clan Chattan et sur lesquels la justice n'avait, par ailleurs, aucune prise. Le forgeron Wynd était le seul à s'être enrichi dans l'aventure, mais il n'était pas du clan.

Les femmes se turent devant la dévastation par laquelle se soldait l'expédition de leurs hommes et elles préparèrent les corps pour les obsèques dans une méditation résignée, sachant bien que leurs cris ou leurs pleurs ne rendraient pas la vie à ceux qui étaient rentrés les pieds devant, ni n'empêcheraient ceux qui étaient revenus sur leurs deux jambes de repartir risquer leur vie à la prochaine occasion.

Durant la journée du retour des Chattan dans leur place forte, Anna, le visage livide et les yeux secs, se traîna lamentablement d'une maison à l'autre en demandant sans cesse ce qu'il était advenu de Tadèus Fair. Lassés de lui donner toujours la même réponse sur son décès et voyant que la jeune veuve n'entendait rien, les membres de sa famille finirent par l'ignorer. Ils ne se rendirent même pas compte de son départ, à la nuit tombée, et ils se barricadèrent comme à l'accoutumée.

Seule, sans bagages ni victuailles, sans lumière ni arme, Anna avança comme une somnambule durant des heures sur le chemin de Bona. Elle marcha ainsi, démunie et éplorée, jusqu'au lever du soleil. Là, incapable d'aller plus loin, elle se laissa glisser le long d'un arbre et demeura prostrée, prononçant inlassablement le nom de son mari disparu. MacNèil découvrit Anna dans cette position d'abandon, alors qu'il se rendait avec une petite escorte chez les Chattan pour la retrouver. Fort inquiet, il sauta de selle et se porta auprès d'elle. La jeune femme ouvrit les yeux et le reconnut : « Où est Tadèus, messire ? Il faut me le dire… Il ne marchait pas parmi mes frères et il n'était pas non plus couché avec les autres… Pourquoi ne revient-il pas ? »

En constatant l'ampleur du désarroi de la jeune femme, MacNèil comprit son erreur d'avoir inhumé Tadèus à Perth, dans le lopin de terre qui avait accueilli les dépouilles de ses compagnons caterans morts sur la potence. Il fouilla la poche intérieure de son pourpoint et en ressortit la flûte de son ami, puis, avec des gestes d'une infinie tendresse, il ouvrit les doigts d'Anna et déposa l'objet au creux de ses mains. « Tadèus n'en jouera plus et il ne reviendra pas, chuchota-t-il. Il a été occis dans la bataille et je l'ai enterré là-bas...

– ...

– Avant le combat, il t'a confiée à moi et je lui ai promis de veiller sur toi et ton enfant... Anna, veux-tu venir à Bona ou retourner chez les tiens ? J'ai de quoi payer pour ton entretien : tu ne manqueras jamais ni de pain ni d'un toit... » L'air incrédule, la jeune femme retourna la flûte entre ses doigts, puis, levant les yeux sur MacNèil, elle se blottit contre lui. « Je ne veux ni de pain ni de toit. Je veux Tadèus Fair. Je sais qu'il est à Bona. Rendez-le-moi, messire... je vous en prie. »

MacNèil vécut le deuil de Tadèus enfermé dans le silence de sa tour de guet durant les deux mois suivant la « bataille des clans ». On aurait dit qu'un même mutisme était tombé sur les Highlands, car aucune mission ne lui fut confiée par le comte de Moray. MacNèil lut presque avec désintérêt les missives que Lite lui avait envoyées au cours de l'été et il ne trouva pas l'inspiration pour lui répondre : comment expliquer à son épouse que la mort de son compagnon avait éteint la part d'espérance et d'utopie de sa vie ; qu'il n'avait plus le goût ni de donner ni de recevoir des ordres ; et qu'il se sentait atrocement seul pour la première fois de son existence ?

Conscients de la perte que leur chef avait subie, les hommes d'armes de MacNèil respectèrent son isolement et vaquèrent à leurs tâches avec discrétion. Dans l'antre de sa cuisine, la vieille Brigits multiplia ses soins auprès d'Anna qu'on lui avait confiée et qui se consola peu à peu à son contact. Les potions fortifiantes pour l'âme que la vieille lui concocta furent également versées dans le gobelet de MacNèil, mais ce dernier n'en ressentit aucun effet.

Ainsi, tout doucement, un autre automne se posa sur le loch Ness en jetant ses couleurs de part et d'autre de ses eaux majestueuses, puis les arbres se dégarnirent et une teinte gris brun enveloppa le paysage. Un matin de la fin de novembre, la jeune Anna, qui avait pris l'habitude de nourrir les pigeons voyageurs, revint du colombier avec une missive à la main. Elle s'approcha de la table où MacNèil prenait son repas, y déposa le pli et attendit. Sans lever les yeux, MacNèil fixa la lettre un moment, puis son regard glissa sur le ventre proéminent collé au rebord de la table. Sans réfléchir, il tendit la main et toucha avec fascination l'étoffe de serge tendue : « C'est pour quand, Anna ? demanda-t-il pensivement.

– Encore deux mois, messire.

– ... Ah !

– Vous ne lisez pas votre lettre ? Elle ne vient pas de dame Lite, car je l'ai prise sur un pigeon du comte de Moray...

– En effet... tu as raison. J'aurais préféré avoir des nouvelles de mon épouse plutôt que de mon patron...

– Messire, si vous voulez avoir des nouvelles de votre épouse, il faudrait que vous lui en donniez à votre tour et que vous lui répondiez : nous avons maintenant sept pigeons de Mallaig dans notre colombier qui n'attendent que le moment de retourner chez eux avec une missive attachée sous l'aile... Si j'étais à votre place, messire MacNèil, ajouta-t-elle en voyant qu'il ne répondait pas, je n'attendrais pas qu'elle enfante pour me manifester. Si Tadèus avait su écrire, il m'aurait déjà écrit plusieurs fois pour s'informer de notre petit. » Sans insister, Anna se retourna et s'éloigna en direction des cuisines avec une démarche chaloupée de canard.

Confus, MacNèil s'empara de la lettre de Dunbar et l'ouvrit en se promettant de ne pas y répondre, quel qu'en soit le contenu, avant d'avoir d'abord écrit à sa femme.

Guilbert affichait un air si animé et si contraire à sa gravité naturelle en redescendant du colombier que je ne pus m'empêcher de sourire: «Un pigeon vous a-t-il raconté une fable là-haut, dites-moi, Guilbert? lui demandai-je.

– Non point, ma dame. Deux de vos oiseaux reviennent enfin de Bona. Je crois qu'il vous tardait de les ravoir, n'est-ce pas?» répondit-il, en me tendant deux plis dont un plus épais que l'autre.

Mon cœur bondit et je pris les enveloppes d'une main fébrile: «Enfin, Baltair, tu sors de ton silence! Espérons que ce ne sont pas de mauvaises nouvelles, mais qu'au contraire tu m'annonces ton arrivée prochaine...», pensai-je, en prenant la direction de ma chambre pour y ouvrir mon courrier. Le pli le plus volumineux contenait le talisman de mon mari avec sa chaîne en or, enveloppé dans un vélin très souple sur lequel était inscrit que le cadeau m'apporterait chance pour l'heure de la délivrance, si je le portais sans l'enlever jusqu'à ce moment-là. Je fus émue de cette attention de Baltair et devinai que la vieille Brigits avait dû y mettre du sien pour suggérer le singulier présent. Sans hésiter, je détachai le fermoir et glissai la chaîne autour de mon cou. La bulle ronde et froide se nicha au creux de mes seins et je frissonnai agréablement à ce contact. Puis, j'ouvris le second pli qui livrait la lettre que j'attendais depuis si longtemps.

À Lite de Mallaig, ce 25 novembre 1396

Pardonne-moi de n'avoir rien écrit depuis septembre et, en réponse à l'inquiétude dont ta dernière lettre me faisait part, je dois te dire qu'il m'est bien arrivé malheur. Mais ce malheur n'a pas frappé mon corps qui est intact ce jourd'hui où je me décide à prendre la plume. Il s'est plutôt acharné sur mon âme et j'en demeure pantois tant cela m'a anéanti.

Tu l'as sans doute appris en même temps que tous les Highlanders, trente-neuf Gaëls ont péri de male mort dans la bataille des clans à Perth. Parmi ceux-ci se trouvait mon très estimable ami Tadèus Fair et jamais je n'aurais imaginé plus grande meurtrissure à mon cœur que la perte de cet homme-là.

J'ai pris sa veuve sous ma protection : tu te rappelles peut-être la jeune Anna Chattan qui était à Bona quand tu y es venue en mai dernier. Elle est grosse d'enfant, comme toi, et j'ai bien cru qu'elle le perdrait à force de pleurer. Je ne me serais pas pardonné que la descendance de Tadèus ne voie pas le jour…

C'est Anna qui m'a sorti de ma torpeur en me rappelant mes devoirs d'époux envers toi. Je m'exécute donc en m'informant de ta santé. À l'instigation de la vieille Brigits, je pourvois un second pigeon d'un porte-bonheur pour ton enfant à naître, afin qu'il soit conforme à tes espérances : un fils qui portera le nom des MacNèil et fera la joie de mes parents. Cela consolidera certainement ta position au sein de ma famille, ce que tu désirais et avais planifié.

Quant à mes propres espérances, tu les connais. Je ne veux pas revenir à Mallaig et ton enfant ne m'y attirera pas davantage. Tu fais erreur en croyant mon père assez démuni pour soupirer après mon retour. Parthalan, Aindreas et Aonghus seraient-ils tous occis que Mànas MacNèil préférerait encore passer le flambeau à un étranger que de m'autoriser à m'asseoir dans son faudesteuil* et devenir le prochain chef du clan.

Ois bien ceci, l'Hermine : à Mallaig, n'attends pas de moi autre chose que mes pécunes. Mais celles-ci, je te l'assure, ne te feront jamais défaut. C'est pour cela que je continuerai à me battre, sous l'étendard de Dunbar ou d'un autre, même si la lame amie n'est plus à ma dextre et que mon cœur en demeurera longtemps marri.

Dieu te protège,

Ton mari, Baltair

Je repliai lentement la feuille, plus dépitée qu'allègre. Ainsi, grâce aux bons offices d'une soubrette, Baltair se souvenait que j'étais son épouse ; que j'étais enceinte et que j'avais des raisons de m'inquiéter de lui. Qu'il ait un père vieillissant, que son frère aîné soit impotent, que son rang familial l'invitât à prendre des responsabilités envers son clan et que son rôle d'époux exigeât davantage de présence que l'envoi d'une bourse de subsistance, tout cela continuait à lui échapper. J'étais indignée. Fallait-il qu'il ait chéri son compère Tadèus pour être à ce point obnubilé par sa mort ?

La pensée de la jeune Anna vivant douillettement sa grossesse aux côtés de mon mari, se réconfortant et partageant avec lui la perte de l'être aimé, le conseillant sur sa correspondance avec moi et sur je ne sais quoi encore : cette image de la félicité domestique resurgit en moi, plus intolérable que toute autre situation dans laquelle j'évoquais Baltair. Anna Chattan était sous sa protection, alors que, moi, j'étais sous celle de mon beau-père ; le ventre d'Anna Chattan avait inquiété mon mari, alors qu'il se souciait in extremis du mien ; il se serait reproché la perte de l'enfant de son ami si Anna avait fait une fausse couche, alors qu'il parlait de celui que je portais comme du rejeton d'une inconnue par lequel elle cherchait à s'introduire dans une famille… « Bon sang, Baltair MacNèil ! m'écriai-je, n'éprouves-tu rien d'autre pour moi que l'estime accordée à un habile négociateur ? Ne suis-je à tes yeux qu'une entremetteuse, qu'une opportuniste ou qu'une épouse complaisante au lit ? »

Rageusement, je me défis du talisman qui rejoignit le miroir d'Alasdair dans sa cachette, mais j'hésitai à faire subir à la lettre le même sort qu'à celle du comte de Ross. Pour l'heure, je devais me calmer et me donner la chance de relire mon mari et d'y trouver, avec un peu de maîtrise de soi, une interprétation plus favorable. Je fermai les yeux et tentai de me raisonner : « N'était-ce pas les graines de la jalousie que la lettre de Baltair semait en moi ? Étais-je si mesquine que j'enviais l'amitié qu'il portait à un compagnon d'armes défunt et la mansuétude dont il entourait la veuve enceinte ? » Cette réflexion méritait d'être approfondie et je me jurai de le faire. À ce moment précis, l'enfant dans mon sein bougea et la douce ondulation de mon ventre me déconcerta.

Chevaucher dans les traces du comte de Carrick afin de s'assurer qu'il ne revoie pas sa dulcinée constituait la mission la plus ennuyeuse que MacNèil n'eût jamais envisagée. À dix-huit ans, le prince David était majeur et, au courant de l'été, avait épousé Élisabeth, la fille du comte de March, sous les pressions de ce dernier. Or Robert III, qui n'avait d'abord manifesté aucune opposition aux fréquentations de son fils et de la fille du comte de March, faisait maintenant marche arrière et demandait à l'Église l'annulation du mariage précipité du prince, en arguant qu'il n'avait pas reçu l'aval du Parlement.

En novembre, afin de s'assurer que le comte de Carrick ne vive pas sous le même toit que son épouse, le roi fit masser une armée dans le bourg de Haddington, près du château du comte de March. Comme le prince tenait ses quartiers dans le comté de Moray à ce moment-là, Robert III somma Thomas Dunbar de le surveiller et de l'empêcher de se présenter à Haddington. Malheureusement pour le comte de Moray, ce mandat royal lui plaçait le doigt entre l'écorce et l'arbre, car Élisabeth était sa cousine. Cela voulait dire que, s'il œuvrait pour le roi, il agirait à l'encontre des intérêts de son oncle, Georges Dunbar, le puissant comte de March.

Mais l'ineffable comte de Moray trouva une solution à son dilemme, qu'il s'évertua à expliquer à MacNèil en lui confiant par écrit une nouvelle mission :

... les annulations de mariage sont certainement les négoces qui progressent le plus lentement... Mais, franchement,

je ne serais pas fâché que celui-ci n'aboutisse pas. Mon oncle a bien joué ses cartes et mérite qu'Élisabeth soit la future reine d'Écosse. Si cela devait être, il serait extrêmement inconvenant que je paraisse lui avoir nui ouvertement dans cette affaire. Aussi, je pense qu'il serait infiniment préférable que nous n'ayons pas à employer de méthodes coercitives pour maintenir le comte de Carrick loin de ma cousine.

Je suis parvenu, Dieu soit remercié pour le talent dont Il m'a pourvu, à convaincre le prince de mener une belle et bonne équipée dans les Highlands avec toi : une tournée dans le comté de Ross, assortie d'une visite au Seigneur des Îles sur la côte ouest. Comme ton épouse est apparentée au comte de Ross et à l'épouse de MacDonald, tu devrais pouvoir arranger tout cela très bien. Je ne te demande qu'une chose, que notre jeune prince passe l'hiver là-bas et ne revienne qu'au printemps sur la côte est. D'ici là, notre souverain aura, sinon obtenu gain de cause, au moins lâché le morceau, ce qui serait tout à fait conforme à sa manière fluctuante de régner.

Je te souhaite bonne chance, MacNèil, et ne tarde pas à te rendre à Elgin : tu sais combien Carrick ne tient pas longtemps en place et change souvent d'idée...

MacNèil ne vit qu'un avantage à cette mission de nourrice auprès d'un garçon dont il avait deux fois l'âge : celui d'organiser une expédition à travers les Highlands de concert avec son épouse et, éventuellement, de la voir à Mallaig avant qu'elle n'accouche. Le lendemain de la réception de la lettre de Dunbar, MacNèil s'empressa de rejoindre le comte de Carrick à Elgin et il quitta Bona en emportant avec lui deux pigeons de Mallaig pour correspondre avec Lite.

Le dernier passage de MacNèil à Elgin remontait à six ans auparavant, lors du raid sur la cathédrale avec la troupe du comte de Buchan. En longeant l'enclos canonial pour entrer dans le bourg, il se remémora l'événement avec douleur: la colère avait depuis longtemps disparu, mais l'amertume était toujours présente en lui, comme une tache de rouille sur une lame. Il secoua la tête pensivement pour chasser ses sombres pensées et poussa sa monture à prendre le trot afin de passer rapidement devant la maison du shérif où il avait été emprisonné. La route serpentant au milieu des échoppes et des maisons jusqu'à la grand-place d'Elgin était défoncée par plusieurs journées de pluie ininterrompue et si encombrée de boue et de détritus que MacNèil ne mit pied à terre que lorsqu'il fut arrivé devant la pension où logeait le comte de Carrick.

Fenêtres et portes closes, cette demeure ne sembla pas très fréquentée au premier coup d'œil et MacNèil craignit que le prince David n'ait déjà quitté l'endroit, mais il fut aussitôt soulagé d'entendre la tenancière lui annoncer, en le faisant entrer avec ses hommes, que le comte de Carrick était bien chez elle, en compagnie de son cousin Stewart, depuis quelques jours.

Sur le coup, MacNèil pensa à Murdoch, le fils du comte de Fife et justicier royal au nord de l'estuaire de Forth. Il estimait le gaillard et, les quelques fois où il l'avait rencontré, il avait été impressionné par son expérience militaire. MacNèil était curieux de voir comment l'homme composait avec le caractère versatile de son cousin royal et il hâta le pas derrière la tenancière qui l'escorta à l'étage. «Messire Baltair MacNèil! claironna-t-elle, en poussant les battants de la porte de l'appartement du comte de Carrick, puis elle s'effaça devant MacNèil qui pénétra dans la pièce.

– Ah, déjà? fit le prince David. Nous allons enfin pouvoir la faire, cette expédition dont Moray me rebat les oreilles depuis des semaines. Entre, MacNèil, viens que je te présente mon cousin Alexandre. Il nous accompagne: j'ai eu l'idée de l'introduire auprès de toutes les personnes importantes dans l'ancien territoire de son père... Nous allons en surprendre plus d'un avec le retour d'un autre Alexandre Stewart!»

MacNèil se figea sur place. Au fond de la chambre, appuyé au manteau de la cheminée, se trouvait le fils de Buchan. Un sourire provocateur tirait sa bouche juvénile sous sa moustache noire et, quand le moment de stupeur fut passé, il s'avança, main tendue, vers MacNèil: «Je connais bien le Gaël du comte de Moray, David, les présentations sont inutiles entre nous... Bonjour, MacNèil. Comme il sera agréable de chevaucher au botte à botte avec toi! Les Highlands, c'est un peu ton ancien territoire à toi aussi, je pense...

– C'est encore mon territoire», siffla MacNèil entre ses dents, en serrant rageusement la main tendue de son ennemi.

À voir le comte de Carrick béat d'insouciance, MacNèil présuma que ce dernier devait tout ignorer de son conflit avec Stewart. Que le prince conçoive l'idée de favoriser des contacts entre son cousin bâtard et les seigneurs highlanders, autrefois sous la botte du problématique comte de Buchan, relevait d'une inconscience attribuable à une erreur de jugement. Mais que le prince lui imposât la présence d'un homme qui essaierait d'attenter à sa vie à la première occasion, dans une expédition où ce dernier nuirait plus qu'il n'aiderait à la réputation de la maison royale, cela était inacceptable aux yeux de MacNèil.

«Mon seigneur, comte de Carrick, dit MacNèil d'un ton ferme, j'aimerais m'entretenir seul à seul avec vous un moment, si vous le permettez…

– Mais pourquoi pas? Laisse-nous, Alexandre: nous irons te rejoindre en bas plus tard…

– Merci, comte», fit doucement MacNèil, tout en lançant à Alexandre Stewart un regard de défi que celui-ci ignora en quittant la pièce d'un pas sec.

Le prince David possédait un visage anguleux encadré de longs cheveux bruns et raides, un nez étroit et des pommettes saillantes imberbes. C'était un jeune homme plein d'énergie, un peu imbu de sa personne et fort désireux de faire sa place au sein du royaume le plus rapidement possible. Il offrit un siège à MacNèil et resta debout, se plaçant avec grâce devant l'âtre. Comme la porte se refermait sur Stewart, il prit la parole sans plus se soucier que son interlocuteur eût quelque chose à lui communiquer: «Moray est émouvant, dit-il. Il s'imagine que je ne vois pas clair dans son jeu, mais je sais très bien que personne ne souhaite ma venue à Haddington et qu'il a expressément été mandaté pour m'expédier le plus loin possible de sa cousine Élisabeth Dunbar… Je vais te confier une chose, MacNèil: ce branle-bas était tout à fait inutile.»

Cette entrée en matière intrigua aussitôt Baltair MacNèil. Voyant l'intérêt suscité chez lui, le prince poursuivit son explication: «Inutile parce que je suis bien aise de ne pas vivre avec mon épouse et que je n'ai jamais eu l'intention de le faire. Pourquoi donc? Parce qu'elle m'ennuie, qu'elle n'est pas jolie et qu'elle est trop vieille pour moi. Son père m'a précipité dans ses bras en espérant remporter un trophée : l'héritier du trône comme gendre. Mais il n'est pas le seul à avoir eu l'idée ; Archibald Douglas le Noir a également une fille à marier. Remarque qu'elle n'est guère plus jolie et jeune qu'Élisabeth, mais j'aime assez croire qu'il pourrait y avoir de la surenchère entre les comtes de toute l'Écosse si l'on me démariait. J'avoue avoir accepté un peu trop vite cette union avec les Dunbar... Mais tu comprends, MacNèil, j'avais défloré la fille du comte de March, alors... L'honneur d'un prince est tel qu'on ne peut y échapper.

— ...

— Comme tu le constates, je ne vais pas dans les Highlands que d'une fesse. Au contraire, l'expédition m'enthousiasme. Et puis, avec Alexandre, on est assuré de bien s'amuser. C'est le meilleur boute-en-train que je connaisse : quand il s'y met, il surpasse le comte de Buchan, son père, et Dieu sait que mon oncle ne donnait pas sa place pour se divertir partout où ses chevauchées le menaient...

— Justement, mon seigneur, coupa MacNèil, c'est précisément du comte de Buchan que je voulais vous parler. On ne peut pas dire que la marque qu'il a laissée dans les Highlands soit particulièrement admirable, ni qu'elle soit propice à rehausser votre prestige en tant que futur monarque. Vous vous apprêtez à froisser plusieurs susceptibilités en forçant la main à ceux qui n'ont aucun désir d'établir des liens avec le fils bâtard de votre oncle : je pense en particulier au comte de Ross et à son beau-frère, le Seigneur des Îles...

« – Et à la pupille de feu ma tante, la comtesse de Ross. Elle s'appelle Lite MacGugan, je crois, et est en l'occurrence ton épouse, alors qu'il était prévu qu'elle soit mariée à Alexandre... Je sais tout cela, MacNèil, je suis mieux renseigné que tu ne le penses. Pour tout te dire, faire une visite de courtoisie à Finlaggan ou à Dinkeual n'entre pas dans mes projets. Je veux aller chasser dans les forêts des hautes terres les mieux pourvues de gibier et m'encanailler dans les petites auberges retirées, loin de la reine et de mes idiotes de sœurs. Nul besoin pour cela de manger à la table du Seigneur des Îles ou du comte de Ross. Je connais bon nombre d'autres châteaux qui abaisseront leur pont-levis devant ma suite avec beaucoup d'empressement.

– En ce cas, mon seigneur, je ne serai pas du voyage. Si vous n'avez pas l'intention d'aller à Yle ou à Dinkeual, mes services deviennent superflus. Alexandre Stewart remplira aisément les offices de truchement* en langue gaélique qui m'étaient dévolus durant vos déplacements dans les Highlands, en même temps qu'il vous servira d'escorte compétente. Avec votre permission, je vais aviser le comte de Moray de votre décision et de la mienne...

– Moray connaît déjà ma décision, MacNèil. Je lui ai envoyé un courrier ce matin pour l'informer de mon nouvel itinéraire et lui confirmer que je te gardais dans ma troupe pour tout l'hiver. Je crains que tu n'aies pas vraiment le choix d'en faire partie... à moins que tu ne choisisses d'abandonner le comte de Moray en même temps que ton chef-lieu de Bona... »

CHAPITRE XI

L'ARRIVÉE D'UNE NOURRICE
ET LE DÉPART D'UN NEVEU

L e jour où vint la délivrance, le 13 janvier, il gelait
à pierre fendre et, malgré le feu qu'on entretenait
continuellement dans mon âtre, je donnai naissance en
frissonnant. Le mois de décembre n'avait pas reçu les
bordées de neige coutumières à cette époque de l'année
sur la péninsule de Mallaig et la température sèche et
froide avait brûlé tout ce qu'il y avait de fourrage au sol.
Les bêtes en souffraient et nos serfs envisageaient de
traverser un autre hiver de famine. Le seigneur Mànas
avait pris des mesures pour prévenir la disette au château en réduisant le personnel au maximum. Ainsi, je
n'eus l'accompagnement que d'une sage-femme, l'autre
étant demeurée au chevet de Rosalind qui avait enfanté
un garçon, deux jours plus tôt.

L'accouchement faillit me coûter la vie et je me jurai, amère, de ne plus jamais procréer. Pourtant j'avais
quelques raisons de me réjouir : j'ajoutais un second descendant mâle dans la lignée des MacNèil ; il était rose,
gros et vigoureux et promettait d'être très grand.

Cependant, on n'eut de louanges que pour le rejeton de ma belle-sœur : un enfançon malingre dont on craignit pour la vie tant son teint laissait à désirer. Mes beaux-parents extasiés assiégèrent la chambre de Rosalind et ne vinrent qu'une seule fois dans la mienne, ce qui ne m'étonna qu'à moitié : la morosité de mon beau-père envers son fils Baltair continuait de peser sur ma popularité au château.

Au creux de mon lit, dont on tenait fermées les courtines pour conserver sa chaleur, je me tins recluse durant des jours, me levant très peu et ne bénéficiant que de la compagnie de l'intendante qui me faisait une visite quotidienne et celle d'une vieille servante qui m'assistait dans les soins à donner à mon fils. Esseulée la plupart du temps, je passais de longues heures à relire l'unique missive que Baltair m'avait fait parvenir d'Inverness par un de mes pigeons. Ce faisant, je me reprochais la lettre que je lui avais écrite sous l'empire de l'irritation, en réponse à la sienne, inspirée par la pauvre chère Anna, en novembre. Cependant, je gardais l'espoir qu'il n'avait pas eu le temps d'en prendre connaissance avant de quitter Bona pour le service du comte de Moray et plus je relisais la courte missive de mon mari, aimable et sans allusions aux mots durs que j'avais eus pour lui dans ma correspondance précédente, plus j'étais confortée dans cette espérance qu'il n'avait pas lu mon courrier, sans songer qu'il le lirait tôt ou tard.

Quant à ma réponse à la proposition impétueuse d'Alasdair, je n'éprouvais aucun remords de l'avoir écrite. En même temps que ma réponse à Baltair, j'avais vertement éconduit le comte de Ross en lui signifiant très clairement que je n'avais nulle intention de devenir sa maîtresse. Cette communication était évidemment restée sans écho de sa part et j'en fus bien aise. J'attirai la chandelle plus près de moi sur la table et je pris la lettre de mon mari que je connaissais maintenant mot à mot :

À Lite de Mallaig, de Baltair MacNèil à Inverness

Chère Hermine, Dieu te protège.
Encore une fois, Dunbar m'envoie courir par monts et par vaux au moment même où je me proposais d'aller te voir. Je dois de nouveau diriger l'escorte du prince David et je prévois être absent de Bona tout l'hiver. L'itinéraire nous fera parcourir les terres des Munro au nord de l'estuaire de Firth et il est vraisemblable que nous poussions l'expédition jusque dans le Sutherland : Carrick voudrait passer Nollaig au loch Shin. Je serai donc loin, très loin de toi dans les jours de ta délivrance et je prie le Tout-Puissant que cela se passe sans misères. Notre correspondance sera impossible à tenir et, dès que ma mission sera terminée auprès du prince, je tenterai d'aller à Mallaig. Sois courageuse, l'Hermine, et Dieu t'assiste aux heures difficiles : je ne veux pas être veuf, tout comme tu ne veux pas, je crois, être ma veuve.

Ton mari aimant
B. M.

Mon fils recommença à pleurer dans son ber et je soupirai d'exaspération. La vieille servante entra au même moment dans la chambre et s'empressa de prendre l'enfant qu'elle m'amena dans le lit. Avec résignation, je déposai le feuillet de MacNèil sur la table, découvris ma poitrine douloureuse et tendis les bras.

Dès que la joue de mon fils toucha mon sein, sa bouche cessa de crier et sa tête se mit à osciller avec frénésie. Il s'empara du tétin et suça gloutonnement durant une bonne minute, puis il lâcha prise et hurla, le visage rouge de colère.

«Votre lait est clair et peu abondant, il ne peut contenter un enfançon de deux semaines, dit tristement la servante qui m'observait. Ne vous inquiétez pas, ma dame, et continuez à lui offrir le sein. Souhaitons bientôt trouver une nourrice et cela ira mieux.

— Celle du fils de Rosalind ne pourrait-elle pas allaiter les deux enfants? demandai-je à travers les cris aigus du bébé que je tentais d'installer à mon autre sein.

— Je suis désolée, ma dame, le petit Raonall a besoin du lait le plus riche et dame Égidia et sa fille ne veulent pas qu'il en manque… Vous comprenez… c'est délicat.

— Même pour quelques tétées? Cela calmerait mon fils s'il pouvait boire un autre lait…

— Ma dame, si vous commencez ce régime, vos seins se tariront à coup sûr et la vie de votre fils sera définitivement menacée. Soyez patiente, nous trouverons bien une nourrice d'ici quelques jours… Ah, j'oubliais! Voici une lettre qui est arrivée de Bona ce matin», fit-elle, en plongeant la main dans la large poche de son tablier. Elle en sortit un pli racorni qu'elle déposa sur les draps à côté de moi, puis s'en fut en m'assurant qu'elle reviendrait plus tard pour langer le petit.

«Des nouvelles de ton père, chenapan! Tais-toi et bois!» fis-je, en introduisant le mamelon dans la bouche rose de mon piaillard de fils. À mon ton, il ouvrit grand les yeux et me fixa d'un air placide, puis, en agitant les mains, il se mit à sucer mollement. Je m'appuyai sur les coussins massés dans mon dos et me détendis. Mon fils, dus-je reconnaître en le contemplant, avait les traits d'Alasdair : des yeux et des cheveux très foncés, les membres longs et les doigts effilés. Je lui souris rêveusement. Il sentait le lait de partout, dans le cou, au creux des bras et jusqu'à ses petons que je libérais de leurs langes quand il buvait contre moi. Je ne me lassais pas de les admirer et je les massais tout le temps que durait le boire, ce qu'il semblait apprécier.

Cette fois-là, je n'y touchai pas et, de ma main libre, je décollai le sceau sur le pli en provenance de Bona. Dès que j'eus réussi à déplier la feuille, je fus déçue par la longueur de la communication qui tenait en quelques lignes griffonnées à la hâte. La mission de Baltair s'était terminée en décembre avec l'annonce que le pape Bénédict XIII annulait le mariage du comte de Carrick avec Élisabeth Dunbar – un événement que j'ignorais. Puis, Baltair faisait mention d'un drame survenu à Bona durant son absence et qui avait retardé son départ pour Mallaig, sans spécifier de quelle nature était l'affaire ; et enfin, il me prévenait de son arrivée pour la fin du mois :

... la route sera longue car je serai chargé... avise mon père de ma venue et dis-lui que je souhaite résider au château quelques jours... j'espère te trouver dans de meilleures et aimables dispositions envers moi et que ton enfant, mâle ou femelle, se porte bien : tant d'enfançons ne voient pas le jour ou ne vivent guère plus longtemps que le premier...
À un très bientôt, l'Hermine, Dieu te garde.
B. M.

MacNèil apprit avec soulagement le message de Robert III à son fils, l'informant que son union illégale avec la fille de Georges Dunbar était dissoute par décision papale. Cela rendait caduc son mandat auprès du prince et le libérait du devoir de l'escorter. Tout au long de l'expédition au loch Shin, il s'était senti piégé par l'arrogant cousin Stewart qui avait essayé à maintes reprises de lui faire perdre le contrôle en le provoquant à la pointe de l'épée, sous couvert de duels amicaux. Mais ces escarmouches n'avaient rien d'amical et il s'en fallut de peu que l'une d'elles ne tournât en tragédie. Mac-Nèil se tenait coi sur son conflit latent avec Alexandre Stewart, mais ce n'était pas le cas de ce dernier qui multipliait les allusions à l'incarcération du cateran à Lochindorb. Elles finirent par intriguer le comte de Carrick dont les questions obligèrent son cousin à dévoiler sa rivalité avec MacNèil. Tout cela sembla amuser le prince plus que l'inquiéter. Les provocations de son cousin envers son capitaine de milice eurent même l'heur de le divertir, mais il intervint toujours au bon moment pour éviter mort d'homme. L'ambiance de cette expédition demeura tendue pour MacNèil et ses hommes et l'air devint presque irrespirable à certains moments pour eux.

Ainsi, quelques jours après Nollaig, MacNèil demanda son congé au comte de Carrick qui le lui accorda sans hésitation. Avec ses hommes, il descendit à Bona à bride abattue, essuyant mauvais temps et bourrasques de neige sur la route. Était-ce l'urgence de s'éloigner du menaçant Alexandre Stewart qui poussait Mac-

Nèil à forcer l'allure de sa troupe ou autre chose qu'il percevait plus confusément ? Il n'aurait su le dire ni l'expliquer. Mais quand les palissades carbonisées de Bona se dressèrent devant lui, il comprit que c'était l'intuition d'une calamité qui l'avait éperonné.

La vieille Brigits et Anna étaient les deux seules survivantes d'un raid qui était survenu une semaine plus tôt. MacNèil les découvrit retranchées dans le caveau des cuisines qui étaient la seule partie du château à n'avoir pas été détruite. Un maigre feu dans l'âtre de cuisson illuminait leurs visages défaits et leurs yeux hagards. Elles manifestèrent ni joie ni soulagement à le voir, et cette attitude poigna MacNèil au cœur. « Qui a fait ça ? s'enquit-il, quand il put les interroger doucement. Ont-ils dit le nom de celui pour qui ils œuvraient ? Combien étaient-ils… avez-vous vu leurs armoiries ? Pourriez-vous me les décrire ?

– Ils ont attaqué de nuit, messire, on n'a presque rien vu de leurs visages ou de leurs vêtures, alors pour leur blason… », répondit sourdement la vieille Brigits.

MacNèil n'insista pas. Dans les jours qui suivirent son retour, il s'employa à déblayer les décombres avec ses hommes et fit quérir le curé du village pour bénir les sépultures des quatre morts : l'intendant et les trois archers restés de faction à Bona. L'un d'eux livra la réponse sur les auteurs du crime : on trouva entre ses doigts crispés une boucle de plaid à effigie de loup, les armes du comte de Buchan. MacNèil se questionna longtemps sur cette découverte : père et fils Stewart avaient-ils été de connivence afin de profiter de son absence pour donner l'assaut à Bona ? Quoi qu'il en fût, la vérité finirait par refaire surface et, à ce moment-là,

MacNèil se promettait bien de prendre sa revanche. Pour l'heure, il fallait rendre compte de la destruction de Bona au comte de Moray et, comme il ne pouvait le faire par lettre, MacNèil repartit avec un seul homme, laissant les trois autres auprès des deux femmes dans le réduit qu'étaient devenus les vestiges du château.

À Inverness, Thomas Dunbar reçut son capitaine de Bona avec agacement et retarda leur entretien de quelques jours. Depuis la fin du siège du roi à Haddington, il se sentait dans une situation équivoque: son doigt, pris entre l'écorce et l'arbre, commençait à pincer très douloureusement, car des rumeurs inquiétantes circulaient sur son oncle, Georges Dunbar, comte de March, qui, en représailles à la dissolution du mariage de sa fille, manigançait une alliance avec le roi d'Angleterre pour affaiblir les positions écossaises sur la frontière. Afin de s'assurer de la fidélité du neveu de Georges Dunbar à la Couronne, Robert III s'était empressé de l'investir d'une nouvelle mission dans la lutte contre le Seigneur des Îles: Dumbarton, une de ses places fortes sur la côte ouest, venait de perdre son constable et la forteresse était passée sous le contrôle du frère du défunt. Or, cet homme refusait de donner son allégeance au roi parce que la pension versée pour la garnison de Dumbarton n'était plus payée par la maison royale depuis des années.
L'annonce de la perte de Bona, bien qu'elle irritât fort Thomas Dunbar, lui permit de trouver un dérivatif à son malaise provoqué par la récente demande royale. «MacNèil, fit-il, connais-tu Walter Danielston? Il tient Dumbarton depuis la mort de son frère, l'automne dernier. Nous avons des raisons de croire qu'il est de mèche

avec le comte de Fife pour soustraire le château à l'autorité de Robert III. Personnellement, je crois qu'une jolie bourse suffirait à le ramener à de meilleurs sentiments, mais notre souverain tient à introduire dans la place des hommes fidèles à la Couronne. Évidemment, on insiste pour déléguer un capitaine expérimenté et capable d'exercer une certaine surveillance sur la flotte du Seigneur des Îles depuis l'embouchure de la Clyde. C'est pourquoi on fait appel à moi… et que je vais faire appel à toi…

– …

– Mon cher, Bona n'est plus, qu'à cela ne tienne ! Nos activités sur le loch Ness ne méritent plus que je réinvestisse dans la région. Tu vas plutôt mener nos forces à Dumbarton… Je paie tes gages et ceux de tes hommes et le roi paiera vos pensions directement à messire Danielston. Qu'en penses-tu ? Tu ne réponds rien ?

– Dumbarton est dans le comté de Lennox et non dans le vôtre. Pourquoi le roi fait-il appel à vos ressources, comte de Moray ?

– Il n'a pas confiance en Duncan Lennox et il a raison. Ce comte capricieux est lié à Murdoch Stewart et au comte de Fife et ces trois-là ont de grands intérêts dans la forteresse de Dumbarton. C'est une des meilleures places fortes qui soient sur la côte ouest, MacNèil.

– À combien s'élèvent les subsides de Danielston pour maintenir une garnison à Dumbarton ?

– Ses honoraires sont compris dans son salaire de shérif du bourg, environ dix livres par an. Bien sûr, il bénéficie en plus de l'usage du château pour lui et les siens. À ce que j'ai entendu dire, il y mènerait grand train…

– À combien fixez-vous mes gages pour conduire cette opération d'infiltration et quelle solde toucheront mes hommes?

– Quatre marcs[7] par mois pour toi, et les douze sous[8] accoutumés pour chacun de tes hommes. C'est pas mal, quand on sait que les pécunes du roi couvriront vos subsistances au château.

– Vous savez comme moi, comte, que les pécunes du roi passent en trop de mains pour aboutir entières dans la bourse à laquelle elles sont destinées. Disons que je ne tablerais pas trop sur notre pension royale. En outre, j'ai perdu mes biens avec la chute de Bona, si je dois m'installer à Dumbarton pour plus d'un an, je veux un acompte de huit livres pour le gîte et le couvert de ma garnison. Vous les réclamerez au roi par la suite : vous êtes mieux placé que Danielston ou moi pour les récupérer.

– MacNèil, tu sembles oublier que je perds les revenus de Bona en perdant le château puisque son métayer et sa femme ne me rapporteront plus rien. Comme tu n'apportes aucune preuve tangible de l'identité des gredins, je ne peux rien réclamer de personne. Ainsi donc, j'essuie un manque à gagner dans la destruction de cette place dont tu avais la charge et je devrais en plus t'avancer une somme pour ta réinstallation? As-tu par hasard l'intention d'entretenir des femmes pour toi et tes hommes, comme tu l'as fait à Bona? Si tel est ton projet, je t'arrête immédiatement : Dumbarton se présente comme une résidence déjà toute

---

7. Un marc vaut les deux tiers d'une livre.
8. Une livre vaut vingt sous.

garnie; les garces y abondent et elles sont assez ployables, à ce qu'on dit...

– Comte, j'ai perdu des hommes et des biens qui seraient encore miens si vous ne m'aviez pas empêché de les défendre en m'expédiant dans le Sutherland avec le comte de Carrick. Les huit livres que je demande ne sont pas négociables. Je trouverai à m'employer ailleurs si vous estimez que le service de mes armes ne mérite pas cela.»

Ce disant, MacNèil se leva et replaça son baudrier sur son flanc en faisant glisser sa ceinture autour de sa taille. Le comte de Moray détestait qu'on prenne congé de lui avec tant de désinvolture. Il passa une main nerveuse sur son crâne dégarni et retint son vis-à-vis d'un ton sec: «Que tu es intraitable, MacNèil! Soit, je te les accorde, ces huit livres! Va, va avec tes hommes. Mais que je n'entende pas que des femmes sont trimballées dans ta suite. Je serais alors extrêmement irrité et je deviendrais intraitable, moi aussi...»

MacNèil n'eut même pas un mot aimable pour son patron. Le visage fermé, il sortit du cabinet, se fit régler les subsides par le secrétaire du comte et quitta Inverness le même jour. Une vague de froid s'était abattue sur le pays et il chevaucha transi, les pieds et les mains gelés, jusqu'à Bona qu'il atteignit à la tombée de la nuit. Là, une nouvelle épreuve l'attendait: Anna avait accouché d'un enfant mort-né.

La vieille Brigits avait emmailloté le petit corps, puis l'avait placé dans les bras de la jeune mère. Celle-ci, pelotonnée sur une paillasse qu'on avait traînée près du feu, marmonnait des paroles inintelligibles, les yeux fermés et les joues barbouillées de larmes séchées.

« C'était une petite fille, messire, fit la vieille Brigits, quand MacNèil vint s'asseoir à ses côtés. L'enfant était bien formé, mais il a manqué d'air. Ce sont des choses qui arrivent… les desseins de Dieu sont insondables… Je crois que notre Anna a enfin réalisé que messire Tadèus n'est plus de ce monde et désormais mes élixirs ne réussiront pas à détourner sa volonté d'aller le rejoindre. »

MacNèil hocha la tête et ferma les yeux de douleur. Il demeura affligé un long moment, au bout duquel il prit la décision de lever le camp dès le lendemain en emmenant les deux femmes. Il en fit part à Brigits et lui demanda de persuader Anna d'inhumer le bébé avant de quitter Bona, mais la vieille femme mit sa main sur le bras de MacNèil et l'interrompit : « Messire, je n'irai pas à Dumbarton. Ma place est ici, avec mes chèvres et la tombe de mon homme. Partez avec Anna, elle est jeune et elle mérite une autre chance ; emmenez-la dans un endroit sûr, par exemple auprès de votre dame. C'est ce que votre ami aurait fait d'elle, s'il vivait encore. Moi, je reste ici et je vais m'occuper de la sépulture de leur enfant. C'est mon rôle, messire MacNèil, et je sais bien y faire. »

Résigné et convaincu que la vieille avait raison, MacNèil mit en branle les préparatifs de départ. Il demanda à ses hommes d'amasser le plus de bois de chauffage possible dans la voûte qui allait vraisemblablement servir de refuge à la vieille Brigits, puis il s'en fut au fond de la cour. Le colombier n'avait pas été affecté par le raid et MacNèil sortit délicatement un pigeon de Mallaig, le glissa dans son manteau et l'emporta dans la tour de guet. Là-haut, il réussit à trouver de quoi écrire une courte missive à son épouse pour lui annoncer son arrivée.

La vieille servante entra en coup de vent dans ma chambre, tout essoufflée d'avoir grimpé à la hâte les trois étages du donjon : « Ma dame, venez vite ! Dame Égidia m'envoie vous quérir : messire Baltair est là et le seigneur Mànas ne veut pas le recevoir… Laissez-moi l'enfant et enfilez votre robe… Ah, quelle misère ! Vous n'êtes pas coiffée… vous ne serez pas présentable ! »

Tandis qu'elle papillonnait autour de moi tout en s'affolant, mon fils dans les bras, je jetai un œil critique à ma glace sur pied : mes cheveux brillaient d'un lustre doré et je décidai de les laisser libres dans mon dos. Puis, rassurée sur ma mine, je m'emparai de la robe ample que je portais dans mes derniers mois de grossesse et l'enfilai en vitesse par-dessus ma chemise. « Donne-moi l'enfant et lace ma robe… fais vite ! » dis-je à la servante en reprenant mon fils contre moi. Il se mit aussitôt à geindre et je lui tapotai le derrière pour le faire taire. Quand mon vêtement fut attaché dans mon dos, je consultai de nouveau la glace avec satisfaction et, la servante sur mes talons, je descendis au rez-de-chaussée, le cœur palpitant. Mon corps meurtri par l'accouchement n'avait pas encore beaucoup été mis à l'épreuve et la descente des escaliers me donna quelques difficultés.

J'arrivai dans la grand-salle, le front rouge et plissé par l'effort. Autour de l'âtre, dans un silence pesant, se tenaient Baltair, le manteau sur le bras et les gants au poing, l'air buté, dame Égidia, qui se tordait les mains de nervosité, messire Griogair, dans une attitude embarrassée, et mon aimable Guilbert, toujours aussi impassible. Alignés sur des bancs, dos appuyé au mur du fond de la salle, les hommes de la brigade de mon mari encadraient une fille en haillons que je reconnus aussitôt : c'était la jeune Anna. J'affichai un sourire de circonstance et m'avançai vers Baltair d'un pas que je voulus résolu, en soulevant légèrement mon fils devant mon buste. Ce dernier recommença à se plaindre et je me mordis les lèvres, souhaitant que les gémissements ne se transforment pas en cris aigus.

« Baltair, voici ton fils, dis-je sur un ton grave. Il a cinq semaines aujourd'hui. Il a été baptisé, mais je t'attendais pour que tu lui donnes son nom. Veux-tu le voir ? » Mon mari me fixa un long moment dans les yeux et je ne sus qu'y lire : curiosité, contrariété, amitié, déception ? Il reporta son regard sur l'enfant qu'il observa une longue minute, puis il demanda : « Est-il en bonne santé ? Il va bien ?

– Si fait, il geint parce qu'il a soif… Nous lui cherchons une nourrice en ce moment… mais ce sera tout un gaillard de MacNèil », répondis-je.

Ma belle-mère prit aussitôt la parole sur un ton précipité ; elle parla du nouveau-né de Rosalind et tenta d'expliquer pourquoi la seule nourrice de la maison lui était exclusivement dédiée. Tout en nous invitant à prendre place dans les fauteuils, elle poursuivit son babillage lénifiant qui finit par m'embarrasser.

Durant ce temps, Baltair me dévisageait en silence et j'essayais de soutenir son regard, mais les pleurs insistants de mon fils détournaient mon attention. Ils devinrent si énervants que je dus me lever pour me retirer.

C'est alors qu'Anna se mit debout et s'avança lentement vers moi en me tendant les bras. Ma réaction immédiate fut un mouvement de recul : les cheveux ébouriffés, le visage sale et l'air accablé de la jeune femme me rebutaient fort et je n'avais nulle envie de lui confier mon fils. Mais, à mon grand étonnement, mon mari, sans un mot, prit l'enfant et alla le placer dans les bras d'Anna. Je n'osai pas protester et je vis avec stupeur la jeune femme ouvrir son corsage d'une main tremblante et offrir le sein à mon fils. Les pleurs cessèrent immédiatement et le silence qui suivit fut ressenti par tous comme un immense soulagement.

Dame Égidia leva un sourcil et sourit, puis, s'adressant à Baltair, elle déclara que le problème d'hébergement était résolu : « Je me charge d'en aviser le seigneur Mànas. J'y vais céans, accompagnez-moi, Guilbert ! » fit-elle. Elle quitta la salle en saluant aimablement de la tête les hommes de MacNèil au passage. Interdits, ils se levèrent tous ensemble pour lui rendre sa salutation, puis retombèrent sur leurs bancs aux côtés d'Anna qui était revenue y prendre place pour allaiter. Légèrement mal à l'aise, mon beau-frère Griogair me fit un sourire contrit et m'invita avec Baltair à rendre visite à Rosalind après le souper. Sans attendre notre réponse, il quitta lui aussi la grand-salle et je me retrouvai seule devant mon mari.

« Dis-moi, de quel hébergement ta mère parlait-elle ? Pourquoi ton père n'était-il pas présent ?... Que se passe-t-il ? » lui demandai-je, intriguée. Baltair baissa la tête et contempla le bout de ses heuses encore raidies de froid. Il martela à quelques reprises le sol du talon et des petitcs mottes de glace et de boue se détachèrent des éperons et vinrent rouler à mes pieds. Enfin, il me jeta un coup d'œil sévère et retourna prendre place dans son fauteuil où je le suivis. Tendant ses mains devant les flammes, il entama une explication du bout des lèvres et à voix basse pour ne pas être entendu de ses hommes et d'Anna.

Dès son arrivée, le seigneur Mànas lui avait reproché son équipage encombrant et de ne pas l'avoir avisé de la venue d'Anna à Mallaig dans la note qu'il m'avait adressée. Mon beau-père refusait que je prenne la jeune femme à mon service, ce qui avait été le plan de Baltair depuis son départ de Bona. Il me raconta brièvement le malheur qui avait frappé Anna et souligna qu'en sa qualité de nourrice elle venait de se mériter le logement qu'il avait réclamé un peu plus tôt à son père pour elle. «Malgré le peu de sympathie que tu éprouves pour Anna, dit-il, j'ai décidé que tu la garderais avec toi. Je vais payer pour elle, comme je paie pour toi. Elle est brave et va nourrir ton fils, comme elle aurait nourri la petite de Tadèus Fair. Je t'enjoins d'être bonne et généreuse avec elle, car si tu te montrais mesquine, tu me décevrais encore…

— Baltair, je n'ai rien contre Anna! intervins-je d'une voix éperdue. Si ma dernière lettre le laissait entendre, oublie-la! Je t'en conjure, je suis dans les meilleures dispositions qui soient, envers elle comme envers toi. Et, s'il te plaît, ne parle plus de notre enfant comme de mon seul fils. C'est le tien aussi…

— L'est-il? Non, ne réponds pas, l'Hermine. Tu as raison: il suffit qu'il soit MacNèil aux yeux de tous… Je l'appellerai donc "mon fils", mais il portera le prénom "Alasdair". Voilà un autre aspect de ma visite ici qui est réglé: je vais maintenant pouvoir me consacrer à mes affaires.»

Sur ce, il détourna son regard vers les flammes de l'âtre dont les reflets dansants jouaient sur les traits anguleux de son visage. À l'évidence, il gardait rancœur du ton froid de ma dernière missive et ne souhaitait pas s'attarder plus longtemps auprès de moi. Ma gorge se serra et les larmes me montèrent aux yeux. J'enfouis mon visage dans mes mains pour ne pas éclater en sanglots et mes cheveux les couvrirent. « Qu'as-tu fait de ta coiffe ? » l'entendis-je me demander sur un ton sec. Cette petite question anodine fut la goutte d'eau qui fit déborder le vase. Une vague de colère balaya aussitôt ma peine et j'affrontai mon mari en tremblant d'exaspération : « Baltair MacNèil, mes relevailles ne sont pas terminées ; je sors de ma chambre pour la première fois depuis l'enfantement ; je m'habille à la hâte, toute réjouie de te voir et de te montrer l'enfant et ce que tu trouves à me dire le plus privément concerne ma coiffe ! Mais qu'est-ce que je t'ai fait pour ne mériter que tes reproches ? »

Mon mari jeta un coup d'œil en direction de ses hommes qui avaient dressé l'oreille en m'entendant élever la voix, puis il saisit mes mains en me fixant dans les yeux. « Que tu es jolie quand tu t'emportes, mon Hermine ! chuchota-t-il, en approchant son visage du mien avec un sourire dans les yeux. Baise ton mari… tendrement et fais la paix avec lui. » Mon courroux tomba d'un seul coup et je succombai au bleu intense de son regard. Mes lèvres se tendirent vers les siennes et je l'embrassai avec une ardeur contenue, en espérant que ce soit tendrement. Il m'enlaça et me rendit mon baiser par petites touches délicates sur la bouche, le nez, le menton pour terminer dans le cou qu'il picora délicieusement.

«Tu sens bon, ma douce Hermine. Je suis content de te retrouver saine et sauve, susurra-t-il à mon oreille avant de se dégager.

– Ne pars pas, Baltair, implorai-je en le saisissant par les épaules. Reste quelques jours au moins. Comment veux-tu que je te chérisse si tu n'es jamais là?

– Une femme relevant de couches n'est pas en état de "chérir"… Mais je dormirais bien quelques nuits dans ton lit, chastement, si tu ne me provoques pas trop…

– Quand tu me regardes ainsi, c'est toi qui me provoques.

– Alors, évitons de nous regarder!»

Après avoir indiqué le corps de garde à ses hommes, Baltair m'entraîna avec Anna jusqu'à ma chambre où il nous laissa toutes deux, pour gagner celle de Parthalan à qui il voulait faire sa première visite. Sitôt la porte refermée sur moi, Anna et mon petit Alasdair, j'échafaudai des plans pour notre installation. Curieusement, j'étais soulagée à l'idée d'avoir Anna dans ma chambre: il suffirait de lui faire monter une paillasse garnie de draps et de couvertures, de la placer à côté du ber, de trouver des vêtements propres qui lui feraient et de l'envoyer au bain.

Fébrile, j'ouvris le couvercle de mon coffre dans lequel je plongeai les mains à la recherche d'une vêture qui conviendrait à Anna. J'extirpai une chemise et une ancienne robe de serge verte que je portais à Dinkeual et la tendis au bout de mes bras afin d'en évaluer la longueur. Ne sachant où je voulais en venir, Anna m'observait en silence. Quand la servante se pointa le nez, je lui présentai avec enthousiasme Anna comme la nourrice de mon fils et ma nouvelle servante et lui demandai de la conduire à l'étage des domestiques afin qu'elle puisse se nettoyer. «Dieu soit loué, ma dame! fit la vieille femme avec soulagement. Je savais que la sagesse divine ne laisserait pas un enfant comme le vôtre sans lait : voyez comme le mignonnet est bienheureux!»

Tous nos regards convergèrent aussitôt sur le ber dans lequel mon fils reposait en effet, repu et serein. Un singulier sentiment d'admiration pour Anna s'empara de mon cœur: «Anna, reviens vite auprès de moi. Mon fils est un glouton et je ne saurais me passer de ta présence!» lui dis-je. Elle me sourit alors timidement, puis, en serrant contre elle les vêtements que je lui avais donnés, elle sortit de la chambre avec la servante. Je m'approchai du ber et passai tendrement un doigt sur la joue rose du nourrisson endormi, ce qui provoqua un petit rictus sur ses lèvres: «Alasdair... Alasdair MacNèil... pourquoi pas?» songeai-je, amusée. Vidée de toute énergie, je m'effondrai ensuite sur mon lit et fixai, au-dessus de moi, les courtines mordorées que la lueur de la cheminée animait. Je poussai alors un soupir de bien-être: une indicible impression de quiétude flottait dans ma chambre et je m'y sentis vraiment heureuse.

Une heure plus tard, Anna revint en emportant notre repas du soir qu'elle déposa sur ma table avant de s'approcher du ber. Elle portait un bonnet immaculé sur ses boucles noires, ses joues avaient pris un éclat rosé et elle avait attaché à sa taille un tablier de lin qui faisait un joli contraste avec le vert de la robe. Il n'y avait que ses souliers percés qui juraient vilainement avec cette tenue par ailleurs impeccable et je me promis d'y remédier à la première occasion. «Le petit Alasdair dort depuis ton départ, lui dis-je. Ton lait le rassasie, alors que le mien le mécontentait. Je crois que mon mari a été bien inspiré de te conduire à moi et je te remercie d'avoir accepté de nourrir mon enfant...

— Dame Lite, je n'aurais pas pu laisser le fils de messire MacNèil dans la privation de ce que j'ai en trop... Votre mari a été la bonté même pour moi, ma dame, c'est un ange et un saint...

— Certes, tu as raison, Anna... Eh bien, viens t'asseoir avec moi et mangeons ensemble», fis-je, un peu décontenancée par l'aveu de vénération d'Anna pour Baltair.

Ce soir-là, je me mis au lit avant le retour de mon mari dans la chambre. Il avait soupé en compagnie de sa famille et je brûlais d'envie de connaître l'attitude du seigneur Mànas envers lui; leurs relations avaient-elles fait quelques progrès vers plus de sérénité, comme je le souhaitais tant? J'entendis Baltair ouvrir délicatement la porte et j'entraperçus la lueur de sa chandelle au travers des courtines. Quand il se fut dévêtu, il éteignit et se glissa nu sous les draps. Je frissonnai au contact de son corps chaud et musclé se lovant tout naturellement contre le mien: «Tu ne dors pas, l'Hermine? chuchota-t-il dans mon cou.

— Je t'attendais... pour que tu me racontes, lui répondis-je à voix basse.

— Raconter quoi?

— Comment cela s'est passé avec ton père... ta visite à Parthalan, celle à ta sœur Rosalind... N'importe quoi: tu dois bien avoir quelque impression des membres de ta famille que tu n'as pas revue depuis des années!»

Baltair ricana et accentua son enlacement. « Tu es bien curieuse, mon Hermine. En quoi cela te concerne-t-il, mes impressions sur l'un ou l'autre à Mallaig ?

– …

– Je sais : tu ne perds pas espoir que je m'établisse ici un jour… avec toi.

– Et avec le petit Alasdair, ton fils…

– Bien ! Je suis fourbu, mais avant de m'endormir, je puis te dire que Parthalan, je l'ai trouvé aussi absent que son fils, hardi ; Griogair, plutôt calme et prospère ; Rosalind, fatiguée et inquiète ; leur nouveau-né, fort laid et leur fillette, un peu maigrichonne ; ma sœur Maud est toujours aussi rêveuse, quoiqu'elle semble s'être réveillée – est-elle amoureuse ?… ; mère est agitée, elle parle trop, mais j'ignore si c'est la santé de père ou autre chose qui la préoccupe ; quant à lui, je ne sais ce qu'il pense de moi et je te laisse le découvrir, ce que tu t'empresseras de faire dès que j'aurai passé le pont-levis avec ma troupe, j'en suis certain… Je l'ai senti amer et il m'a semblé avoir terriblement vieilli. Mon père ne m'a pas adressé la parole de tout le souper, mais, à chaque question qui m'était posée sur mon emploi du temps ou sur mes relations avec le comte de Moray, il tendait l'oreille pour écouter mes réponses. D'après ce que j'ai pu observer sur son visage, il s'en trouvait satisfait. Je crois que la naissance de deux mâles MacNèil le réconforte, mais la perspective de mourir sans avoir établi solidement sa suite au sein du clan doit le ronger. J'ai surpris certains regards qu'il a posés sur Parthalan et son tourment était évident. Guilbert a brossé un portrait concis et très positif des exploitations du domaine : le port, les cheptels, les marais salants, la tannerie, les différents fiefs. Je constate que le clan tire son épingle du jeu très honorablement sur la péninsule, et que ton rôle a été prépondérant en la matière… Enfin, je n'ai pas beaucoup appris sur les affaires d'Aonghus à Inverness, ou sur celles d'Aindreas au loch Morar : la conversation mourait dès que j'abordais ces deux sujets. Toi, mon Hermine, tu pourrais me renseigner sur mes jeunes frères…

– Certes… demain, si tu veux… je tombe de sommeil céans… », murmurai-je.

Je me sentis incapable de résister à la chaleur qui irradiait dans mon dos appuyé sur le torse de mon mari et je sombrai dans la nuit bienfaitrice. C'est à peine si je perçus le baiser qu'il déposa sur mon épaule. Plus tard, les pleurs d'Alasdair nous réveillèrent, mais ils durèrent si peu longtemps, grâce à l'efficacité d'Anna, que nous nous rendormîmes aussitôt.

Le lendemain matin, nous prolongeâmes fort tard notre bien-être derrière les tentures de l'alcôve du lit. Tout naturellement nous nous caressâmes et nous embrassâmes avec jubilation, sans parler ni même nous regarder. Baltair s'étonna du lait qui sourdait de mes seins qu'il lécha délicatement et c'est bien en vain que je tentai de l'en empêcher. Les bruits que faisait Anna de l'autre côté des courtines finirent par nous rappeler à l'ordre et nous nous séparâmes.

Mon mari sortit le premier du lit, se vêtit et descendit aux cuisines. Mais il remonta aussitôt, ouvrit la porte à toute volée et s'empara de sa claymore qu'il avait laissée dans son baudrier près du lit. Sans prononcer une parole, il ressortit de la chambre aussi vite qu'il y était entré. « Je vais voir ! m'écriai-je, alertée. Reste ici avec le bébé, Anna ! »

Je m'emparai de ma robe que je passai par-dessus ma tête et l'attachai sommairement, puis je quittai la chambre en laissant la porte ouverte derrière moi. Plus je progressais dans les escaliers, plus distinctement me parvenaient des étages inférieurs des cris et des injonctions. Au rez-de-chaussée, une bousculade de serviteurs et de gardes me précéda jusqu'au hall où régnait une grande confusion. Là, je tombai sur dame Égidia en pleurs, soutenue par Maud et la vieille servante. Non loin, Griogair tentait d'apaiser le seigneur Mànas qui vociférait en direction du bureau dont la porte ouvrait sur le hall. Une nuée de gardes en obstruait l'entrée, mais, en m'étirant le cou, j'aperçus Baltair, arme au poing, tenant à distance au fond de la pièce une personne que je ne distinguais pas.

Je m'approchai prudemment dans le dos des gardes occupés à observer la scène et j'entendis Baltair s'adresser à celui qu'il menaçait : « Laisse tomber ton arme : il ne te sera fait aucun mal. Comprends-tu, Struan ? Écoute-moi, mon garçon… écoute-moi ! Regarde-moi ! Désarme et je ne te toucherai pas… Je sais que c'est un accident ; le seigneur Mànas également, alors dépose la claymore à tes pieds. Fais-le, céans ! »

Une longue minute de silence suivit cet avertissement, puis Baltair demanda par-dessus son épaule que les gardes se retirent et s'éloignent. Son ton autoritaire eut l'effet qu'il souhaitait, car les hommes d'armes se retranchèrent dans le hall en me bousculant au passage. C'est alors que je découvris le drame dans toute son horreur : Parthalan gisait sur les dalles du bureau, le cou à moitié tranché et, au-dessus de lui, la lame de Struan couverte de sang frais. Ce dernier se tenait immobile, les yeux exorbités et la respiration sifflante. Il m'aperçut au même moment et murmura qu'il n'avait pas voulu tuer son père, d'une voix si désespérée que je me portai vers lui sans réfléchir. Mon mari tendit aussitôt le bras pour m'interdire d'entrer dans le bureau, mais Struan interpréta mal son geste et pointa son arme sur lui en criant : « Ne touchez pas à dame Lite, misérable, ou je vais vous pourfendre !

– Non ! lançai-je. Struan, cesse de brandir cette claymore ! Rends-la moi, je t'en prie. Messire Baltair a raison : il vaut mieux que tu t'en départisses… »

Ce disant, je me dégageai de l'emprise de Baltair et saisis la lame par la pointe. Ma main glissa sur le sang dont elle était enduite et je dus resserrer les doigts, au risque de m'entailler. Struan, les yeux agrandis par la peur, lâcha soudainement le manche et je me retrouvai tenant au bout de mon bras une claymore pesant près du tiers de mon poids. Évidemment, elle m'échappa des mains. Je marchai aussitôt sur Struan et le pris dans mes bras. Il tremblait tellement que je ne pus le tenir bien longtemps. Mon beau-père entra alors dans le bureau, ordonna qu'on enferme Struan au cachot, puis, sans un regard pour Baltair ou moi, il s'accroupit près du corps et posa son front sur la large poitrine imbibée de sang de son chevalier.

Nous mîmes plusieurs jours à nous remettre de l'événement et à pouvoir réfléchir correctement. Bien qu'il semblât évident que Struan avait touché son père par accident, quand ce dernier avait voulu s'exercer au combat, le seigneur Mànas faisait une tout autre lecture du drame. Il condamnait le bâtard pour s'être prêté à une activité trop dangereuse avec un homme qui n'avait pas tout son jugement. Il lui reprochait surtout d'avoir mis l'arme impitoyable entre les mains du malade.

«Mon père voulait se battre avec sa dextre! s'était défendu Struan. J'étais certain qu'il ne tiendrait pas sa claymore assez longtemps pour frapper... il n'était pas même capable de sangler son cheval avec cette main-là... Je vous jure, je ne m'attendais pas à ce qu'il attaque et j'ai paré son coup d'un geste instinctif. Pourquoi a-t-il avancé la tête dans la trajectoire de mon arme au lieu de reculer? Dieu m'en est témoin, c'est sa fausse manœuvre qui l'a occis.» Les accents de sincérité de Struan qui hurlait son plaidoyer, tandis qu'on le descendait aux caves, me saisirent. Et, quand Baltair me suggéra doucement de remonter à ma chambre, je vis dans ses yeux qu'il partageait mon désarroi.

Par la suite, je constatai que mon mari non seulement croyait sincèrement le fils bâtard des MacNèil, mais qu'il lui témoignait une réelle sollicitude. Il s'entretint de longues heures seul à seul avec lui dans son lieu de réclusion, et il s'obstina à infléchir la décision du seigneur Mànas qui voulait mettre à mort le jeune homme dès après les obsèques de son père. Mais Baltair eut finalement gain de cause et obtint de prendre Struan avec lui et de l'emmener loin de Mallaig.

Je garde de ce triste épisode de la vie de ma belle-famille un souvenir imprécis. Je ne descendis du troisième étage du donjon que le jour des funérailles de Parthalan et ce ne fut que pour quelques heures, aux côtés de Baltair. Toute l'information que j'obtins sur le sort réservé à Struan me fut rapportée par mon mari. Dans les jours qui suivirent la mort de Parthalan, quand il venait chaque soir nous retrouver dans la chambre, moi, Anna et le nourrisson, il s'ouvrait sur les répercussions du drame. La gaieté avait disparu de son beau visage et il avait cessé de me faire des câlineries, attitude réservée que je respectai en évitant de le toucher.

Je pense que Baltair avait sincèrement aimé son frère aîné et il l'exprimait en prenant son fils sous son aile. En l'épiant quand il était autour du lit et en l'écoutant relater les faits marquants de sa journée, je découvris qu'il s'identifiait au pauvre garçon blâmé et rejeté par le seigneur Mànas. J'eus beaucoup d'admiration pour sa ténacité dans la guerre d'usure qu'il mena à son père dans le but de sauver Struan d'un destin cruel, et je m'aperçus plus tard que je n'avais pas été la seule à l'estimer. Ma belle-mère, mon beau-frère Griogair, Rosalind, Maud, le vicaire du château et le capitaine de la garde louangèrent tour à tour le fils Baltair qui avait fait preuve de miséricorde envers le pauvre bâtard de Parthalan. Mais, malheureusement pour moi, la victoire de Baltair pour la libération de Struan eut comme conséquence de précipiter son exil du château. Il n'était pas sitôt sorti du cabinet de son père avec un règlement sur la tutelle de son neveu qu'il se rendit au corps de garde pour rassembler sa brigade et sonner l'heure du départ. Mon mari descendit ensuite aux caves pour délivrer Struan et je l'y suivis furtivement.

Le jeune homme faisait pitié à voir. L'air abattu, le dos voûté, ses cheveux courts et sales, la vêture encore maculée de sang séché: tout dénotait son abandon et son désespoir. Loin d'être rebuté par cet aspect débraillé, Baltair prit son neveu à bras-le-corps et l'étreignit un long moment avant de l'entraîner hors de la geôle. Quand ils passèrent devant moi, je touchai la joue de Struan du bout des doigts en signe de réconfort et une lueur de reconnaissance traversa son regard. «Dame Lite, souffla-t-il, si vous saviez comme j'aurais aimé vous avoir pour mère!... » Cet aveu inattendu me toucha tellement que je me figeai sur place et regardai les deux hommes s'éloigner dans le couloir sombre et humide, tout à coup aussi triste de perdre l'un que l'autre.

À part messire Griogair, Maud et moi, personne du château n'assista au départ de l'équipage de Baltair et de Struan dans la cour. Une fine neige tourbillonnait dans l'enceinte et un vent léger battait mollement les bannières au sommet du donjon. Le temps était gris, tout comme l'humeur de la famille MacNèil. Je serrai ma cape autour de mes épaules et je m'approchai du cheval de mon mari, qu'un palefrenier tenait par la bride. La bête me fixa de ses yeux noirs et doux et encensa en secouant sa crinière grise, puis elle hennit en entendant la voix de son maître qui lançait quelques ordres en direction du bastion afin qu'on ouvrît les portes.

Struan, perché sur la monture qui avait appartenu à son père, gardait la tête basse, incapable de soutenir le regard de quiconque en cet ultime moment des adieux. Baltair fit ses salutations à sa jeune sœur et à son beau-frère et il revint à moi, un sourire penaud sur les lèvres: «Adieu, ma douce Hermine. Je t'écrirai. Si je peux élever des pigeons, ce seront nos messagers, sinon nous utiliserons la voie ordinaire.»

Il se pencha pour m'embrasser et je profitai de son geste pour passer à son cou son talisman que j'avais ressorti dans cette intention. J'ouvris le col de son pourpoint et je fis glisser la bulle sur son torse que j'effleurai au passage en lui chuchotant : « Si ce talisman protège la vie future d'un enfançon et celle de sa mère, il peut certainement veiller sur celle de son père. J'ai encore plusieurs projets pour Mallaig, mais le plus cher d'entre tous mes vœux te concerne : le poste de chef de clan. Tu es l'homme qu'il nous faut sur la péninsule : je le sais… Dieu te garde et te ramène ici, Baltair MacNèil ! Et n'oublie pas : je t'aime ! »

CHAPITRE XII

L'imminente guerre

Dès le début de l'année 1397, les premières nouvelles de Baltair me parvinrent de Dumbarton avec ses vœux de bonne année pour sa famille et moi. Outre plusieurs pages dans lesquelles il décrivait son installation, l'entraînement qu'il donnait à Struan pour en faire un bon guerrier et la vie de château que menait messire Danielston dans l'impressionnante forteresse, il consacra un feuillet entier à faire mon éloge sur un ton des plus intimistes :

> *… et avant de m'endormir, je presse le talisman entre mes doigts en évoquant ce creux sublime entre tes seins, sur ton poitrail blanc d'hermine, où la parure s'est logée durant quelques mois. À cette seule pensée, je me referme sur moi-même et je sombre dans des rêves délicieux, complètement habités par toi, tes yeux bleu nuit, ton visage grave et ton nez rieur, ta couronne de cheveux flamboyants, tes petites mains caressantes comme des pattes soyeuses et l'odeur fauve de tout ton corps… À côté de ton insigne image, aucune des*

femmes d'ici ne te surpasse, et pourtant, ma faim de toi devrait me les faire convoiter...

Ces propos me stimulèrent et, dans les nombreuses missives que je lui écrivis durant toute l'année, je ne lésinai pas sur l'expression des émotions que son discours amoureux faisait naître en moi. Comme mon mari n'avait pas obtenu d'élever des pigeons voyageurs dans la forteresse, nous pûmes utiliser seulement ceux dont je munissais les porteurs de mes lettres, qui se rendaient à Dumbarton par le biais de navires marchands sur la côte ouest. Et Baltair me les retournait sans délayer, avec ses réponses de plus en plus tendres. Quand il me nommait, son hardi «Hermine» alternait avec son langoureux «*dulcime Lititia*», et ce passage de l'un à l'autre dénotait bien le sentiment ambivalent que je lui inspirais, fait tout à la fois de hâblerie et d'attachement. À la lecture de ses lettres, j'avais l'impression d'être courtisée par un gentil homme aussi pétillant que passionné et cela me plaisait grandement.

Cette année-là, ma correspondance reprit avec Mariota qui avait découvert, je ne sais par qui, la naissance de mon fils. M'écrivait-elle en cachette de son mari qui tenait toujours le château de Mallaig en aversion ? Il se peut. Quoi qu'il en fût, je retrouvai en elle ma tendre sœur de lait volubile et attentionnée, qui s'enthousiasma pour ma maternité dont j'avais pourtant si peu à dire. Certes, le petit Alasdair réclama de la purée d'orge bien avant son cousin Raonall, de même qu'il jacassa et fit ses premiers pas un bon mois avant lui ; mais tout cela arriva sous l'œil vigilant et attendri d'Anna, alors que j'avais repris le brassage de mes affaires dans mon cabinet, à l'étage au-dessous.

L'organisation d'une foire aux pelleteries à Mallaig, le premier projet que je ravivai, buta sur un obstacle de taille: la reconnaissance du hameau comme bourg royal. Sans ce statut pour Mallaig, il était impossible d'y établir un comptoir d'échange annuel reconnu à travers l'Europe. Contrairement à ce que j'avais d'abord cru, l'obtention des lettres patentes d'un bourg royal ne relevait pas de notre souverain ou de son Parlement, mais de l'Église écossaise, par le biais d'un édit épiscopal. Il me fallait donc mener mes démarches sur le terrain de l'évêque du comté de Ross, dont faisait partie la péninsule de Mallaig. J'avais peu connu Son Éminence Kylquhous qui, en 1389, avait pourtant soutenu dame Euphémia dans ses différends matrimoniaux avec le comte de Buchan et nous avait, à ces occasions, rendu quelques visites à Dinkeual.

L'évêque de Ross passait pour un homme indolent et sans grande envergure, peu intéressé par la partie ouest de son évêché où les monastères, sa toquade, n'abondaient pas. Je me doutais bien qu'Alasdair Leslie, en sa qualité de comte de Ross, devait entretenir d'excellents rapports avec son évêque, mais il était hors de question que je fasse appel à lui comme intermédiaire. Une bonne partie de l'année 1397 s'écoula donc avant que je n'obtienne une première réponse, décevante, aux multiples demandes que j'avais directement adressées à l'évêché. Par contre, Son Éminence Kylquhous m'accorda la permission de fonder une église de village, projet qu'appuyait mon beau-père qui, désireux de préparer son départ pour l'autre monde, consentait à subventionner l'édifice pourvu qu'il y soit enterré à titre de principal donateur.

La petite église, érigée au fond de la baie, à mille pieds des murs du château, fut, à la suggestion de dame Égidia, dédiée à St. Cecilia, patronne de la musique, et on l'inaugura le jour de la fête de la sainte, le 22 novembre. À cette occasion, Son Éminence Kylquhous envoya deux diacres, chétifs et pâlots dans leurs accoutrements noirs, et l'abbé Oswald, un énergique rouquin de trente ans qui devint le premier curé de Mallaig.

Un mois plus tard, nous célébrâmes la messe de la Nativité dans la nouvelle église avec tous les habitants du village et ce fut une des dernières sorties du seigneur Mànas de son château. J'avais espéré que Baltair pourrait se libérer de ses charges et venir passer les fêtes de Nollaig avec nous, mais il remplaça sa présence par un gros colis qui nous fut livré le 23 décembre par l'un des rares navires à s'aventurer dans le détroit, que les glaces commençaient à encombrer. L'envoi m'était adressé et contenait des présents pour chaque membre de la famille, y compris les absents, et même un paquet pour Anna.

Radieuse, je fis la distribution au nom de Baltair et reçus à sa place les compliments et remerciements. Non pas que les cadeaux fussent de grande valeur, mais ils avaient été choisis avec une telle pertinence que je ne pus qu'admirer le sens d'observation de mon mari et m'amuser des pointes d'humour que renfermaient ses explications à chacun : pour Maud, une petite aumônière de toile épaisse, «... une étoffe plus près de la bure monastique que des velours brodés, puisqu'à votre âge la vie de l'âme l'emporte sûrement sur celle des sens » ; pour Griogair le Pacifique, un embout de lance en forme de tête de bœuf, «... puisque vous ferez davantage votre marque par vos troupeaux que par vos combats à la pointe émoussée»; pour Rosalind, une gorgière* presque transparente, «... car vous aimez bien la mode et n'avez pas à vous dépoitrailler pour allaiter»; pour Aindreas, un capuchon pour oiseau de poing, «... de cuir souple pour votre meilleur faucon, afin qu'il n'étouffe ni ne panique avant de fondre sur sa proie»; pour Morag, son épouse, un cure-dent d'ivoire, «... puisqu'il vous plaira de recevoir à votre table vos amis qui parlent davantage qu'ils ne mangent s'ils n'ont pas la bouche encombrée»; pour Aonghus, une paire d'éperons, «... afin que votre monture fasse preuve d'autant d'enthousiasme que vous dans la conquête de votre nouveau domaine»; pour ma belle-mère, un bandeau de coiffe brodé de perles, «... qui, je l'espère, siéra à votre tour de tête et vous donnera le port d'une reine, vous, la véritable reine de Mallaig»; et au seigneur Mànas, un orfrois* de soie pourpre à motif de feuille, «... qui borderait à ravir votre cape de chef s'il vous arrivait d'abandonner votre auguste plaid pour celle-ci».

Le paquet destiné à Anna contenait trois rubans de soie, et le mien, un long peigne de bois incrusté de nacre, «... car la fourrure d'une hermine comme toi doit toujours être lisse et douce, même dissimulée sous une coiffe».

À deux pas derrière Struan, MacNèil fixait la pointe de ses bottes tout en gravissant les trois cents marches abruptes qui menaient au sommet de la citadelle de Dumbarton. Il savait bien que là-haut, pour ne pas être pris de vertige, il devrait éviter d'examiner les précipices au pied des murs et plutôt porter son regard sur l'estuaire de la Clyde. Struan avait gardé à la main le bâton de shinty* qui ne le quittait pas et avec lequel il se frappait nerveusement le mollet durant l'ascension.

« Vous allez voir, messire, mon oncle, dit Struan, c'est une nef qui doit mesurer près de quarante pieds, une seule voile carrée, un château à la proue et un à la poupe ; pas plus de vingt hommes d'équipage à bord. Et si je ne me trompe, le navire bat pavillon royal… » MacNèil fixa le dos de son neveu sans commenter, ayant grand-hâte de gagner la rassurante tourelle de guet et d'y observer le navire qui approchait.

La forteresse de Dumbarton, sise sur une péninsule rocheuse large de quinze cents pieds, englobait deux éminences hautes de deux cent cinquante pieds, reliées au centre par un large donjon. Le corps de garde était érigé au niveau de la mer et c'est là que MacNèil avait établi son quartier. Il ne montait que très rarement aux différents promontoires et tours du chemin de ronde qui ceinturait les deux sommets, une activité dont Struan se chargeait volontiers à sa place. Par sa vue perçante, le jeune homme s'était acquis une réputation de guetteur inégalable et on faisait appel à ses capacités visuelles sur le pourtour de la citadelle pour déceler, même dans le brouillard, les feux de repère sur les rives de la Clyde et l'apparition de navires dans l'estuaire.

« Peux-tu distinguer les détails du blason, en ce moment, Struan ? » demanda MacNèil, quand il eut jeté un bref coup d'œil au panorama dévoilé par la fenêtre de la tourelle où il venait de pénétrer. Struan vint se placer devant son oncle, appuya son torse au rebord de pierre de l'ouverture et fixa une minute l'horizon en plissant les yeux. «Le lion rampant de gueules sur écu d'or, mon oncle, fit-il sans bouger la tête, ses cheveux courts happés par le vent. Mais, ce n'est pas tout à fait un écu... c'est un losange, je crois. Si fait! C'est un losange!

– La reine Annabella... Le navire arrive de l'île de Bute. Par Dieu, que nous veut-elle?» dit MacNèil, étonné.

Une heure plus tard, il était fixé. Ramornie, un petit héraut sec à la moustache relevée, expliquait sa royale mission sur un ton aussi pompeux que possible dans le corps de garde de Dumbarton : «Messire le shérif Danielston, messire le capitaine MacNèil, notre souveraine requiert votre aide. Comme vous l'avez sans doute appris, le mois dernier, la nomination du comte de Carrick au titre de duc de Rothesay, c'est une fonction nouvellement créée par le Parlement. Aussi cette élévation devrait-elle être soulignée de façon extraordinaire pour être bien connue de tout le royaume. À cette fin, Sa Majesté la reine Annabella organise à Édimbourg un tournoi qui rassemblera douze jeunes hommes comptant pour le fleuron de la chevalerie d'Écosse. Avant cet événement, aura lieu la promotion du duc et de certains jeunes nobles au rang de chevaliers, le 24 mai prochain. Le Parlement juge opportun d'inciter le seigneur Donald MacDonald à assister au tournoi et à y envoyer un représentant pour concourir aux côtés des autres chevaliers écossais. Ce geste pourrait être interprété par toute la société gaélique comme un signe d'assujettissement du clan MacDonald à la maison royale. Le plan est louable et habile, mais, pour réussir, il faut convaincre le Seigneur des Îles de s'y prêter. Voici où vos qualités entrent en jeu, messire MacNèil… Votre patron, le duc de Moray, affirme que vous avez vos entrées à Finlaggan et qu'il vous serait aisé de m'y introduire afin que je présente l'invitation de la reine de manière à ce qu'elle soit acceptée par le Seigneur des Îles.»

Un silence pesant suivit l'exposé du héraut qui, décontenancé, se mit à détailler les personnes présentes dans la salle. Il s'arrêta à Struan qui fouettait l'air derrière son dos avec son bâton de shinty, et un large sourire illumina son visage: «Jeune homme, vous pratiquez le shinty à ce que je vois… Jouez-vous aussi au golf? Habituellement, on prend du plaisir aux deux jeux! Le golf est très prisé par le duc de Rothesay. Une partie sera accommodée en marge du tournoi et je suis autorisé à profiter de ma mission pour recruter des joueurs capables de rivaliser avec le duc et ses amis. Si vous jouez au golf, viendriez-vous?

– Certes, je joue au golf et j'accepte bien volontiers, messire Ramornie, si mon oncle Baltair me le permet, évidemment, répondit Struan en indiquant MacNèil de la tête.

– Si je comprends bien, fit MacNèil, la reine a besoin d'un truchement pour Finlaggan et d'un joueur de golf pour Édimbourg. Thomas Dunbar me désigne pour l'un de ces deux rôles et vous mobilisez mon neveu pour l'autre.

– Voilà! C'est tout à fait cela. Vous êtes les hommes de la situation, messire MacNèil et messire votre neveu… un MacNèil, je suppose?»

Le jeune homme à qui Ramornie avait adressé sa question se présenta avec empressement: «Je m'appelle Struan MacNèil, fils orphelin de Parthalan, lui-même chevalier de la maison du seigneur Mànas, messire. Pour vous servir.

– Ah! Mais votre lignée ne m'est pas inconnue, messire MacNèil! s'écria Ramornie en se retournant vers l'oncle. Une requête en blasonnement est inscrite au nom du seigneur Mànas MacNèil de Mallaig. Vous vous en doutez, en ma qualité de héraut pour la maison royale, je me dois d'être renseigné sur toutes les armes d'Écosse. Je ne sais pas où en est l'avancement de votre cause à cette heure, mais il va de soi que votre soutien à ma mission aurait, à ma suggestion, un impact positif sur le commissaire aux Sceaux dans la reconnaissance de votre blason familial.»

MacNèil n'hésita pas à monter à bord de la nef de la reine afin d'accompagner Ramornie à Finlaggan et il n'eut aucune difficulté à le faire recevoir par le Seigneur des Îles. Flairant anguille sous roche et n'y trouvant pas son intérêt immédiat, Donald MacDonald accueillit la proposition du héraut royal avec circonspection. «Messire Ramornie, répondit le Seigneur des Îles, dites à la reine que je n'ai pas de représentants pour participer à son tournoi. Mes meilleurs capitaines sont certainement capables de rivaliser avec n'importe quel jouteur des Lowlands, mais aucun d'eux ne porte le titre de chevalier. Comme vous ne l'ignorez pas, non plus que la reine Annabella, je n'approuve pas cette appellation, qui par ailleurs a tendance à perdre de son lustre... Mais je crois que la chevalerie constitue encore la règle de participation aux tournois royaux. En outre, je ne tiens pas particulièrement à ce que des représentants de ma maison assistent à l'adoubement* du comte de Carrick...

— ... du duc de Rothesay, corrigea immédiatement le héraut royal.

— Du prince, du comte, du duc et de je ne sais qui encore... Appelez-le du nom qu'il vous plaira: c'est un Stewart! La Couronne se complaît à jouer avec les titres pour confondre les Écossais. Tous vos comtes, barons et maintenant ducs sont issus d'une seule et même famille, ni plus ni moins noble que la mienne!

— Certes, certes, mon seigneur... Nous ne sommes pas ici pour discuter de cela, mais pour vous transmettre une invitation à un tournoi prestigieux. Il n'est nullement question de refuser un compétiteur qui ne porte pas le titre de chevalier dans un événement qui vise simplement à réunir les douze meilleures lames du royaume. Aussi, je vous suggère de penser à cet unique objectif: avez-vous ou non le désir de comparer un de vos hommes à onze autres, sélectionnés pour représenter les plus grandes maisons d'Écosse, ce 24 mai 1398?» plaida Ramornie sur un ton presque suppliant.

MacNèil sentit ses moustaches retroussées par le sourire qu'il tenta de camoufler en voyant l'air irrité de Donald MacDonald. Il détourna le regard, mais s'entendit aussitôt interpeller: «MacNèil, que trouvez-vous d'amusant dans cette invitation? tonna le Seigneur des Îles.

— Votre contrariété, mon seigneur. Craignez-vous qu'en mettant les pieds à Édimbourg vos gens soient adoubés sur-le-champ et prêtent allégeance à Robert III?

— Nenni! Aucun de mes hommes ne pourrait être tenté de passer sous la protection d'un autre seigneur, encore moins de s'assujettir au roi des Écossais.

– Entendez-vous par là que vos hommes ainsi que vous-même n'êtes pas des Écossais et que Robert III n'est pas votre souverain ? relança MacNèil avec ironie.

– Entendez ce que vous voulez, MacNèil. L'heure approche où les Gaëls de ce pays devront faire un choix entre le camp des Stewart et celui des MacDonald… Ceci dit, il m'agrée de mesurer les forces de ma maison avec celles de la maison royale, messire Ramornie, et vous pouvez annoncer que je serai présent avec mon jouteur au tournoi du 24 mai. »

Angoissé depuis que MacNèil avait pris la parole, Ramornie poussa un soupir de satisfaction et réajusta sa cape sur ses épaules avec dignité. Il prit gracieusement congé du Seigneur des Îles et sortit précipitamment de la salle en abandonnant MacNèil derrière lui.

« Maintenant, MacNèil, demanda Donald Mac-Donald, dites-moi ce que vous fabriquez à Dumbarton et pour le compte de qui ?

– J'exerce mon métier habituel, mais pour le compte de qui, voilà toute la question, répondit MacNèil. Apparemment, je dirige la garnison de la forteresse, mais, dans les faits, je surveille Danielston. Tout le monde se méfie de ce shérif : le roi, le comte de Fife, le comte de Moray, celui de Lennox… de même que vous, mon seigneur.

– Je ne me méfie pas plus de Danielston que du palefrenier de la reine, mon cher. La forteresse de Dumbarton n'est pas sur ma route dans la conquête de terres et je n'y mettrai pas les pieds. Si la Couronne tient à entretenir cette énorme place forte, elle y investira en pure perte plus que ses moyens ne le lui permettent. Personne n'attaquera le royaume de ce côté : il faut être obtus pour le prétendre.

– Si vous le permettez, mon seigneur, je crois que la Couronne tient à cette citadelle comme base pour attaquer et non pour se défendre…

– Voyez-vous cela… pour attaquer! Mes îles, peut-être? Je me sens terriblement menacé en entendant votre opinion, MacNèil. Dois-je comprendre que vous serez alors aux premiers rangs, si une telle attaque venait à se produire?

– Le travail de surveillance est une chose, celui de combattre en est une autre. J'excelle dans la première et je double mes honoraires quand il s'agit de la seconde. Je ne suis ni à Moray, ni au roi, ni à son fils. Je suis libre et j'ai bien l'intention de le demeurer en choisissant mes mandats. J'avoue que le prix serait élevé pour me faire prendre les armes contre vous.

– Je suis heureux de l'entendre, MacNèil, car je ne saurais vraiment pas quoi faire avec le "beau-frère" de ma femme dans mes cachots…»

De retour à Dumbarton, MacNèil informa Danielston de son départ pour Édimbourg avec son neveu. Puis, le jour venu, il donna ses instructions à la garnison et partit seul avec Struan qui était excité comme un sac de puces. Ils s'engagèrent par un temps fort doux sur la route poussiéreuse qui menait jusqu'à la ville où ils entrèrent, le lendemain au soir, le cœur allègre et rempli d'expectatives.

Une bonne partie de l'aristocratie écossaise s'était installée à Édimbourg pour assister au tournoi et à l'adoubement du prince David, comte de Carrick et duc de Rothesay. Jusqu'aux plus modestes auberges regorgeaient d'une clientèle animée et exigeante et il y avait même pénurie d'écuries pour les chevaux. MacNèil et Struan durent faire plusieurs fois le tour de la citadelle sous une pluie battante avant de trouver refuge dans un estaminet si sale que la remise adjacente leur sembla plus confortable que l'unique chambre offerte. Au tenancier roublard qui fleurait la bonne affaire devant tout voyageur, argenté ou pas, MacNèil demanda de prendre pension à l'étable: «Nous craignons de nous faire chaparder nos montures si nous ne dormons pas avec elles. N'en soyez pas offusqué, messire, c'est notre seul bien. Conservez votre chambre pour plus nobles que mon neveu et moi.» Le lendemain, MacNèil et Struan apprirent avec amusement que la délégation de Donald MacDonald s'était installée dans la sordide chambre vacante.

La forteresse d'Édimbourg abritait le palais royal, une batterie, une chapelle, une impressionnante grand-salle et deux bastions que reliait une muraille courant sur le pourtour escarpé de la colline de granit sur laquelle elle était érigée. Pour y accéder, il fallait gravir la pente abrupte du massif par une route assez étroite que les chars à bœufs encombraient dès les premières heures du jour. MacNèil et Struan parcoururent à pied le trajet jusqu'à la guérite d'entrée des fortifications, en traînant leurs chevaux derrière eux. Là-haut, en prévision de l'affluence attendue pour l'adoubement du prince David, un astucieux boucher avait disposé sur des tréteaux son étal de tourtes d'oie fumantes et odorantes. MacNèil ne put résister et en acheta deux, pour lui et Struan, qui engloutit la sienne en deux bouchées. Tout en mangeant, l'oncle et le neveu s'avancèrent jusqu'au parapet qui surplombait l'esplanade et découvrirent l'allée pavoisée qui grouillait, pour l'heure, de hérauts et d'intendants affairés à ériger les bannières des maisons nobles inscrites au tournoi.

«Quel foisonnement de couleurs! dit Struan, ébahi. Comment font les hérauts pour s'y retrouver dans cette mer d'étendards et d'oriflammes?

– Ils étudient, mémorisent et décodent des centaines de blasons à chaque tournoi. C'est un art que celui de lire les rôles d'armes sur les rouleaux de parchemin et de reconnaître le porteur d'un écu par les éléments qui le composent et leur position dans les champs[9]. Par exemple, les bandes de couleurs différentes autour de l'écu d'une même famille distinguent les fils et leur rang par rapport à leur aîné, et ce dernier ajoute un meuble[10] à celui de son père pour déterminer le sien. Regarde en bas, à la senestre[11] de l'esplanade, les trois écus au champ fascé[12] d'or et de gueules, ce sont des Cameron : au centre, c'est celui du chef et les deux autres appartiennent à ses fils puisqu'ils sont bordés; et celui qui porte un chevron noir différencie l'aîné. Il s'appelle Struan, comme toi...

– Quel signe correspond aux noms des chevaliers?

– Aucun. Je sais son nom parce que je connais personnellement Struan Cameron. Leurs terres touchent aux nôtres... c'est-à-dire à celles de Mànas MacNèil de Mallaig.»

_____

9. Champ : partie de l'écu.
10. Meuble : forme ou figure, tels un animal, un végétal ou un outil, apposée dans un champ de l'écu.
11. Senestre : gauche.
12. Fascé : barré à l'horizontale.

Struan jeta un regard sur le visage de son oncle, qui, à l'évocation de Mallaig, s'était fermé. Le jeune homme brûlait du désir de le questionner, mais il savait à l'avance qu'il n'apprendrait rien sur les liens étranges qu'avaient noués entre eux les fils MacNèil, et ceux qu'ils entretenaient avec le chef du clan, leur père, son grand-père à lui. Tout ce dont il était certain, c'est qu'il avait été lui-même rejeté par le seigneur Mànas, tout comme son oncle Baltair, et que ce rejet était précisément la raison pour laquelle ils vivaient désormais ensemble.

«Messire, mon oncle, que faut-il pour devenir chevalier et avoir un blason à afficher dans des tournois? demanda Struan, en reportant son attention sur l'esplanade.

— C'est simple, fit son oncle. Tu trouves un seigneur qui te patronne, qui t'équipe et te prend à sa charge. Tu lui dois tout: ton nom, tes couleurs et tes biens. Tu vis là où il t'indique de vivre, tu épouses celle qu'il te donne, et, en toutes circonstances, sa cause devient la tienne: quand il t'appelle aux armes, tu le suis, tu te bats et, parfois, tu meurs pour lui. Mais pour trouver un tel seigneur, si tu ne peux faire valoir une lignée noble, tu dois prouver ta valeur en termes de courage et de talent. Le courage, tu ne peux le chercher qu'en toi, mais le talent, tu l'acquiers par l'entraînement. Ça dure plus ou moins sept ans, selon ton âge, ta force et le désir qu'on a de t'adouber. Simple, non?

— Croyez-vous que le prince David s'est entraîné depuis longtemps pour être reçu chevalier aujourd'hui?

— Il ne s'est pas entraîné du tout. Il n'est pas mauvais au maniement de la claymore et à la lance, mais n'importe lequel de ses gardes le surpasse. Ce prince, comte et duc n'a qu'à faire valoir son sang et c'est largement suffisant pour être adoubé par le roi, son père.

— Mais s'il n'est pas habile aux armes, il va déchoir au tournoi!

— Il est strictement interdit qu'il perde et son adversaire en est sévèrement averti. Ne t'en fais pas, l'héritier du trône va triompher. Veux-tu gager là-dessus?

— Je n'ai rien à mettre en gage, messire, mon oncle. Vous le savez et vous semblez trop sûr de vos prévisions pour que je relève le défi.

— Alors, pour le jeu de golf auquel tu vas participer demain, je vais parier avec toi sur toi: je t'achète une claymore si tu mouches le prince et tu me sers d'écuyer, de lavandière et de cuistot pour le reste de l'année si c'est lui qui t'humilie.»

Il tendit la main, paume levée, et conclut: «Tope-là!

— Et si la partie de golf était également arrangée pour favoriser les gens du prince?» répondit Struan, l'œil pétillant.

MacNèil sourit franchement en rabaissant la main, amusé par la perspicacité de son neveu. Tout en l'entraînant sur le sentier qui redescendait vers la ville, il fit une suggestion: «Laissons de côté l'adoubement et allons donc voir si le terrain de jeu est truqué; nous serons alors tout à côté de l'enceinte du tournoi. J'ai l'idée qu'on pourrait tenter de s'y faire admettre. Struan, jamais de ta vie tu n'auras vu un événement aussi majestueux qu'un tournoi royal!»

Mais entrer dans l'enceinte du tournoi dressée sur la lande au nord d'Édimbourg ne fut pas une mince affaire pour l'oncle et son neveu. N'étaient admis à y pénétrer que ceux dont les noms figuraient sur une liste. Un petit majordome arrogant, tout de soie vêtu, qui semblait le seul à savoir lire dans le poste de garde, tripotait un registre et vérifiait les noms et titres déclinés par chaque personne demandant l'accès. Comme Mac-Nèil n'avait reçu aucune invitation officielle au tournoi et ne pouvait se réclamer de personne dans l'organisation, hormis le héraut Ramornie, il tenta sa chance avec le nom de ce dernier, sans succès. «Messire Ramornie ne peut inscrire personne puisqu'il est lui-même un invité...», lui répondit-on sèchement.

Au moment où MacNèil allait être refoulé, se présentèrent Donald MacDonald et sa suite qui se composait d'un joueur de pìob*, d'un porte-étendard et de trois colosses faisant partie de la garde personnelle du Seigneur des Îles. Leur vêture de guerre et celle de leurs montures, tout en plaques et en plumes, avaient de quoi impressionner et, soutenue par les sons graves et solennels de l'instrument à vent, l'arrivée de la délégation produisit un effet extraordinaire sur les gardiens de la palissade et sur la foule qui s'y massait. Subjugué, le majordome n'osa pas interroger le chef MacDonald, qui, au demeurant, forçait déjà le passage pour les siens, sans un regard pour lui.

En l'espace d'un éclair, MacNèil saisit l'embarras du majordome et il s'empressa de lui glisser: «Voilà la délégation la plus anxieusement attendue par votre souveraine, messire: ce sont les MacDonald de Finlaggan avec leur chef, le Seigneur des Îles. Ceux-là, vous les avez sur votre liste. Si je peux me permettre, vous avez bien réagi en n'interpellant pas Donald MacDonald, car il vous aurait fustigé s'il s'était rendu compte que vous ne le reconnaissiez pas...

« – Ça va, ça va, messire. Je maîtrise mon métier, tout de même…, fit le majordome, qui aurait voulu voir disparaître MacNèil.

– Certes, certes… Pourtant, à votre air, j'aurais juré que vous n'aviez aucune idée de l'identité de cet homme. Évidemment, on ne peut pas demander à quiconque de repérer le Seigneur des Îles dans une foule, comme l'aurait aisément fait messire Ramornie…

– Il suffit ! Taisez-vous donc et entrez, que je ne vous voie plus ! » s'impatienta le majordome, rouge de colère de se voir critiqué en public.

MacNèil fit un clin d'œil à Struan et tous deux passèrent rapidement la barrière en tirant leurs chevaux par la bride. Ils se pressèrent à la suite de la délégation de MacDonald, qui avait gagné la place centrale encerclée par les tentes des jouteurs. Là, ils se mêlèrent aux palefreniers et gens d'armes qui se bousculaient en grand nombre autour des participants inscrits au tournoi. Ils musardèrent durant une heure dans l'enceinte et se trouvèrent un poste d'observation d'où ils pourraient assister à l'édifiant spectacle.

Trop loin pour entendre distinctement les annonces des hérauts, Struan se fia aux informations de MacNèil qui le fournit en commentaires durant tout l'événement. Le neveu s'amusa beaucoup des prédictions et des intuitions de son oncle quand les adversaires dans un affrontement lui étaient connus. Il se captiva en particulier pour la joute du prince David contre un baron qui se laissa assez mollement désarçonner à la première traverse de lance et, plus tard, il fut passionné par la victoire du représentant du Seigneur des Îles sur un chevalier de la maison royale, ce qui produisit un silence très mortifié dans l'estrade d'honneur présidée par le roi et la reine.

La journée du 24 mai aurait été pour Struan l'une des plus parfaites de sa vie, n'eût été la rencontre fortuite de son oncle avec le comte de Buchan. En effet, à la fin du tournoi, comme les deux MacNèil regagnaient l'endroit où ils avaient laissé leurs montures, l'énorme comte de Buchan sortit soudain de la foule avec ses hommes et vint se planter en travers de leur passage. Struan, qui avait bien retenu la leçon d'armoiries de son oncle, décela au premier coup d'œil à son tabard l'appartenance de l'importun à la famille royale.

«Que fais-tu à un tournoi royal, cateran? lança le comte à l'adresse de MacNèil, qui jeta un regard aux témoins qui les entouraient. Es-tu venu applaudir les partisans de mon frère ou ceux de MacDonald? À moins que tu ne sois toujours en mission commandée pour Dunbar, et alors, tu serais pour les Anglais...» Ce disant, Buchan dégaina. MacNèil souffla à Struan de s'éloigner et sortit lentement sa claymore de son baudrier. Il fit quelques pas de côté afin d'agrandir le cercle des curieux qui avait commencé à se resserrer autour de la scène, tout en ne quittant pas son adversaire du regard. Un silence lourd planait et la tension presque palpable fit frissonner chacun dans l'attente des premiers échanges de coups. Mais, au même moment, la délégation royale qui revenait de l'estrade d'honneur s'approcha de l'affluence et coupa court à l'engagement qui allait s'amorcer entre MacNèil et le comte de Buchan. La foule se scinda en deux et les protagonistes se retrouvèrent, arme au poing, devant la reine Annabella, Robert III et son frère, le comte de Fife, nouvellement nommé duc d'Albany.

«Qu'est cela? s'écria ce dernier. Alexandre Stewart, faut-il toujours qu'il y ait des escarmouches partout où vous mettez les pieds! Ne pouvez-vous essayer de vous comporter comme un prince de sang, pour une fois?» Puis, se tournant vers MacNèil, il demanda: «Et vous, qui êtes-vous, messire?

– Baltair MacNèil, mon seigneur. Je suis au comte de Moray.

– Mais bien sûr... MacNèil..., fit le comte de Fife, en plissant les yeux sous la frange de cheveux gris qui sortaient de son chaperon à bourrelet. N'êtes-vous pas posté à Dumbarton?

– Si fait, mon seigneur, j'y suis depuis plus d'un an.

– C'est ce que je croyais. Alors suivez-moi, Mac-Nèil, nous avons à nous entretenir avec vous... Nous élaborons une opération en ce moment avec le duc de Rothesay.»

Incrédule, Struan regarda s'éloigner son oncle en direction de la tente réservée à la délégation royale, puis, vaguement inquiet, il s'en alla récupérer les chevaux avant que le comte de Buchan ne s'avise de l'interpeller. Par la suite, adossé à la palissade, assis à l'ombre, il eut tout le loisir d'observer les gardes et les ambassades des différentes maisons nobles qui allaient et venaient. Pour tuer le temps, le jeune homme s'exerça à déchiffrer les écus portés par les délégués, ce qui l'occupa durant tout le reste de la journée, car il attendit jusqu'à la nuit tombée avant de revoir son oncle. Une nouvelle des plus décevantes l'accabla à son retour: ils quittaient Édimbourg le lendemain, avant la partie de golf à laquelle il avait si hâte de participer et qui avait été le but de leur voyage.

Dans la pâle lueur matinale baignant mon bureau, Rosalind me souriait d'un air engageant, une main posée sur son ventre de nouveau gros. Sa fillette de neuf ans se cachait derrière elle et je ne pus m'empêcher de lui trouver un air sot. Je m'appliquai néanmoins à écouter consciencieusement ce que ma belle-sœur avait à me demander. Les travaux, entrepris au début de l'année à la pointe du loch Shiel par messire Griogair pour l'érection d'un manoir, allaient bon train et Rosalind souhaitait que je m'y rende à sa place afin de s'assurer de la conformité de la construction avec ses plans. « Je vous en prie, Lite, allez-y! En voyageant légèrement, vous y serez en un jour: c'est à moins de vingt-cinq miles… J'ai tellement confiance en votre jugement pour tout chantier de maçonnerie, car tant de détails échappent à Griogair. Bien sûr, il ne faut pas lui tenir rigueur de ce manquement: déjà, l'assignation des ouvriers lui a causé son lot de soucis. Maintenant, il pousse les pauvres hommes à accélérer le rythme, car il veut absolument que nous aménagions avant l'hiver, dès que j'aurai accouché. Cela est assurément un court délai, même s'il affirme que l'équipe de Kenneth O'Drain peut y parvenir. Mais je crains qu'on escamote des ouvrages secondaires auxquels je tiens, comme ma rotonde. Sans votre doigté pour la négociation, je suis certaine que maître O'Drain en fera à sa tête. Dites-moi que vous acceptez!

— Soit, Rosalind, je vais y aller pour vous être agréable. Mais je ne veux pas m'absenter plus d'une semaine », lui répondis-je.

En cette fin de juin 1398, je traversai donc toute la péninsule de Mallaig pour la première fois depuis deux ans. Trois cavaliers de la garde du seigneur Mànas m'escortèrent jusqu'au loch Shiel que nous atteignîmes le soir de notre départ. Le campement qu'avait fait dresser mon beau-frère pour lui-même et les ouvriers était constitué de trois tentes et d'un enclos, face au loch dont la pointe sud se perdait dans la profondeur de la forêt.

En étudiant la construction en cours que le soleil couchant illuminait d'un éclairage oblique, je fus immédiatement frappée par le retard dans l'avancement des travaux : seules les fondations étaient entièrement bâties et le corps de logis n'avait d'érigé que le mur des cheminées. Je mis pied à terre, légèrement ankylosée par la longue chevauchée, et je courus au-devant de Griogair qui m'accueillit avec un air si accablé que je faillis me signer, tant je m'attendais à l'annonce d'un malheur.

Bien qu'aucun décès ne fût à déplorer, le contretemps qui frappait le projet de construction revêtait pour mon beau-frère les couleurs de la catastrophe : à la suite d'une dispute avec son assistant, un mois plus tôt, Kenneth O'Drain avait quitté le chantier en emportant les croquis qui étaient siens. Les ouvriers poursuivaient tant bien que mal leur labeur sous les ordres du contremaître, mais celui-ci manquait visiblement d'expérience pour achever l'ouvrage sans la référence d'un plan. J'eus du mal à croire à la désaffection de Kenneth O'Drain, jusqu'à ce que Griogair m'informât que le maître maçon avait auparavant été pressenti par le seigneur du loch Awe pour le remodelage de sa place forte d'Innis Chonnel. Je reconnus bien là les aspirations de maître O'Drain que les projets d'envergure avaient toujours attiré et qui, depuis la fin des travaux à Mallaig, devait s'étioler à diriger des chantiers modestes.

«Où trouver un autre maître capable de me dessiner des plans acceptables? se morfondait Griogair. Je suis anéanti: jamais le manoir ne sera prêt avant l'hiver...

– Pourquoi n'envisagez-vous pas de passer une autre année à Mallaig avec vos deux enfants et celui à naître? Je suis certaine que Rosalind n'y verrait pas d'objection...

– Ce n'est pas aussi simple, Lite. Depuis la mort de Parthalan, étrangement, le seigneur Mànas craint pour l'intégrité de son territoire et notre installation ici répond à un impératif de protection. Avec Aindreas au loch Morar, il s'assure d'une surveillance dans la zone est et, en établissant sa fille aînée au loch Shiel, il crée une avant-garde sur la partie sud de la péninsule. Quand il m'a nommé laird sur ces terres octroyées en héritage à Rosalind en mars, il m'a fait promettre de nous y établir dans l'année. Voilà pourquoi je ne peux reporter la construction du manoir.

– Alors, messire, je ne vois qu'une solution: racheter les plans de Kenneth O'Drain, car trouver un autre dessinateur et lui faire tracer de nouvelles esquisses requerront du temps que vous n'avez pas.

– Mais que pensez-vous, Lite? Je lui ai offert de payer pour les plans en même temps que je lui ai versé son salaire, mais il n'a rien voulu entendre...

– Si cela est, vous n'avez pas employé la bonne méthode, répondis-je. Je connais Kenneth O'Drain et il faut s'adresser à lui comme à un artiste et parler de ses constructions comme de ses œuvres. Présentée sous cet angle, une demande devient recevable et l'homme, accommodant. C'est probablement le genre de discours que le seigneur du loch Awe a tenu à maître O'Drain pour l'embaucher. Laissez-moi transiger avec messire O'Drain et je vais vous les obtenir, ces fameux plans!»

Malgré mon désir de ne pas m'absenter de Mallaig plus d'une semaine, je consentis à prolonger mon voyage pour poursuivre un nouveau but et j'envoyai un homme prévenir ma belle-famille de ma décision. Une cinquantaine de miles nous séparaient de la pointe nord du loch Awe et cette expédition de deux jours fut sans doute l'une des plus agréables que je fis, d'autant plus que nous jouîmes, messire Griogair et moi, d'un temps radieux. Nous longeâmes la rive est du loch Linnhe sur toute sa magnifique étendue, jusqu'au loch Etive où nous fîmes halte pour la nuit dans une auberge fort convenable. Dès nos premières heures de chevauchée, je me sentis heureuse de la tournure des événements qui me remettait sur la route. J'avais le goût de voir du pays, d'être à cheval et de me retrouver au milieu d'une compagnie masculine. Et, au plus secret de mon cœur, je m'enthousiasmais à l'idée de me rapprocher de Dumbarton.

Je découvris en mon beau-frère un compagnon de promenade très aimable et attentionné, et cette virée nous permit à tous les deux d'échanger davantage sur un plan personnel; je décelai beaucoup de perspicacité dans son jugement sur la famille MacNèil et une certaine sympathie à l'endroit de Baltair. Quand nous arrivâmes enfin à Innis Chonnel, il régnait une telle complicité entre lui et moi, que le seigneur Colin Campbell nous associa comme mari et femme, malgré les présentations qui le démentaient, et il continua à nous considérer comme tels durant plusieurs heures, ce qui créa un certain malaise.

Le seigneur Campbell, un homme d'une quarantaine d'années, possédait une forte stature et un teint clair. Ses vêtements dénotaient goût et richesse, et il s'exprimait dans un scot impeccable. Dès les premiers instants, il nous témoigna une affabilité sans pareille tout en cherchant subtilement à déterminer les liens de notre maison avec le Seigneur des Îles. Les allégeances de Colin Campbell à la famille royale et ses prétentions sur la province d'Argyll à titre de lord, ce que revendiquaient depuis des décennies les successeurs de Somerled, le premier Seigneur des Îles, provoquaient des tensions permanentes sur le territoire. Nous comprîmes peu à peu qu'une guerre d'usure existait entre les Campbell et les MacDonald, et que notre hôte ignorait vers quel camp penchaient les MacNèil. Quand nous lui eûmes expliqué le but de notre visite à Innis Chonnel, qui parut le surprendre, il devint d'un abord plus circonspect. Désireux de ne pas donner l'impression qu'il avait débauché Kenneth O'Drain du chantier du loch Shiel pour l'intégrer au sien, il accueillit notre demande avec empathie et s'empressa de nous exposer la nature des travaux qu'il avait commandés.

Innis Chonnel était une place forte érigée au siècle précédent sur une île, à trois cents pieds de la rive, dans le loch Awe; le château possédait de hauts murs d'enceinte et le donjon avait dû être à l'origine un broch*, mais plusieurs étages et une courtine au sommet en faisaient maintenant une résidence vraiment spacieuse et bien défendue. Le plan de rénovation du seigneur

Campbell visait à bâtir une nouvelle tour sur le coin sud extérieur à la muraille, une grand-salle avec celliers et voûtes en soubassement, et un large escalier d'accès au donjon adjacent : bref, tout pour stimuler les ambitions de mon maître maçon.

Devant l'air exalté de notre hôte, j'approuvai avec verve ses vues et le félicitai même pour avoir retenu O'Drain comme dessinateur, afin qu'il ne pensât pas que nous lui reprochions ce choix. Colin Campbell nous confia avoir beaucoup d'admiration pour les constructions du maître maçon, en particulier pour ce qu'il avait réalisé à Mallaig, réfection qu'il lui avait déjà été donné d'admirer. À ce moment de nos échanges, je perçus l'estime discrète mêlée d'une certaine curiosité qu'il vouait à mon beau-père, Mànas MacNèil, et je sentis qu'il fallait exploiter cet intérêt. Notre hôte nous annonça que Kenneth O'Drain était absent du château pour quelques jours, parti sélectionner des pierres dans la carrière d'approvisionnement du chantier, à quelques miles du loch Awe. En attendant de pouvoir favoriser une rencontre entre lui et nous, Colin Campbell nous invita à nous installer au château, ce que nous fîmes, quelque peu décontenancés.

Le jour du retour du maître maçon à Innis Chonnel, à la mi-juillet, une chaleur humide montait du loch le long des murs d'enceinte au sommet desquels j'avais pris l'habitude de me promener. J'eus la surprise de le voir traverser à l'île à la suite d'un imposant contingent armé portant les couleurs de la maison royale. Plusieurs navettes dans les petites barques furent nécessaires avant qu'une vingtaine d'hommes n'aient débarqué sur l'île.

Depuis mon poste d'observation aux côtés de Griogair, j'examinai la traversée de la cohorte et reconnus avec ébahissement qu'elle était sous la conduite du duc d'Albany et du jeune duc de Rothesay, l'un, frère et l'autre, fils de notre souverain. «Ah, ah! fit Griogair. Voilà qui ressemble fort à une expédition de guerre, Lite. Regardez le nombre d'hommes restés sur la rive et les harnachements des montures : il y a plus de combattants et plus d'armes là que dans la batterie d'un poste frontalier.» Mon beau-frère ne pouvait pas si bien dire, car, une heure après l'arrivée de l'éminente délégation au château, Colin Campbell annonça qu'il donnait son appui à la campagne royale que venaient de lever le duc d'Albany et son neveu, le duc de Rothesay, contre le Seigneur des Îles.

Excitée comme une belette à la vue du prince David qui défrayait les chroniques scandaleuses de la maison royale depuis plus d'un an, je m'étais glissée dans la salle d'armes où se tenait le conciliabule. Mon intérêt bondit d'un cran quand j'entendis le duc d'Albany mentionner le nom de mon mari : «Le roi lève en ce moment une grande armée pour la poster à Dumbarton. L'homme que Moray a mandaté là, un dénommé Baltair MacNèil, est prévenu et veillera à ouvrir la forteresse à l'ost royal, malgré les réticences du shérif. Mais pour le moment, avant de donner l'assaut par mer aux possessions de MacDonald sur les Îles, le duc de Rothesay et moi comptons circonscrire son pouvoir sur le continent et recourir à l'aide des seigneurs qui se compteront parmi nos alliés dans les districts de Morven, du loch Shiel, de Mallaig, de Louchabre et du loch Ness. En nous servant de leurs places fortes comme bases, nous

nous emparerons de celles des MacDonald, les unes après les autres. Nous y passerons l'été s'il le faut, mais quand nous repartirons, le *Rìgh Innse Gall*[13] sera confiné dans ses îles des Hébrides. Les seigneurs highlanders récalcitrants à notre opération seront présumés ennemis de la Couronne et traités comme tels. »

En apprenant cette grave nouvelle, mon sang ne fit qu'un tour. Griogair avait vu juste : les Highlands entraient en guerre et Baltair aurait probablement à combattre dans le camp de la Couronne contre le mari de Mariota. Soudainement, les plans du manoir du loch Shiel n'eurent plus aucune importance à mes yeux et négocier avec maître O'Drain devint le cadet de mes soucis. Une seule chose comptait : clarifier la position de mon beau-père dans le conflit qui s'annonçait, afin qu'il ne soit pas compté parmi les partisans du clan MacDonald et que Mallaig ne soit pas en proie aux représailles des ducs.

Je sortis en trombe de la salle et m'empressai de faire part de ces révélations à mon beau-frère qui, comme je m'y attendais, partagea mes idées. « Le seigneur Mànas a pressenti depuis longtemps que le clan serait tôt ou tard menacé par la guerre de pouvoir que se livrent les tenants du clan MacDonald et ceux de la couronne d'Écosse, dit Griogair. Sa politique de neutralité ne pourra pas le soustraire à la belligérance qui fond sur les Highlands et Mallaig risque fort d'en faire les frais. Le drame, c'est qu'il ne suffit pas d'ériger des places fortes sur le pourtour d'un domaine pour le protéger,

---

13. *Rìgh Innse Gall* (mots gaéliques) : Roi des Gaëls.

encore faut-il garnir ces fortifications d'hommes d'armes compétents et d'un expert guerrier pour les diriger. Mais cela fait lamentablement défaut au clan MacNèil depuis la disparition de Parthalan; nous possédons d'excellentes murailles, mais elles ne sont pas adéquatement défendues.

– Mànas MacNèil a pourtant un expert guerrier dans sa propre famille, messire Griogair, et vous savez bien à qui je fais allusion, avançai-je.

– Certes, votre mari serait l'homme idéal pour tirer Mallaig du chaos qui se dessine, mais je doute malheureusement que le seigneur Mànas demande son support, tout comme je doute que Baltair le lui offre.

– Messire, nous ne pouvons pas demeurer cois devant l'imminence de cette guerre où tous les domaines des Highlands seront otages d'un camp ou de l'autre. Notre devoir, à vous et à moi, est de sauver Mallaig en établissant la meilleure stratégie pour y parvenir! Si cette stratégie victorieuse passe par le règlement d'une controverse entre un père et un fils, nous nous emploierons à éteindre cette brouille... »

Griogair ne répondit pas, se contentant d'un geste d'impuissance en me coulant un regard désabusé. « Voici ce que je propose, repris-je. Vous vous chargez de présenter la situation politique à notre beau-père et de le préparer en vue d'une intervention de Baltair, et de mon côté, je me charge de convaincre ce dernier de venir prendre position à Mallaig. »

Mon beau-frère caressa sa barbe d'une main nerveuse, en adoptant un air concentré dans lequel je décelai de l'incrédulité: en laquelle des deux négociations fondait-il le plus d'espoir de réussite, la sienne ou la mienne ? Je me posai la même question et un soupçon d'incertitude s'immisça en moi, quant à ma propre mission. Cependant, la perspective de revoir Baltair m'emplit d'un fol espoir qui balaya bientôt mes doutes, comme poussières au vent, et je soupirai d'aise en entendant Griogair acquiescer à mon projet, au bout d'un long moment de réflexion : « Soit, Lite, cela vaut la peine de tenter le coup. Je vous laisse deux de nos hommes pour vous accompagner jusqu'à Dumbarton, et je garde le troisième pour regagner Mallaig… Et que faisons-nous pour Kenneth O'Drain ?

– Je crois que, dans les circonstances, la poursuite du chantier est de toute façon compromise. Nous allons devoir réunir nos forces au château. Il se pourrait aussi que le seigneur Campbell soit obligé d'interrompre ses propres travaux avec cette guerre qui se prépare. Laissons donc de côté les plans du maître maçon et concentrons-nous sur Mallaig », répondis-je, d'un ton persuasif.

Je partis avant Griogair et ne sus que bien plus tard qu'il avait tenté de nouveau de racheter ses plans à Kenneth O'Drain avant de quitter Innis Chonnel. Je sentais bien qu'il nous fallait atteindre Dumbarton avant que l'armée n'y parvienne, car, alors, Baltair pourrait être investi par le roi d'une mission qu'il lui serait impossible de refuser et il ne pourrait plus voler au secours de Mallaig. Quarante-cinq miles me séparaient de Dumbarton et, avec mes gardes, je les franchis rapidement en une journée et demie de route. Nous traversâmes le bourg royal de Dumbarton vers midi, le 27 juillet 1398, et le trouvâmes étonnamment quiet : aucune trace d'armée royale, de délégation quelconque ou d'animation particulière dans le port. Avec une certaine anxiété, je me présentai au bastion du corps de garde. La herse se leva avant même que je n'aie décliné mon identité au gardien et je fus accueillie par Baltair lui-même qui m'avait repérée depuis un poste d'observation.

Il m'aida à descendre de monture dans la cour, l'air si ébahi de me voir là que je faillis éclater de rire, mais le moment aurait été bien mal choisi pour donner libre cours à mon hilarité. «Que fais-tu ici, l'Hermine? me souffla-t-il d'une voix angoissée. L'heure n'est pas aux visites de courtoisie dans une forteresse comme celle-ci: nous sommes en état de guerre…

– Je le sais bien! C'est d'ailleurs la raison pour laquelle je veux te voir au lieu de t'écrire. Sinon, pourquoi serais-je venue à Dumbarton?» lui répondis-je, en sentant mes joues s'empourprer. Mon mari scruta mon regard d'un air perplexe, puis sourit lentement. Il m'attira contre lui et enfouit son visage dans le pan de ma coiffe. «Pour me chérir, peut-être?» murmura-t-il, les lèvres sur mon cou. Je frissonnai à ce contact, tout en me disant que l'entretien s'annonçait fort bien.

Baltair disposait d'une spacieuse loge au premier étage du corps de garde et c'est là qu'il me conduisit prestement avec mes besaces de voyage. Il me fit asseoir sur une chaise à coussin et prit place en face de moi, les fesses appuyées sur le bout de sa table de travail. «Je t'écoute, mon Hermine. Ne me fais pas languir avec les subterfuges que la guerre te permet pour m'honorer de ta présence en te précipitant sur les routes par des temps si risqués…», fit-il, mi-sérieux, mi-ironique, en croisant les bras sur sa poitrine.

Je pris une bonne inspiration et me lançai sans autre préambule dans l'explication qu'il attendait. Si la description de la situation politique ne l'émut point, sans doute parce qu'il la connaissait déjà, l'analyse de ses conséquences sur Mallaig, que nous avions faite, Griogair et moi, le dérangea davantage. Son front se plissa et il se mit à arpenter sa chambre de long en large, visiblement contrarié. «Lite, tu ne sembles pas saisir que je sers la maison royale en ce moment. Si un chef de clan n'a pas les forces nécessaires pour soutenir les hostilités, il ne peut espérer les trouver parmi celles du roi...

– Bon sang, Baltair! m'écriai-je. Ce n'est pas n'importe quel chef qui requiert ton aide, c'est ton propre père. Le domaine à représenter est celui de ton clan et le château à défendre est celui que ta femme habite!

– Mais ma femme n'est pas à Mallaig, à ce que je vois...

– Elle y retourne de ce pas, ingrat! Elle retourne auprès de ton fils et de ta famille que tu n'as aucun scrupule à exposer à la tourmente, clamai-je en me levant d'un bond. Je vais chercher ailleurs un homme digne et valeureux, puisque le mien ne reconnaît pas où l'appellent ses devoirs de fils, d'époux et de membre de clan!

– Bonne chance, l'Hermine! Ces hommes-là sont d'une espèce plus rare que les femmes fidèles...», rétorqua-t-il sur un ton désinvolte, au moment où j'atteignis la porte.

Je me figeai sur place et me retournai d'un bloc pour le dévisager. Je sentis une sourde colère monter en moi et serrai les poings à m'en faire éclater les jointures.

«Je ne sais pas si les femmes à Dumbarton sont fidèles, grondai-je. Mais je peux te dire que celles vivant à Mallaig le sont. Et il n'y a pas qu'elles qui soient constantes dans leurs sentiments, les hommes aussi le sont... Après ce que tu as fait pour sauver Struan, sache que nul ne médit plus de toi à Mallaig, nul ne te déconsidère et nul ne te méprise. Au contraire, on te craint et on te respecte. Il est facile de parler de la fidélité des autres quand on vit au loin, et de mériter la belle épithète de féal pour soi. Cependant, pour la conserver, il faut de la générosité et de la noblesse. J'aurais aimé croire que mon mari n'en était pas dénué...

— Inclus-tu Mànas MacNèil dans ton éloquent "nul"?

— Si fait! Puisque ton père ne parle jamais de toi, il ne peut donc jamais déblatérer sur ton compte...

— Et selon ton point de vue, ce serait une preuve de générosité et de noblesse que de quitter le service du roi pour celui de mon père, et si je ne le faisais pas, tu m'en croirais dépourvu?» fit-il, avec un air de défi.

Nous n'étions certes pas engagés dans une discussion qui avait quelques chances de succès, et ce, par ma faute. Je le réalisai soudain, quand le bleu de ses yeux se voila de tristesse. Laissant tomber toutes mes défenses, je me précipitai dans ses bras: «Non, Baltair. Je connais ton cœur et il est aussi noble et généreux qu'un cœur peut l'être. Je n'en doute pas, quelle que soit la décision que tu vas prendre. C'est l'emportement qui m'a fait échapper ces paroles... Je te demande pardon», dis-je, appuyée contre son épaule.

Il m'enserra fermement et murmura son regret d'une voix ténue: «Il est heureux que nous échangions davantage par écrit que de vive voix, car nos propos sont plus doux sur le papier que sur nos lèvres. Embrasse-moi si tu veux être pardonnée. »

Je ne me fis pas prier et baisai sa bouche avec ferveur.

Chapitre XIII

Le transfert du titre

La réputation d'austérité que s'était acquise Mac-Nèil dans une forteresse comme celle de Dumbarton, où le shérif Danielston menait une vie proche de la débauche, me surprit beaucoup. Alors même que Struan profitait de la libéralité des filles assignées à l'entretien du corps de garde, mon mari ne leur adressait pas la parole. Ces dernières semblaient l'ignorer en s'acquittant de leur service et elles me dévisagèrent avec curiosité durant les deux jours que je passai à Dumbarton. Struan m'apprit que son oncle leur avait interdit l'accès à ses appartements, même pour en faire le ménage, ce qui acheva de me convaincre que MacNèil n'en mettait aucune dans son lit.

Je pus m'entretenir plaisamment avec Struan qui avait beaucoup grandi. S'était-il développé sous l'effet de l'entraînement auquel MacNèil le soumettait et qui, au demeurant, lui convenait tout à fait? La barbe naissante qui ombrageait ses joues d'un duvet doux me surprit quand il m'embrassa la main : Mallaig avait perdu un garçon à son départ et je me retrouvais maintenant, quelque peu décontenancée, devant un homme. Mon neveu me parla avec emphase de sa vie de garnison et des amis qu'il s'était faits parmi les garçons du bourg avec lesquels il s'adonnait au jeu de shinty dans la lande : « Mon oncle dit qu'il est autant de mon âge de courir après une balle que de manier la claymore », se justifia-t-il, devant mon étonnement face à l'indulgence dont faisait preuve mon mari dans l'emploi du temps du garçon. À le voir aller et venir dans la spacieuse chambre de Baltair encombrée de meubles, approvisionnant en bois le foyer, tirant les courtines du lit pour l'aérer, rafraîchissant l'eau à boire des cruches ou chauffant celle des cuves pour la toilette et mouchant les mèches des lampes, j'en conclus qu'il occupait aussi une bonne part de son temps à servir son oncle et tuteur.

Nous ne montâmes au château qu'une seule fois pour le souper, le jour de mon arrivée, et je pus constater de mes propres yeux le faste dont le gardien de Dumbarton s'entourait : la richesse des tapisseries et leur abondance, la qualité et la variété des mets et du vin, la profusion de fauteuils et, enfin, le grand nombre et l'allure dévergondée de la domesticité féminine me stupéfièrent. « Danielston mène ses petites affaires ici, et ce, avec l'accord tacite du Seigneur des Îles qui utilise le port de Dumbarton pour nombre de transactions plus ou moins légales. Ce qui explique largement tout ce que tu vois dans cette salle où il ne reçoit jamais les agents de la Couronne. Ceux-là ne sont pas invités à grimper jusqu'ici et sont d'ailleurs fort aises de rester au bastion pour discuter », me confia Baltair.

Je compris que la situation de la forteresse, en principe possession royale, était des plus ambiguës. Le shérif Danielston qui la tenait n'avait pas reçu un mandat clair au décès du précédent gardien et personne ne le considérait officiellement investi de ce titre. En conséquence, il ne recevait du Parlement que son salaire de shérif, aucun subside, et le maintien de la garnison était à la charge du comte de Moray, agissant en sous-main pour la maison royale. En quelque sorte, Danielston dirigeait Dumbarton sans égard pour la Couronne. Évidemment, la présence de MacNèil et de ses hommes lui était imposée et, visiblement, il s'en accommodait de son mieux. En les observant attentivement durant le repas, je décelai une distance respectueuse entre les deux hommes et j'en tirai mes propres conclusions.

Mes vraies retrouvailles avec mon mari se déroulèrent dans le privé de sa chambre. L'intensité de mon désir accru par les circonstances inusitées de notre rencontre me transporta littéralement de félicité durant les deux nuits que je passai dans ses bras : «Ne dis rien, ma blanche Hermine, chuchota-t-il en me déshabillant, le premier soir. Laissons parler nos mains et nos yeux : nous avons trop faim tous les deux pour nous perdre en paroles.» Même si je l'avais voulu, je n'aurais pas pu glisser un mot durant nos ébats, tellement ma bouche insatiable s'employait à l'embrasser. Quand nous étions repus de caresses, nous nous reposions dans un silence serein, tendrement enlacés, puis nous recommencions nos étreintes épuisantes jusqu'à être de nouveau assouvis.

Au matin du deuxième jour, en le voyant alangui et satisfait, les yeux fermés et les mains croisées sous sa tête aux reflets cuivrés, je risquai une petite remarque sur notre entente, que je ponctuai d'un effleurement de doigts sur son torse : «Si je disposais encore de ma dot, Baltair, je chercherais à t'embaucher comme gardien de Mallaig pour t'avoir tout à moi, toute l'année.

– Je te ferais un bon prix, mon Hermine, car les excellentes conditions de vie que tu m'offrirais compenseraient une bonne part du salaire…

– Pourquoi crois-tu que tes conditions de vie seraient si agréables?

– Parce que ta façon de chérir un homme est inestimable.

– Je ne chéris pas un homme, Baltair: je chéris *mon* homme.

– Alors dans ce cas, Lite, je n'accepterais pas de salaire, puisqu'un époux veille sur sa femme sans que celle-ci ait à le payer. Ce n'est pas un gardien que tu veux, c'est un mari…

– Je veux le gardien pour Mallaig et l'homme pour moi. Je t'aime, Baltair MacNèil, et il me tarde de vivre avec toi. Je désespère que ce jour arrive jamais…

– Serais-tu prête à vivre avec moi ici ou à tout autre endroit où mes contrats me mèneraient?»

La requête que je redoutais d'entendre tomba sur moi comme une averse soudaine sur un jardin, à la fois inopportune et libératrice. Je m'appuyai sur un coude et scrutai son visage: un pli au-dessus de ses sourcils fins témoignait de son anxiété, ses lèvres se resserraient sous sa moustache courte et ses yeux bleus avaient perdu leur air de gaieté. Contrairement à ce que je m'étais imaginé, l'épineuse question ne provoqua pas de remous dans mon âme, jusque-là pleine d'espoir quant au retour de Baltair à Mallaig. J'entrevis pour la première fois de ma vie la possibilité de quitter la famille MacNèil et d'accompagner mon mari sur la route sinueuse de sa vie.

Cette perspective surgit d'une façon si paisible et si inattendue que les larmes me montèrent aux yeux. J'enfouis mon visage au creux de son épaule et ses bras musclés se refermèrent sur moi en un geste d'une grande tendresse. «Lite, ce n'est pas la peine de jouer de tes pleurs et de te morfondre pour cette simple question…

— Oh, Baltair! Je ne joue pas… je verse des larmes de bonheur et d'étonnement. J'ai toujours cru que Mallaig était l'ultime but de ma vie et, aujourd'hui, je découvre qu'il perd de son importance si je ne peux partager cet intérêt avec toi.

— Qu'est-ce à dire, ma douce Hermine, tu changerais de terrier avec ton petit pour me suivre?

— Je le crois, oui! Je trouve que tes terriers ont tendance à gagner en confort, d'un mandat à l'autre… Je me trompe?» Là se termina l'entretien qui nous bouleversa plus que nous le mesurâmes sur le coup. Mon mari me hissa doucement sur lui et nous nous possédâmes encore une fois, lentement et avec application, les yeux et le cœur rivés l'un à l'autre.

Une semaine avant que l'imposant ost de Robert III n'arrive à Dumbarton, le chef de la garnison avait quitté la forteresse par mer avec son neveu, son épouse et les gardes qui l'accompagnaient. La désaffection de Mac-Nèil causa une grande contrariété au roi qui se vit refuser l'accès à la forteresse par l'opiniâtre Danielston et dut se contenter d'en faire le siège, épuisant rapidement le bourg en vivres, en bois de chauffage et en matériaux de guerre.

Durant ce temps, sur deux autres fronts, les ducs d'Albany et de Rothesay progressaient dans le recrutement d'alliés highlanders à la Couronne écossaise en écumant la côte ouest, de l'île de Mule à l'île de Skye, et le district de Louchabre compris entre le loch Awe et le loch Ness. Chacun de leur côté, ils menèrent peu d'attaques sur les places fortes des MacDonald, mais recrutèrent nombre d'adhérents parmi les petits seigneurs gaëls indécis et impressionnables. Leurs entreprises respectives connurent finalement un plus grand succès que celle dirigée par le roi bloqué à Dumbarton.

En septembre, au beau mi-temps de la campagne contre le Seigneur des Îles, le duc de Rothesay se vit octroyer le comté d'Atholl devenu subitement vacant, confirmant ainsi son pouvoir montant et son assise politique dans le centre du pays. Il n'en fallait pas plus au prince David pour reprendre de la superbe et se faire plus arrogant face à ses adversaires. Durant le mois qui suivit, il sillonna avec des allures de conquérant le district de Morven, en remontant la côte vers le nord, et il soumit par la force ceux qu'il ne pouvait gagner autrement à sa cause. Le 28 octobre, le jeune duc se présenta avec une cinquantaine d'hommes aux portes de Mallaig, là où se terminait son expédition continentale.

Le château des MacNèil, avec ses imposantes fortifications et son port commercial, lui parut l'endroit idéal pour établir ses quartiers en vue d'une poursuite de l'expédition par mer. En outre, le prince David fut ravi de retrouver Baltair MacNèil aux commandes du château, en remplacement du chef Mànas qui était invalide. Comme cela avait été le cas partout où le duc était passé dans les Highlands, son armée s'installa sur un site en marge du hameau, au pied des murs d'enceinte, tandis que lui-même et sa garde personnelle furent reçus à l'intérieur avec grand apparat. Flattée et très honorée de l'éminente visite, dame Égidia donna au prince ses propres appartements du premier étage et assigna à son service ses meilleurs domestiques. Les soins prodigués à son époux malade passèrent rapidement au second plan au milieu de l'effervescence générale qui s'était emparée des habitants du château, branle-bas dont l'infortuné chef Mànas n'eut pas conscience.

Pour MacNèil, l'aboutissement de l'ost du duc de Rothesay à Mallaig était prévisible et son arrivée le soulagea. Depuis le mois de juillet, en guise d'avertissement, Donald MacDonald avait fait en sorte que les flottes commerciales n'atteignent pas le port de Mallaig et cette mesure d'intimidation avait considérablement augmenté la tension qui régnait dans la péninsule. MacNèil avait déjà eu le temps d'examiner la situation dans la mer des Hébrides depuis le pont de la nef qui l'avait ramené de Dumbarton avec Lite et Struan : à deux reprises, il avait croisé des navires battant pavillon MacDonald et, à deux reprises, il avait évité l'abordage en hissant le blason MacNèil porté par un garde de son épouse.

À son débarquement dans le port de Mallaig, il avait été accueilli par son frère Aindreas et son beau-frère Griogair, aussi inquiets l'un que l'autre. Plusieurs incendies accompagnaient le passage des armées royales dans les Highlands et cela semait une terreur égale à celle que répandaient les hordes de caterans qui déferlaient sans préavis sur les territoires isolés. On craignait le pire en adoptant un air de fatalité coutumier. Sans le laisser paraître, MacNèil s'était surpris de l'affabilité avec laquelle la délégation mâle de Mallaig l'avait reçu et de l'entière confiance qu'elle lui avait témoignée pour organiser la défense du domaine, ce qu'il avait fait en quelques jours.

Quant à Lite, observatrice et silencieuse devant l'accueil que leur réservait la famille, elle interpréta cette attitude d'ouverture comme le résultat du travail patient de son beau-frère, Griogair. Visiblement, ce dernier avait réussi à convaincre le clan du bien-fondé du retour de Baltair à Mallaig. Face à ce résultat, Lite salua son habileté et son sens de la diplomatie. Même si aucun assaut des MacDonald contre des possessions des MacNèil sur la péninsule n'avait été signalé, alors que les domaines voisins en avaient subi, la menace demeurait néanmoins bien réelle et chacun était persuadé que le château vivait en sursis. Évidemment, l'absence du seigneur Mànas cloué sur son lit avait été l'élément qui avait le mieux favorisé cette rentrée harmonieuse de Baltair et de Struan à Mallaig.

Y eut-il une forme de réconciliation entre le père et le fils dans les premières heures du retour de MacNèil? Nul ne put deviner le ton ou le contenu du bref entretien qu'ils eurent, seul à seul. Cependant, au cours de la visite qu'Aindreas fit à son père après celle de son aîné, la décision de tenir une assemblée spéciale des lairds du clan sur la situation politique fut prise et Baltair fut désigné pour la présider. Malgré l'amertume qu'Aindreas éprouva à cette nomination, il convoqua la réunion dans la salle d'armes du château dès le lendemain et les quatre lairds du clan, dont Griogair, s'y présentèrent avec diligence.

Le sujet abordé étant au centre des préoccupations de chacun des hommes qui entrevoyaient la perspective imminente de combats à livrer et de biens à protéger, les analyses de Baltair sur la situation et ses recommandations pour faire face à la crise furent accueillies avec beaucoup de considération. Sa réputation de capitaine accompli et d'agent de la Couronne donnait du poids à ses paroles et gagna spontanément les lairds à ses vues, chassant de leur esprit l'ancienne épithète de cateran. Si, à la fin de l'assemblée, quelques doutes subsistaient chez l'un ou l'autre quant à l'appui du chef Mànas aux stratégies de son fils, ils furent aisément balayés par l'apparition même du malade dans la salle.

Soutenu par un domestique et par le secrétaire Guilbert Saxton, le vieil homme n'avança que de quelques pas au-delà de la porte et confirma d'une voix éteinte la position du clan MacNèil face à la campagne royale contre le Seigneur des Îles : « Messires, mon adhésion va à Robert III et à ses représentants. Mon fils Baltair peut être considéré comme l'un d'eux et je vous enjoins de modeler le comportement de vos maisons sur celui qu'il adoptera pour Mallaig. Je ne suis pas en mesure de prendre une part active à ce conflit, mais je mandate Baltair pour agir à ma place. Que le clan MacNèil ne soit pas divisé en ces heures troubles et qu'il s'aligne derrière lui comme il le ferait derrière moi ! »

Je garderai longtemps le souvenir de la conversation qui eut lieu devant l'âtre de la grand-salle entre le duc de Rothesay, Baltair et mes deux beaux-frères, le soir du 28 octobre. Nous avions quitté la table très tard, légèrement éméchés par l'abondance du vin que dame

Égidia avait fait servir et appesantis par la lourdeur des mets copieux cuisinés en l'honneur du prince. Mes belles-sœurs s'étaient retirées avec ma belle-mère et j'étais demeurée la seule dame présente pour la veillée.

Assise dans l'ombre, en retrait des fauteuils placés en arc de cercle devant le large foyer où les quatre hommes avaient pris place, j'assistai, muette, à leurs échanges que la voix nasillarde du duc dominait. Il pérora longuement sur les supposées origines gaéliques de ses ancêtres qui justifiaient, selon lui, l'opération menée contre le clan MacDonald : «Les Stewart ne peuvent pas être considérés comme ennemis des Highlanders puisqu'un même sang gaélique coule dans nos veines. En vérité, les MacDonald ne sont pas plus gaéliques que nous et leur prétention au titre d'uniques représentants des Highlands et de la mer des Hébrides n'est ni plus ni moins fondée que celle de la Couronne écossaise.» Je vis bien que cet exposé laissait sceptiques Griogair et Baltair, alors qu'Aindreas manifestait son admiration pour le duc en approuvant chaque phrase qui sortait de sa bouche.

«Racontez-nous, mon seigneur, les places que votre ost a gaillardement ardées depuis votre arrivée dans les Highlands», demanda candidement Aindreas, que les récits de guerre captivaient davantage que les discours sur la lignée royale. Le duc de Rothesay, que cette requête flattait, ne se fit pas prier pour relater par le menu détail les équipées de sa milice en divers lieux et les assauts dont certains domaines avaient fait l'objet. Il ne se rendait pas compte que ses dires démentaient les propos qu'il avait tenus un peu plus tôt à l'effet que les Stewart n'étaient pas les ennemis des Highlanders. Particulièrement dans sa narration des incendies de manoirs et de

récoltes, allumés sans sommation préalable aux propriétaires, pour la seule raison qu'ils se trouvaient sur le
territoire du seigneur de Louchabre, frère de Donald
MacDonald.

Interloquée, j'écoutais le verbiage du duc en constatant que plus il élaborait sur son expédition, plus elle
apparaissait comme une campagne de peur orchestrée
pour ébranler tous ceux qui avaient des biens sur la côte
ouest et qui vivaient dans le giron du Seigneur des Îles.
En scrutant le profil grave et immobile de Baltair, je perçus son désaccord. Quand, tout enflé de ses propres pa-
labres, le prince aborda les expéditions parallèles du duc
d'Albany, son oncle, et celle du roi, son père, Baltair eut
un rictus de contrariété. «Je suis persuadé qu'à cette
heure, clama Rothesay, mon armée est celle des trois
qui a remporté le plus de succès dans cette campagne.
Albany va me confirmer cela sous peu... Mais je sais
d'ores et déjà que l'ost de Robert III a été le moins efficace. Figurez-vous que, depuis presque trois mois maintenant, il cantonne à un jet de pierre de la forteresse de
Dumbarton sans même pouvoir y glisser un doigt. Son
gardien lui en interdit l'accès... Comment jugez-vous
cela, messires? Un roi refoulé aux portes de sa propre
place forte: y a-t-il plus bête et insignifiant?»

Aindreas partit d'un rire grossier et Baltair lui jeta
un regard de désapprobation, alors que Griogair conserva son air sérieux en dévisageant le duc qui avait
parlé de son père d'une façon si effrontée. «Évidemment, MacNèil, poursuivit le duc, si tu étais resté sur
place, je suis bien certain que la herse se serait levée prestement devant la délégation royale. Je ne comprends
toujours pas pourquoi je te retrouve ici... Mais quelle

qu'en soit la raison, elle fait notre affaire: elle prouve que Robert III n'aurait pas dû s'impliquer dans la campagne, qui n'était d'ailleurs pas son idée. J'avoue que tout à l'heure, en rencontrant ton père, je ne l'ai pas trouvé plus apte à gérer la situation que le mien: tu as bien fait de prendre les choses en main… comme je l'ai fait moi-même. »

Ce dernier commentaire jeta un froid et étouffa l'hilarité d'Aindreas. Un silence lourd s'ensuivit et le duc en profita pour prendre congé de son auditoire sur le ton insouciant des enfants indisciplinés à qui les règles de la politesse la plus élémentaire échappent. Baltair et Griogair échangèrent un regard discret, rempli de complicité. Aindreas adopta une mine sérieuse et se retira sans un mot, nous laissant tous trois seuls dans la salle. Je m'avançai près du foyer vers lequel je tendis les mains pour les réchauffer. Baltair s'approcha de moi et les saisit: «Montons, Lite: je pense que la journée a été éprouvante et que les prochaines risquent de ne pas l'être moins…»

Quelques minutes plus tard, bien à l'abri des courtines dans l'alcôve de notre lit, nous reparlâmes à voix basse de l'information sur Dumbarton que nous venions d'apprendre de la bouche du duc. Je sentis Baltair troublé et compris à quel point sa désertion du poste de chef de garnison pesait lourd sur sa conscience, manquement à son devoir envers notre souverain. «David Stewart, tout prince qu'il est, reste un incorrigible impudent, me confia-t-il sur un ton amer. En agissant de la sorte, il ne se rend pas compte qu'il fait le jeu de son oncle et qu'il devient ainsi l'instrument de la chute de son père. Ah, Lite: un fils comme cela, je n'en voudrais pas! J'ai bien peur que notre pauvre souverain ne fasse désormais plus le poids face à cette paire de Stewart avides de pouvoir. Damnations que ce vieux et ce jeune loup, frère et fils d'un monarque infirme, déchu avant même d'être monté sur le trône... »

Je me pelotonnai contre Baltair que je sentais triste et pris une de ses mains entre les miennes pour le réconforter. Je partageais ses sombres pensées et son indignation contre le prince David, duc de Rothesay, comte de Carrick et d'Atholl et, insidieusement, détracteur du roi des Écossais.

Les nouvelles du duc d'Albany, que notre illustre invité attendait avec une belle impatience, n'arrivèrent qu'au bout d'une semaine. Elles apaisèrent notre anxiété d'entendre chaque jour le prince échafauder des plans pour commencer l'invasion des territoires insulaires du clan MacDonald à bord de nos navires. En effet, la lettre du duc d'Albany, dont mon efficace Guilbert réussit à lire le contenu qu'il nous rapporta presque mot à mot, faisait une analyse suffisamment positive de la campagne contre le Seigneur des Îles pour en proposer la fin. Mais aussi et surtout le frère du roi annonçait qu'il convoquait une réunion occulte des plus puissants seigneurs du royaume : «... *car, à la lumière de cette dernière crise, la preuve de l'incapacité de Robert III à gouverner adéquatement est évidente et nous estimons que son règne est devenu un péril pour le pays. Ainsi donc, mon neveu, je vous suggère de vous replier et de nous rejoindre à mon château de Falkland, le 14 de ce mois...* ».

Nous poussâmes un même soupir d'aise en entendant le jeune duc nous aviser de son départ. Il vint nous trouver dans le cabinet du seigneur Mànas alors que nous y devisions, Baltair, sa mère et moi, sur la santé de ce dernier. «Vous avez été notre obligée, chère dame Égidia, en nous recevant comme vous l'avez fait en lieu et place de votre seigneur, dit solennellement Rothesay, en s'emparant des mains de ma belle-mère dans lesquelles il déposa une petite bourse de velours noir. J'aurais eu grand plaisir à prolonger mon séjour dans votre admirable château, mais mes devoirs me rappellent au Parlement. Acceptez ce présent en guise de remerciement pour l'appui que le clan MacNèil a accordé à mon entreprise.»

Comme l'étiquette voulait que ma belle-mère n'ouvre pas le cadeau en présence de son donateur, nous ne découvrîmes son contenu que quelques heures plus tard, après le départ de Mallaig du duc avec son armée. Comme il se devait, dame Égidia dévoila sous les yeux de son mari le présent offert par un autre homme. Le seigneur Mànas nous fit aussitôt mander dans sa chambre, Baltair et moi, et c'est ma belle-mère qui parla la première: «Baltair, le duc de Rothesay m'a offert un singulier don que nous avons peine à interpréter, ton père et moi. Serais-tu plus à même de nous dire de quoi il en retourne, toi qui connais le prince mieux que quiconque ici?» demanda-t-elle.

Elle tendit à Baltair un bel anneau d'or qu'il saisit et examina à la lueur de la lampe, en le retournant délicatement entre ses doigts. De la largeur d'un ongle, le bijou était entièrement gravé sur sa face extérieure: des entrelacs formaient une couronne où se rencontraient deux écus, l'un avec un sautoir[14] bandé au chef[15], et

---

14. Sautoir: en forme de pointe de flèche.
15. Chef: partie supérieure de l'écu.

l'autre montrant un lion et huit roses. Sur la surface intérieure du jonc, figuraient une licorne, un chien et un oiseau portant dans son bec un phylactère sur lequel on pouvait lire les initiales «E. D.» et «D. S.» unies par une flèche. Après avoir détaillé l'objet à mon tour, je compris le malaise qu'il suscitait chez mes beaux-parents. Si le côté externe rappelait simplement l'union par la couronne, l'intérieur était beaucoup plus explicite avec ses sujets courtois d'animaux messagers de la passion et de la flèche d'amour. Quant aux initiales, Baltair n'eut aucune difficulté à les expliquer. «Je pense, ma dame, fit-il en répondant à sa mère, qu'il s'agit de l'alliance de fiançailles ou de mariage offerte au duc par Élisabeth Dunbar: les initiales sont les leurs et les écus représentés sont ceux du comté de Carrick et du comté de March.

– Nous avions compris qu'il s'agissait d'une parure de ce genre… Voilà un cadeau fort étrange fait à une dame de mon âge par un jeune homme de vingt ans! Qu'en dites-vous, Lite?» fit ma belle-mère, sans un regard pour son mari.

L'interprétation du présent était pour le moins hasardeuse et, comme tout le monde dans la chambre, j'étais infiniment perplexe. «Ma dame, fis-je, je crois qu'il faudrait considérer cet anneau comme une pièce d'une grande valeur certes, mais aussi comme un objet embarrassant pour le duc de Rothesay. Qu'il ait choisi de vous en faire cadeau ne devrait pas être sujet d'inquiétude; il faut y voir la marque de sa reconnaissance pour votre hospitalité. Sans plus.»

Le seigneur Mànas, qui n'avait pas ouvert la bouche depuis notre arrivée, se redressa lentement sur ses coussins et dit à mon mari: «Baltair, ta mère ne gardera pas cela. De toute façon, c'est un anneau d'homme : c'est toi qui le porteras puisque tu n'as pas d'alliance et qu'apparemment tu es marié…

– Père, je ne suis pas *apparemment* marié, je vous l'ai dit plusieurs fois et je vois que vous en doutez encore ! fit Baltair avec mécontentement.

– Alors voudras-tu bien m'expliquer pourquoi dame Lite porte le signe de son mariage au doigt et toi pas ? » rugit mon beau-père.

Je sentis qu'un orage s'annonçait entre le père et le fils et je m'empressai d'intervenir. « Mon seigneur, le jonc de Baltair était trop large et il l'a perdu dès après notre mariage. J'aurais dû le remplacer et ce n'est que négligence de ma part de ne l'avoir pas encore fait. Mais votre suggestion, dont je vous remercie, me donne l'occasion de remédier à mon manquement », déclarai-je d'un trait, en reprenant l'alliance des mains de Baltair. Je souris piteusement à mes beaux-parents qui nous observaient, puis je me tournai vers Baltair. « Mon amour, chuchotai-je hâtivement, en tentant de glisser le jonc à son annulaire, je te prends pour époux et jure de t'honorer jusqu'à ma mort… sois mien comme je suis tienne. » Il n'offrit aucune résistance à mon geste, mais ne se départit pas pour autant de son air maussade. Nous constatâmes rapidement que l'alliance ne passerait pas dans les jointures épaisses de ses doigts et Baltair referma le poing pour le camoufler, les yeux obstinément baissés. Puis, sans saluer, il quitta la pièce à longues enjambées. « Ce garçon m'indisposera toujours…, ronchonna le seigneur Mànas en s'enfonçant sous ses couvertures. Heureusement, je n'en ai plus pour longtemps à le supporter. Mes dames, je suis las maintenant : veuillez me laisser seul. »

Dame Égidia me prit alors le bras amicalement et nous sortîmes à notre tour. Nous avions à peine fait quelques pas dans le corridor qu'elle me glissa à l'oreille: «Vous venez de mentir, là, devant mon mari. Ce n'est pas avec Baltair que vous étiez mariée, n'est-ce pas? Dites-moi, Lite, entre nous: était-ce avec le père du petit Alasdair que vous avez contracté une alliance?» Sa remarque m'estomaqua à tel point que je ne pus répondre. Devant mon silence, elle conclut: «Je n'ai jamais vu un enfant né de parents tous deux aux yeux bleus en posséder d'aussi noirs et je m'y connais en progéniture...»

Jusqu'au milieu de l'hiver, inquiet pour l'avenir de Robert III à la tête du royaume et désireux de réparer sa faute envers lui, Baltair MacNèil se retint à grand-peine de se rendre à Dundonald pour demander audience au roi. Mais le bonheur de vivre avec son épouse et celui d'exercer son métier au château de son enfance avaient insidieusement atténué son sentiment de devoir envers son souverain. Comme la tension avait baissé sur la péninsule avec le départ des armées royales, le risque d'hostilités avec le Seigneur des Îles ou avec ses frères s'était estompé et une courte absence de son poste de gardien n'aurait pas compromis la sécurité du château. En outre, une certaine assurance de neutralité des MacDonald était parvenue à Mallaig par le concours de la correspondance de dame Lite avec sa sœur de lait, laquelle déplorait le contexte politique malveillant qui avait temporairement durci les positions de son mari envers le clan MacNèil.

Mais quand Baltair se décida enfin à faire cette expédition à la Stewartrie*, il était déjà trop tard. Au moment même où il quittait Mallaig avec une escorte de trois hommes, le Conseil général à Perth formulait une critique directe et brutale à l'endroit du roi pour son incapacité à régner et demandait sa démission.

Le 13 janvier, MacNèil se présenta aux portes de la forteresse de Dundonald, mais les sentinelles le firent patienter une demi-journée avant de l'admettre dans l'enceinte. L'observation de la brigade dans la cour et du dispositif de sécurité à l'intérieur du château le renseigna mieux sur le pouvoir réel détenu par le roi que ne l'auraient fait les chroniqueurs royaux, car un laisser-aller généralisé était manifeste chez la garnison et les domestiques. De plus, l'absence des personnages influents et de leurs délégations qui entouraient habituellement Robert III laissait croire à MacNèil que ce dernier n'était pas là. Mais cette hypothèse fut aussitôt démentie par l'arrivée inopinée dans l'antichambre du rondelet et perspicace chroniqueur Bower qui reconnut Baltair au premier coup d'œil. «Ah, messire MacNèil! fit-il sans grand enthousiasme, en lui tendant une main molle tachée d'encre, quel bon vent amène ici l'ancien capitaine de Dumbarton? Ne me dites pas que vous avez repris du service là-bas…

– Non point, messire. Je viens cependant au château de Dundonald à ce propos. Je demande audience au roi pour lui expliquer la position que j'ai tenue l'été dernier et pour livrer certaines informations récoltées à Mallaig, à la fin de la campagne du duc de Rothesay contre le Seigneur des Îles…

– Vos informations datent un peu, messire, et, quelles qu'elles soient, il y a fort à parier qu'elles sont caduques à l'heure où nous nous parlons: le Parlement vient de demander la démission de notre souverain. Nous avons reçu la nouvelle par messager hier et le roi est encore sous le choc. Je ne sais s'il vous recevra aujourd'hui.»

MacNèil pâlit sous l'effet de la bouleversante nouvelle et, d'un air désemparé, il regarda s'éloigner l'abbé Bower en direction de la pièce adjacente. Il fut fortement tenté de renoncer à sa demande et de rebrousser chemin, mais un poignant remords l'en empêcha. Accablé, il retourna s'asseoir dans le coin qu'il occupait avant sa rencontre avec le chroniqueur royal et prolongea son attente encore une bonne heure. Puis, les portes de la salle s'ouvrirent soudainement sur un page à l'allure dégingandée qui ânonna son nom.

Dès son entrée, MacNèil faillit buter sur un amoncellement de coffrets et de petits animaux en bois dispersés sur le tapis, avec lesquels un bambin s'amusait en arborant une mine sérieuse. «Le prince Jacques», fit négligemment le page en désignant l'enfant. MacNèil enjamba l'aire de jeu en prenant garde de ne rien déplacer et suivit son guide jusqu'au fond de la pièce où se tenaient quelques hommes, dont Bower, entourant le fauteuil occupé par Robert III, face à l'âtre. «Messire MacNèil de Mallaig, Majesté», clama le page, dès qu'ils furent à portée de voix. Un silence dans le groupe d'hommes accompagna cette annonce et tous dévisagèrent l'arrivant. Robert III avança légèrement le torse et pencha sa tête aux longs cheveux gris clairsemés, en plissant les yeux pour distinguer MacNèil, puis, au bout de quelques secondes, il reprit appui sur son dossier en poussant un soupir d'ennui.

L'abbé Bower s'empressa aussitôt d'étoffer la succincte présentation faite par le page : «Majesté, je vous signale que le château du clan MacNèil a servi de base au duc de Rothesay, l'automne dernier… Cela constitue peut-être l'explication de messire MacNèil quant à son abandon de la forteresse de Dumbarton. Et en compulsant mes notes tout à l'heure, Majesté, j'ai découvert que l'épouse de messire MacNèil a été la pupille de feu la comtesse de Ross et…

– … qu'elle est ainsi apparentée au seigneur MacDonald par dame Mariota, interrompit Robert III. Ne vous fatiguez, Bower, j'ai reconnu MacNèil : c'est le seul condamné à mort que la Couronne ait gracié dans ce siècle par l'invocation du pardon royal des époux!»

Un silence gêné suivit cette assertion inattendue qui provoqua une sueur glacée dans le dos de MacNèil. Amusé par la réaction stupéfaite de son entourage, le roi sourit et se redressa. «Approchez, messire MacNèil, fit-il, en tendant un bras maigre dans sa direction. Vous autres, retirez-vous, je suis d'humeur à m'entretenir privément avec ce Highlander.» Tandis que MacNèil venait s'agenouiller devant le roi et baisait sa main, Bower entraîna le groupe vers la sortie, ne laissant derrière lui que le page avec le petit prince accroupi sur le tapis de jeu.

En levant les yeux, MacNèil rencontra le regard de son souverain dénué de toute animosité et il reprit courage. Sur un ton humble, dans son scot le plus impeccable, MacNèil avait commencé à se perdre en excuses sur sa désertion et sur son retard à dévoiler les plans du duc d'Albany, quand il fut arrêté par le roi qui lui fit signe de prendre place sur le siège à côté du sien. «Vous n'auriez rien pu y changer, messire MacNèil. Seriez-vous accouru me prévenir de la tenue de cette assemblée extraordinaire à Falkland, qu'elle aurait quand même eu lieu avec les conséquences désastreuses que l'on sait. Voyez-vous, je connais un sombre hiver de déloyauté : mon héritier et mon frère fomentent leur complot en novembre ; la reine et mon beau-frère Malcom me retirent leur appui en décembre ; le Parlement réclame ma démission en janvier et nomme David « Lieutenant du royaume » pour trois ans ; et mes plus fidèles conseillers quittent ma maison les uns après les autres en marchant à reculons. Que me reste-t-il, à part ma foi chrétienne ? »

Le roi fit une pause en reportant son attention sur l'enfant et le page, et MacNèil comprit que son souverain n'attendait pas son avis, car il reprit : « Rien ni personne. J'ai pu miraculeusement conserver la garde du petit Jacques, mais pour combien de temps ? Je suis tellement persuadé que la reine va me le reprendre que j'exige qu'il soit constamment dans la même pièce que moi. Vous devez trouver que je suis un piètre roi, n'est-ce pas ?... et vous avez entièrement raison : Dieu m'est témoin que je fais mon possible, mais, dans ce monde intransigeant, l'ambition des puissants l'emporte toujours sur la légitimité des faibles...

– Majesté, je vous en prie, balbutia MacNèil, désemparé, ne vous dédaignez pas ainsi... Vous êtes malade et mal entouré, mais vous devez malgré tout vous battre. Vous êtes le roi des Écossais par sanction divine et nul ne peut usurper votre couronne... Vous n'êtes pas aussi seul que vous le croyez. J'aimerais mériter votre pardon en me portant volontaire pour toute mission qu'il vous conviendrait de me confier : je vous dois la vie et cette dette incomparable demeure... Oubliez que je suis un Gaël, acceptez mes services et soulagez mon âme.»

Robert III dévisagea MacNèil avec un tel accablement que ce dernier sentit les larmes lui monter aux yeux. «Je crains, messire, qu'il n'y a plus que le Créateur qui puisse encore quelque chose pour l'Écosse... Quant à moi, si j'ai une seule espérance, elle réside en mon fils David qui montera à ma suite sur le trône et qui a choisi d'apprendre à gouverner auprès de mon frère. Puisse-t-il devenir un meilleur monarque que moi...»

La pénible saison que nous venions de passer sur la côte ouest avait affecté tous les Highlanders, y compris les gens du clan MacDonald qui s'étaient eux aussi tenus sur un pied de guerre durant près de cinq mois consécutifs. Au cœur de la tourmente dans sa forteresse de Finlaggan, Mariota avait dû souffrir d'isolement plus que moi, car elle insista pour me faire la première une visite de courtoisie. Cette apparition inespérée à Mallaig, une semaine après le départ de Baltair pour Dundonald, eut un surprenant effet libérateur sur tout le château. Aindreas et Morag firent leurs bagages et repartirent pour leur manoir du loch Morar, tandis que Griogair regagna son chantier au loch Shiel que Kenneth O'Drain avait entre-temps réintégré, après une interruption des travaux demandée par le seigneur du loch Awe.

Du côté des dames, une grande quiétude nous enveloppa toutes. Rosalind avait accouché d'un autre fils, guère plus vigoureux que son premier et, depuis, la vie de château tournait autour de cette naissance : le personnel, l'aumônier et même les visiteurs voyaient leur attention attirée sur cet unique événement par dame Égidia qui avait repris le contrôle de sa maison avec fermeté.

Après le départ du duc de Rothesay, ne sachant trop quelle attitude adopter face aux suppositions de ma belle-mère concernant mon enfant et mon mariage, je n'étais pas revenue sur le sujet et c'était d'un accord tacite que nous évitions d'en reparler. Cependant, l'incident avait créé une certaine distance entre nous, ce que je déplorais sans savoir comment y remédier. À défaut de trouver mieux, je décidai de consacrer plus de temps à mon fils Alasdair et j'essayai de passer quelques heures quotidiennes dans la chambre des enfants avec Anna. J'y rencontrai souvent Maud qui prenait beaucoup de plaisir à montrer à Alasdair et au petit Raonall à parler et à marcher. Je découvris chez ma belle-sœur des qualités insoupçonnées jusqu'alors : par plusieurs aspects, elle me faisait penser à Mariota, toute en patience et en attention pour les deux cousins. À son contact, je développai moi aussi de l'intérêt pour l'éducation et commençai à échafauder un projet d'école tant pour nos enfants grandissant au château que pour ceux vivant au hameau. J'eus l'appui immédiat de l'abbé Oswald à qui je m'ouvris de mon idée à la première occasion. L'énergique homme d'Église m'affirma nourrir le même espoir que moi depuis son arrivée à Mallaig et il décida de faire construire par des menuisiers volontaires un appentis à sa maison, qui pourrait servir de salle de classe.

Je me préoccupai également de Struan, l'aîné des petits-enfants MacNèil, qui maintenant devait presque être considéré comme un capitaine au château. J'avais remarqué que, depuis le départ de Baltair, il cherchait discrètement à voir son grand-père. Celui-ci l'avait d'abord éconduit lors de ses premières tentatives de rapprochement, puis il l'avait laissé assister aux visites du barbier*; ensuite, il l'avait autorisé à lui porter son plateau et à nourrir son feu; et finalement, il le fit mander simplement pour lui tenir compagnie. Je crois que la ressemblance si frappante de Struan et de Parthalan n'avait pas échappé au seigneur Mànas : le même port de tête, la même carrure des épaules et, surtout, la même voix grave. Cela devait sûrement raviver le souvenir du fils défunt dans l'esprit affaibli du malade.

Struan, que j'interrogeai sur ses visites à son grand-père, me confia des bribes de leurs conversations : l'enfance du seigneur Mànas et celle de Parthalan, les origines du clan et les noms des ancêtres qui en avaient été chefs, et les principes de la chevalerie. Je m'aperçus que ce dernier sujet passionnait mon neveu et qu'il nourrissait l'espoir de devenir chevalier dans la maison MacNèil, comme l'avaient été son père et son grand-père.

Le premier jour du mois de février, alors que je descendais de la chambre des dames par l'escalier à vis, je tombai sur Struan qui y grimpait. Son visage était ravagé de larmes et il se précipita dans mes bras en me voyant. «Il m'avait promis de m'adouber l'été venu…, sanglota-t-il. Oh, ma dame, je me suis tant entraîné pour cela et, maintenant, rien ne sera plus!» Je me dégageai, presque affolée d'apprendre ce que je déduisais des propos du jeune homme que je dévisageai avec incrédulité. «Que veux-tu dire, Struan? De qui parles-tu? soufflai-je.

« – Du seigneur Mànas, dame Lite, hoqueta-t-il. Je viens de le trouver mort. L'intendante m'envoie prévenir dame Égidia. Mon oncle Baltair m'avait dit que c'était le plus difficile à trouver…

– Trouver quoi?

– Trouver un seigneur qui te protège et qui accepte de te faire chevalier.

– Redescends, Struan, lui dis-je d'un ton doux. Porte plutôt la nouvelle au corps de garde. Je vais me charger de l'annoncer à dame Égidia et à tes tantes. Guilbert Saxton veillera à informer tes oncles en envoyant des messagers. Va, maintenant!» Fermement, je lui fis faire demi-tour en lui donnant une petite poussée vers le bas de l'escalier. Struan s'essuya le visage du revers de sa manche et dévala les marches d'un pas leste, alors que, moi, je remontai à la chambre des dames en empoignant mes jupes d'une main tremblante.

Le décès du seigneur Mànas, même s'il était parfaitement prévisible, revêtait néanmoins un aspect dramatique pour la famille MacNèil et pour le clan en entier. Connaissant ma belle-mère comme je la connaissais, je devinai qu'elle mesurerait l'ampleur de la perte tant de son point de vue d'épouse que de celui de châtelaine du domaine. Si elle pouvait se passer d'un mari, le clan, lui, ne pourrait fonctionner sans personne à sa tête. J'avais vu juste en pensant de la sorte. Aussitôt que j'eus terminé de lui faire l'ardue communication, elle se signa et réclama Guilbert, tout en étreignant Rosalind et Maud pour les réconforter.

Je redescendis précipitamment à la recherche du secrétaire et le fis monter avec moi à la chambre des dames, où il n'avait encore jamais mis les pieds. Il demeura sur le seuil, l'air coincé, écrasant sa petite écritoire sous le bras.

«Messire Saxton, fit aussitôt dame Égidia, les yeux plus secs que ceux du secrétaire, préparez promptement les avis afin qu'ils partent tous ce jourd'hui. Je tiens à ce que nos lairds soient prévenus en même temps que mes fils et qu'un conseil de clan précède les obsèques. Convoquez ceux du clergé qui doivent l'être et trouvez-moi le testament de mon mari. Quant à vous, Lite, rédigez la nouvelle pour Baltair. Vous saurez mieux que quiconque employer les mots capables de le faire revenir impérativement à Mallaig : c'est à lui que revient de diriger le clan dans l'intervalle et je n'entreprendrai aucune action de ce côté avant son retour.»

Ainsi, en ce jour fatidique de la mort du seigneur Mànas, je me retrouvai seule dans mon cabinet pour écrire de nouveau à Baltair et lui demander une dernière fois de venir prendre sa place à Mallaig. Je priai Dieu qu'il ne se soit pas trouvé auprès du roi une nouvelle mission qui l'amènerait à différer son devoir envers sa famille, et qu'il réponde positivement à ma sollicitation. J'avais choisi une belle feuille épaisse avec de l'encre brune et, comme je m'apprêtais à prendre la plume, un coup discret se fit entendre à la porte. Elle s'ouvrit aussitôt sur mon aimable Guilbert. «Ma dame, fit-il d'une voix hésitante, puis-je vous parler?

– Mais bien sûr, entrez donc!»

Il portait un rouleau de parchemin qu'il semblait vouloir dissimuler le long de son corps et il s'empressa de refermer la porte derrière lui. «Je sais que vous vous apprêtez à rédiger un mot à messire Baltair, ma dame, et c'est pourquoi je prends la liberté de vous montrer ceci avant de l'apporter à dame Égidia; cela concerne votre mari et pourrait motiver son retour…»

Sans que je l'y incite, il déposa le rouleau sur ma feuille vierge et le déploya lentement. L'en-tête était garni des sceaux du clan MacNèil et, dès la lecture des premières lignes, je reconnus la nature du document: il s'agissait du testament de mon beau-père. De surprise, je levai les yeux et rencontrai le regard pénétrant et imperturbable de Guilbert. «Lisez rapidement, ma dame, car je ne peux m'attarder ici…», chuchota-t-il. Prestement, je repérai des yeux la date du manuscrit, *« en ce mardi de la St. Finian de l'an de Notre-Seigneur 1398»*, et je revins au secrétaire en m'exclamant: «Mais c'est tout récent, Guilbert! Mon beau-père aurait fait ou refait son testament en septembre dernier, après le retour de Baltair au château?

– Si fait, ma dame. Le seigneur Mànas m'a fait jurer de n'en rien dévoiler avant le jour de sa mort. Je vous en prie, lisez: dame Égidia m'attend!» Je replongeai aussitôt le nez dans le manuscrit:

Au nom de Dieu, moi, Mànas MacNèil de Mallaig, sain de corps et d'esprit en ce mardi de la St. Finian de l'an de Notre-Seigneur 1398, fais mon testament par la main de mon secrétaire, tout conforme en la manière. Premièrement, je lègue mon âme à Dieu Tout-Puissant, à la bienheureuse Vierge Marie et à tous les saints, et désire être enseveli en l'église paroissiale de St. Cecilia. Je lègue au curé Oswald de cette même église, en paiement de mes dîmes et de ce qui reste dû, une livre et six sous. À mon plus jeune fils Aonghus, je lègue cinq marcs et les deux nefs de vingt pieds; à mon fils Aindreas, je lègue cinq marcs et les forêts comprises entre Finiskaig et le loch Arkaig; à mon aînée Rosalind, je lègue trois marcs, la carrière de pierres de

Glenfinnan et les pâturages jusqu'au loch Arkaig; à ma plus jeune fille Maud, je lègue la tannerie de Finiskaig et une dot de trois marcs pour épouser le tanneur Daidh MacGugan; à mon épouse Égidia, je lègue les installations portuaires et celles pour la fabrique de sel et le reste de tous mes avoirs constitués en rente de la façon et selon la compétence de mon avocat, maître Swinton; à mon aîné Baltair, je lègue le château, mes armes et le titre de seigneur de Mallaig à la condition qu'il consacre mon petit-fils Struan premier chevalier de la maison MacNèil au moment où il le jugera prêt. Enfin, je désigne Guilbert Saxton et mon gendre Griogair comme mes exécuteurs testamentaires, pour qu'ils mènent toutes les actions relevant de cette qualité.

En foi de quoi, j'ai apposé mes sceaux sur ce document.

Mànas MacNèil, fils de Neil Og MacNèil

Fébrilement, je retirai mes mains du document qui s'enroula immédiatement sur lui-même. Guilbert s'en saisit et, avant de quitter le cabinet, il me salua en ces termes : «À partir de maintenant, je suis votre obligé à vous, nouvelle châtelaine, et au seigneur Baltair. Que les volontés de mon défunt maître soient exaucées…» Interdite, je fixai longtemps la feuille blanche sous mes yeux avant de pouvoir prendre la plume. «*Nouvelle châtelaine*», songeai-je. L'expression dansait dans ma tête et sonnait comme une cloche fêlée; par ce legs du château à Baltair, mon beau-père soulignait le travail que j'avais accompli pour sa maison et, surtout, par le transfert de son titre de seigneur, il acceptait l'hérédité de son troisième fils. Quand je saisis enfin la plume entre mes doigts frémissants, mes yeux et mon cœur pleuraient :

Baltair, mon bien-aimé, ton père s'est éteint dans la paix de Dieu, ce premier jour de février. Une seule chose t'importe de savoir à cette heure : il t'a désigné comme son successeur à Mallaig. Reviens aussi vite que possible parmi les tiens qui t'attendent pour honorer Mànas MacNèil et pour te reconnaître comme celui qui prendra sa suite. Sache que je suis de ceux qui t'espèrent constamment au château de Mallaig.

Ton épouse, Lite

CHAPITRE XIV

LES NOUVELLES ASSISES DU CLAN

D ans la chapelle où reposait la dépouille de mon beau-père, flottait l'odeur fade des cierges mêlée à celle un peu âcre des boiseries humides. Pour m'en débarrasser, je penchai la tête sur mes mains jointes et humai mes doigts avec concentration, en transférant doucement mon poids d'un genou sur l'autre. J'étais fatiguée et meurtrie par les longues heures de recueillement qu'exigeait la veillée au corps. Depuis trois jours, je priais en compagnie de Rosalind, après le duo formé par Maud et dame Égidia, qui elles-mêmes relevaient Aonghus et Griogair, eux-mêmes précédés d'Aindreas et de son épouse Morag. Telle était la séquence de présence des membres de la famille autour de la dépouille. À intervalles irréguliers, le temps de quelques oraisons, des visiteurs entraient et sortaient de la chapelle à pas feutrés, nous distrayant temporairement de notre méditation.

L'abbé Oswald se présentait à heure fixe pour réciter les prières funèbres, puis, le chanceux, il s'en retournait dans son église du hameau. Chaque fois, je ne pouvais m'empêcher de le regarder sortir avec envie, en soupirant après la fin de mon quart de veille. Quand je n'étais pas à la chapelle, je m'affairais aux cuisines, une activité qui me libérait l'esprit. Je supervisais la préparation des repas que le château offrait aux nombreux hommes liges, serfs et manants du domaine venus rendre un dernier hommage au seigneur Mànas. S'y mêlaient parfois les lairds et leurs épouses dont l'inquiétude quant à l'avenir du clan prenait le pas sur leur chagrin de la mort de leur chef.

Accablée de lassitude, je glissai un regard vers Rosalind agenouillée en face de moi, de l'autre côté du cercueil, et décelai dans son attitude inattentive le même épuisement que le mien, ce qui me fit dire que notre vaillance faiblissante aurait bientôt raison de notre service au mort. J'entendis soudain la porte de la chapelle grincer sur ses gonds et je crus que l'abbé Oswald entrait avec Aindreas et Morag, le duo de veilleurs suivants, marquant notre prochaine délivrance. Aussi sursautai-je de voir Baltair s'agenouiller à mes côtés. Il s'absorba un long moment dans une prière muette, les yeux rivés au cercueil et les lèvres serrées. L'odeur de cheval qui émanait de lui me fit comprendre qu'il ne devait pas être rentré depuis longtemps.

Baltair prononça un amen sec, se releva et m'entraîna en dehors de la chapelle en serrant ma main dans la sienne. Je sentis sur ma paume le contact froid de l'anneau du prince David qu'il avait fait modifier pour pouvoir le porter et je devinai qu'il venait à peine de retirer ses gants. Ainsi Baltair était-il venu me chercher dès qu'il avait mis les pieds au château. Malgré l'étrangeté de cette attitude et le deuil qui nous occupait, mon cœur jubilait et je pressai sa main avec ferveur. Quand nous fûmes dans le hall, je cherchai à l'interroger sur son voyage de retour, mais il me guida jusqu'au bureau sans un mot. Là nous attendaient dame Égidia, Guilbert Saxton, Griogair et un gras personnage extrêmement chevelu qu'on me présenta dès notre entrée comme maître Swinton, ce qui me fit penser qu'une discussion sur le testament allait avoir lieu. L'attitude fermée de Baltair souleva aussitôt une inquiétude en moi : allait-il se rebiffer contre les dernières volontés de son père et refuser la charge qui lui était dévolue ? L'espace d'un instant, je le crus.

«Dame Lite, lança d'entrée de jeu maître Swinton, bien que votre présence à cette réunion ne soit pas explicitement nécessaire, votre époux a insisté pour que vous y assistiez et personne ici présent ne s'y oppose. Veuillez donc prendre place, je vous prie.» Nous indiquant les différents fauteuils et bancs, il attendit que chacun se soit assis pour poursuivre, en demeurant debout : «Il ne s'agit pas, comme je l'expliquais, de l'ouverture du testament à proprement parler, mais certaines dispositions de celui-ci et le souhait de dame Égidia de tenir une assemblée des lairds du clan avant la cérémonie funéraire m'obligent à vous convoquer céans.» L'avocat dévoila alors l'ensemble des clauses dont celle concernant la succession, qui forçait Baltair à se prononcer sur son acceptation ou son refus du legs avant que le déroulement des événements devant conduire aux obsèques ne continue.

Baltair quitta son banc et fit quelques pas en direction de la fenêtre devant laquelle il se planta. «J'aimerais d'abord savoir qui d'entre vous a conseillé Mànas Mac-Nèil dans la rédaction de son testament», fit-il, en dévisageant tour à tour chacune des personnes présentes dans le bureau. Devant le silence de l'assemblée, il reprit la parole : « Peut-être ne s'est-il inspiré que de lui-même pour dicter ses dernières volontés, mais j'en doute. Quoi qu'il en soit, le legs que Mànas MacNèil me donne est un cadeau piégé et je suis fort tenté de le refuser…

– Pourquoi cela ? laissa aussitôt échapper ma belle-mère, me précédant d'une seconde en posant la question qui se pressait sur mes lèvres. Comment l'héritage du château et du titre de seigneur de Mallaig pourrait-il te nuire ou te menacer, Baltair ?

– Mère, je ne parlerais pas de nuisance ou de menace, mais plutôt de dépouillement. Selon les termes de votre mari, je deviens maître de Mallaig sans aucun des biens qui lui sont reliés : je n'ai ni terres, ni navire, ni la jouissance des exploitations rentables comme le port, les marais salants, la carrière de pierres, la tannerie, les pâturages ou les forêts. Je n'ai que le titre et le château que j'aurai peine à entretenir sans un sou de revenus ou de rente. Quant à la fonction de chef de clan qui me donnerait un pouvoir effectif, il n'est pas dans la balance puisque ce sont les lairds qui décident de la succession à la tête du clan MacNèil. Alors, je reformule mon interrogation : mes dames, messires, quel intérêt ai-je à accepter ce legs ? »

Le murmure de protestations que le commentaire de Baltair fit naître s'enfla au point de prendre des allures de controverse : ma belle-mère l'invectivait pour son ingratitude, Griogair défendait la valeur du château lui-même, moi, je lui exprimais ma déception sur un ton de rancune et, au-dessus du tumulte, maître Swinton tentait de reprendre le contrôle de l'assemblée d'une voix tonitruante.

Exaspéré, Baltair se boucha les oreilles et marcha droit sur mon pauvre Guilbert qui n'avait encore rien dit : « Faites silence, vous tous ! Je veux entendre Guilbert Saxton qui est celui qui a rédigé le testament ! » cria Baltair, ce qui fit taire tout le monde. Tous les regards convergèrent aussitôt sur eux dans un silence pesant. Avec un souverain calme, Guilbert replaça son chapeau de velours élimé et se leva lentement. Il croisa le regard de mon mari qui lui sourit avant de retourner s'asseoir.

« Mon maître était en tout point un homme sage, Dieu ait son âme, commença le secrétaire. Malgré l'opinion de messire Baltair, qui voudra bien excuser la mienne qu'il sollicite par ailleurs, je trouve que le seigneur Mànas a fait preuve de justice en la matière de son testament, voire de perspicacité quant à son héritage. Je confirme que je n'ai été que son truchement dans la rédaction du document et que les volontés qui y sont exprimées n'émanent que de lui, sans qu'il y ait eu aucune forme de suggestion de ma part. Et maître Swinton peut en témoigner. Le message le plus important de notre défunt bien-aimé est son choix de messire Baltair comme successeur de son œuvre et sa conviction que celui-ci devra requérir l'appui des siens pour la poursuivre...

– Allez droit au but et parlez plus simplement, mon ami, suggéra ma belle-mère, impatientée.

– Voilà, ma dame : en bref, votre mari ne voyait que votre fils Baltair à la tête de Mallaig, mais il a fait en sorte que les membres de la famille doivent lui professer la même foi, en les dotant des biens sans lesquels l'héritier ne pourra rien faire. Si les MacNèil désirent la survie de leur clan, ils devront s'unir derrière l'homme que leur chef a désigné avant de mourir. Messires Aindreas et

Aonghus, mes dames Rosalind, Maud et vous-même, dame Égidia, ce que vous avez reçu en héritage n'est en soi qu'une partie de ce qu'est Mallaig et si son seigneur ne peut bénéficier de toutes ces parties, il ne sera pas en mesure de défendre le tout. Ce sera alors la chute du domaine familial et votre déchéance à tous…

– À tous, sauf à Baltair, intervins-je. Mon mari n'a pas besoin de Mallaig, comme le passé l'a prouvé, mais Mallaig a besoin de lui, comme nous l'avons récemment vu et comme le seigneur Mànas le laisse entendre dans ce testament.

– Votre discours est intéressé, Lite, fit sèchement remarquer ma belle-mère. C'est votre titre de châtelaine qui est en jeu avec le choix fait par mon mari et la décision que prendra le vôtre…

– Ma dame, dis-je en la fixant dans les yeux, peu importe la décision de votre fils quant à son avenir au château, j'opte pour la vie avec lui, où que son destin le mène. S'il me faut partir, je quitterai votre famille et sachez que je le ferai sans regrets ni remords, mais au contraire avec le sentiment du devoir accompli.

– Moi qui comptais sur vous pour retenir Baltair à Mallaig! échappa ma belle-mère.

– Il vaudrait mieux compter sur vous-même, mère, fit Baltair. Voulez-vous que j'accepte la charge dont m'investit mon père et entendez-vous me soutenir à cette fin? Mettrez-vous votre argent dans la balance? M'implorez-vous de rester? Telles sont maintenant mes questions… »

Tandis que tous les regards se dirigeaient fiévreusement vers ma belle-mère, mon cœur battait à tout rompre. Je croisai le regard de Baltair dans lequel je lus, pour la première fois, un sentiment de reconnaissance. Une grande joie se répandit alors en moi, comme du miel sur du pain chaud.

Les yeux plissés sous ses sourcils épais et broussailleux, Aindreas détailla son frère aîné devant le faudesteuil de son père dans la salle d'armes du château et dut admettre qu'il avait beaucoup de prestance. Baltair, vêtu d'un pourpoint sombre et coiffé d'un chapeau à pan drapé, se tenait debout, jambes écartées, avec, sur la hanche, le baudrier garni de sa claymore, ce qui lui conférait une allure de chef guerrier au milieu de la pièce austère réservée aux affaires du clan et du domaine.

Pour Aindreas, quatrième fils de Mànas MacNèil, qui n'avait jamais assisté à une assemblée spéciale des lairds, l'invitation de son frère Baltair à y participer le surprenait et l'emplissait tout à la fois de curiosité et de fierté. Son regard se porta sur les quatre lairds du clan MacNèil qui avaient pris place sur des chaises disposées comme à l'accoutumée en face du siège du chef. Le plus vieux d'entre eux, un sexagénaire très lié d'amitié à son défunt père et dont le domaine couvrait la pointe d'Airor, élevait un important troupeau de bœufs et habitait un manoir dont la situation lui permettait d'exercer une surveillance du détroit de Sleat, entre l'île de Skye et la péninsule. Presque du même âge que ce dernier et possédant les terres à l'est des siennes, le laird Nigel était installé tout au fond du loch Nevis et tirait ses revenus du gibier et du bois des forêts situées au nord de la péninsule de Mallaig. Le plus jeune des lairds, la trentaine vigoureuse, Aulay d'Arisaig, était un navigateur expérimenté et un chasseur de baleines et de veaux marins prospère qui abritait sa flotte d'esquifs au fond d'une petite baie de la pointe sud de la péninsule de Mallaig, d'où il pouvait guetter la portion du détroit, vis-à-vis des îles Eggeth et Muck. Enfin, à la droite immédiate de Baltair, se tenait messire Griogair, qui allait aménager dans son manoir de Glenfinnan dès la fin du printemps et qui occuperait ainsi la place forte la plus à l'est sur la péninsule.

Doué d'un sens aigu de la géographie, Aindreas découvrit dans ce survol des domaines des lairds que son propre manoir au loch Morar siégeait en leur centre et cette constatation le fit frémir d'espoir : était-ce cela l'explication de sa présence à l'assemblée d'investiture de Baltair comme chef du clan ?

« Messires, dit Baltair, je vous remercie de la confiance que vous m'accordez pour la conduite des affaires du clan dans la suite du seigneur Mànas. Je me ferai un devoir d'être à la hauteur du mandat que vous m'octroyez et veillerai à ce que nous puissions développer en toute sécurité nos possessions dans la péninsule sous la bannière des MacNèil. Encore plus que les années précédentes, l'avenir sera déterminant pour notre indépendance face à l'hégémonie des MacDonald dans la mer des Hébrides, car notre adhésion continue d'aller au roi des Écossais, en dépit des animosités qu'elle soulève chez les clans voisins. À ce chapitre, je demande à chacun d'être féal à Robert III et d'adopter les politiques du clan en la matière : seront donc nos ennemis ceux du roi. Avec le regroupement des clans que la campagne royale contre le Seigneur des Îles a provoqué dans les

Highlands, nous devons nous préparer à protéger notre territoire qui fera l'objet de probables attaques visant à affaiblir nos positions. Dans le but d'établir une barrière sur notre front nord-est, je vous propose que le clan s'adjoigne un cinquième laird en la personne de mon frère Aindreas. Il hérite des terres de notre domaine qui s'étendent du loch Morar au loch Arkaig et sera en mesure d'offrir une défense efficace contre les incursions venant de ce côté. »

Avec un nouvel intérêt, les quatre lairds fixèrent Aindreas qui en aurait rougi si son visage n'avait pas été envahi d'une abondante barbe noire. Le discours de Baltair, dénué d'éclat et d'artifice, plut fort par son ton assuré et autoritaire. Aussi les hommes n'hésitèrent-ils pas à accepter la proposition et à professer leur foi envers le fils aîné de Mànas comme nouveau chef Mac-Nèil. Ils apprirent quelques jours plus tard, à la fin des obsèques du chef, que Baltair n'avait hérité que du château et du titre de seigneur pour les terres sur son pourtour immédiat, des servitudes qui n'englobaient qu'une dizaine de fiefs. Les considérations sur l'état des maigres possessions du nouveau chef MacNèil ne semblèrent pas modifier leur opinion sur l'homme qui dégageait une grande habileté en matière de diplomatie et de stratégie militaire.

À la première réunion régulière que tint Baltair au château, le 25 mars 1399, jour de Calluinn*, les lairds débattirent principalement de la protection du territoire du clan. Il fut décidé que chaque maison fournirait deux hommes d'armes à leur chef et s'assurerait du service de cinq autres à l'usage de leur domaine respectif. Ils convinrent également que ces soldats seraient tous armés et entraînés par le seigneur Baltair à Mallaig, au frais de ce dernier, et que les armes récupérées à l'ennemi au cours de toute bataille remportée sur le territoire du clan lui reviendraient.

Par une belle après-midi de la première semaine d'avril, du haut du bastion, Struan et Baltair virent descendre des plateaux un premier contingent de jeunes gens envoyés par les lairds pour commencer leur apprentissage militaire. La plupart venaient à pied, chaussés de simples brodequins, jambes nues, et habillés d'un long plaid aux teintes de bleu dominantes. D'autres tiraient des canassons sur lesquels on avait attaché les besaces du groupe.

Les hommes semblaient tous dotés de la membrure solide des paysans aguerris aux travaux des champs. «Voilà notre piétaille*, Struan, murmura Baltair à son neveu. Il va falloir aménager le corps de garde en conséquence, car nous aurons bientôt une trentaine de recrues à y loger…

– … et à former au maniement des armes, mon seigneur. Aurons-nous assez de claymores pour les fournir?

– Ils seront d'abord munis de piques et d'estocs: ça, nous en avons en quantité. Les meilleurs recevront des épées courtes. Les claymores, ce sera pour plus tard et pour les plus méritants: pour ceux qui démontreront des qualités de chevalier.

– Mon oncle, qu'ai-je ouï? Vous avez l'intention d'adouber certains de ces garçons?» demanda Struan d'une voix inquiète.

Baltair se tourna vers son neveu et lui sourit avec une pointe de tendresse: «Pas avant toi, Struan. Le tout premier que j'adouberai dans ce château, ce sera toi et

cette cérémonie marquera la fin de ton propre entraînement, non pas celui de la milice des lairds… Je veux un
chevalier pour porter les couleurs de notre clan au Tournoi des Îles auquel nous n'avons pas participé depuis
plusieurs années.

– Mon seigneur! Mon oncle! Quelle joie et quel
honneur vous me faites! Je vous représenterai comme
aucun autre MacNèil ne l'a fait avant moi… Je vaincrai
mes adversaires et le nom de notre clan sera sur toutes
les lèvres… », s'exclama Struan en s'emparant des mains
de son oncle.

Pour masquer son émotion devant la touchante
réaction du jeune homme, le seigneur Baltair partit d'un
grand rire et fit à son neveu une forte accolade qu'il
tourna en prise d'immobilisation. D'un mouvement
brusque des épaules et du torse, Struan se dégagea et
empoigna son oncle avec un geste de contre-offensive.
Bientôt, les deux hommes se retrouvèrent au sol, roulant
l'un sur l'autre et tentant de se maîtriser mutuellement
dans une profusion de coups de poing et de gais jurons.

Comme chaque matin depuis l'inhumation de son
époux, dame Égidia revenait à pied de la petite église
St. Cecilia où elle entendait la messe et priait devant la
stèle de son mari. Elle s'y était d'abord rendue en compagnie de sa fille Maud, jusqu'à ce que celle-ci épouse
Daidh MacGugan et parte vivre à Finiskaig, peu après
Calluinn. À ce moment-là, Rosalind avait relayé sa jeune
sœur dans cette sortie quotidienne, jusqu'à ce qu'elle-
même quitte Mallaig pour s'établir dans son manoir
nouvellement terminé à Glenfinnan. Depuis maintenant
deux semaines, tout de noir vêtue, la veuve de Mànas
MacNèil allait seule à l'office dans l'église paroissiale.

En remontant d'un pas pesant le chemin qui menait jusqu'au château, elle fixa d'un œil nostalgique le port, pour l'heure tranquille, mais qui aurait normalement bourdonné des bruits de l'achalandage coutumier, n'eût été son abandon par les marchands. Ces derniers, au demeurant beaucoup moins nombreux qu'avant la campagne royale contre les MacDonald, avaient peu à peu déplacé leurs activités de commerce vers la pointe nord de l'île de Skye. Lite avait bien multiplié les invitations et les lettres pour reprendre le contact avec plusieurs d'entre eux, mais cela n'avait pas encore remporté le succès escompté : ainsi, le colombier du château s'était vidé de ses messagers ailés.

Dame Égidia secoua la tête et soupira de résignation : plus que le deuil de son mari, le désœuvrement l'affligeait. Ne plus être la châtelaine de Mallaig, ne plus organiser les réceptions, ne plus recevoir les visiteurs ; ne plus être consultée pour les dépenses du château, si ce n'est pour approuver ce que son fils Baltair et son épouse décidaient ; être confinée à la chambre des dames sans la présence de ses filles et n'avoir plus qu'un seul de ses petits-enfants sur lequel veiller, tout cela l'attristait et lui pesait. Plus d'une fois, elle voulut s'en ouvrir à sa bru, mais une forme de pudeur l'en avait retenue. En effet, Lite vivait avec exaltation son rôle de châtelaine de Mallaig et manifestait peu d'attentions à l'égard de sa belle-mère.

Étrangement, la seule consolation de dame Égidia dans ces heures d'affliction était venue de la nourrice du petit Alasdair qu'elle voyait tous les jours. Anna, en plus de conserver une attitude de grand respect envers celle qui avait été la châtelaine de Mallaig, lui témoignait beaucoup de compassion. Ainsi naquit une amitié inattendue entre la vieille femme et la jeune, entre la dame et la servante, entre la veuve au deuil récent et celle au deuil passé.

Arrivée au pied des murailles, dame Égidia fit une pause avant de traverser le pont-levis à l'extrémité du ponceau en pierre. Après un signe de tête au guetteur qui, du haut du bastion, attendait son retour pour redescendre la herse, elle s'engagea sur les planches disjointes de la passerelle en jetant un œil sur le courant d'eau lent et saumâtre des douves qui coulait dessous. Dès qu'elle pénétra dans la cour, le petit Alasdair se précipita dans ses jupes qu'il agrippa en zézayant d'une voix aiguë: «Seanmhair* est là, ZZanna! Regarde, zze l'ai, zze la tiens!

— C'est moi qui te tiens, chenapan! Tu ne m'échapperas pas!...» fit dame Égidia qui saisit la tête brune de son petit-fils entre ses mains. Le bambin se débattit en riant et elle relâcha son emprise et regarda la jeune Anna que le spectacle de l'aïeule avec l'enfant charmait.

«Ma dame, dit celle-ci, si vous le voulez, je pourrais vous accompagner à l'église: votre petit-fils est assez grand maintenant pour être confié à une autre que moi durant une heure...

— Avec plaisir, Anna. Si vous réussissez à trouver quelqu'un en ces murs capable de venir à bout de ce petit gredin sans se damner...

— Ma dame, c'est déjà fait. Dame Lite va prendre son fils avec elle tous les matins durant l'office au hameau. C'est elle-même qui a proposé cet arrangement tantôt: elle trouve désolant de vous voir partir toute seule vers vos dévotions et elle a pensé que ma présence à vos côtés pendant ces sorties remplacerait la sienne qu'elle ne peut vous accorder de façon aussi régulière...»

Dame Égidia leva instinctivement les yeux sur les fenêtres du donjon éclairant la grand-salle où se tenait habituellement la châtelaine de Mallaig et elle sourit avec douceur. Sous des airs d'indifférence, sa bru se préoccupait de ses états d'âme et avait deviné le lien qui existait entre elle et Anna. «Comme toujours, ma chère Lite, vous savez mieux que quiconque exploiter les affinités des uns avec les autres», songea-t-elle sans animosité. Puis, le cœur serein, l'ancienne châtelaine prit le bras d'Anna et traversa lentement la cour en suivant les gambades de son petit-fils.

Guilbert Saxton recula discrètement d'un pas derrière le volet de la fenêtre à meneaux du bureau, de façon à n'être pas vu de l'extérieur. Il observa durant un moment les deux femmes, précédées du petit Alasdair, qui s'amenaient vers le donjon en devisant, puis il retourna à ses papiers. En passant devant le foyer, il tisonna le feu afin d'en raviver les flammes; le spectacle des lueurs dansantes sur les parois de pierre noircie de l'âtre le fit se sentir heureux. Même si sa fonction et ses tâches n'avaient pas significativement changé au château depuis le décès de son précédent maître, la manière dont il devait dorénavant s'en acquitter le satisfaisait davantage.

D'abord, le secrétaire relevait directement de la châtelaine plutôt que du seigneur Baltair dont l'occupation principale le tenait éloigné des livres de comptes. Guilbert Saxton était infiniment reconnaissant à dame Lite de lui avoir cédé son confortable petit cabinet du deuxième étage comme chambre et de l'avoir installé dans cette pièce du rez-de-chaussée pour poursuivre son service d'écritures, au lieu de l'étroit bureau qu'utilisait le défunt seigneur Mànas.

En s'assoyant devant sa table recouverte de documents, de plumes et de cornes d'encre, Guilbert tourna lentement la tête pour admirer son nouveau lieu de travail et chercha à déterminer ce qui lui plaisait le plus. De la pièce qui ouvrait sur le hall et dont il laissait la porte entrebâillée en permanence, il pouvait surveiller les allées et venues dans le donjon et, par la large fenêtre, il pouvait épier tout ce qui se déroulait dans la cour. Ainsi, aucun visiteur n'échappait à sa vigilance, et c'est précisément cela qui le contentait. «Connaître ceux qui veulent voir le maître et savoir ceux que le maître consent à recevoir renseignent mieux que n'importe quel bavardage de servante ou de serf», disait souvent son père, du temps où il le secondait.

Guilbert sourit rêveusement à cette remarque et au souvenir plus lointain de son frère aîné qui avait été destiné à la prêtrise très jeune et qui avait déjà accédé au titre de doyen au monastère de Dornoch, sur la mer du Nord. Il n'aurait pas échangé sa position avec celle, aussi prestigieuse fût-elle, de ce parent qu'il imaginait reclus et retiré du monde, plongé dans une existence de contemplation loin de la fougue des humains. Surtout, loin d'une femme exceptionnelle et captivante comme l'était la châtelaine de Mallaig. «Ta fortune a passé, lui dit une petite voix intérieure. Désormais, le mari de dame Lite est à demeure et tu n'as aucune chance qu'elle jette un regard sur toi, car elle n'a d'yeux que pour lui.»

Perdu dans ses chimères, Guilbert sursauta au bruit de la porte qui s'ouvrit soudainement sur dame

Lite. Comme à son habitude, cette dernière fit une entrée impétueuse dans la pièce, la remplissant céans de son énergie et de sa grâce : « Ah, mon cher Guilbert ! Qu'allons-nous pouvoir vendre ou acheter si nos amis marchands continuent à bouder notre port ? Serons-nous réduits à transporter nous-mêmes notre sel ? Dites-moi que la situation va changer... Je me désespère !

– ...

– Bon, je vois que vous n'en savez pas plus que moi. Je ne m'attendais évidemment pas à ce que vous trouviez réponse à cette question. Voyons plutôt si messire Aonghus pourrait participer au commerce de la fabrique de sel de dame Égidia et si nous sommes en mesure de lui faire une proposition en ce sens. Suggérez-moi une formulation par laquelle le prêt d'un de ses navires lui paraîtrait naturel...

– Ma dame, vous semblez oublier que votre beau-frère se marie dans deux semaines et qu'il compte mettre son héritage à la disposition de la famille Fraser.

– C'est vrai, c'est vrai... ce mariage auquel mon mari ne veut pas aller, alors que dame Égidia s'impatiente de s'y rendre. J'ai bien peur que nous devrons l'y envoyer seule, enfin sans escorte du château. Ce sont dame Rosalind et messire Griogair qui la prendront dans leur délégation jusqu'à Inverness. Ah, si j'avais pu y aller et discuter avec Aonghus...

– ...

– Voilà ce que nous allons faire pour récupérer un navire, Guilbert : nous demanderons à Aonghus que la délégation de Mallaig revienne d'Inverness par mer, ce qui va l'obliger à mettre un navire à la disposition des siens. Disons que nous retiendrons par la suite ce navire au port, le temps de livrer nos cargaisons de sel sur le marché du sud et d'en rapporter des provisions. Qu'en dites-vous?

– C'est certainement une bonne idée, ma dame, mais je continue à penser qu'il vaudrait mieux que vous fassiez l'acquisition d'une nef pour les usages de la famille.

– Votre sens de la prudence et de l'étiquette vous honore, Guilbert. Mais je crains que ma belle-mère ne consente pas aisément à délier sa bourse pour un tel objectif. Tout comme elle voit d'un mauvais œil que messire Aindreas nous loue une portion de ses terres ou que messire Griogair nous vende une partie de son cheptel. Elle se persuade que, si mon mari se libérait de sa dépendance à l'égard des siens pour le moindre projet, les liens familiaux s'amenuiseraient au point de se dissoudre complètement... Pourtant, je sais bien que Baltair Mac-Nèil, même s'il a ouvertement renié son clan autrefois, ne jure plus que par lui désormais. Oh, que oui! Mon mari fera tout ce qui est en son pouvoir pour ne s'aliéner ni ses frères ni ses sœurs. D'ailleurs, ceux-ci sont spontanément complaisants à son endroit.

– Si telles sont votre croyance et votre fiance, ma dame, vous devez parler sans retenue à dame Égidia et lui ouvrir votre cœur. »

Dame Lite se tut et dévisagea longuement le secrétaire en imaginant sa rencontre avec sa belle-mère. Lentement, un sourire se dessina sur ses lèvres: voilà ce à quoi elle n'avait jamais songé, ouvrir son cœur à la mère de l'indomptable fils MacNèil.

Mes relations avec ma belle-mère n'étaient ni aussi tièdes que je le supposais, ni aussi chaleureuses qu'elles l'avaient déjà été. C'est ce que je constatai à l'issue de mon entretien avec elle, quelques jours après ma conversation avec Guilbert. J'étais allée la retrouver dans sa chambre sous prétexte de lui parler de son prochain voyage à Inverness à l'occasion du mariage de son fils. Dame Égidia m'accueillit avec bonne humeur, car la perspective de sortir de Mallaig l'enchantait et la préparation même de son départ lui procurait une belle distraction. Elle me consulta sur les tenues vestimentaires qu'elle s'apprêtait à sélectionner pour son coffre de voyage, puis sur les présents à apporter à la famille Fraser dans laquelle Aonghus prenait épouse.

Ensuite, elle déplora notre absence à Baltair et à moi à cet événement: «C'est dommage, car vous allez manquer une très belle chevauchée le long du loch Ness... mais je comprends Baltair de rester à Mallaig en ce moment, avec tous ces hommes que nous envoient nos lairds pour les entraîner à la guerre. Sur ce plan, mon fils diffère complètement de mon mari qui n'a jamais accordé beaucoup d'importance à sa garnison. Je dirais que Baltair ressemble davantage à ses frères Bryce et Parthalan, Dieu ait leur âme, qui portaient un grand intérêt aux armes et aux techniques de défense, comme se doit tout chevalier. Baltair est indéniablement un guerrier et il voit la vie à travers une meurtrière. Je crois d'ailleurs qu'il fera un chef exceptionnel pour cette raison.»

Je me réjouissais d'entendre ma belle-mère vanter les qualités de Baltair, alors qu'elle avait dû se taire plus d'une fois devant son mari et je comptais un peu sur cette sympathie manifeste pour l'amener à adopter mes vues. Dame Égidia examina de près une robe grenat dont elle étala les plis du plat de la main : c'était la tenue qu'elle affectionnait pour monter à cheval. J'avais oublié que ma belle-mère était une excellente cavalière et le demeurait en dépit de son âge avancé. Son enthousiasme devant la perspective d'une chevauchée entre Mallaig et Inverness anéantit mon espoir de la voir accepter ma proposition de retour par bateau plutôt qu'à cheval, aussi lui tus-je cette suggestion.

Ne voulant pas renoncer à débattre le sujet du transport des marchandises dans notre port, j'abordai la question du sel sous l'angle d'un produit recherché qui pourrait constituer un présent estimable pour ses futurs hôtes d'Inverness. Dame Égidia parut d'abord étonnée par le conseil, avec lequel elle jongla un moment, puis elle s'informa de la quantité du produit disponible dans la fabrique. «Elle est appréciable, ma dame, lui répondis-je. Tout ce que les marais salants ont donné l'année dernière s'est accumulé, faute de moyen de transport. À vrai dire, nous sommes coincés avec notre production.» C'est alors que je lui exposai le besoin pour la famille d'un navire amarré dans notre port et que cette acquisition m'apparaissait prioritaire à toute autre.

«Lite, pourquoi ne demandez-vous pas à sir Aulay l'une de ses barges de pêche?

– Le sel doit être transporté à couvert, ma dame. Il nous faut absolument un navire à coque et pont. Notre laird d'Arisaig n'a malheureusement rien dans sa flotte qui convienne à ce genre de marchandise.

– Les seuls à pouvoir nous vendre une nef sur la côte ouest sont alliés aux MacDonald et vous savez bien que, de ce côté, les affaires seront à notre détriment, fit-elle remarquer judicieusement. L'idéal serait évidemment qu'Aonghus me cède l'un de ses bateaux, qui étaient les nôtres... mais ils font partie du panier de mariage.

– Ma dame, à ma connaissance, les Fraser possèdent déjà une flotte assez complète sur la mer du Nord et ils n'ont probablement nul besoin de deux navires supplémentaires. Cependant, l'argent étant si rare, une vente contre espèces sonnantes pourrait leur agréer. Guilbert Saxton m'affirme que vous jouissez de la somme nécessaire: alors, puisque vous êtes ouverte à l'idée de doter Mallaig d'un bateau de transport, pourquoi ne profiteriez-vous pas de votre séjour chez les Fraser pour conclure un marché? Il n'y a pas que moi ici qui suis capable de mener des transactions...»

Dame Égidia rit de bon cœur en secouant la tête et les pans de sa lourde coiffe noire s'agitèrent un instant comme des ailes de corbeau. Je la voyais radieuse pour la première fois depuis le décès du seigneur Mànas et cela me réconforta. «Je vais ramener un navire à Mallaig, mais promettez-moi quelque chose, Lite, fit-elle en me prenant la main. À mon retour, j'aimerais que vous organisiez une grande fête pour l'adoubement de Struan et pour Anna... enfin, pour vous aussi.

– ...

– Je vous vois perplexe et je m'explique céans: je pense précisément à la célébration de Belteine dans la deuxième semaine de mai. Sur la péninsule, nous avons abandonné cette pratique depuis longtemps, mais Anna me l'a rappelée lors d'une conversation et je pense qu'il serait fort plaisant d'y revenir. Je vous surprends sans doute, mais Anna me préoccupe: elle est trop jeune pour renoncer à l'amour. Et vous, Lite, il serait bon de procréer de nouveau. Un chef de clan doit engendrer plusieurs fils, c'est indispensable. Comme vous êtes déjà dans votre trente-troisième année, il est opportun d'invoquer la nature pour mettre toutes les chances de votre côté… Voyez-vous, je crois davantage à l'intercession de nos dieux païens qu'à celle de la Sainte Vierge pour favoriser l'amour et la fécondité… Tout comme vous, n'est-ce pas?»

Je soutins son regard direct sans ciller et réussis à lui sourire. L'affluence soudaine de souvenirs suaves reliés à ma découverte de l'amour charnel à Dinkeual me fit rougir violemment et je suis certaine que ma belle-mère interpréta judicieusement cet émoi. Cependant, elle n'en laissa rien paraître. Je consentis à sa demande et changeai prestement de sujet de conversation, toute remuée par la certitude qu'elle avait deviné quelque chose à propos des origines de mon fils et de mon penchant pour la fête païenne. C'était donnant, donnant: elle achèterait le navire et je me prêterais aux volontés occultes de la fête de Belteine avec Anna.

Le soir venu, au moment de me dévêtir, je ne pus résister à l'envie d'extirper le miroir d'Alasdair de sa cachette et je l'examinai avec le même émoi que la première fois où je l'avais tenu dans mes mains. Baltair me surprit dans cette contemplation et me questionna sur la provenance de l'objet. Je ne me résolus pas à lui dire la vérité et j'alléguai qu'il m'avait été concédé par la comtesse de Ross à son décès, une explication qui ne l'émut pas et dont il ne sembla pas vouloir douter. Puis, comme toujours à l'heure de nous endormir, Baltair et moi parlâmes longuement avant de souffler la chandelle, douillettement pelotonnés au creux du lit aux courtines bien tirées.

Je lui rapportai ma rencontre avec sa mère et les résultats satisfaisants que j'en tirais. Baltair, que le déclin du port indifférait, manifesta un intérêt surprenant pour le rachat de l'une de nos deux anciennes nefs. Je compris vite qu'il entrevoyait surtout les usages militaires d'un navire mouillant à Mallaig, et plus immédiatement son utilité pour traverser à Skye sa délégation au Tournoi des Îles à la Saint-Pierre[16]. Sur l'organisation de la fête de Belteine pour souligner l'adoubement de Struan et trouver un amoureux à Anna, son opinion était plus mitigée. Il estimait que la célébration manquait de sérieux pour un serment de chevalier et il doutait qu'Anna soit déjà prête à remplacer son Tadèus.

« Ta mère songeait à Belteine également pour moi…, avançai-je du bout des lèvres.

– Elle ne t'imagine quand même pas dans le rôle de la déesse Maïa et moi, dans celui du dieu Beli ? s'esclaffa Baltair.

– Évidemment pas. Mais elle souhaite que je te donne un second fils, en fait plusieurs autres si possible et elle invoque mon âge pour me convaincre qu'il y a urgence à agir. Ta mère, aussi étonnant que cela puisse paraître, compte sur le caractère fécond de la cérémonie pour que nous engendrions de nouveau…

– De nouveau…

– Notre petit Alasdair a eu deux ans, mon corps est normalement prêt à concevoir un autre enfant et… tu

---

16. Saint-Pierre : fête religieuse célébrée le 1er août.

es constamment disponible. Un peu de la magie de Belteine ne peut pas nuire, je crois. Qu'en penses-tu?

– J'en pense qu'il ne me déplairait pas de te voir transformée en prêtresse, mon Hermine changeante. Je salive déjà à la perspective de la cérémonie que tu vas concocter pour récolter ma semence revigorée... »

Cette remarque m'aurait fait éclater de rire s'il ne s'était pas aussitôt emparé de ma bouche avec ses lèvres goulues et exigeantes. Fébrile, je m'abandonnai à son étreinte et j'accordai le mouvement de mes hanches au sien jusqu'à ce qu'il exulte, le torse luisant de sueur au-dessus de ma poitrine frémissante. En roulant le long de mon flanc, il repoussa les couvertures empreintes d'une chaleur humide et me recommanda de consulter Guilbert pour la portion «adoubement» de mon organisation. Puis, au moment où il allait sombrer dans le sommeil, le nez enfoui dans mon cou, il ajouta d'une voix faible: «Struan, dans le rôle de Beli... ça serait pas mal, non? Quelles mignotes avons-nous sous la main au hameau pour tourner autour du mât?... »

Le lendemain, sachant à l'avance que le sujet ne serait pas apprécié par mon grave Guilbert, je ne lui parlai pas de la fête de Belteine. Cependant, il se trouva fort intéressé par la préparation de la cérémonie d'adoubement au sujet de laquelle il avait accumulé un grand nombre de renseignements dans ses cahiers, en plus des quelques précis portant sur la pratique, que le seigneur Mànas s'était jadis procurés pour adouber ses fils Bryce et Parthalan. Guilbert repéra, avec une rapidité qui m'étonna, tous les passages dans ses carnets où il était fait mention d'adoubement.

«Ah, dame Lite! Vous rappelez-vous du négociant en vins français Jean Pantalin? J'ai ici sa description d'une cérémonie d'adoubement par Charles VI lors de sa tournée en Languedoc en 89, durant laquelle messire Pantalin avait servi de fournisseur attitré. Je crois, ma dame, que je n'ai jamais rencontré d'homme qui ne parlât comme lui, avec un débit et un foisonnement d'images absolument inégalables. Je me demande comment je parvenais à coucher ses paroles sur papier, et encore, je suis certain que je n'en ai transcrit que le tiers…»

Me penchant au-dessus de l'épaule du secrétaire attablé, je jetai un œil amusé à la page sur laquelle il s'était arrêté et, à la première ligne de texte, je reconnus le style coloré du Français. «Si fait, je me le rappelle très bien! dis-je. Jean Pantalin a été un de mes meilleurs correspondants à l'époque et je vous assure qu'il était aussi volubile comme écrivain que comme parleur.» L'évocation des lettres fameuses que le négociant en vins m'avait fait parvenir par le courrier ailé de nos pigeonniers respectifs me fit penser à l'une d'entre elles dont le sujet m'avait particulièrement fascinée. Jean Pantalin y expliquait la «cour d'amour» qu'organisaient les dames nobles en France, cette forme de concours lyrique dans lequel les participants débattaient de l'amour courtois par des jeux de mots. Messire Pantalin avait assisté à l'une de ces manifestations dans les appartements de la cousine d'un duc à Nantes et en décrivait le déroulement avec moult détails.

Mue par une idée subite, je m'emparai de mon coffret de correspondance et j'y plongeai la main, à la recherche de cette missive précise. Je la retrouvai facilement grâce au papier grisâtre que le Français utilisait et je la relus avec un intérêt accru :

... le vainqueur dans ces aimables joutes n'est pas forcé-
ment un troubadour ou un barde féru de beaux vers. Ce
peut être n'importe qui, même un simple marchand
comme moi ou un capitaine de milice. Le prodige, c'est que
le champion qui se démarque dans une cour d'amour est
doté d'un esprit nettement supérieur et il en ressort avec un
pouvoir sur les cœurs féminins aussi poignant que celui des
chevaliers lauréats à l'issue d'un tournoi...

Un léger picotement me traversa l'échine, signe qu'une pensée fabuleuse germait en moi. Je levai les yeux et croisai le regard pénétrant du secrétaire qui toussota en disant: « Que vous a-t-il écrit qui vous inspire à ce point, ma dame? Vous voilà toute distraite... La manière d'adouber française vous tenterait-elle pour messire Struan, ou bien s'agit-il d'autre chose?

— Il s'agit d'autre chose... Cher Guilbert, pourriez-vous me dire si vous avez noté quelque chose dans vos cahiers sur la cour d'amour française?

— La cour d'amour... Je ne crois pas, non. Mais j'ai un mot sur le traité *De Amore* d'Andreas Capellenus, datant du XIIe siècle et qui aurait été traduit en langue anglaise... Il y a également le *Roman de la Rose*, mais vous ne parlez pas de littérature, n'est-ce pas?

— Pas tout à fait. Je parle d'une sorte de jeu ou de duel verbal autour du thème de l'amour. Disons que c'est une forme de distraction entre dames nobles et galants, habiles discoureurs...

— Je comprends ce dont vous parlez, ma dame. Il m'est arrivé d'entendre des conversations où il en était question, mais je n'ai jamais rien noté à ce sujet. Avez-vous l'intention de tenir une cour d'amour au château?

Si tel est le cas, vous allez vraisemblablement manquer de participants masculins…

– Comment cela ? J'ai mon mari, messire Griogair, l'avocat Swinton, vous-même, peut-être Struan… et d'autres : il suffit de chercher un peu. Et il n'en faut pas une flopée pour accommoder les quelques dames du clan. Je pense à un modeste agrément qui aurait lieu en marge de la cérémonie d'adoubement, pour lui donner une dimension exquise et plaisante. »

L'air déconcerté de mon pauvre Guilbert ne freina pas mon élan. Je poursuivis sur ma lancée en imaginant ma cour d'amour dans la grand-salle comme le lancement d'une activité inédite qui captiverait les invités à l'adoubement de Struan et qui pourrait, selon le succès remporté, se répéter et devenir l'innovation courtoise la plus prisée sur la péninsule. Plus j'y réfléchissais, plus je me persuadais que présider une cour d'amour toute en subtilités et en talents oratoires était un rôle qui m'attirait cent fois plus que celui de prêtresse dans une fête païenne de la copulation.

Le projet m'absorba si bien dans les jours qui suivirent que j'omis complètement l'organisation de la fête de Belteine que ma belle-mère m'avait demandée. D'ailleurs, Anna, celle qui devait en profiter au premier chef, m'avoua redouter de vivre une situation qui lui rappellerait douloureusement son Tadèus. Je conçus dès lors que, pour accomplir les vœux de dame Égidia à l'égard de ma servante, je devrais, dans ma cour d'amour, prévoir une joute dans laquelle Anna susciterait les déclarations d'amour à son endroit.

Quant à ma propre fécondité, l'autre objectif visé par ma belle-mère par la fête de Belteine, mes désirs ne s'accordaient pas aux siens. Je ne souhaitais sincèrement pas enfanter de nouveau, et j'avais remarqué que Baltair ne manifestait pas une très grande volonté d'accroître sa descendance. J'estimais que nos ébats amoureux n'avaient nul besoin de stimulant et que, s'ils devaient déboucher sur la procréation, ils le feraient en dépit de tous renforcements magiques auxquels on voudrait les soumettre. Dame Égidia était trop civile et polie pour s'ingérer dans notre vie intime et elle finirait bien par abandonner ses remarques sur mon âge et ma fertilité.

De plus, je jugeai que la tenue régulière d'une cour d'amour à Mallaig s'avérerait une distraction plus intéressante et permanente pour ma belle-mère qui pourrait y participer dès que sa période de veuvage serait terminée. Ainsi, durant son absence du château, je me consacrai exclusivement aux préparatifs de la cérémonie d'adoubement de Struan selon les instructions de mon brave Guilbert et je laissai mon projet de cour d'amour prendre forme à son rythme.

Pour la liste des invités à l'adoubement, je consultai Baltair, ce qui me donna quelques occasions de le voir à l'œuvre dans la cour, dirigeant les exercices de tir et d'escrime des nombreux apprentis soldats que les lairds lui avaient fournis. Fascinée malgré moi par tous ces corps d'hommes alertes qui mesuraient leur agilité, leur endurance et leur résistance à la douleur, je pris l'habitude de venir les observer tous les jours. Pour ce faire, j'entraînai Anna avec moi afin qu'elle jouisse du même spectacle : « À deux ans et demi, notre petit Alasdair n'est pas trop jeune pour voir des combats, lui disais-je. C'est même nécessaire qu'il commence à regarder des hommes se battre. Accompagne-moi dans la cour, Anna, nous allons lui montrer son père et son cousin au travail. »

Nous nous placions habituellement derrière un petit parapet de pierre qui délimitait le jardin et sur lequel Anna installait Alasdair à califourchon en le maintenant fermement. Mon fils n'en bougeait presque pas, tout captivé qu'il était par le mouvement de l'ensemble et par les bruits des lames qui s'entrechoquaient. Comme mon instinct me l'avait suggéré, Anna ne resta pas insensible à ce déploiement de force virile sous nos yeux. Je remarquai qu'elle examinait plus attentivement les recrues entraînées par Struan que celles faisant partie du groupe conduit par Baltair. En épiant la direction que prenaient ses regards, je découvris que ce n'était pas Struan qui l'intéressait, mais un autre jeune homme et je compris vite pourquoi : par sa stature et la couleur de ses cheveux, le garçon ressemblait beaucoup à Tadèus, ou du moins, à l'image que je gardais de ce cher ami de mon mari. Dès lors, je me promis de retenir le gaillard pour former la première équipe de galants dans ma cour d'amour, lors de l'adoubement de son maître d'armes.

« Il s'appelle Eideard, me répondit Baltair, quand je lui fis part de mon plan. Lui et un autre viennent de Gairloch et ce sont les hommes que Griogair me cède pour ma propre garnison ; c'est-à-dire qu'ils vont rester à Mallaig après la fin de la formation. Si tu penses qu'Anna s'intéresse à Eideard, à la bonne heure ! Mais ne t'attends pas à ce qu'il brille dans ta cour d'amour : c'est le garçon le plus timide que je connaisse et le roi des bafouilleurs.

– Bah! tu lui montreras à baratiner. Tu t'y connais bien là-dedans…

– Vraiment? Quelle drôle d'opinion tu as de ton mari!» fit Baltair, en saisissant mon menton entre ses doigts. Nous nous dévisageâmes un long moment, le sourire aux lèvres, puis il me lâcha. «J'ai bien assez de montrer à pourfendre à toute cette piétaille, dit-il, sans devoir en plus enseigner l'art du fin amour! D'ailleurs, tu es plus experte en la matière que moi: en vérité, je ne connais aucune femme plus habile à transformer un combattant en amant en l'espace d'une seule nuit…»

Je rougis sous le compliment qui n'en était peut-être pas un. Il était évidemment hors de question que j'éprouve mes supposés talents de courtisane sur Eideard ou quelque autre homme d'armes de Baltair. Mettre en présence Anna et le jeune homme et créer un contexte propre à l'expression de leur attirance mutuelle seraient largement suffisants. Le désir secret d'Anna, l'inclinaison de son cœur libre et la nature d'Eideard feraient le reste, si l'affaire avait quelque chance de se conclure.

«Embrasse-moi, MacNèil! ordonnai-je en plaisantant. C'est à ton tour… et n'essaie pas de me faire passer pour ce que je ne suis pas!

– C'est-à-dire? Qu'est-ce que tu n'es pas?

– Une entremetteuse… N'est-ce pas ce que tu veux insinuer?

– Nullement! Tu es une amante fantastique, une épouse incomparable, une châtelaine distinguée et, bientôt, tu seras une dame de cour française… Vraiment, j'ai épousé une belle hermine: tantôt rousse et hardie, tantôt immaculée comme vierge, selon la saison de ses amours… Approche ton museau du mien, que je te goûte, *dulcime Lititia.*

– Hum… le voici!» fis-je, en tendant mes lèvres vers les siennes.

CHAPITRE XV

COUR ET TOURNOI

Une bienfaisante chaleur baignait le jardin clos en cette fin de juin. Le long des murs de pierre un peu frais, mes rosiers grimpants étaient tous en fleur et les herbes odorantes montaient bien haut sur leur petit tertre. Les deux bancs de pierre que j'avais fait placer sous les pommiers recevaient leur ombrage mouvant et c'est là que je reçus notre invitée d'Inverness.

Dame Égidia avait prolongé son séjour d'un mois chez les Fraser et en avait ramené avec elle, sur la nef rachetée à Aonghus, dame Jeanne, une veuve pour laquelle elle s'était prise d'amitié. «Dame Jeanne est absolument merveilleuse, me confia avec enthousiasme ma belle-mère. Elle va beaucoup vous plaire, j'en suis certaine. Vous avez toutes les deux des esprits semblables, les mêmes idées innovatrices et surtout un goût commun pour l'élégance et le raffinement. C'est une Française de Nantes et elle n'a qu'une fille, de quinze ans, qui joue de la harpe divinement. Mon amie s'ennuie à périr chez les Fraser qui veulent la remarier pour ne plus entretenir la mère et la fille; mais le problème, c'est que les pauvres femmes ne possèdent rien d'autre que leur vêture, un ou deux bijoux et leurs miroirs. Le mari de dame Jeanne était un joueur, il a presque ruiné son clan et il a été tué dans des circonstances troubles. Bref, le triste sire n'a laissé que des dettes à ses héritières. N'est-ce pas pitoyable ? J'ai proposé à dame Jeanne de venir passer l'été à Mallaig, si cela vous agrée… Sa fille a dû rester à Inverness, car elle est requise avec sa harpe pour les réceptions des Fraser. »

J'étais tellement heureuse que ma belle-mère ait réussi sa transaction avec Aonghus que j'aurais reçu et gardé à demeure toute la famille Fraser si elle me l'avait demandé. Aussi, j'accueillis dame Jeanne avec empressement. Dès le premier regard, je sus que cette femme délicate gagnerait facilement mon affection : elle avait un port de tête distingué, le teint clair et soigneusement fardé, des cheveux bouclés d'un blond riche, les yeux bleus très pâles au regard intelligent, le nez fin et long et des lèvres pulpeuses qui lui donnaient un air absolument charmant.

En entrant dans le donjon, elle jeta un regard admiratif de connaisseur sur le décor du hall, puis sur celui de la grand-salle. Elle commenta avec courtoisie l'aménagement de la chapelle que je lui montrai et, enfin, celui de la cour que nous traversâmes pour nous rendre au jardin. Celui-ci l'éblouit et je souris de fierté à l'entendre s'extasier si sincèrement. Dame Jeanne s'assit en dernier, en s'assurant que ma belle-mère et Rosalind avaient les meilleures places sur les bancs ombragés et elle but délicatement le periwhit* frais que je fis servir en son honneur.

Au fil de la conversation, je découvris avec un étonnement grandissant que dame Jeanne était fervent amateur de musique, de danse, de chant et de poésie; qu'elle connaissait plusieurs trouvères français, un maître à danser qui avait pignon sur rue à Glasgow et un fameux ménétrier* d'Édimbourg; et enfin, qu'elle-même écrivait des lais dans sa langue maternelle. Il n'en fallait pas plus pour me l'imaginer présidant ma cour d'amour et je profitai de l'occasion pour présenter mon projet comme un divertissement pour les invités à la cérémonie d'adoubement de Struan, événement qui avait attendu le retour de ma belle-mère, de Rosalind et de Griogair pour avoir lieu.

«Ma dame, vous avez raison de vouloir organiser une si galante activité, dit dame Jeanne. Quel summum d'urbanité et de délicatesse que la cour d'amour française! Par cette initiative, chère châtelaine de Mallaig, vous allez faire preuve d'avant-gardisme, non seulement aux yeux des dames de votre clan, mais de celles des Highlands, et probablement de toute la noblesse écossaise, si le concept est prisé et réputé.» Les connaissances de dame Jeanne en la matière achevèrent de piquer la curiosité de ma belle-mère et de ma belle-sœur, déjà éveillées par mon idée de mettre sur pied une cour d'amour.

Soudain, le regard allumé et le rose aux joues, nous nous mîmes toutes ensemble à discourir avec fièvre de ce projet. Rosalind élabora une liste des hommes du clan capables d'agir à titre de protagonistes dans la cour; dame Égidia dressa l'inventaire des éléments à rassembler, les mets, les vins, les fournitures diverses et même le personnel nécessaire pour tenir l'événement. Dame Jeanne s'empressa d'écrire à ses amis troubadours et musiciens pour les inviter à prêter leur concours et leur talent à cette première à Mallaig. Elle songea même à faire venir sa fille, mais elle s'en abstint, car elle ne voulait pas indisposer sa belle-famille en la privant des services de musicienne de la damoiselle.

Nos discussions passionnées se poursuivirent durant plusieurs soirées d'affilée, au cours desquelles je surpris les regards amusés de Baltair sur notre groupe. Une fois, il me glissa à l'oreille quelques commentaires qui me firent rougir, dont un portant sur notre invitée qui l'impressionnait fort par sa grâce et son discours : « Il me semble bien, mon Hermine, que tu as trouvé la préceptrice idéale pour Eideard ; je suis persuadé que quelques leçons de cette experte suffiront amplement à mon homme pour qu'il passe du cri de guerre au susurrement courtois. »

Mais fort heureusement, nous n'eûmes pas à enseigner à Eideard comment faire la cour à Anna, en usant d'une manière si peu conforme à sa nature. L'assiduité de ma servante à observer les exercices militaires, en compagnie de mon petit Alasdair, avait créé le rapprochement que je souhaitais voir s'opérer entre elle et le jeune homme, lequel avait promptement répondu à l'attention dont il était l'objet. Désormais, Anna et Eideard se parlaient souvent et allaient entendre la messe ensemble tous les dimanches à l'église paroissiale. Dame Égidia, qui nourrissait les mêmes espoirs que moi pour le jeune couple et qui envisageait même de les marier, commença à constituer une petite dot pour Anna et fixa une nouvelle solde pour les hommes d'armes en service au château, afin qu'Eideard soit en mesure de s'engager dans des épousailles.

Avec l'arrivée de dame Jeanne, la vie au château prit un nouvel essor, en particulier dans la chambre des dames qui se mit de nouveau à bruire du babillage mondain des cousines, amies et filles de ma belle-mère. Dame Jeanne attirait indéniablement toute la gente féminine de la péninsule en nos murs, et ce, pour le plus grand bonheur de l'ancienne châtelaine de Mallaig. En très peu de temps, dame Égidia et dame Jeanne développèrent une affection profonde l'une pour l'autre. Finalement, elles devinrent si inséparables que la petite société qui gravitait autour de Mallaig qualifia notre invitée de dame de compagnie et, bientôt, on la reconnut sous le sobriquet de «dame Jeanne, suivante de la châtelaine de Mallaig», sans que l'on sache précisément s'il s'agissait de l'ancienne ou de la nouvelle châtelaine.

Ce dernier jour de juin 1399, Struan tremblait légèrement en rassemblant ses effets personnels sur le lit qu'il occupait depuis son retour à Mallaig, au deuxième étage du corps de garde. Son oncle Baltair lui avait demandé d'aménager au donjon, dans l'ancienne chambre du chevalier Parthalan, et cette disposition l'emplissait de bonheur. Struan saisit son bâton de shinty et l'examina presque avec attendrissement en se remémorant la déception qu'il avait subie à Édimbourg quand il avait manqué la partie de golf avec le prince David. Depuis qu'il était revenu à Mallaig, il n'y avait plus touché, car la perspective de devenir le chevalier de son grand-père l'avait plongé dans un entraînement si intensif que le jeu de shinty avait perdu tout attrait pour lui. Struan fendit l'air avec son bâton, fit quelques voltes en bandant les muscles de ses épaules et sourit de contentement. Puis, il fourra ses vêtements au fond de sa besace qu'il balança sur son épaule et descendit l'échelle, le cœur battant : l'évocation de la cérémonie d'adoubement qui l'attendait le lendemain le bouleversait et minait son habituelle maîtrise de lui-même. Il gravit presque en courant l'escalier à vis jusqu'au troisième étage du donjon et s'embarra dans la chambre de son père, heureux de n'avoir croisé personne en montant. Là, il disposa tranquillement ses objets et découvrit qu'on avait monté près du lit l'armure du défunt chevalier, dont il s'était servi tout au long de son entraînement. Il s'en approcha et la contempla d'un œil neuf en s'imprégnant des souvenirs douloureux de son père, Parthalan, second fils chevalier du clan MacNèil. Ému, le jeune homme s'agenouilla et se recueillit longuement, évoquant la mémoire du cher défunt.

Tel que convenu, le seigneur Baltair vint le chercher pour le souper qu'il comptait prendre seul avec lui dans la salle d'armes afin de lui rappeler les grands principes chevaleresques. Il avait apporté la chemise blanche et la tunique pourpre que l'aspirant chevalier devait revêtir en signe de pureté de l'âme et de rappel du sang versé pour la cause de son seigneur et pour la défense de la foi chrétienne : « Mon neveu, voici la vêture conforme au serment que tu vas prêter demain. Mets-la céans devant moi, que je contemple bien celui que j'adouberai. » Struan saisit les vêtements d'une main hésitante et les déposa sur son nouveau lit. L'étoffe exhalait une odeur de cèdre et il devina que le costume n'avait pas servi depuis longtemps. Il songea à poser la question à son oncle, mais, devant l'air concentré de ce dernier, il se tut et commença à se dévêtir.

Le seigneur Baltair se retrancha dans un coin de la chambre sans quitter son neveu du regard et il s'assit sur un tabouret. Puis, les yeux mi-clos, il murmura sur un ton de ferveur à peine audible: «Parthalan, mon frère, vois ton fils superbe. Admire sa mâle membrure, son dos parfait, ses épaules hautes et larges, ses jambes droites et solides. Ainsi l'as-tu fait et ainsi devient-il un chevalier digne de ta lignée, un MacNèil, petit-fils de Mànas, notre père. C'est moi qui l'ai préparé et qui l'adouberai, mais toi, aide-le, accompagne-le et Dieu le protège!»

Le lendemain, le sentiment d'agir sous le regard de Parthalan ne quitta pas le seigneur Baltair durant toute la cérémonie d'adoubement qui se déroula dans la salle d'armes de Mallaig. Quand vint le moment précis où il posa le geste qui faisait de son neveu son chevalier, il eut un serrement de cœur: «Toi, Struan MacNèil, fils de Parthalan de Mallaig, au nom de Dieu, je te fais chevalier de ma maison. Sois valeureux, vaillant et humble. Souviens-toi d'où tu viens et de qui tu es le fils.» Il appuya très légèrement le plat de sa lame sur chacune des épaules de Struan agenouillé, les yeux levés vers lui. La ressemblance avec Parthalan était si frappante que Baltair faillit l'appeler du nom de son frère en l'invitant à se relever. Puis, l'abbé Oswald s'approcha à pas menus pour bénir le chevalier novice, suivi de près par les compagnons d'armes de celui-ci qui portaient les éperons et la claymore de Struan, insignes de son nouveau titre. L'un glissa la claymore dans son baudrier et l'autre attacha les éperons à ses heuses. Ainsi ceint, Struan se retourna devant l'assemblée et clama bien fort la devise du clan: «*Buaidh no bas*[17]!» que tous reprirent en chœur.

---

17. *Buaidh no bas* (mots gaéliques): Vaincre ou mourir.

Le seigneur Baltair entoura son neveu de son bras et ils descendirent les quelques degrés de l'estrade pour recevoir l'accolade des lairds du clan. «Am piobaire!*» cria Baltair, en levant la main en direction des musiciens qui attendaient son signal au fond de la salle. Aussitôt, un hymne magistral s'éleva des tuyaux du puissant instrument à vent provoquant un frisson d'émotion dans toute l'assistance. Le cornemuseur fut aussitôt suivi par les joueurs de rebec et de luth et, en procession, ils traversèrent lentement la pièce pour finalement sortir dans la grand-salle attenante.

Là, quatre longues tables avaient été dressées afin d'accueillir la quarantaine d'invités à la cérémonie d'adoubement. Elles débordaient de viandes fumantes, de volailles, de poissons, de fromages, de pains et de brouets d'amandes servis dans de larges plats d'étain déposés sur des nappes immaculées. La quantité de victuailles et de vins avait de quoi impressionner les plus grands seigneurs ou éminents prélats, mais aucun personnage de ce rang ne se retrouvait parmi les invités. Seuls les lairds, les gens de leur maisonnée et ceux de Mallaig avaient été conviés au festin. Mais aux yeux de tous, l'événement parut grandiose et chacun conserva un souvenir impérissable du banquet donné en l'honneur de Struan et du jeu oratoire qui le pimenta.

Dame Égidia était rose de bonheur aux côtés de dame Jeanne. Elle savait bien qu'en se prêtant à la cour d'amour, elle ferait une entorse à son deuil, mais l'occasion de goûter un divertissement était trop belle pour la rater. Oscillant du chef au rythme de la joyeuse musique qui vibrait entre les murs tapissés de la salle, l'ancienne châtelaine de Mallaig observa les invités, un sourire béat sur les lèvres. La prestance de son petit-fils Struan la frappa, ainsi que la beauté d'une jouvencelle qui attirait les regards hardis du jeune homme. Dame Égidia reconnut avec stupeur la fille du seigneur d'Airor, qui dans son souvenir n'était qu'une gamine de dix ans. «Tout le monde vieillit, ma pauvre amie, se dit-elle. Le temps est venu de passer la main à d'autres. À ces puceaux et pucelles, les jeux de l'amour et ses doux soupirs!»

Durant le repas, elle surveilla aussi Anna, entourée des deux petits cousins Alasdair et Raonall dont les chamailleries l'accaparaient, et elle remarqua que le soupirant de la jeune servante se tenait à proximité, attentif et avenant. «Ne fais pas l'indifférente, douce Anna. Ce gaillard qui te tourne autour mérite bien quelques sourires...», pensa-t-elle avec attendrissement.

Pour un premier essai, le petit débat courtois organisé par dame Lite, assistée de dame Jeanne, se révéla très plaisant pour les convives et pour les participants qui discoururent. Griogair répondit avec beaucoup de tact à la question de dame Égidia portant sur le mariage, ennemi ou non de l'amour. Le flegmatique Guilbert Saxton surprit dame Rosalind qui voulait savoir quel devoir l'emportait chez la femme entre ceux de l'épouse, de l'amante ou de la maîtresse, car il choisit sans hésitation la dernière option. L'avocat Swinton, interrogé par dame Jeanne, se tira bien d'affaire en trouvant des punitions appropriées pour un amant infidèle, et le seigneur Baltair, sondé par son épouse, fit crouler l'auditoire de rire en comparant les genres d'amants mal assortis à des animaux d'espèces différentes voulant s'accoupler.

Les interrogations et les réponses ne revêtirent pas exactement la forme délicate de strophes, ce à quoi une

441

véritable cour d'amour française tendait idéalement, mais l'instigatrice et l'experte de la représentation ne s'en formalisèrent pas. Bien au contraire, elles se félicitèrent d'avoir obtenu une participation généreuse de la part des hommes de la maison et d'avoir distrait l'assemblée en développant le thème de la courtoisie.

Un mois plus tard, un tout autre vent que celui de la courtoisie poussa la nef du seigneur MacNèil vers Skye : la famille devait y défendre son titre au dernier Tournoi des Îles du XIVᵉ siècle. Depuis des décennies, le clan MacLeod agissait comme organisateur de cette grande rencontre annuelle réunissant les meilleurs combattants à la lance et à la claymore parmi tous les clans highlanders. À l'occasion s'y étaient présentées des délégations d'autres régions de l'Écosse, mais leurs succès étaient toujours restés très marginaux par rapport aux joutes extraordinaires livrées entre Gaëls.

Le Tournoi des Îles ne ressemblait en rien aux autres grandes joutes européennes, en ce sens qu'il n'attirait pas des chevaliers venus d'aussi loin que l'Espagne, en quête de prestige et d'honneurs. Il n'était pas non plus reconnu comme un événement par lequel les dames brillaient en suscitant la ferveur de preux chevaliers dévoués à leur estime. Cette grande confrontation au milieu de la mer des Hébrides répondait davantage à des impératifs de justice interne. En effet, avec le temps, les seigneurs highlanders avaient pris l'habitude de profiter du spectacle pour rendre compte publiquement de leurs différends et les régler à la pointe de l'épée. Ainsi presque chaque combat était-il précédé d'un défi lancé d'un clan à un autre avec, comme enjeu, la résolution d'un quelconque conflit à la faveur du gagnant.

En cette année qui suivait l'impopulaire campagne royale contre le Seigneur des Îles, l'intérêt des participants au tournoi portait sur les allégeances ou oppositions à Robert III et, dans ce contexte, le clan MacNèil faisait pratiquement bande à part. Le seigneur Baltair, qui s'attendait à un tel climat, sentit passer un courant de méfiance à l'endroit de sa délégation dès son débarquement dans la baie de Dunvegan. Loin de s'en émouvoir, il afficha un air serein et encouragea ses lairds à adopter une attitude franche face à leur choix politique.

Parmi la douzaine de clans inscrits à l'événement, seuls les Chisholm et les Chattan ne se réclamaient pas ouvertement du Seigneur des Îles et, par conséquent, ne manifestèrent pas d'antipathie envers les MacNèil. Par contre, les Macleod, les Maclean, les Ranald, les Cameron, les Mackensie, les Mackinnon, les Grant et, bien sûr, les MacDonald démontrèrent une nette hostilité envers le nouveau chef de clan de Mallaig qui avait donné asile aux troupes du duc de Rothesay. Et, parmi eux, ceux qui pensaient faire plier cet adhérent à la Couronne se trompèrent, car le but du seigneur de Mallaig en se présentant à Skye était précisément de positionner son clan sur l'échiquier politique des Highlands. Ainsi, désireux de réaffirmer sa sujétion au roi des Écossais et de démontrer aux autres clans la solidité des MacNèil, le seigneur Baltair affronta toutes les discussions, endura toutes les moqueries et releva toutes les bravades.

Les premières manifestations d'acrimonie survinrent dès l'installation de sa délégation dans le campement qui entourait l'arène. Quelques bousculades, injures et échanges de coups accompagnèrent l'érection de sa tente et du petit enclos pour ses chevaux. Puis l'affrontement se poursuivit par une empoignade entre le laird Aulay d'Arisaig et le seigneur de Louchabre durant le souper d'ouverture servi à la belle étoile, sur un plateau rocheux nommé « la table des Macleod ». De tempérament égrillard, le laird de MacNèil reluqua d'un peu trop près la belle Johanna de Louchabre, ce qui attira aussitôt sur lui la colère du père de la jouvencelle.

« Quand on ne veut pas exposer sa fille à l'appétence mâle, protesta Aulay, on ne l'emmène pas dans un tournoi d'hommes.

– Ma fille me suit partout où je vais et ce n'est pas un piaffard* de MacNèil qui va me faire des mises en garde à ce chapitre. Si tu prévoyais être en manque de femmes, tu n'avais qu'à traîner ta garce ici ! » répliqua l'interpellé.

L'instant d'après, les deux hommes roulaient sur le sol dans une échauffourée qui mit un terme à leurs grossières invectives et qui souleva plus de plaisir que d'indignation dans l'assistance. La bagarre se termina avec la séparation des belligérants par leurs acolytes, mais l'avertissement était désormais lancé : on ne laisserait rien passer aux MacNèil et tout se réglerait par la force des poings.

Impressionné par l'expression agressive de l'animosité contre le clan MacNèil, Struan fixa son oncle en espérant sa riposte, mais celui-ci lui fit comprendre d'un signe de tête qu'il ne fallait pas intervenir. Deux heures plus tard, quand les représentants des clans, d'un pas mou et même vacillant pour plusieurs, redescendirent au campement pour la nuit, le jeune chevalier obtint une explication de son seigneur qui avait su conserver sa superbe tout au long du repas :

«À ton avis, Struan, tout à l'heure, devions-nous engager le combat ou ménager nos forces pour les joutes de demain dans la lice? demanda l'oncle au neveu.

– Je pense qu'Aulay est plus fort que ce vieux bouc de Louchabre et il l'aurait assez aisément vaincu. Une bonne mêlée aurait tout juste servi d'entraînement pour nous et elle n'aurait sûrement pas compromis notre prestation de demain.

– Une bonne mêlée... Dis-moi: à combien évalues-tu l'effectif des deux camps adverses ce soir?

– Louchabre est venu avec sept hommes: je les ai comptés. Nous sommes huit: même sans nos deux lairds trop âgés pour prêter main-forte, je suis convaincu que nous faisions le poids.

– Je te trouve bien fanfaron, mon neveu. Dans une foule comme celle assemblée là-haut, je peux te dire que notre cohorte aurait eu à affronter au moins soixante hommes, et cela, en supposant que les Chisholm et les Chattan se seraient tenus à l'écart de la bataille.

– ...

– Nous sommes à Skye pour nous défendre, Struan, c'est vrai, mais avec les armes du tournoi. C'est-à-dire à forces égales dans des affrontements à un contre un, car là réside notre supériorité. J'espère que tu as compris ce que je viens faire ici.

– Certes, mon oncle: je n'avais pas vu les choses sous cet angle. Seulement, j'abhorre le rôle de souffre-douleur que nous imposent les autres clans depuis notre arrivée et il me tarde de leur montrer nos couleurs.

– Je compte bien que, demain, tu profiteras éloquemment de ton droit de réplique. N'oublie pas que tu livres un combat à outrance* et que ton vis-à-vis est un des frères du Seigneur des Îles. Si tu remportes la victoire, les trois autres joutes auxquelles nous participons bénéficieront de l'avantage du gagnant, sans compter que les clans neutres seront fort tentés d'être nos partisans. J'ai besoin d'alliés dans la lutte pour le pouvoir qui sévit dans les Highlands. Vois-tu, Struan, c'est précisément là l'enjeu du Tournoi des Îles cette année : inspirer le respect et la crainte. »

Bien que le commentaire se voulût encourageant, Struan entrevit pour la première fois le spectre de la mort planer au-dessus de sa tête et sentit peser sur ses épaules le poids énorme de l'aspiration de son oncle. Tout à coup, il craignit de ne pas pouvoir supporter cette charge. « Struan, lui souffla Baltair, qui lisait le désarroi sur le visage de son neveu, je n'ai jamais vu homme posséder le sentiment du fer comme toi : tu perçois les réactions de tes adversaires à travers le seul contact des lames. Tu vas réussir contre MacDonald, je le sais, et puis, tu n'es pas seul, ton père sera avec toi. Dans un cartel*, un novice reçoit toujours l'aide d'un prédécesseur. Le tien, c'est Parthalan MacNèil, l'un des meilleurs chevaliers qu'a comptés notre clan.

– Merci, mon seigneur. Je vois que vous avez aimé mon père pour parler ainsi. Je me ferai un devoir d'être digne de ce protecteur et de la confiance que vous mettez en moi. »

Le jeune chevalier de la maison MacNèil resta éveillé durant la première partie de la nuit. Il pria et évoqua les souvenirs admirables qu'il gardait de son père, puis le sommeil réparateur vint à bout de ses méditations. Cependant, à quelques pas de là, l'oncle bénéficia d'un repos moins complet que son neveu. Baltair

MacNèil se tourna et retourna dans son plaid durant toute la nuit, en proie à une anxiété qui l'exaspérait. Jamais il n'avait autant appréhendé un affrontement. Non pas qu'il doutât des capacités de ses hommes au combat, mais il savait que la moindre défaite coûterait à son clan plus cher qu'à aucun autre, car, dans l'isolement créé par ses allégeances, il avait plus à prouver.

En fait, Baltair MacNèil brûlait du désir de dégainer et de se battre, alors que son titre de chef de clan l'en empêchait. En effet, la règle au Tournoi des Îles voulait que les chefs ne fassent pas partie des alignements dans la lice. Seuls leurs délégués s'opposaient et gagnaient ou perdaient en leur nom. Aux premières lueurs de l'aube, le chef MacNèil se leva et sortit de la tente pour se soulager. Il marcha droit à l'enclos et siffla sa monture dont il caressa longtemps le chanfrein humide. Le contact de sa main avec le front de l'animal eut l'effet escompté : il recouvra son calme et sa confiance. Quand ses hommes s'éveillèrent, il les aborda un à un avec assurance et maîtrise. Il sut faire passer à ses quatre combattants, Struan et Aulay dans les affrontements à la claymore, et Griogair et Aindreas dans les combats équestres à la lance, toute l'énergie et tout le courage dont il se sentait pourvu. Il salua les trois autres représentants de sa délégation, le seigneur d'Airor, le laird de loch Nevis et son nouveau beau-frère, Daidh MacGugan, et il tâcha de leur transmettre sa foi dans l'issue victorieuse des joutes.

Plus tard vint le moment fatidique où Struan dut se présenter au premier combat au sol. Il reçut l'accolade d'Aulay qui passa deux doigts sur l'âme* de la claymore du jeune chevalier en murmurant une brève prière, puis il se signa. Struan imita le geste pieux et salua son oncle

Baltair en inclinant légèrement la tête. «Pour vous, mon seigneur et pour votre bannière!» lança-t-il. Enfin, il sortit de la tente, le pied plus ferme que le cœur.

Absorbée dans mes dévotions, je dressai soudain l'oreille. Au beau milieu de sa messe, le curé Oswald venait de parler gaélique, j'en étais certaine. « *Confitemini Domino, quoniam bonus: quoniam in saeculum misericordia eius*[18]… Sainte Vierge Marie, soutenez le bras de nos représentants à Skye, que nos prières accompagnent les membres de la famille MacNèil… *Dominus, crucem tuam adoramus*[19] … », l'entendis-je continuer sur le même ton monocorde.

Pour m'assurer que j'avais bien ouï, je jetai un regard à dame Égidia à mes côtés, mais elle ne réagissait pas, poursuivant ses oraisons comme si rien d'anormal n'était survenu. Je me replongeai dans le recueillement, mais je fus incapable de me concentrer. Mes pensées sortirent de la chapelle comme des papillons légers et s'envolèrent au-dessus du détroit de Sleat vers l'île de Skye, et ce, jusqu'à la fin de l'office religieux de la fête de Saint-Pierre. À ce moment-là, je voulus en avoir le cœur net et je songeai à intercepter le curé avant qu'il ne s'éclipse dans la petite sacristie, mais ma belle-mère s'empara de mon bras pour sortir de la chapelle. Complaisamment, je l'accompagnai sans mot dire et j'oubliai la digression de l'abbé Oswald.

---

18. Louez le Seigneur, car Il est bon et Sa miséricorde est éternelle.
19. Seigneur, nous adorons Votre croix.

Il me sembla que la matinée s'étirait interminablement afin de mettre à l'épreuve ma patience et je ne
cessai de me morfondre vainement pour les combats
qui se déroulaient au Tournoi des Îles. Puis, peu après le
dîner, on vint me prévenir dans la chambre des dames
qu'une vingtaine d'hommes étaient aux portes du château et que leur dirigeant demandait à être reçu. Je pensai immédiatement qu'il s'agissait d'une délégation se
rendant à Dunvegan et qui requérait les services de
navette de notre port.

« Je ne crois pas, ma dame, dit le domestique. Les
arrivants ne sont pas des Highlanders. Notre vigie a
d'abord cru à un groupe de caterans, mais leur porte-
parole se réclame de la maison du duc de Rothesay. Il
demande audience à la châtelaine en l'absence du seigneur de Mallaig. »

Intriguée, je me levai prestement et lui ordonnai de
faire entrer le visiteur et de le conduire dans la grand-
salle où je le recevrais. Après avoir pris congé de ma
belle-mère et de dame Jeanne, je m'empressai sur les pas
du domestique afin de précéder le capitaine du duc de
Rothesay dans la grand-salle. La pièce, dans laquelle
on n'allumait pas de feu en été, baignait dans une fraîcheur agréable et une lumière abondante y pénétrait à
ce moment-là de la journée. Dans un coin, une servante
bavardait avec Anna tout en donnant quelques coups
de balai pour chasser les chiens qui farfouillaient dans
la jonchée. L'intendante, chargée de nappes et de verres,
allait et venait des cuisines attenantes à la pièce aux
armoires adossées au mur près du foyer.

Dès qu'il me vit, Alasdair se précipita dans mes jupes de son pas dandinant. Je l'embrassai et lui demandai

449

de retourner auprès d'Anna, tout en prenant place sur un des deux bancs de chêne qui se faisaient face devant la fenêtre. Alasdair grimpa aussitôt à mes côtés et tassa de ses petites mains potelées les pans de ma robe afin de mieux s'accoler à moi. Incapable de le repousser, je soupirai de résignation et j'attendis l'arrivée de mon visiteur avec une certaine hâte. Au bout de quelques minutes, introduits par le même domestique qui était venu m'aviser de la présence de la milice, trois hommes entrèrent. Deux demeurèrent sous le portail et le troisième vint à moi en traversant la salle d'un pas assuré. Sur le coup, je ne le reconnus pas, alors qu'il me dévisageait comme s'il m'avait déjà rencontrée, et, qui plus est, avec une certaine insolence. Quand il se présenta enfin, je fus stupéfiée : c'était Alexandre Stewart, le fils bâtard du comte de Buchan ! Privée de voix, je détaillai d'un œil ébahi celui que j'avais failli épouser voilà près de dix ans et qui avait par la suite réclamé une rançon pour libérer Baltair de Lochindorb.

Malgré l'effet de surprise, je conservai ma contenance et je pus noter la transformation que les ans avaient opérée sur le personnage ; le freluquet de mon souvenir était devenu un robuste guerrier. Je remarquai également combien l'homme avait hérité des traits de son exécrable père : tignasse d'un noir de jais, yeux bleu-violet, nez court et front large. Il ne portait pas la barbe, comme bien des hommes en été, et des fossettes perçaient ses joues rondes, lui conférant un air candide ; enfin, une moustache raide camouflait une bouche qu'on devinait charnue.

« Voilà une surprenante visite, messire, réussis-je enfin à dire. Comme on vous l'a mentionné, mon mari est présentement à Skye: conséquemment, vous ne pourrez pas le voir, si tel était le but de votre venue à Mallaig.»

Sans que je l'y invite, il s'assit en face de moi en faisant glisser son baudrier afin que sa claymore ne le gêne pas et, un sourire satisfait sur les lèvres, il regarda longuement Alasdair qui cessa aussitôt de se trémousser à mes côtés.

«En vérité, l'absence de MacNèil me convient bien, fit-il en reportant son attention sur moi. Cela me permet de parler avec celle qui n'a cessé de m'intriguer. Je voulais constater de visu ce qu'était devenue la pupille de Ross...» Il parcourut la pièce du regard avant d'ajouter: «Mon cousin David avait raison, voici un château magnifique... une citadelle comme il y en a peu dans les Highlands, admirablement fortifiée, bien située sur la côte ouest, un port protégé, un poste d'observation et d'interception incomparable sur le détroit, une attirante châtelaine...

— Messire, venez-en à l'objet de votre visite, l'interrompis-je d'un ton sec.

— L'objet de ma visite..., répéta-t-il d'un air évasif, en se penchant imperceptiblement vers moi. J'hésite entre ma mission pour le duc de Rothesay et ma curiosité personnelle.

— Je vous prie de vous expliquer céans, messire, car vos propos et vos manières me déplaisent fort!» lançai-je avec humeur.

Je vis sa moustache frémir et, avec un redressement vif du torse, il s'adossa. Il jeta un bref coup d'œil en direction de ses hommes en faction devant la porte, puis il s'exécuta sur un ton neutre en m'exposant la raison militaire de sa présence à Mallaig: son cousin et duc de Rothesay, qui avait été nommé Lieutenant du royaume pour une période de trois ans, lui avait donné carte blanche pour mener des actions visant à maintenir le climat de subordination à la Couronne, que la campagne contre le Seigneur des Îles avait, selon lui, réussi à établir sur la côte ouest écossaise, l'été précédent.

«J'arrive du loch Shiel et je vais à Applecross. À mon avis, c'est le meilleur temps de l'année pour parcourir le territoire des Highlands, et la Saint-Pierre est certainement la journée idéale pour visiter les places fortes puisque leurs seigneurs ne s'y trouvent pas...

– Que voulez-vous insinuer, messire? Avez-vous l'intention d'assiéger notre château en l'absence de mon mari? Est-ce là le genre d'actions que vous conduisez pour *maintenir un climat de subordination à la Couronne?* m'offusquai-je.

– Holà, ma dame! Ne vous méprenez pas sur mes desseins, je traversais simplement la péninsule. Selon nos informations, MacNèil est fidèle au roi, alors pourquoi diable m'attaquerais-je à Mallaig? Le duc de Rothesay n'a pas la même opinion sur votre voisin de Louchabre, sur le clan Grant, sur les Ranald ou les Mackensie. Voyez-vous, ma chère, vous êtes entourée d'ennemis de la Couronne, et mes hommes et moi avons fort à faire dans la région, en ce premier août...

– Si tant est, messire, je vous suggère de ne pas vous attarder ici et d'employer le reste de votre journée à pourfendre ces nombreux ennemis que vous me nommez. Je transmettrai vos chaleureuses salutations à mon mari dès son retour», fis-je, en me levant pour signifier la fin de l'entretien.

Ce faisant, je bousculai un peu mon petit Alasdair qui protesta en agrippant ma robe, menaçant soudain mon équilibre. Alexandre Stewart se leva prestement et me saisit les épaules dans un geste qui voulait me parer d'une chute éventuelle, mais je décelai aussitôt dans ses yeux une autre intention. «Ne transmettez pas de salutations trop chaleureuses à votre époux, ma dame, fit-il. Même si nous sommes de la même allégeance, nous ne sommes pas pour autant amis. Selon moi, MacNèil est toujours un chef cateran qui loue ses services de soldat au plus offrant. Qu'il soit désormais un chef de clan highlander ne fait pas de lui un grand seigneur écossais. Par contre, son épouse est parfaitement délicieuse en plus d'être une dame de haute noblesse... à qui je m'empresse d'offrir mes compliments les plus chaleureux.»

Il s'était penché à mon oreille pour dire la dernière phrase et, avant même que je n'aie le temps de réagir, il m'embrassa sur la bouche avec fougue, puis me relâcha aussi subitement. Il replaça son baudrier d'un geste automatique et considéra mon fils, toujours accroché à ma vêture.

«C'est votre enfant, ma dame? Il ne vous ressemble pas beaucoup. Pas plus qu'à MacNèil, d'ailleurs. Qui en est le père? dit-il ironiquement.

— Déguerpissez avant que je ne vous fasse jeter dehors! sifflai-je, rouge d'indignation.

— Je note que vous avez menacé de m'expulser, ma dame!» fit-il sur un ton sarcastique en se retournant.

Alexandre Stewart sortit de la grand-salle en rigolant avec ses sbires et, durant la minute suivant son départ, je demeurai complètement abasourdie. Me ressaisissant, j'aperçus tout à coup Guilbert Saxton qui m'observait, debout le long d'une colonne. «Dieu du ciel! Depuis quand est-il là, et qu'a-t-il entendu?» me demandai-je en le fixant avec effarement. «Vous me trouverez au bureau, ma dame, si vous avez besoin de moi», me dit-il très posément, avant de se retirer à son tour.

J'eus envie de retenir le secrétaire, mais Alasdair commença à rechigner en tirant sur ma robe. Je le pris dans mes bras et le portai à Anna. Puis, je revins à la fenêtre qui offrait une vue sur la cour, juste à temps pour voir Alexandre Stewart et ses hommes en selle passer le porche et s'engager sur le pont-levis. «Salaud!» dis-je tous bas.

Vêtus de leur armure, visière relevée et claymore en main, Struan et son rival tournaient lentement l'un autour de l'autre, à une distance de neuf pieds. En position de garde, ils s'observaient, notant les mouvements des jambes et les changements de prise de l'adversaire. Le moindre indice révélateur d'intentions offensives dicterait la tactique à employer pour démarrer l'engagement en parant ou en attaquant. La foule qui avait manifesté bruyamment lors des présentations des combattants retenait maintenant son souffle en attente du premier échange de coups.

Sens en alerte, muscles bandés, regard rivé sur son adversaire, le chevalier MacNèil récapitulait mentalement les techniques de combat tout en dialoguant avec lui-même: «La cible la plus proche est la tête; garde les mains hautes; pointe vers l'avant, lame perpendiculaire à lui; écarte les pieds jusqu'à parfaite stabilité… là, c'est mieux; laisse-le ouvrir; ne quitte pas ses doigts des yeux… il change encore de prise, il prépare une manœuvre… viens, maraud, je t'attends! Ça y est, un coup d'estoc sur la senestre!…»

D'un geste précis, Struan exécuta un croisé en s'emparant de la lame de son adversaire dans sa ligne haute et en la ramenant dans sa ligne basse, puis il le fournit à plusieurs reprises, l'obligeant à reculer. À la dernière passe, Struan toucha sa cible au flanc et le bruit métallique du fer heurtant l'armure claqua comme un coup de fouet. Dans les estrades, la clameur trop longtemps contenue accueillit le déclenchement de l'action et les premiers cris d'encouragement fusèrent en faveur du représentant MacDonald. Celui-ci dressa les épaules et raffermit son équilibre. «C'est ça, distrayez-le bien avec vos cris, bande de rufians!» pensa Struan, en moulinant du poignet pour donner plus de force à son assaut. Dans une brusque détente, il porta avec le tranchant de sa lame un formidable coup de taille que son opposant eut peine à rabattre. Puis, de part et d'autre, ce fut un enchaînement de passes, de voltes et de coups de pointe nets et audacieux. Un droit de Struan aboutit en coulé, les lames glissèrent l'une sur l'autre et les duellistes se soumirent momentanément à un corps à corps silencieux. Puis, en un brusque revirement, Struan se déroba. Il contraignit plusieurs fois son rival à se couvrir et ne rompit pas d'une semelle tout au long de l'affrontement, se concentrant sur le contact des lames et y décelant les intentions de son rival.

Après vingt minutes d'un combat soutenu, le représentant MacDonald, déjà empâté par l'âge, commença à donner des signes de fatigue et se mit à suffoquer de chaleur sous son casque. La sueur coulait abondamment sur son visage et l'aveuglait presque. Il eut soudain le malheureux réflexe de s'essuyer et leva le coude, créant une ouverture inespérée dont Struan sut profiter : le coup de pointe décoché en un éclair enferra* le frère du Seigneur des Îles entre la base du casque et le plastron. Une giclée de sang fusa de son cou, son arme lui échappa des mains et il s'affaissa dans un bruit sinistre de froissement d'acier. Un petit nuage de poussière s'éleva doucement autour de son armure et un silence lourd s'abattit sur l'assistance qui n'avait cessé jusque-là de vociférer.

Struan recula de quelques pas et ôta son casque avec lenteur, révélant une chevelure mouillée, une face ruisselante et un air hébété. L'arme ballante, le jeune homme fixa son adversaire un long moment, comme s'il s'était attendu à ce que celui-ci se relève, puis il se dirigea d'un pas chancelant vers les estrades. Son oncle se précipita à sa rencontre, tandis que les représentants du clan MacDonald se ruèrent sur le vaincu qui agonisait.

Baltair MacNèil perçut aussitôt le sentiment de rage de la foule comme une énorme vague prête à engloutir une barge, un jour de tempête. S'emparant du bras de Struan, il l'entraîna prestement hors de l'arène pour le soustraire aux regards haineux qui convergeaient sur eux. Toute la délégation MacNèil s'empressa à sa suite. À peine s'étaient-ils engouffrés dans leur tente que Donald MacDonald en forçait l'accès en réclamant avec autorité une rencontre de chef à chef : « Sors, MacNèil. Je suis seul et je vais désarmer si tu fais de même. Nous avons à discuter, car le temps est arrivé de mettre les choses au clair entre nos deux clans.

– À ta convenance, Donald», répondit le seigneur de Mallaig en détachant son baudrier. MacDonald l'imita et son arme tomba sur le sol au même moment que celle de son vis-à-vis, puis ils ressortirent de la tente. À l'extérieur, un cercle de curieux s'était déjà formé que MacDonald dispersa d'une voix impérieuse avant d'entraîner MacNèil à l'écart.

«J'ai souvent perdu des hommes au combat, commença MacDonald, le visage impassible, en regardant droit devant lui, mais aucun en tournoi. Ta recrue s'est bien battue : ton neveu mérite la victoire et on dira de mon frère qu'il est mort de belle épée. MacNèil, si tu avais quelque chose à prouver en venant ici, considère que c'est fait maintenant. Entends l'avis suivant : renonce aux trois autres joutes et retire-toi avec tes hommes céans. Il en va de ta vie et de la leur.

– Tu me demandes de déclarer forfait, Donald… C'est ce que je dois comprendre ?

– Je ne te demande rien. *Exiger* serait un mot plus exact.

– Ne serait-ce pas plutôt à Macleod d'ordonner le retrait de ma délégation dans ce tournoi ?

– Je suis patient depuis fort longtemps avec toi, MacNèil, mais aujourd'hui tu dépasses les limites de mon endurance. Il n'a pas toujours été facile de savoir à quelle enseigne tu logeais, mais voilà que tu t'appliques à le préciser depuis un an et, ce faisant, tu m'obliges à te classer parmi mes ennemis. Je sais que tu es insensible aux menaces et c'est pourquoi je n'en formulerai point, mais cela ne veut pas dire que je te laisse le champ libre. Les îles et les eaux qui les baignent, c'est mon territoire. Tu n'y seras jamais plus le bienvenu : ois-le bien !

Tu navigueras à tes risques et périls dans les Hébrides, ainsi que les commerçants qui choisiraient de mouiller dans ton port ou les pêcheurs de baleines de ton clan au large. L'avertissement vaut pour tout ce qui flotte. Quant à la supériorité de ta bannière, présente-toi à tous les tournois sur le continent si tu tiens à jouer à la chevalerie, mais je puis t'affirmer que les MacNèil viennent de vivre le dernier Tournoi des Îles dans ce siècle et dans le prochain…

– Oh, Donald MacDonald a une prodigieuse ambition de longévité !

– La même que le roi des Écossais, des Anglais ou des Français, c'est-à-dire celle d'un souverain. Ce que je décrète est valable pour mon règne et les suivants. MacNèil, je te suggère de bien réfléchir avant de réfuter mes prétentions territoriales.

– Je vais te surprendre, Donald, mais je respecte ta position en dépit de mon allégeance à Robert III. Je te concède les îles et même toutes les terres que ton clan possède dans les Highlands. Cependant, les eaux et ce qu'il y a dedans appartiennent à tous, comme la péninsule de Mallaig est à mon clan. Dans la mesure où nos hommes honoreront cette vision du territoire, nous pourrons vivre en bon entendement. »

Le Seigneur des Îles s'arrêta de marcher et dévisagea son interlocuteur en souriant. Il se garda d'exprimer l'estime qu'il lui inspirait et conserva le ton péremptoire qu'il avait adopté depuis le début de l'entretien : « Je me demande qui t'a appris à négocier ainsi : est-ce le Loup de Badenoch, Moray, Louchabre, mon beau-frère Ross, le duc de Rothesay ou même son illustre père ?

« – J'aimerais répondre "le mien". Quoi qu'il en soit, j'accepte de quitter Skye sans livrer mes trois autres joutes à la condition que ma bannière flotte au premier mât de la lice, comme preuve que j'ai remporté le premier combat du tournoi.

– MacNèil, je ne sais pas comment tu t'y prends, mais tu as le don de susciter ma magnanimité. Je veillerai à ce que cette preuve soit hissée et le demeure jusqu'à la fin du tournoi. Adieu, maintenant. Faisons en sorte que nous n'ayons plus à nous revoir, seigneur Baltair... »

Une franche accolade scella l'entente inusitée et les deux chefs s'en retournèrent vers leurs gens qui s'étaient tenus aux aguets. Une heure plus tard, la nef des MacNèil larguait les amarres et hissait la voile en direction de Mallaig. Le ciel était pur, le vent, constant et la traversée se fit en deux heures seulement. Aux abords de la pointe de Sleat, les MacNèil croisèrent quantité de petits esquifs se rendant à Dunvegan, tous porteurs de nouvelles similaires : l'attaque de places fortes sur la côte par une troupe de vingt hommes, des caterans aux dires de certains, des représentants de la Couronne, selon les autres.

En apprenant cela, Baltair MacNèil passa de la sérénité la plus douce à l'angoisse la plus poignante, comme un loch tourne du bleu scintillant au noir d'encre à l'approche d'un orage.

CHAPITRE XVI

LA MENACE VENUE DE L'EST

Vaguement anxieuse après le départ d'Alexandre Stewart et de son contingent, je demandai au capitaine de notre garde d'augmenter les effectifs sur nos remparts et de m'aviser de toute circulation d'hommes armés sur les plateaux ou dans le détroit. Au milieu de l'après-midi, je fus soulagée d'apprendre que notre navire était en vue et je descendis au port pour accueillir Baltair, sans réaliser ce que son retour, le jour même de la Saint-Pierre, avait de précipité.

À peine avait-il posé le pied sur le quai qu'il me demanda de confirmer la rumeur voulant que des domaines sur la côte aient été attaqués, ce que je m'empressai de faire en lui racontant la visite d'Alexandre Stewart à Mallaig. Jamais je ne vis Baltair aussi furieux. Il commanda que toutes les recrues en formation à Mallaig rentrent dans leur place forte respective céans : « Votre entraînement est terminé ! lança-t-il à la vingtaine de jeunes soldats qu'on avait rassemblés à la hâte dans la cour avant leur départ. Une menace pèse actuellement sur la péninsule des MacNèil et vos services seront probablement requis. Vous êtes prêts à défendre votre seigneur et ses biens, et c'est désormais ce que l'on attend de vous tous. Allez, et que Dieu vous garde!»

La victoire de Struan au tournoi nous fut rapportée seulement après le souper, au coin du feu. Le regard brillant de Baltair fut le seul indice de la fierté qu'il en tirait. Je compris plus tard, quand nous nous retrouvâmes dans l'intimité de notre chambre, que l'expulsion de notre délégation de Skye le blessait autant que si nos trois autres joueurs avaient été battus, et cela, à force de questions et de sollicitude. Baltair s'ouvrit sur ce qu'ils avaient subi à Dunvegan et sur ses nouveaux rapports avec Donald MacDonald. «Nous sommes maîtres sur notre péninsule, mais isolés sur un territoire entièrement encerclé par les adhérents de MacDonald, me confia-t-il sur un ton amer.

– Alors, pour ne pas souffrir d'isolement, nous tâcherons d'être des maîtres incomparables et inventifs!» fis-je, en lui caressant les cheveux qu'il portait de nouveau très longs. Il me jeta un œil désabusé et s'étendit sur le lit sans un mot. Consciente que ses préoccupations ne l'abandonneraient pas facilement, je le laissai soupeser les injonctions du Seigneur des Îles contre notre clan et je me blottis contre lui en souhaitant qu'aucune menace, qu'elle soit de Donald MacDonald ou d'Alexandre Stewart, ne vienne troubler la vie sur notre péninsule.

De la part de ce dernier, fort heureusement, le clan n'eut à repousser aucun assaut. Les vigies postées sur notre territoire notèrent le passage d'Alexandre Stewart qui ne se dirigeait pas vers Applecross, comme il me l'avait laissé entendre, mais gagnait les terres du côté du loch Ness. Quelques semaines plus tard, nous apprîmes qu'en quittant les plateaux de Mallaig le fils du comte de Buchan s'était rendu directement à Bothwell pour le second mariage du duc de Rothesay, ce qui me fit dire qu'il connaissait pertinemment sa prochaine destination lorsqu'il avait fait son incursion au château, et le mensonge qu'il m'avait alors servi me donna à réfléchir.

Les détails sur ce mariage, qui suivait celui qui avait été annulé par décision papale, nous furent révélés par un prélat du diocèse de Moray venu rendre visite à la paroisse St. Cecilia. Après moult tractations entre le Parlement et la famille royale, le prince David avait finalement épousé Mary Marjory Douglas, la fille du comte de Douglas, dit le Farouche. Depuis la nomination du prince à titre de Lieutenant du royaume, Douglas constituait, avec le duc d'Albany, une figure dominante dans le conseil spécial des vingt et un hommes chargés d'assister le prince David dans ses nouvelles fonctions.

Inutile de dire combien la nouvelle union du duc de Rothesay enragea Georges Dunbar, le père de l'infortunée première épouse du prince. En fait, ce remariage, outrageux affront fait publiquement à l'un des grands comtes dans le Lothian, secoua toute la noblesse et focalisa l'attention de la Couronne, du Parlement et du duc de Rothesay sur les conséquences à envisager. On encouragea fortement le nouveau marié à surseoir temporairement à sa belligérance dans les Highlands et à garder la forteresse stratégique d'Édimbourg. La concentration de troupes royales sur la côte est calma peu à peu le climat d'insécurité dans lequel nous avait plongés le durcissement de position du Seigneur des Îles sur la côte ouest, mais cela n'empêcha pas Baltair d'exiger de nos lairds le maintien d'un haut degré de surveillance armée sur toute la péninsule.

Quant à la vie au château, je remarquai que la tension vécuc par les hommes n'affectait pas outre mesure les femmes. Est-ce à ce moment-là que dame Jeanne conçut le projet de demeurer définitivement chez nous? Fort possible. Cette question ne fut jamais abordée entre elle et moi. Le fait est que, au milieu de septembre, elle se mit à élaborer l'idée d'une fête pour célébrer l'arrivée du nouveau siècle à Mallaig. «Quelle misère d'entendre gémir tous ces chrétiens inquiets qui nous rebattent les oreilles avec leur supposée fin du monde! disait-elle. À les écouter braire, on croirait que Calluinn 1400 va se produire demain plutôt que dans six mois et que personne n'aura le temps de se mettre en règle avec sa conscience. Enfin, pourquoi passer d'un siècle à un autre ne serait-il pas un prodige heureux? Dieu, que j'exècre tous ces esprits obtus qui prisent davantage les pleurs que les rires dans ce monde!»

Évidemment, la perspective de grandes festivités enthousiasma aussitôt ma belle-mère et le groupe de femmes qui fréquentaient notre chambre des dames. Baltair, que je mis au courant du projet de notre invitée, ne s'y opposa pas, car il appréciait vraiment que la veuve du clan Fraser s'intègre au nôtre et apporte, par sa seule présence, une vitalité bienvenue à sa mère. Ainsi, quand dame Jeanne demanda, à la fin de septembre, d'inviter sa fille Catherine à célébrer les fêtes de la Nativité avec nous, j'acceptai sans hésiter, comme si cela allait de soi.

Le 28 octobre, la jeune fille de quinze ans, qui ressemblait à sa gracieuse mère comme deux gouttes d'eau, débarqua dans le port de Mallaig en provenance d'Inverness. On la vit descendre avec sa harpe et un large coffre contenant ses effets personnels ainsi que tout ce que sa mère possédait chez les Fraser. L'accueil que la maisonnée lui réserva fut si touchant et si spontané que personne ne trouva à redire à l'installation définitive que ces bagages impliquaient.

L'intendante du château s'éprit rapidement de la jouvencelle et l'appela « damoiselle Ceit », le pendant gaélique de son prénom français. Elle eut mille et une attentions pour l'enfant de dame Jeanne et fut bientôt imitée par toute la domesticité. Je me rendis compte que mes gens estimaient parfaitement naturel que la mère et la fille soient invitées à résider au château. Comme nous n'étions pas à une innovation près, je consentis sans réticence à les nommer toutes deux mes suivantes, un titre qui était octroyé pour la première fois à Mallaig.

En vérité, j'éprouvai beaucoup de satisfaction à la savante et talentueuse contribution des dames Fraser au château, car ma conception du rôle de châtelaine visait précisément à bâtir la réputation de noblesse d'une famille par sa capacité à rayonner dans le domaine des arts et des lettres. Même si Baltair avait une tout autre idée sur la façon pour un clan d'inspirer le respect au sein d'une société, il ne s'opposa pas à la tenue régulière de la cour d'amour française dans notre grand-salle, pas plus qu'il ne rechigna à l'entretien de dame Jeanne et de sa fille, qui, de toute façon, se faisait grâce aux pécunes de ma belle-mère. « Tu es la châtelaine, mon Hermine. Tu décides de ce qu'il advient de nos gens au château et tu me laisses gérer tout ce qui advient à l'extérieur… à chaque pot sied son couvercle», me répondait-il, quand je lui demandais conseil sur un aspect ou l'autre de la conduite de la maisonnée.

Jamais, comme dans ces derniers mois du XIVe siècle, n'appréciai-je autant la grande générosité de Baltair et la confiance qu'il me témoignait. Parmi toutes les dames de la péninsule, je crois bien avoir été la seule jouissant d'une telle liberté d'action et de décision dans son château. Lorsqu'on m'en passait la remarque, sur un ton admiratif et parfois envieux, je n'hésitais pas à louanger mon mari ouvertement et à démontrer à quel point je le chérissais. Ces aveux avaient souvent l'heur d'animer les sentiments de jalousie que certaines de nos dames ne pouvaient s'empêcher de nourrir à mon endroit.

«Savais-tu, cateran de mon cœur, que tu fais figure de mari exceptionnel? dis-je une fois à Baltair. Toutes les dames qui fréquentent le château se le disent entre elles et, bien évidemment, cela vient à mes oreilles…

– … qui sont fort fines quand il s'agit de ton mari, mon Hermine. Et que me trouvent ces aimables dames de si exceptionnel?

– Tes permissions, je crois. Tes largesses et tes approbations en ce qui touche à la direction du château. Elles estiment que le pouvoir que tu me concèdes est prodigieux.

– Elles ont parfaitement raison si elles parlent de prodige, car c'en est un, en effet. Comment un homme honnête et sans le sou comme je le suis peut-il confier à une femme ambitieuse et extravagante comme tu l'es sa maison, ses gens et les cordons de sa bourse?

– Qui est vide. Tu l'as dit à l'instant!

– Qui est vide, qui est vide… De quelle bourse parles-tu, l'Hermine ? Viens un peu ici : on va voir si elle est vide… »

Comme plusieurs discussions au lit, ma petite séance de confidences à propos des jalousies de nos commères tourna en délassement passionné, pour mon plus grand plaisir et celui de Baltair.

Presque un mois avant la fête de Calluinn, qui promettait tant d'être inoubliable aux dires de ma belle-mère et de dame Jeanne, survint un incident qui eut des répercussions sur le destin de Struan et sur sa présence au château comme lieu de résidence. Ses amis et compagnons d'armes l'invitèrent à participer au valentinage[20] d'un des leurs qui avait lieu chez notre laird d'Airor. Or, il s'avéra que le jeune homme que l'on se proposait de doter d'une compagne de Saint-Valentin se désista en faveur de Struan qui avait été son maître d'armes à Mallaig.

Mon neveu me rapporta ses déboires aussitôt qu'il rentra de chez notre laird, le 15 février. « Croyez-moi, ma dame, je n'ai eu guère le choix et, maintenant que j'y repense, le discours durant la fête de la Saint-Valentin ressemblait fort à un complot pour me jeter dans la paille avec la belle Dina. » Sur ce, Struan se découvrit, déboutonna son pourpoint, fit sortir un pan de sa chemise hors de ses braies et se mit à tituber dans la pièce en imitant le compagnon qui l'avait piégé publiquement :

---

20. Valentinage : pratique associée au retour du printemps et à l'éveil sexuel, faisant en sorte qu'une nubile, soustraite à l'autorité parentale le temps de la fête de la Saint-Valentin (le 14 février), est attribuée à un célibataire par un groupe de jeunes gens au cours d'une déclaration publique.

«Mes amis, regardez le pauvre hère que le vin accable et qui ne mérite pas la fille de notre laird. Je ne pourrai pas l'honorer dignement et la mignote va rester sur son appétence. Mais, je sais celui qui la comblera selon son désir: c'est notre maître chevalier, messire Struan MacNèil!» À ce moment-là de la démonstration, Struan me glissa un coup d'œil pour évaluer mon degré d'assentiment, mais je ne bronchai pas, curieuse de connaître la suite.

«Dame Lite, ne me jugez pas si hâtivement. Dans son plaidoyer, mon ami n'a pas inventé l'attrait que j'exerce sur damoiselle Dina. Je suis certain que, même vous, vous l'avez remarqué lors de mon adoubement. Je lui plais beaucoup…

— … alors que la pauvre te fait horreur, bien sûr!

— Ma dame, vous vous moquez de moi! Jamais je n'ai posé les yeux sur plus belle jeune fille, plus belle et plus avenante aussi. C'est une colombe blanche, une étoile scintillante, une véritable fleur…

— … que tu as eu grand bonheur à déflorer, si je vois où tu essaies de me conduire.

— Voilà, ma dame: vous y êtes. Mais, si je puis me permettre, je n'ai pas été seul à jouir de ce charmant bonheur. J'ai procuré beaucoup d'agrément à damoiselle Dina et c'est elle qui l'affirme. Elle m'a reçu dans sa chambre; m'a dévêtu et s'est dévêtue; m'a couché dans les draps et s'est allongée sur moi en me priant de garder le silence, alors qu'elle s'est épuisée en soupirs et en gémissements de plaisir. Qu'aurais-je pu faire d'autre que de lui donner ce qu'elle exigeait si amoureusement?

— En effet, je ne vois pas comment tu aurais pu te soustraire à cet impitoyable châtiment de la Saint-Valentin, mon brave Struan», conclus-je ironiquement.

468

Au sourire franc qu'il me retourna, je vis que le jeune chevalier MacNèil avait apprécié mon ouverture d'esprit et l'incident fut clos pour moi jusqu'au jour de Calluinn où il refit surface.

Dès la première semaine de mars, l'effervescence battit son plein au château. La préparation de la fête, compliquée par les idées alambiquées de ma belle-mère et de son amie, transforma le donjon en une ruche vrombissante depuis les fours jusqu'au grenier. Dame Égidia avait exigé un nettoyage complet de la chambre des dames et de la salle qui nous servait d'atelier de tissage et de couture, où elle installa un drapier venu d'Elgin avec ses étoffes et ses colifichets pour habiller la famille. Dans l'ancien cabinet de mon beau-père, changé en salon de musique pour l'occasion, dame Jeanne avait réuni sept musiciens de la région et fait venir un troubadour nantais de sa connaissance, lequel m'apporta dans ses bagages des dattes, du gingembre, du poivre, de la cannelle et du safran que j'avais réussi à me procurer par le biais de correspondants sur le continent. Tout arrivait à point nommé et concourrait à la réalisation d'agapes fantastiques, comme une clé actionne le mécanisme d'une serrure bien huilée.

De son côté, Baltair organisa une grande chasse avec Aindreas afin que sangliers, cerfs, pintades et canards abondent sur notre table à laquelle il avait convié nos lairds et leurs gens. La battue dura trois jours, au terme desquels les chasseurs revinrent avec le gibier promis, en plus de ramener Aonghus, rencontré en forêt. Ce dernier arrivait d'Inverness plein d'entrain, avec un chargement appréciable de provisions de bouche et de présents dans son équipage.

Dame Égidia et dame Jeanne réservèrent un accueil bienveillant à Senga Fraser, l'épouse d'Aonghus, ma nouvelle belle-sœur, et me la présentèrent avec empressement. D'un abord timide, la jeune femme me sembla plutôt chétive et délicate, et elle ne s'ouvrit pas beaucoup malgré mes efforts pour lui être agréable. Je fus grandement soulagée de la voir lier conversation avec mes belles-sœurs Rosalind et Maud, ce qui me dispensa de lui tenir compagnie.

Le vin, absolument indispensable selon dame Jeanne, nous faisait défaut, nos voûtes étant malheureusement vides depuis l'arrêt du transport commercial dans le détroit de Sleat. Je me décidai à faire appel aux ressources de Mariota. En dépit du froid qui sévissait entre nos maris, nous avions poursuivi nos relations épistolaires, facilitées par les allées et venues des complaisants abbés de nos domaines respectifs. Ma sœur de lait me répondit qu'elle essaierait de faire porter quelques barils par un navire de pêche des MacDonald à un bateau de la flotte de notre laird Aulay. L'épouse du Seigneur des Îles réussit sa manigance, car, quelques jours avant Calluinn, messire Aulay arriva à Mallaig avec une belle cargaison de vin en provenance de Finlaggan et un mot très attendrissant de son expéditrice :

Donald est morose depuis le Tournoi des Îles et l'organisation de la plus petite fête lui est intolérable. Alors je me réjouis que, toi, tu continues à évoluer au milieu d'une si plaisante et distinguée société. Sache que je suis de tout cœur avec vous en ce Calluinn unique de l'an de grâce 1400 et buvez ce vin de l'amitié que j'offre aux MacNèil et à leur châtelaine adorée !

Baltair, que la chasse et la compagnie de ses frères avaient particulièrement détendu, affichait un air de contentement permanent sur son visage complètement rasé en prévision des chaleurs estivales. Souvent, je l'observais à la dérobée et le trouvais embelli par les ans : ses traits virils s'étaient accentués, ses yeux avaient pris une teinte plus claire et son sourire avait perdu en espièglerie pour gagner en sérénité. Depuis son fauteuil dans la grand-salle où il entretenait ses invités, il observait les déplacements pressés du personnel entre les cuisines et le hall et supputait le faste de l'événement en préparation. « Gardes-tu souvenir d'un certain banquet donné à Finlaggan pour le rassemblement des MacDonald aux fêtes de la Nativité ? me demanda-t-il un soir, en m'interceptant peu avant le souper. Dis-moi, l'Hermine, si tu nous concoctes quelque chose d'un peu semblable pour la rencontre des MacNèil à Calluinn 1400…

– Quelque chose de mieux encore, lui répondis-je. Jamais tu n'auras entendu musique plus sublime et goûté mets plus savoureux. Baltair, si tes lairds ne s'en sont pas encore aperçus, ils vont voir que leur chef est un grand seigneur.

– Ma douce, il m'importe seulement d'être un puissant seigneur à leurs yeux.

– L'un n'empêche pas l'autre, et même, selon moi, l'un va de pair avec l'autre. Fais-moi plaisir, Baltair MacNèil, agis comme un homme supérieur et chacun de tes hommes en sera grandi. Ton nom sera respecté et honoré au-delà de la péninsule et tiendra à distance tes ennemis par sa seule notoriété.

– Holà, mon Hermine, quelle foi tu as dans le pouvoir des flûtes et des nappes blanches !

– Mon seigneur, il y a des jours pour prendre les armes de fer, et d'autres pour prendre les armes de l'art. Et Calluinn sera de ces jours-là: nous célébrerons l'arrivéc du nouveau siècle en adoptant une manière neuve de briller dans la société gaélique. Tu seras à la hauteur de cet événement, mon amour, car c'est pour toi que je le fais. »

Baltair me glissa un de ses sourires irrésistibles et indéfinissables: acceptait-il mon compliment ou lui trouvait-il, comme c'était souvent le cas, une double intention, à la fois flatteuse et intéressée? Je n'eus pas le loisir de scruter son regard qui m'aurait renseigné sur cet aspect, car il termina l'échange selon son habitude par un baiser prolongé qui me fit oublier tout le reste.

Le jour de Calluinn, le chevalier Struan revit damoiselle Dina avec beaucoup d'émotion. La jeune fille se tenait pourtant bien coite au milieu de sa parentèle et ne glissait que des regards furtifs à celui qui avait été son valentin. Au moment de passer à table, le jeune homme ne réussit pas à se placer tout près d'elle comme il l'espérait et il dut se contenter de l'admirer de loin. Cependant, ses attentions n'échappèrent pas à la fille de dame Jeanne, qui, derrière sa harpe, dévorait des yeux le chevalier de la maison.

Depuis le jour de son arrivée à Mallaig, damoiselle Ceit nourrissait un amour secret pour Struan et son cœur saigna en voyant l'objet de son désir se tourner vers une autre. Sa déconfiture et sa peine furent totales quand, au beau milieu du repas, le père de la beauté d'Airor annonça à l'assemblée une demande d'épousailles de sa fille avec le chevalier MacNèil : «… autant est-ce un honneur pour Dina de porter le fruit de messire Struan, autant serait-ce un déshonneur pour notre famille que l'enfant à naître ne jouisse pas de lui comme père, que ma fille ne jouisse pas de lui comme mari et que, moi-même, je ne l'accueille pas à Airor comme un fils. Dieu n'a pas voulu que j'engendre de mâles, mais saint Valentin y a pourvu. Mes amis, slàinte* à Dina et Struan, et à leur progéniture ! »

Toute la salle résonna aussitôt d'un joyeux tumulte. Sur l'estrade d'honneur, le seigneur Baltair accusa le coup avec effarement, tandis que son épouse parut moins surprise que lui par la nouvelle. Le neveu du seigneur de Mallaig, après un moment de stupeur, se sentit transporté de joie et s'empressa de demander publiquement la permission de se marier : « Mon seigneur, fit-il, en se tournant vers son oncle Baltair, vous m'avez armé et je vous dois le service de ma vie. De bâtard de votre frère, vous m'avez élevé au rang de chevalier MacNèil, ce que je resterai jusqu'à ma mort. S'il vous agrée de me donner épouse, comme mes responsabilités envers damoiselle Dina m'y invitent ce jourd'hui, j'aurai pour vous plus qu'un sentiment d'appartenance, mais une entière dévotion. »

On maria le jeune couple le mois suivant. Struan conserva sa chambre au troisième étage du donjon de Mallaig, mais y dormit de moins en moins souvent. Bien que son cheval demeurât dans l'écurie du château, il utilisa davantage celui que son beau-père lui fit choisir dans son élevage et il acquit une petite barge pour faire la navette régulière entre Airor et Mallaig.

Si le seigneur Baltair éprouva quelque tristesse à se séparer de son neveu, il supporta ses absences intermittentes avec beaucoup plus de sérénité que dame Égidia. Cette dernière, au grand étonnement de la maisonnée, sembla vivre le mariage de son petit-fils comme un second deuil de son fils Parthalan. Elle perdit l'appétit et le sommeil, et renonça aux sorties à cheval sur les plateaux. Puis, on remarqua que l'ouïe de l'aïeule devint plus faible, ce qui la poussa à délaisser la chambre des dames pour se cloîtrer dans la sienne. La veuve de Mànas Mac-Nèil s'y enfermait de plus en plus souvent pour jouir de la solitude et de la tranquillité que son âge réclamait. D'abord désorientée par l'attitude d'affliction subite de son amie, dame Jeanne tenta de la distraire en rappelant quelques musiciens au château. Sous la conduite de sa fille, le petit ensemble musical composé d'un joueur de cromorne, d'un joueur de flûtiau et d'un joueur de rebec fit merveille. Autour de la jeune harpiste, les troubadours se dépensèrent avec talent et multiplièrent les occasions d'interpréter les lais écrits par la veuve Fraser, ce qui réconforta l'ancienne châtelaine de Mallaig et enchanta les visiteurs de plus en plus nombreux au château.

Dans un climat de calme, un nouvel été suivit le printemps 1400 et la bruyère fleurie couvrit la lande et les collines sur toute la péninsule. Les moissons de seigle montèrent haut dans les vallons protégés des vents et le cheptel de bœufs, qui s'était accru d'un important lot de veaux, envahit les plateaux ondulants d'herbes salées le long de la côte. Quant au troupeau de brebis, qui comptait près d'une soixantaine de têtes, les deux bergers de Mallaig le conduisirent dans les collines nouvellement déboisées entourant le loch Morar pour y paître jusqu'à la prochaine saison de tonte. Le long du port, la production des marais salants permit de regarnir les entrepôts dont le précédent contenu avait pu être expédié aux différents points de vente coutumiers, renflouant ainsi les coffres du château que les dépenses reliées aux festivités avaient mis à sac. Dans la pénombre feutrée du cabinet, le secrétaire Saxton évalua la quantité de denrées qui seraient engrangées à la fin de la saison, refit ses calculs et conclut que Mallaig retrouvait bon an, mal an le chemin de la prospérité.

Alors que la côte ouest écossaise vivait des temps sereins et florissants, en ce premier été 1400, la côte est subissait les saccages de l'armée anglaise menée par Henri VI, le nouveau souverain d'Angleterre. Ce dernier s'était trouvé un allié désabusé en la personne de Georges Dunbar qui n'aspirait plus qu'à se venger de Robert III. Quand, en effet, le comte de March fut sollicité au mois de juin par le roi anglais pour l'aider dans son projet d'envahir l'Écosse, il n'hésita pas à trahir son souverain et mit à la disposition de l'ennemi ses hommes et sa place forte sur la mer du Nord, à vingt-cinq miles d'Édimbourg. Apprenant son ignominieuse déloyauté, le duc de Rothesay confisqua les titres du comte de March, ses terres et son château que la famille Dunbar quitta en catastrophe, à la pointe de l'épée. Stimulé par la riposte écossaise que constituait l'expulsion des Dunbar, Henri VI s'enhardit et, au début d'août, il écrivit à Robert III pour exiger un improbable serment d'allégeance à la Couronne anglaise. Recevant la prompte réponse négative qu'il attendait, pour ne pas dire souhaitait, le monarque anglais lança, le 14 août, une armée de seize mille hommes à l'assaut d'Édimbourg, tenu alors par le duc de Rothesay.

La tactique du roi anglais correspondait à la coutume, bien rodée depuis des décennies, consistant à traverser et à ravager les terres écossaises du Lothian jusqu'au point névralgique qu'était l'imposante forteresse d'Édimbourg. Malgré l'aspect de déjà-vu, les Écossais mirent quelque temps à organiser leur défense. Pour prêter main-forte au duc de Rothesay face au siège imminent de la cité par les troupes anglaises, on rapatria toutes les forces armées, y compris celle dédiée à la garde de Robert III sur la côte ouest, laissant malencontreusement le château de Dundonald sans protection.

Malade et fort inquiet pour sa sécurité, le monarque écossais n'avait d'autre choix que de se tourner vers ses propres ressources pour se mettre à l'abri d'attaques éventuelles contre Dundonald. Comme tous les seigneurs des Lowlands sur la côte ouest avaient vu leurs meilleurs soldats appelés au front et que les quelques gentils hommes disponibles dans l'entourage du roi ne pouvaient pas assurer une défense adéquate du château, le chroniqueur Bower suggéra au roi de faire appel au seigneur de Mallaig. «Votre Grâce, dit-il, vous n'êtes pas entièrement retranché parmi des adhérents de MacDonald : vous avez à Mallaig un sujet sûr et féal, en plus d'être un capitaine très compétent, en la personne du seigneur Baltair Mac-Nèil. On dit que, depuis la campagne contre le Seigneur des Îles, il s'est taillé une place unique dans les Hébrides, que son château est mieux défendu que nombre de vos places fortes et qu'il sait tenir le clan MacDonald en respect... Si vous le permettez, Majesté, j'affirme que Mac-Nèil est en ce moment le seul seigneur highlander loyal à la Couronne capable d'offrir une réponse efficace à votre besoin de protection.»

Une missive royale parvint à Mallaig le 19 août, surprenant et alarmant par son contenu le seigneur et la châtelaine. Comme Baltair MacNèil n'était pas homme à se désister devant la demande de celui qui, en plus d'être son souverain, était l'homme envers lequel il avait contracté une dette d'honneur, il appela son clan sous la bannière MacNèil. Dès le lendemain, avec quarante cavaliers armés, il quittait la péninsule en direction de Dundonald en contournant le loch Linnhe par le nord. Puis, traversant de nuit les terres du seigneur de Louchabre, la troupe longea lochs et rivières de l'intérieur du pays jusqu'à sa destination qu'elle atteignit en six jours.

Rien n'échappait jamais au seigneur de Louchabre et il observa le passage de MacNèil stoïquement, en se contentant de noter le nombre d'hommes de son contingent. Puis, à l'aube, il envoya un messager à Lochindorb pour vendre à Alexandre Stewart un renseignement que celui-ci était prêt à acheter à fort prix. L'année précédente, au cours de l'expédition du cousin du duc de Rothesay sur la côte ouest, un pacte avec le voisin immédiat du clan MacNèil avait été conclu : les terres de Louchabre seraient épargnées en échange d'une surveillance par celui-ci du chef MacNèil. Au premier signe de déplacement majeur de troupes, Stewart demandait à être avisé et offrait une somme rondelette pour payer la course. Louchabre, qui avait ordre du Seigneur des Îles de ne pas toucher aux possessions des MacNèil, ne voyait aucun inconvénient à ce qu'un autre le fasse à sa place, même si cet autre s'avérait un ennemi du clan MacDonald.

Quant à Alexandre Stewart, dont la hargne contre Baltair MacNèil ne s'était pas tarie, il n'attendait qu'une occasion pour retourner à Mallaig et y prendre ce qu'il estimait être son dû : la pupille de Ross. Sa courte visite au château et sa rencontre avec l'épouse de son ennemi avaient ravivé son désir de vengeance et orienté sur celle-ci ses visées de représailles. Il se sentit trembler d'excitation en remettant dans la main du porteur de Louchabre une bourse généreuse en guise de récompense.

Anna vomit de nouveau et je tirai Alasdair à moi afin qu'il ne soit pas éclaboussé. « Es-tu sûre de n'avoir rien à me dire ? demandai-je à ma servante, qui se redressait péniblement au-dessus du bassin. Si tu as couché avec Eideard, il n'y a pas d'offense puisque vous êtes fiancés. Cependant, je dois savoir si tu es grosse, Anna. Tu le comprends, n'est-ce pas ?

– Certes, ma dame. Je vous parlerais… mais je ne suis pas certaine…

– De quoi n'es-tu pas certaine : d'être enceinte ou d'avoir couché avec Eideard ?

– … heu… d'être enceinte de lui. »

J'écarquillai les yeux d'étonnement et d'incrédulité : notre Anna aurait-elle trompé son amoureux ? Je devais la dévisager avec tellement de stupeur qu'elle se crut obligée de me fournir des éclaircissements que je n'étais pas en droit de solliciter, malgré mes fonctions au château.

« Ma dame, ce n'est pas ce que vous pensez ! Eideard ne sait rien et il ne doit pas savoir, car ce n'est pas de ma faute. Oh, dame, comme je suis misérable !

Nous avons coqueliné, Eideard et moi, et le palefrenier nous a vus sans qu'on s'en rende compte. Après, le malotru m'a coincée et menacée de tout vous dire si je ne me donnais pas à lui. J'ai refusé, mais il m'a prise et…» un nouveau haut-le-cœur la précipita tête première vers le bassin malodorant.

Compatissante mais néanmoins écœurée, je lui abandonnai mon fils en la dispensant d'accompagner ma belle-mère au hameau. «Ne t'en fais pas, Anna. Dès que ton Eideard sera revenu de Dundonald avec le seigneur Baltair, nous vous marierons, car c'est lui le père de l'enfant que tu fabriques puisqu'il a déposé sa semence en premier… Reste au château, ce matin. Je vais descendre entendre la messe à l'église St. Cecilia avec dame Égidia. J'aviserai de ce qu'il faut faire du palefrenier à mon retour.»

En dépit de ses mauvaises nuits, ma belle-mère avait continué de se rendre au hameau tous les jours pour matines au bras d'Anna, sauf le dimanche où elle faisait cette promenade avec dame Jeanne et Ceit. La veuve Fraser et sa fille se levaient trop tard en avant-midi et suivaient dans la chapelle du château les offices quotidiens récités à l'heure de midi.

Je ne pris pas ma cape, car le temps était radieux en ce 29 août et je descendis d'un pas allègre les marches de la galerie pour retrouver ma belle-mère dans la cour. Lui donnant une brève explication sur l'absence d'Anna, je glissai mon bras sous le sien et l'entraînai vers le porche. Quand nous passâmes sous la herse, j'éprouvai un plaisir inattendu à me retrouver hors des murs d'enceinte.

«Est-ce que je vous appelle une escorte, ma dame? s'enquit la vigie, du haut du bastion.

– Non, messire, lui répondis-je. Cela ne sera pas nécessaire… Comme d'habitude, dame Égidia va à la messe à St. Cecilia et c'est moi qui l'accompagne. Nous pouvons y aller seules… Merci!»

De cette réponse désinvolte et imprudente, je me mordis les pouces une heure plus tard, car, au sortir de la petite église paroissiale, une tout autre proposition d'escorte nous fut offerte. Alexandre Stewart fils m'attendait, avec quatre de ses hommes, nonchalamment appuyé au muret qui délimitait le cimetière. Dès qu'il me vit, il se porta à ma rencontre, ses sbires sur ses talons, et, avant même que je puisse ouvrir la bouche, les hommes nous avaient encerclées, dame Égidia et moi.

«Je sollicite une seconde visite, dame Lite, fit aussitôt Stewart. Laissez-nous vous raccompagner bien docilement au château et cela se fera dans la douceur que les dames apprécient tant. Je trouverais déplorable d'être obligé de vous rudoyer pour pouvoir bavarder dans le privé avec la châtelaine de Mallaig…

– Espèce de maroufle!» m'écriai-je, révoltée, mais l'apparition d'une dague dans sa main me coupa la parole. Stewart sourit, porta discrètement la lame à ses lèvres en me signifiant de garder le silence. Le geste passa inaperçu aux yeux de ma belle-mère qui se mit à vociférer en tentant de se dégager de l'emprise des deux hommes qui l'empoignaient.

«Ma bonne dame, lui siffla Stewart au visage, taisez-vous, ou vous allez regagner votre château les pieds devant. Saluez gentiment votre curé qui nous observe et laissez-vous mener sans regimber… céans! Faites ce que je vous dis, sinon…

– Elle est un peu sourde », intervins-je, de peur que ma belle-mère ne risquât sa vie à tenir tête à notre assaillant parce qu'elle n'avait pas compris dans quelle situation critique nous nous trouvions. Puis, je me penchai vers elle en la fixant dans les yeux et lui répétai l'injonction de Stewart. C'est alors qu'elle aperçut la dague. Elle dévisagea le fils de Buchan une longue minute, pinça les lèvres en une moue de dégoût, puis, d'un air de superbe, elle hocha la tête en direction de l'abbé Oswald qui répondit à son salut avant de s'en retourner dans son église.

Soudain, nous nous retrouvâmes là, immobiles et à la merci d'une bande de canailles sur le sentier que les paroissiens avaient déjà déserté. Stewart rangea sa dague dans sa manche et remplaça un de ses acolytes à mon bras. Celui qui me maintenait de l'autre côté s'en alla récupérer les chevaux du groupe, alors que les deux derniers continuèrent à encadrer dame Égidia. Ainsi escortées, nous nous mîmes en branle vers le château dans un silence oppressant. Au moment de contourner la muraille, Stewart m'expliqua posément qu'il avait posté une vingtaine d'hommes à l'orée du bois, qui attendaient son signal pour attaquer le château et qu'il ne donnerait pas ce signal si je me montrais complaisante. Comme je n'avais aucune raison de douter de ses dispositions, je le crus.

« Écoute, Lite MacGugan, je sais que votre garnison est minimale en ce moment, ainsi que chez vos lairds. Il n'y aura pas de secours pour toi et tes gens si je décide de prendre le château. En d'autres temps, il aurait pu me tenter, mais il est trop engoncé dans une mer de MacDonald que je ne saurais aussi bien manœuvrer que ton mari. Ce que je viens chercher, c'est ce que tu m'as dérobé à Scone…

– … ma dot? balbutiai-je.

– Non pas. Quelque chose qu'une femme épuise moins vite: ta coquille*. »

Je me sentis rougir jusqu'à la racine des cheveux et mes jambes se mirent à flageoler. Nous étions arrivés en vue du bastion et, levant les yeux, je croisai le regard scrutateur de la vigie. L'espace d'une seconde, je songeai à donner l'alerte, mais une pression de Stewart autour de mon bras me retint.

« C'est ici que tu décides, ma mignonne, murmura-t-il. Tu m'accueilles ou tu me déclares la guerre. Je dois te prévenir que, dans un cas comme dans l'autre, j'obtiens ce que je veux. Mais si tu choisis la deuxième option, j'arrive à mes fins en faisant couler le sang de tes gens. Ta belle-mère et ton fils ne seront pas épargnés.

– Si j'accepte, tu prends et tu pars? »

Stewart ne me répondit pas et se mit à émettre des grognements vulgaires. Tremblante de colère, je lui demandai la permission de m'entretenir un moment avec dame Égidia avant d'entrer dans l'enceinte. Stewart signifia à ses hommes de nous laisser seules. M'emparant des mains de ma belle-mère, je rassemblai mon courage et fis appel à son jugement. Pour ma plus grande consolation, elle comprit immédiatement mon dilemme: « Faites ce qui doit être fait, ma fille, et agissons afin que cela soit accompli le plus honorablement possible. Je vous couvrirai de mon mieux et que Dieu nous préserve! »

Je ne sais pas comment je serais parvenue à sauver la maisonnée, en me prêtant à l'abject pacte d'Alexandre Stewart, sans l'intelligent soutien de dame Égidia. Dès notre entrée dans le donjon, sur le ton de la parfaite hôtesse, ma belle-mère entraîna nos agresseurs dans la grand-salle alors que je m'isolais avec Stewart dans le cabinet. Je dus en faire sortir mon brave Guilbert en lui lançant un ordre que j'aurais voulu moins expéditif, mais celui-ci s'exécuta sans sourciller en saluant le visiteur à qui il céda le passage. Les politesses de mon secrétaire se perdirent derrière la porte qui fut refermée abruptement et barrée.

Si j'avais espéré m'en tirer avec un acte escamoté qui n'aurait requis que quelques minutes, je fus outrageusement déçue. Alexandre Stewart me prit une première fois par-derrière, en me penchant rudement sur la table qu'il avait déblayée de son contenu. Jupes retroussées, je me meurtris les cuisses contre le rebord sous ses coups de butoir et je me mordis les lèvres au sang pour ne pas hurler. Puis, gardant son haut-de-chausse baissé, Stewart me dénuda complètement avec une lenteur exaspérante afin de se donner le temps de se refaire. Il me viola une seconde fois, couchée à même le sol, en relevant mes jambes et en me labourant avec une telle ardeur que mon dos et mes reins s'écorchèrent vifs sur la pierre rêche.

Le voyant ensuite se lever et aller s'asseoir pour récupérer, je m'apprêtais à me revêtir, mais il m'avisa de ne toucher à rien : « Laisse ta vêture là : je n'ai pas fini de copuler avec toi. On reprend tout ça dans une heure. Pour le moment, c'est le repos du guerrier… » Ne pouvant contenir plus longtemps mon courroux, je ramassai mon bliaud* d'un geste de défi et je me réfugiai dans un coin de la pièce. Là, je m'affaissai et donnai libre cours à des larmes de rage impuissante.

Nous restâmes enfermés en tête-à-tête dans le cabinet jusqu'au début de l'après-midi. Alexandre Stewart me força deux autres fois d'aussi viles manières, puis, lassé, il demanda qu'on lui serve à manger avec ses hommes dans la grand-salle. Comme ma belle-mère avait déjà pourvu aux ventres des rufians et qu'elle s'appliquait à les saouler en attendant que leur chef se libère, on apporta le repas de Stewart dans le cabinet. Pour manger avec lui, mon tourmenteur avait accepté que je me rhabille et j'étais à ajuster ma coiffe quand entra le plateau. Malgré l'offre répétée de Stewart de prendre un morceau, je fus incapable d'avaler quoi que ce soit et le regardai avec répugnance s'empiffrer durant une heure.

« MacNèil est bigrement chanceux d'avoir une diablesse de ta trempe dans son lit, fit Stewart entre deux bouchées. C'est pas qu'on se prive à Lochindorb, et ton mari ne s'est pas privé du temps qu'il y cantonnait... il y a encore des drôlesses qui évoquent son vit* là-bas... J'espère que tu garderas un souvenir aussi impérissable du mien... Un souvenir bien tangible... un comme ton mari ne leur en a jamais laissé... »

J'étais trop blessée pour m'offusquer de son discours ou même pour l'écouter. Voyant le peu d'effet que ses propos salaces avaient sur moi, il se tut et cala la ration d'eau-de-vie que, l'appris-je plus tard, Guilbert avait fait ajouter dans le cabaret. Puis, jonglant avec le hanap qu'il tournait entre ses doigts légèrement engourdis, il échafauda le plan de passer la nuit au château. La perspective de subir de nouveaux assauts m'horripila et je m'absorbai dans la recherche désespérée d'une façon d'éviter ce supplice.

C'est la Providence qui vint à mon secours au milieu de l'après-midi. Un pêcheur rentra du large avec sa barque en rapportant le bruit que le siège d'Édimbourg était terminé et que les troupes anglaises se retiraient. Avec le sourire ravi du porteur de bonnes nouvelles, Guilbert vint nous relater son récit: «Ma dame, messire Stewart, je vous annonce que le royaume est sauvé! Notre bon duc de Rothesay a tenu ferme et a repoussé l'ost d'Henri VI. Vive le duc! Vive l'Écosse, vive le roi des Écossais!»

Sans se donner la peine de joindre sa voix à celle du secrétaire pour clamer la victoire, Stewart bondit, rajusta ses vêtements et sonna le départ de sa troupe avec la promptitude d'une corde d'arc libérant une flèche. Abasourdie, je ne l'accompagnai pas jusqu'à la porte, ce dont se chargea mon ineffable Guilbert, mû par l'instinct délicat du fidèle serviteur. Comme un automate, je me mis à ranger la pièce avec des gestes fébriles. Je ne me rendis pas compte que les pleurs ruisselaient sur mon visage en un flot ininterrompu.

Peu de temps après, dame Égidia entra à pas feutrés et vint m'entourer de ses bras en me serrant contre elle: «Là, là, chère Lite: c'est terminé. Ils sont partis maintenant. Je vous assure que nous ne sommes que deux à savoir ce que cet ignoble personnage est venu faire exactement ici. Pour Guilbert Saxton et nos gens, il vous a parlé affaires durant tout ce temps et, si vous le voulez bien, nous adopterons cette version de la pénible visite en conservant l'autre comme un secret entre nous. N'en parlons même pas à Baltair: il voudra se venger et, alors, nous serons de nouveau en état de guerre, cette fois contre des Stewart.»

Je ne sais pour quelle étrange raison le ton réconfortant et assuré de ma belle-mère me rappela les paroles que la comtesse de Ross avait prononcées après avoir subi l'outrage du comte de Buchan à Dinkeual : « ... mon beffroi m'a sauvée ». J'essuyai mes larmes et, comme ma bien-aimée tutrice l'avait fait alors, je souris et retournai parmi les miens en affichant toute la noblesse et la dignité dont j'étais capable et en jurant de chasser l'insoutenable humiliation de mon souvenir. Guilbert Saxton ne fut pas dupe de mon trouble intérieur, mais il eut le tact de se taire et d'attendre que je lui fasse part des affaires que j'avais traitées avec le visiteur.

La rumeur de la fin du siège d'Édimbourg s'avéra juste. Elle nous fut confirmée le surlendemain par un message de ma belle-sœur Rosalind à Glenfinnan et, dès lors, j'entrai dans l'attente anxieuse du retour de Baltair. Contrairement à nos précédentes séparations, celle-ci était entachée d'un secret insupportable et je redoutais le moment où j'aurais à lui mentir pour couvrir le déshonneur causé par cette seconde visite d'Alexandre Stewart à Mallaig. Je n'étais pas tant retenue par la crainte de la colère de Baltair et des représailles qu'il voudrait exercer au péril de sa vie, mais par l'humiliation des sévices qui me collaient à la peau et à l'âme comme une moisissure brunâtre.

Durant quelques jours, je tentai tant bien que mal de tenir mon rôle de châtelaine dans la grand-salle à l'heure des repas ou dans la chambre des dames envahie de bavardages inutiles, mais mon air absent finit par me trahir. Dame Égidia supposa un léger surmenage pour expliquer mon état aux personnes attentionnées qui s'inquiétaient et elle m'enjoignit de me réfugier dans ma chambre. Je voulus d'abord repousser sa suggestion, mais l'accablement eut raison de mon opiniâtreté et je m'enfermai de longues heures chaque jour dans la quiétude de mon appartement. On me fit monter mes repas et j'y reçus quelques visites d'Anna avec mon petit bonhomme dont le babillage me soutirait des sourires.

Les courtes et assidues apparitions de ma belle-mère chez moi me rassérénèrent un peu. Elle s'en tint à des sujets de conversation en rapport avec la direction du château, qu'elle avait temporairement reprise, et elle ne fit jamais allusion à ma déroute. J'aurais ardemment désiré oublier l'événement, comme elle semblait l'avoir fait elle-même, mais c'était impossible. Les visions grotesques d'Alexandre Stewart s'activant à me soumettre affluaient sans cesse à mon esprit et l'imprégnaient profondément, comme encre noire sur vélin blanc. L'air me manquait, mes tempes bourdonnaient et mes mains tremblaient chaque fois que mon regard croisait la glace qui me renvoyait l'image de la femme avilie et dépossédée que j'étais devenue.

Un matin de la mi-septembre, dame Égidia m'envoya chercher pour entendre la messe dans notre chapelle. Dès que je parus devant elle, ses yeux perçants me scrutèrent une longue minute, puis, secouant la tête avec désolation, elle me recommanda de me ressaisir : « Lite, ma fille, il vous faut retrouver une meilleure mine, car votre égarement risque de vous compromettre devant Baltair qui ne devrait plus tarder à rentrer maintenant. Si vous voulez imposer votre version du drame, je crois que vous devriez adopter une attitude moins abattue et plus pondérée. Avez-vous songé à la nature des affaires que messire Stewart aurait pu vouloir conclure avec vous? C'est la première question que mon fils va poser et la pertinence de votre réponse clora ou non le sujet pour toujours. C'est ce que vous souhaitez, n'est-ce pas?

– Certes, mère», murmurai-je du bout des lèvres.

Pour l'une des premières fois de ma vie, l'imagination me faisait impitoyablement défaut. Heureusement, Baltair ne revint à Mallaig qu'à la fin d'octobre, ce qui me donna le temps d'inventer un motif plausible à la visite du violeur. Cherchant une personne intermédiaire bien connue de moi, mais avec laquelle Baltair n'avait aucun contact et peu de possibilités d'en avoir, je fixai mon choix sur le comte de Ross. J'imaginai que celui-ci aurait pu être sollicité par le comte de Buchan en relation avec le testament de la comtesse de Ross; que c'était Alexandre fils qui faisait la démarche pour son père; et que la question exigeait l'examen de mes papiers relatifs au legs que j'avais reçu de la famille Leslie, notamment ma dot.

J'avais pleinement conscience que mon histoire était tarabiscotée et n'expliquait pas que je me sois isolée avec Stewart aussi longtemps dans le cabinet, mais c'était la seule version que je me sentis capable de défendre.

CHAPITRE XVII

LE FRUIT BÂTARD

Quelques semaines après le retrait des troupes anglaises du territoire écossais, la reine Annabella mourait à Scone. Le roi s'y rendit en équipage réduit et demanda à mon mari de se joindre à son escorte. Nos hommes d'armes regagnèrent donc la péninsule de Mallaig sans lui. Malgré le retour des MacNèil dans leurs places fortes, je demeurai extrêmement tendue et nerveuse à attendre Baltair.

Pour me forcer au calme, je relisais chaque soir la missive qu'il m'avait fait porter par son capitaine :

Comment refuser de donner à Robert III ce dont il est si dépourvu au milieu de sa cour : l'amitié et la compassion. Je vais donc faire partie de sa délégation aux obsèques de la reine Annabella, ainsi qu'il m'en a prié. Je garde Eideard et te retourne tous nos hommes et notre capitaine. Laisse-le agir comme bon lui semble ; je ne pense pas que MacDonald tentera de profiter de mon absence pour mener quelque offensive à Mallaig, mais, si cela était le cas, envoie-moi un messager et je rappliquerai au château céans...

S'il avait su à quel point je ne craignais pas une menace de ce côté, mais de celui des Stewart, normalement dans le même camp que les MacNèil! De plus, j'avais beau me dire qu'il y avait des chances que Baltair rencontre Alexandre Stewart fils ou père aux funérailles de la reine, je me persuadais qu'il ne converserait avec aucun d'eux et qu'il était hautement improbable qu'il apprenne le drame dont je venais d'être victime. Je me faisais la même réconfortante réflexion concernant Alasdair Leslie qui, sans aucun doute présent à l'événement, ne chercherait pas à approcher Baltair ni à lui parler, me laissant le loisir d'utiliser l'alibi d'une visite d'affaires reliée au testament de la comtesse de Ross pour camoufler l'incursion de Stewart à Mallaig.

Avec le retour de notre milice au château, dame Égidia, qui avait suspendu ses visites à l'église St. Cecilia, les reprit. Elle demanda qu'Anna et elle soient escortées chaque matin. «Je ne suis plus très jeune et Anna n'est pas très faraude pour aller et venir sans que des soldats nous accompagnent désormais», avait-elle expliqué tout bonnement au capitaine. Dame Jeanne épilogua durant quelques jours sur la visite d'Alexandre Stewart avec sa garde, en regrettant de ne pas lui avoir été présentée, puis elle n'en fit plus allusion.

C'est évidemment avec mon prévenant Guilbert Saxton que j'eus le plus de difficulté. L'état de sa table de travail fut un indice plus révélateur du climat hostile dans lequel s'était déroulée ma rencontre avec l'importun visiteur que l'isolement prolongé auquel elle avait donné lieu. Une petite remarque de sa part orienta mes confidences quand le sujet vint sur le tapis: «Alexandre Stewart n'est pas un bonhomme commode, vous le savez bien, lui dis-je en rougissant. En plus d'être impatient, il est dépourvu de manières. Mais il y a une chose que je dois vous avouer, qui explique pourquoi il ne voulait pas de témoin à notre entretien: avant d'épouser le seigneur Baltair, j'ai été promise à messire Stewart par le comte de Buchan, alors mari de la comtesse de Ross. Le père et le fils avaient beaucoup misé sur ma dot et le fils conserve de cet épisode où il a été éconduit le sentiment d'un cuisant échec, comme un rappel de son sang de bâtard.

— Très juste, ma dame! Quel que soit le titre d'un seigneur, les bâtards qu'il engendre ne sont jamais aussi nobles que lui. La seule chance qu'a cette progéniture d'acquérir un renom, c'est par des alliances prestigieuses, et celles-ci sont souvent hors de leur portée. J'ai noté que la plupart des bâtards affectés d'un esprit ambitieux deviennent des hommes frustrés et rancuniers, à l'âge adulte. Si je peux me permettre, c'est manifestement le cas de messire Stewart.

— Si fait! Cet homme est en tout point aussi désagréable que son père. D'ailleurs, le comte de Buchan n'est-il pas lui aussi un fils illégitime et un homme cupide?

— En effet! Autre constatation: j'ai remarqué que les bâtards ont tendance à semer d'autres bâtards.»

L'observation de mon flegmatique Guilbert sur la bâtardise me fit frémir: se pourrait-il que l'exercice de fornication auquel Stewart s'était livré sur moi ait abouti à la conception d'un fruit bâtard? Je balayai l'idée de mon esprit enfiévré aussi rapidement que je l'aurais fait d'une miette de pain collée à ma manche. Cependant, à la mi-octobre, je n'eus pas mes ourses pour le deuxième mois consécutif et l'abominable perspective de porter le bâtard de Stewart ne me quitta plus, le jour comme la nuit.

La participation de mon mari à la délégation royale à Scone le stimula et ranima sa fierté. En plus de rapporter une moisson de nouvelles truculentes sur la noblesse des Lowlands, Baltair avait profité de son voyage pour faire quelques belles acquisitions pour le château, dont un fauteuil et de magnifiques lampes, et il s'était procuré un superbe collier d'émeraudes qu'il m'offrit.

«Ceci est pour toi, mon Hermine royale, susurra-t-il à mon oreille, en me passant le bijou au cou. Un ornement de reine pour une reine. Aucune comtesse ou baronne ne t'arrive à la cheville, là-bas; aucune n'a ta supériorité naturelle. Et Dieu sait qu'aux obsèques j'en ai vues des nobles dames dans leurs gracieux atours, fardées et brillantes sous leur quincaillerie, mais une seule qui ait ton charme et ta distinction? Point. Tu es vraiment unique, ma toute belle...»

Alors que j'aurais dû accueillir avec ferveur le présent, le compliment et les transports amoureux qui les accompagnaient, j'éprouvai un étrange sentiment de défaite à regarder ma gorge aussi somptueusement parée. Cette même impression affecta mes caresses et mes baisers quand nous nous retrouvâmes au creux du lit. Mes gestes accusaient un léger retard, comme s'ils étaient attachés par un lien invisible ou prisonniers derrière un écran qui filtrait ma tendresse et mon amour. Avec une infinie détresse, je constatai que je ne brûlais plus de désir pour le corps de Baltair. Mais lui, que notre séparation avait rendu singulièrement fougueux, ne sembla heureusement pas s'en apercevoir. Bien décidée à ce qu'il ne détecte pas le désarroi qui m'affligeait, je multipliai les occasions de me donner à lui, l'entraînant souvent au troisième étage du donjon au milieu de la journée, ce qu'il apprécia beaucoup.

En outre, ces moments d'intimité improvisés eurent l'effet bénéfique de le distraire des événements qui avaient eu cours durant son absence, en particulier de celui survenu juste après son départ, deux mois auparavant. Les raisons de la visite d'Alexandre Stewart à Mallaig, que je lui expliquai sur le ton le plus désinvolte possible, le contrarièrent sans pour autant l'alarmer. «C'est un filou du même métal que son bandit de père, dit-il. Cela ne m'étonne pas que le père et le fils cherchent à remettre en cause le testament de la comtesse de Ross pour extorquer quelques pécunes à Leslie. Ils sont tous les deux couverts de dettes. Mais Stewart a un sacré cran de se présenter ici pour examiner des papiers: je ne suis même pas sûr qu'il sache lire… Quant à Buchan, c'est encore plus pitoyable: il a peine à monter à cheval tellement il est devenu gros… Ah, mon Hermine, que tu aurais rigolé en le voyant! Je me demande comment j'ai pu imaginer tenir un duel avec un tel impotent…»

«Mais en avoir un avec le fils, cela, je l'imagine sans aucune difficulté», songeai-je, à demi rassurée en entendant Baltair traiter de sa rencontre avec Buchan sans nourrir de soupçons sur la mienne avec Alexandre Stewart fils.

Durant tout l'automne, l'évolution de la grossesse d'Anna fut un rappel constant de la mienne que j'essayais d'ignorer; ou du moins, je tentais de me convaincre qu'elle n'était pas le fait de Stewart. Mais, dans les premiers jours de décembre, en faisant l'essayage des toilettes en vue des fêtes de la Nativité, désemparée devant ma taille, je m'obligeai à annoncer ma grossesse. Ma belle-mère en tête, toute la chambre des dames exulta de joie. Dame Égidia, si elle douta de l'identité du géniteur, n'en laissa rien paraître, et elle commenta la nouvelle de charmante façon : « Ma chère, j'étais certaine que vous donneriez à Baltair un autre descendant! Voilà bien comment sont les époux épris l'un de l'autre : le mari ne s'absente que durant quelques mois et, dès sa réapparition aux côtés de sa femme, nous assistons à des retrouvailles fécondes… »

Par contre dame Jeanne, sans le vouloir, y alla d'un commentaire plus gênant en s'extasiant sur la forme de mon ventre : « Oh, dame Lite, à voir la rondeur de votre taille, c'est à n'en pas douter un fils que vous portez! Les fœtus mâles poussent toujours plus rapidement et arrondissent davantage le giron sur le devant, comme c'est le cas chez vous… »

Ma discrète Anna, qui eut l'information au moment du souper dans la grand-salle, me félicita en m'exprimant qu'elle se réjouissait à la perspective de pouvoir allaiter mon second enfant en même temps que le sien. Comme je nourrissais quelques vagues appréhensions face à la réaction de Baltair, je préférai qu'il entende l'annonce en présence de la famille réunie autour de la table. Sur le coup, il accueillit plutôt sereinement la nouvelle, mais, quand nous fûmes seuls, il se montra plus circonspect.

«Pour quand attendons-nous l'heureux événement? Juillet ou août? demanda-t-il en cherchant mon regard, que je tentai de dérober pour trouver une réponse à lui donner.

– Oui, c'est pour l'été… si l'enfançon n'arrive pas prématurément. On dit que les accouchements difficiles, comme ça a été le cas pour notre petit Alasdair, font en sorte que la naissance suivante est hâtive.

– Qui dit ça? Ma mère, dame Jeanne ou les sages-femmes? Notre Anna qui le tient de la vieille Brigits, peut-être?

– Je ne sais, je l'ai entendu, c'est tout. Peu importe quand l'enfant arrivera, Baltair. Le principal n'est-il pas que je sois de nouveau grosse et qu'un autre être vienne s'ajouter à ta lignée? N'est-ce pas ce que tu souhaites?»

Le seigneur de Mallaig sentit chaque fibre de son corps se hérisser en entendant l'annonce faite par son épouse, calmement assise à la table familiale, en face de lui. Elle souriait, avec son habituelle expression d'élégance et d'assurance, mais, quand son regard croisa le sien, il y lut une petite lueur d'émoi. Il adopta un air satisfait comme il convenait de le faire en de telles circonstances, tout en se concentrant pour garder la maîtrise de lui-même. «Qui t'a engrossée, cette fois?» se demanda-t-il en serrant les poings.

Ne pouvant supporter d'entendre plus longtemps la famille gloser sur la bienvenue grossesse de la châtelaine, le seigneur Baltair alla veiller au corps de garde. Là, au milieu de ses soldats avec lesquels il échangea peu, il se plongea dans une longue méditation portant sur le nombre d'hommes présents au château durant son absence. Les yeux fixés sur les flammes dansantes du foyer, le chef passa en revue ceux qui habitaient la forteresse : Guilbert Saxton, le vieil aumônier, l'intendant, le capitaine, la vigie, tous les soldats en devoir, le boulanger et l'apprenti menuisier. Puis, il répertoria les visiteurs mâles que leur service au château amenait de façon régulière entre les murs : le curé Oswald, le barbier, les fournisseurs de blé, de draps, d'huile, les livreurs de bois et de fourrage, les ménestrels invités, les différents messagers ou les commerçants. Ensuite, il ajouta à la liste déjà longue d'hommes potentiellement en contact avec la châtelaine de Mallaig, entre son départ en août et son retour en octobre, les visiteurs occasionnels dont on lui avait rapporté la venue. Cette fois, le tour fut vite fait, car un seul s'était présenté en son absence : Alexandre Stewart. À l'évocation de son ennemi, un frisson de rage parcourut Baltair MacNèil.

Au moment où il s'apprêtait à quitter ses hommes pour monter se coucher, les cris du petit Alasdair lui parvinrent de derrière la porte qu'il ouvrit à la volée. Son fils roula à ses pieds, éberlué : « Père, je veux dormir ici. Je suis trop grand pour le lit d'Anna. J'ai quatre ans ! clama-t-il.

– Tu les auras le mois prochain, petit bouffon. Et même quand tu les auras, cela ne signifie pas que tu seras devenu un homme. Le corps de garde, c'est pour les soldats seulement. Comme tu es mon fils, tu ne deviendras jamais soldat, alors tu ne dormiras jamais ici. Viens, tu retournes à ta chambre, céans. Il est tard.

« – Oui, père… Mais je serai un jour chevalier, comme Struan, n'est-ce pas? Promettez de m'adouber… de me donner un cheval… de m'amener à la chasse… de me… »

Tout en prenant le petit Alasdair dans ses bras pour gravir l'escalier plus commodément, le seigneur Baltair écoutait d'une oreille distraite son bavardage. Il repartit dans ses rêvasseries et réfléchit aux relations entre un père et son fils et à l'importance de la descendance pour un homme en situation d'autorité sur une communauté, que ce soit celle d'un royaume ou d'un clan. La tempête qui s'était levée dans son cœur à l'heure du souper eut le temps de s'estomper avant qu'il n'entre enfin dans la chambre de son épouse.

« Pour quand attendons-nous l'heureux événement? Juillet ou août? » lui demanda-t-il à brûle-pourpoint. Pourquoi eut-il l'impression que son épouse voulait se défiler quand elle répondit? Était-ce son regard fuyant ou l'aspect évasif de sa réponse? Puis, cet étrange argument à propos des enfants prématurés à la suite d'une naissance difficile, qu'il oyait pour la première fois…

Baltair MacNèil fixa le ventre de sa femme, qu'il devinait sous le bliaud et un nouvel afflux de suspicion l'envahit. « … et qu'un autre être vienne s'ajouter à ta lignée? N'est-ce pas ce que tu souhaites? entendit-il sa femme demander avec une voix étranglée.

– Bien sûr, quel homme ne veut pas avoir plusieurs fils?

– À plus forte raison un chef de clan… Tu vois, ta mère avait vu juste.

– Sait-elle qui est le père d'Alasdair?

– Euh… que veux-tu dire?

– Sait-elle qui est le père de celui-là?» fit-il, en pointant le ventre de son épouse du menton.

Un silence lourd comme le couvercle d'une châsse s'abattit sur le couple. Le seigneur Baltair s'éloigna vers le coffre pour se dévêtir et dame Lite demeura figée près du montant du lit auquel elle s'appuya, abasourdie par l'interrogatoire de son époux. Elle le vit ensuite se mettre au lit sans un mot et elle resta un long moment interdite, ne sachant ce qu'elle devait faire ou dire. «Comment sait-il? rumina-t-elle, inquiète. Qui a bien pu parler et pour raconter quoi, exactement? Je me dois pourtant de connaître la vérité…» Tremblante, elle se glissa sous les couvertures et considéra son mari qui lui tournait obstinément le dos. Elle prit une bonne inspiration et se lança à l'eau:

«Baltair, s'il y a quelqu'un qui médit de moi au château, je dois le savoir. Tu es dans le doute, je le vois bien à tes questions. Je t'en conjure, dis-moi ce que tu as appris et de qui.

– J'ai appris que tu es enceinte et c'est toi qui me l'as annoncé, fit-il en se retournant. Ce que, moi, je veux savoir céans, c'est le nom de celui qui t'a engrossée.

– Pourquoi ne serait-ce pas toi?

– Parce que ma semence est infertile: voilà pourquoi. Alors, vas-tu me dire qui?

– Infertile? Toi? Comment peux-tu en être sûr, Baltair? Un ventre sec de femme est facile à reconnaître, mais la pauvreté de la semence d'un homme… Comment se convaincre de n'avoir jamais engendré… tu as peut-être des bâtards sans le savoir?

– De toutes les garces avec lesquelles j'ai couché à Lochindorb des années durant, aucune n'a été fécondée par moi. S'il y a une chose qu'une ribaude découvre vite chez un mâle, c'est sa capacité à procréer. Je dois ma popularité auprès des femmes au labeur sans conséquences de mon vit... Lite, tu ne pourras jamais me mentir là-dessus: j'exige de savoir avec qui tu as paillardé!

— Parce que tu me penses capable de paillardise et d'infidélité? Moi qui te chéris comme tu ne l'as jamais été, qui ai donné mes meilleures années pour te réhabiliter à Mallaig, qui œuvre sans relâche à ton édification et à celle de ton clan... Par Dieu, tu n'es pas le seigneur que tous admirent! Tu es resté un vil cateran, qui pense comme un cateran et qui voit une débauchée en toute femme!» Elle sortit du lit et s'empara d'une pèlerine avant d'ajouter d'une voix tremblante de rage: «Baltair MacNèil, ton âme ne pèse pas plus lourd que les plumes sur lesquelles tu reposes et tu ne vaux guère mieux que l'ignoble qui m'a forcée!» Lite quitta la chambre en coup de vent, laissant son mari hébété derrière les courtines. Exaspérée, elle erra dans les corridors du donjon, clopinant sur ses pieds nus, engourdis de froid, et se retrouva au rez-de-chaussée, dans les cuisines désertes où elle s'accroupit devant les braises mourantes du foyer pour pleurer tout son saoul.

Baltair mit beaucoup de temps avant de partir à la recherche de son épouse, tellement il était sous le choc: jamais l'idée que Lite ait pu être violée ne l'avait effleuré. Comment cela était-il possible? Pourquoi ne lui avait-elle rien dit? Qui voulait-elle protéger de son courroux et de sa vengeance, car celui qui avait perpétré l'odieux crime méritait de mourir de sa lame... «Je vais le dépêcher, le salaud, quel qu'il soit: il va passer par le fil de mon épée...», se dit-il en enfilant ses braies.

Quand il entra dans la grand-salle inoccupée et sombre, ce furent les pleurs de Lite qui lui indiquèrent où elle se réfugiait. Baltair avança à pas feutrés vers le fond de la pièce, jusqu'à l'embrasure de la porte ouvrant sur les cuisines, et découvrit son épouse recroquevillée sur la marche de l'âtre. Le rougeoiement des tisons incandescents illuminait sa chevelure rousse éparse sur ses épaules et il ne put distinguer son visage.

«Abandonne-moi, va-t'en…, fit-elle entre deux sanglots, sans se retourner.

— Tu aurais pu me dire ce qui s'était passé au lieu d'essayer de me le cacher…

— Tu aurais pu me dire que tu étais stérile au lieu de me faire croire à ta grande magnanimité quand tu as consenti à me prendre à Bona…

— …

— On a tous des secrets, MacNèil. Tu gardes les tiens et je garde les miens. On est quittes maintenant, laisse-moi en paix!

— Dis-moi celui que tu protèges par ton silence et je te laisserai en paix.

— C'est toi que je protège par mon silence», dit-elle, en tournant la tête pour le regarder.

Le visage ravagé de larmes, le ton de détresse, la soudaine fragilité qui se dégagea de sa délicate personne, tout bouleversa Baltair. Il bondit vers elle, la souleva dans ses bras et la pressa contre lui en lui murmurant des douceurs entremêlées de supplices: «Mon adorée, mon Hermine… pardonne-moi. Je suis resté un cateran, tu as raison, ma bien-aimée… Mais si je ne vaux guère mieux que ton agresseur, dis-moi qui il est afin que je puisse m'en dissocier… Lite, tu n'as pas à me protéger de qui que ce soit. C'est à moi de le faire et de châtier celui qui t'a déshonorée... Parle-moi, mon aimée, je t'en supplie! Je mérite ton pardon, comme tu mérites le mien... Embrasse-moi!»

Je ne savais plus où j'en étais dans mes sentiments pour Baltair. Il sollicitait mon pardon, un baiser, l'identité du coupable... et je n'avais pas le désir de les lui donner. À la seule pensée de lui révéler le nom qu'il réclamait, je ressentais la répulsion et le rejet que m'inspirait Stewart et je découvrais que cette pénible impression se propageait à mon ventre et à son contenu. Au moment où les lèvres de Baltair trouvèrent les miennes, j'échappai une insanité qui nous frappa de stupeur tous les deux: «Je ne veux pas de cet enfant! Je ne le mettrai pas au monde, je ne le porterai pas et je vais le faire passer...»

Baltair immobilisa mon visage entre ses mains rêches et chaudes et scruta longtemps mon regard, comme s'il cherchait à sonder le fond de mon âme, puis, m'enlevant dans ses bras, il me transporta jusqu'à notre chambre en silence. Là-haut, il me coucha délicatement entre les draps, souffla la chandelle et s'allongea à mes côtés. D'une main légère, il caressa mes cheveux dont il portait de temps à autre une mèche à ses lèvres en l'embrassant amoureusement.

J'avais séché mes larmes et, les yeux grands ouverts, je fixais le ciel du lit. Les paroles affreuses que j'avais prononcées un peu plus tôt tournoyaient dans ma tête comme abeilles autour d'une fleur, sans que je puisse comprendre comment m'en défaire.

« Tu détestes cet homme à ce point ? chuchota soudain Baltair dans le noir.

— Autant que tu le détestes toi-même, répondis-je sans hésiter.

— Ainsi, c'est Stewart !

— C'est lui.

— Ne commets pas l'ignominie d'un avortement et cesse d'y penser, mon Hermine. Dès à présent, Stewart est un homme mort. Je m'en charge dès demain : je serai revenu pour Nollaig. »

Je me redressai sur mon séant, les mains moites, les tempes battantes et le souffle court. « Tu n'iras nulle part, MacNèil, je te l'interdis ! Si tu occis le père, je fais de même avec l'enfant…, dis-je, en approchant ma face de la sienne avant de hurler presque : Tu entends, MacNèil ? Je veux oublier à tout prix. Et si tu m'aimes, tu vas également oublier !

— Silence, Lite ! fit Baltair, en mettant sa main sur ma bouche.

— …

— Tu es un peu énervée, et cela se comprend, poursuivit-il. Cette histoire est une question d'honneur entre hommes, et elle va se régler à la manière des hommes. Elle ne te concerne pas et tu n'as pas à intervenir.

— …

— Écoute, mon Hermine : cet enfant que tu portes est le tien. Je dirais même qu'il est surtout le tien. Je te le demande aujourd'hui. Donne-le moi comme tu m'as donné Alasdair à Bona : j'ai besoin de cet enfant. Fais-le pour moi, et pour toi. »

Je me laissai retomber sur le lit, complètement épuisée. Désormais, une vision de l'avenir s'imposait, comme une véritable obsession : que Baltair ne me quitte pas, qu'il demeure au château, qu'il ne se batte pas contre Alexandre Stewart, qu'il ne se mette pas les membres de la famille royale à dos, et que la nature, si bien faite par la main de Dieu, me retire des entrailles ce fruit bâtard qui m'horripilait.

«Sais-tu si la vieille Brigits vit toujours? fis-je au bout d'un moment.

– Lite, je suis désolé de te contrarier, mais je vais t'empêcher d'accomplir ce geste. Ta grossesse est d'ailleurs trop avancée pour tenter de l'interrompre sans risquer ta propre vie...

– Ça ne fait rien, je profiterai de ton absence, Baltair. Je ne peux pas avoir cet enfant; rien que de l'imaginer vagissant dans mes bras, le cœur me soulève. Je ne pourrai jamais l'aimer... Nous avons déjà un fils, et cela me suffit.

– Je l'aimerai, moi.

– Tu ne seras même plus là pour l'aimer, car tu ne reviendras pas vif de ta bataille contre Stewart. Tu as traqué son père, année après année, sans lui infliger la moindre égratignure et ce sera la même chose avec le fils: il a la moitié de ton âge, il est non seulement plus fort que toi, mais il jouit de protections chez les grands du royaume. Tu ne pourras jamais prouver ton droit, même si je témoignais. Je connais bien la manière des hommes de régler ces questions: trois phrases, un assaut et un seul des deux qui rentre chez lui. Je suis peut-être énervée, ou même démente, mais je t'affirme que celui qui va rentrer chez lui, ce ne sera pas toi. Maintenant, cessons de discuter: tu as une grande expédition à faire demain et il faudrait te reposer céans !

– Alors, faisons-nous nos adieux, mon Hermine», fit Baltair d'une voix rauque en m'entourant de son bras.

Il se moula à mon corps et nicha son nez dans mon cou. Au bout d'une minute d'immobilité parfaite, je sentis ses larmes rouler sur ses joues et cela me fit éclater en sanglots. «N'y va pas…, hoquetai-je. Je t'aime tant, Baltair… Nous avions atteint un bonheur si parfait ensemble, pourquoi te faut-il le compromettre pour un affront qu'on peut parvenir à ignorer si nous nous y appliquons? J'y étais presque arrivée, moi…

– Tu ne te rends pas compte à quel point tu me demandes quelque chose d'impossible, Lite. Aucun homme qui se respecte n'accepterait de passer outre à une aussi grande humiliation. Il se peut que j'y laisse la vie, mais c'est mon devoir de te venger. Tout ce que je consens à faire, c'est de retarder l'heure de ma funeste vengeance. Aussi, je ne partirai pas demain… Je vais rester pour veiller sur toi et l'enfant. Tu es d'accord, mon Hermine? Tu me gardes ton amitié, je demeure ton seigneur cateran?»

Je me dégageai et tentai de le regarder dans les yeux pour soupeser le sérieux de ses propos, mais il faisait trop noir. Ainsi, Baltair m'empêchait de mettre ma menace à exécution sans renoncer à la sienne. Passant un doigt hésitant sur l'arête de son nez qui se découpait dans l'ombre, je fis descendre ma caresse sous ses yeux et j'y écrasai ses dernières larmes. Il imita mon geste et essuya les miennes, puis il glissa la main sous ma nuque et m'attira à lui. Le long baiser qui s'ensuivit avait un goût salé et empreint de tristesse. «Je trouverai bien un moyen afin que tu sursoies à ton plan pour un temps indéterminé et interminable», songeai-je, en me blottissant contre son corps enveloppant. Nous fîmes la paix, poussés par une passion exacerbée et mon désir de lui se raviva en retrouvant son ardeur coutumière.

L'hiver déposa sur Mallaig son calme et sa blancheur molletonnée, car la neige couvrit la péninsule en abondance cette année-là. Baltair dut atteler sa milice et des serfs à la tâche de battre le chemin entre le hameau et le château, afin que l'approvisionnement en denrées ne soit pas interrompu. En janvier, il fut contraint d'abandonner la chasse avec ses hommes, car leurs montures s'enlisaient, même sous le couvert de la forêt. Quant au port, il ne fut libéré de ses glaces qu'à la fin de février.

J'observais tout cela depuis les carreaux givrés de mes fenêtres où je me postais avec un livre ou un ouvrage de broderie durant tout le jour. Contrairement à Anna qui portait allègrement son ventre proéminent, je fus accablée de malaises qui ne me lâchèrent qu'à l'accouchement. Dès après les fêtes de la Nativité, je commençai à avoir des pertes sanguines qui alarmèrent la sage-femme et le barbier. Ils me recommandèrent de garder le lit et Baltair insista pour que je respecte leur prescription. Mais je ne lui obéis que partiellement en limitant mes déplacements à mes appartements du troisième étage d'où je ne descendis plus. Je demandai que Guilbert et l'intendante du château viennent me faire rapport tous les jours sur les affaires courantes, et on monta une large table de travail afin que je traite plus commodément avec eux. Je la fis disposer devant l'âtre, non loin d'une des fenêtres à meneaux, et s'il sourcilla à cet aménagement, Baltair se garda d'y faire obstacle.

Lui et moi nous surveillions mutuellement avec attention et prévenance. J'avais cessé de mépriser ouvertement le fruit de mes entrailles et il ne parlait jamais d'effectuer de sorties à l'extérieur du territoire des MacNèil. Afin de me rassurer tout à fait sur ses allées et venues, et surtout sur les rencontres qu'il faisait sur la péninsule, j'avais mandaté Anna afin qu'elle se renseigne discrètement auprès de son Eideard. Ce dernier, très estimé de Baltair parce qu'il ressemblait notamment à Tadèus, s'était acquis une place dans la garde personnelle de son seigneur qu'il ne quittait plus d'une semelle. Chaque soir, le soldat Eideard retrouvait fidèlement ma servante et lui racontait par le menu détail les déplacements qu'il avait faits dans la journée avec Baltair. Peu à peu, je me convainquis que Baltair avait abandonné son projet de vengeance sur Stewart, du moins explicitement.

En raison de l'état des routes et de l'arrêt de la navigation, les informations provenant des Lowlands atteignaient la péninsule avec beaucoup de retard. Ainsi apprîmes-nous en février le décès du comte de Douglas, survenu à la fin de décembre et l'élection de Thomas Stewart, un demi-frère du roi, au poste d'archidiacre de St. Andrews, devenu vacant en octobre. Baltair commenta ces deux nouvelles en y apportant un éclairage original sur le comportement du prince David qui nous étonna fort :

« La reine, l'évêque de St. Andrews et le comte de Douglas : voilà trois morts successives qui risquent de libérer l'arrogance du duc de Rothesay. Tant que son éminent confesseur, son habile mère et son imposant beau-père lui tenaient la bride haute, notre Lieutenant du royaume agissait avec une certaine mesure, mais, désormais, il n'y a plus que son oncle Albany pour le contenir et cela risque fort de requérir une poigne de fer!»

La perspicacité de cette remarque me frappa au début de l'année suivante. Le duc de Rothesay, qui s'était installé dans le palais épiscopal de St. Andrews entre la mort de l'évêque et l'élection de son demi-oncle, avait forcé la collecte de droits pour cet évêché, le plus riche d'Écosse avec ses trois mille neuf cents livres de rentes annuelles. Ce détournement éhonté de revenus fiscaux avait soulevé l'ire du duc d'Albany, amenant ce dernier à prendre des mesures pour évincer son neveu du palais, en avril. Mais, comme nous l'apprit une lettre du chroniqueur Bower envoyée à Baltair à la demande du roi, les tentatives pour contrôler le prince David s'avéraient vaines : *Un prince qui suit ses penchants vicieux apporte ruine sur lui et sur tout son royaume et il incombe à ses aînés d'y voir, au-delà de leurs responsabilités respectives...*

Ni Baltair ni moi ne réussîmes à comprendre le but poursuivi par Robert III dans cette missive inattendue, écrite de la main d'un fidèle de sa suite. Outre quelques mots de remerciement pour le soutien que Baltair avait apporté au roi durant l'année précédente, il y était surtout question de la prébende du nouvel évêque de St. Andrews et du travail de sape auquel s'adonnait le duc de Rothesay. Nulle demande explicite, nulle suggestion, nulle allusion à une garnison : rien qui nous orientât sur les visées de notre souverain pour le clan MacNèil. Nous eûmes beau en discuter, nous ne trouvâmes aucune réponse à faire à cette singulière lettre et nous n'en rédigeâmes point. Cependant, dès après, je détectai chez Baltair une certaine précipitation et une anxiété latente. Il était facilement distrait quand on abordait des questions domestiques ou relatives aux affaires du clan et il donnait tous les signes d'un homme sur le qui-vive, prêt à partir. Qu'est-ce qui le taraudait? Voulant croire qu'il partageait les préoccupations de son roi à propos des agissements du prince, j'éloignai de mon esprit le spectre de sa propre vengeance différée, qui flottait au-dessus de ma tête comme une épée de Damoclès.

En fait, restreint à parcourir ses terres et attendant impatiemment ma délivrance pour pouvoir enfin s'éloigner, Baltair souffrait d'inactivité. Ce que je compris une semaine après la naissance du bâtard de Stewart qui survint le 20 mai 1401, deux mois, jour pour jour, après celle de la petite fille d'Anna. Mon mari partit avec une escorte réduite chez son frère Aonghus et avisa ma belle-mère qu'il resterait absent durant quelques jours. Cette dernière me prévint de son départ avec tact et douceur et j'accueillis la nouvelle impassiblement, trop faible pour m'en alarmer.

Si cela est possible, mon accouchement avait été dix fois plus laborieux que le premier, selon le souvenir que j'en conservais. L'enfant s'était présenté par les pieds et avait mis une quinzaine d'heures à être expulsé en emportant la moitié de mon sang. Je crois que je faillis bien en trépasser. Je suis d'ailleurs certaine que j'aurais bel et bien péri s'il n'y avait pas eu ces ferventes prières de dame Jeanne qui ne quitta pas mon chevet pendant l'accouchement et durant les longues semaines de mes relevailles. Les ravages sur mon corps étaient si importants qu'elles se prolongèrent jusqu'à la Saint-

Jean-Baptiste[21], date où je fis ma première apparition dans la grand-salle.

La présence et la sollicitude de Jeanne Fraser ne me firent jamais défaut durant mes trois mois de convalescence, mois parmi les plus pénibles de ma vie. Mon amie me tint la main, me fit la lecture, me nourrit, me consola, me baigna et m'entoura d'une telle tendresse qu'il m'arrive parfois de fondre en larmes en y repensant. Elle s'occupa du nourrisson que je refusai de voir pendant tout ce temps et c'est en reconnaissance de sa bonté que nous la désignâmes pour le rôle de marraine. Baltair prénomma l'enfant Iain, le pendant masculin de Jeanne en gaélique, et le fit baptiser dans la chapelle du château, en présence de ses lairds et de leurs épouses. Dame Jeanne me porta l'enfant dans la chambre après la cérémonie, mais je le renvoyai à Anna sans le regarder, tellement ses pleurs et sa tignasse noiraude m'irritaient.

Le seigneur de Louchabre ne sut jamais ce qu'Alexandre Stewart était venu faire sur la péninsule des MacNèil durant la guerre avec les Anglais. Il avait suivi son petit contingent de quatre hommes jusqu'à Glenfinnan, puis l'y avait abandonné. Lorsqu'il rencontra par hasard le seigneur Griogair, l'hiver suivant, il apprit avec un certain étonnement que Stewart n'avait alors inquiété personne, ni à Mallaig ni sur la péninsule,

---

21. Au Moyen Âge, l'anniversaire de la mort d'un saint correspondait à la journée de sa célébration, ainsi, la Saint-Jean-Baptiste se fêtait le 29 août.

et ne s'y était pas attardé. Cependant, quand le seigneur Baltair se présenta chez Louchabre afin d'éclaircir les arrangements passés entre celui-ci et Stewart pour la surveillance de ses déplacements, les choses faillirent tourner mal. Louchabre se démena tant bien que mal pour défendre sa liberté d'action sur son territoire et il eut l'étrange impression que son inquisiteur cherchait surtout à connaître ce qu'il savait de la visite d'Alexandre Stewart à Mallaig. «Il n'est pas repassé par chez moi en revenant de Mallaig, fit Louchabre. Je ne savais même pas qu'il y était allé: c'est ton laird de Glenfinnan qui me l'a appris. Comment veux-tu que je sache ce que Stewart y a fabriqué, si tu ne le sais pas toi-même? Écoute, Mac-Nèil, je ne t'espionne pas, mais si tu traverses mes terres, je te vois et si cette vision intéresse Stewart, pourquoi ne pas la partager avec lui? Tes hommes font la même chose avec MacDonald et le moindre de ses passages dans le détroit de Sleat est aussitôt rapporté et transmis au duc de Rothesay... alors, où est le mal?»

Baltair MacNèil prit tout l'hiver pour mesurer l'ampleur des dommages causés à la réputation de sa femme et de la sienne par le viol de Stewart. La remarque de Lite sur les forces inégales entre son adversaire et lui le contrariait, car elle était juste. S'il existait une seule solution à son dilemme, elle résidait dans l'ignorance du drame que tous affichaient ou afficheraient, en commençant par lui-même. Sur son domaine, il questionna indirectement tous ceux qui étaient susceptibles de connaître la vérité et de la répandre, pour finalement s'apercevoir que l'événement avait si bien été étouffé qu'il aurait pu ne s'être jamais produit. Il brûlait de poursuivre son enquête à l'extérieur de la péninsule et attendit qu'une semaine se soit écoulée après l'accouchement de son épouse pour s'y mettre.

Ne voulant pas affronter prématurément Stewart à Lochindorb, le seigneur de Mallaig poussa son investigation d'abord du côté d'Inverness, chez son frère Aonghus. Ce dernier avait développé un vaste réseau de contacts avec des capitaines de milice basés à Édimbourg et à Scone qu'il approvisionnait en cottes d'armes fabriquées par le clan Fraser. En matière de ragots, Aonghus n'avait pas son pareil. Rien ne lui échappait, il possédait une mémoire phénoménale des noms et des dates, et son air placide et doux attirait à lui les confidences de tous.

En moins d'une heure de conversation avec Aonghus, Baltair acquit la conviction que le viol de son épouse était un fait inconnu de l'entourage d'Alexandre Stewart. «Figure-toi, dit Aonghus, que le bâtard à Buchan s'est mis en tête d'épouser une comtesse. On dit qu'il ne sera heureux que s'il devient comte à son tour. Depuis un an, il faut le voir montrer patte blanche dans tous les salons où il réussit à s'introduire, cherchant à se bâtir une réputation de gentil homme, par ailleurs si peu conforme à sa vraie nature. Tu en sais quelque chose, toi qu'il a serré en geôle quelques mois... À ce qu'il paraît, il s'est brouillé avec son père... Là encore, rien d'étonnant: Buchan est devenu un ours mal léché que plus personne ne veut recevoir, à la cour comme ailleurs. Il en veut à la terre entière, et à son fils au premier chef qui lui interdit l'accès à Lochindorb... Ah! Le plus incongru, c'est ici, à Inverness: l'intendant du château royal raconte que Buchan voudrait en obtenir la garde et qu'il envisage de présenter une requête en ce sens au Parlement. Peux-tu imaginer ça, Baltair, ton ennemi juré devenant mon voisin?»

Le seigneur de Mallaig écoutait presque avec ravissement le bavardage de son jeune frère, qui en d'autres temps aurait pu l'agacer. Pour l'heure, ses potins relataient le déclin d'un homme qu'il avait profondément détesté; et les affres de son fils qui cherchait désespérément à dorer un blason noirci. L'amusement du chef MacNèil augmenta quand Aonghus aborda le sujet de la cour d'amour française tenue par Lite et Jeanne: «Quel talent et quelle distinction il faut posséder pour réussir pareil coup dans les Highlands! Vraiment, Baltair, c'est inouï! Savais-tu que leur succès dépasse largement les Hébrides? Les visiteurs que vous avez eus à Mallaig l'an dernier en ont fait la propagande dans toute l'Écosse!

– La propagande de la cour d'amour française... vraiment?

– Si fait! L'épouse de Leslie s'y est essayée, celle du comte de Mar aussi, de même que la baronne de Kincardine et la comtesse de Menteith. Mais, tu t'en doutes, ce ne sont chez ces drôlesses que balbutiements, comparativement à ce qui se passe dans ta grand-salle! Mon frère, tu l'ignores probablement, car je sais que tu es aveugle à tout ce qui est brillant, mais tu fais figure de grand seigneur dans les Lowlands et Lite sera bientôt plus populaire que sainte Margaret elle-même auprès des dames de la cour... C'est dommage que la reine Annabella soit décédée; en voilà une qui avait du panache et qui n'aurait pas hésité à retenir les conseils de ton épouse pour agrémenter ses réceptions d'une touche *française*... Que Dieu ait son âme!... On dit qu'elle correspondait en français avec le roi d'Angleterre. Que pouvait-elle bien lui raconter à ce godon*?»

Baltair MacNèil laissa pérorer son frère avec délices. À chaque instant, au détour d'une anecdote ou d'une réponse à une question, le seigneur de Mallaig se voyait confirmer ce qu'il espérait: Stewart n'avait aucun intérêt à ébruiter l'insulte faite à son épouse, mais au contraire devait ardemment souhaiter que cet écart de conduite impliquant une dame aussi prisée par la noblesse ne se sache jamais. Dans la mesure où Baltair pouvait paraître tout ignorer, une opération de vengeance ou de représailles de sa part était superflue.

Ainsi, le chef MacNèil ne fut pas très long à se rassurer, alors que son frère ne parvint pas à déterminer le but de sa visite à Inverness. Même qu'au moment de se séparer Aonghus fut tenté d'interroger Baltair, mais ne le fit pas. Cependant, cela l'intrigua durant plusieurs jours sans qu'il parvienne à trouver le fin mot de l'histoire: «Qu'est venu faire mon frère ici? Annoncer la naissance de son second fils? Il aurait pu écrire... Non, ce doit être autre chose, mais quoi?... Curieux, tout de même...»

De retour à Mallaig, Baltair monta directement à la chambre de sa femme. Il congédia aimablement dame Jeanne qui lui tenait compagnie et prit place sur l'un des deux bancs d'alcôve qui se faisaient face. «Sors de ton lit, mon Hermine, fit-il. Viens t'asseoir avec moi, j'ai quelque chose à te dire.

— Tu aurais pu m'écrire, MacNèil. Me laissant presque morte, tu t'esquives pendant deux semaines. Tu traverses l'Écosse pour je ne sais quelle raison...

– … que je viens si posément t'expliquer céans. Approche, ma soyeuse, viens là écouter une belle et bonne décision que j'ai prise chez mon frère Aonghus. »

Je glissai mes pieds nus dans mes chaussons de laine et sortis des courtines lentement. Ma pèlerine de futaine pendait au dossier de ma chaise et je l'enfilai en admonestant Baltair. Il était rentré en coup de vent dans la chambre, en avait chassé Jeanne et m'enjoignait de le rejoindre sur les bancs durs et froids de l'alcôve en me faisant miroiter une belle et bonne décision fraîchement prise. Ses yeux bleus et rieurs, sa bouche moqueuse, sa main tendue et l'odeur emmêlée de sapinage et de cheval qu'il dégageait, tout en lui fit fondre instantanément ma mauvaise humeur. Je m'approchai, mis ma main dans la sienne et m'assis délicatement devant lui.

« Pourquoi me faire si vilain accueil, mon Hermine? Qu'as-tu? On m'a dit en bas que tu te relèves normalement… et que le petit est vigoureux…

– Je te fais l'accueil de celle qui s'inquiète alors qu'elle est déjà accablée des soucis et des souffrances de l'enfantement. Quelle urgence te poussait à te sauver chez Aonghus, si c'est bien là que tu es allé?

– Je ne me suis pas sauvé et je n'ai été qu'à Inverness… Embrasse-moi avant de t'emporter encore», fit-il à voix très basse, en me regardant fixement dans les yeux.

Attirée par l'intensité de ses prunelles, je me portai vers lui en tendant les lèvres, mais une grimace déforma mon visage, provoquée par l'élancement du lait dans mes seins gonflés et durcis.

«Ce n'est rien, dis-je en voyant Baltair sourciller. C'est une montée… une autre.

– Tu n'allaites pas? demanda-t-il, l'air ahuri.

– Jamais! Cet avorton n'aura pas une goutte de moi», échappai-je sur un ton révolté qui me surprit.

Face à la véhémence de ma réponse, Baltair parut moins étonné qu'attristé. Il s'empara de mes mains et les pressa entre les siennes, puis, il caressa un à un mes doigts silencieusement, tête baissée. J'éprouvai une grande affliction devant la peine que lui causait mon rejet du nouveau-né.

«Je n'y arrive pas, Baltair, dis-je d'une toute petite voix. Je suis incapable de voir dans cet enfant autre chose que le bâtard de Stewart. Je suis désolée.

– Ma mère m'a dit que tu refuses qu'on te l'emmène… Lite, comment peux-tu voir autre chose dans ton fils si tu ne le regardes même pas?

– …

– Tu n'es certes pas obligée de le nourrir: ta faiblesse est encore grande et tes forces ne sont pas revenues, mais il ne convient pas que tu détestes cet enfançon qui n'est pour rien dans ce qui nous arrive à tous les deux.»

Combien Baltair avait raison de me parler ainsi! Tout au fond de moi, je me sentais atrocement coupable de cette hargne latente qui m'empoisonnait le cœur et dont j'ignorais comment me débarrasser. Un flot de larmes jaillit de mes yeux en même temps que ma promesse de revenir à de meilleurs sentiments: «Je vais essayer, de tout mon être, Baltair. Je te promets d'oublier l'origine de cet enfant… de le considérer comme mon fils deuxième-né…

– Comme *notre* fils deuxième-né, mon Hermine. Iain MacNèil est le fils de Baltair MacNèil, petit-fils de Mànas, frère d'Alasdair MacNèil, et il sera plus tard, grâce à notre amour, la fierté du clan MacNèil. »

Cette fois, ce fut moi qui comprimai ses mains et qui les portai à mon visage mouillé en réclamant son soutien et son amour. Je ne sais si je fus convaincante, mais Baltair me réconforta comme je le souhaitais, d'une voix douce et assurée. Puis, il détacha le col de son pourpoint et, les yeux rivés aux miens, il retira son talisman avec des gestes pleins de gravité. Je fixai l'objet brillant, gage de protection pour celui qui le porte et une vague d'émotion souleva mon cœur. Baltair saisit ma main droite, la retourna paume ouverte et y fit descendre la bulle et la chaîne : « Mon Hermine, voilà ce que je t'offre pour la naissance d'Iain. Avec la décision que j'ai prise, je n'en aurai plus besoin. »

Je mis une minute avant de comprendre qu'il renonçait définitivement à se venger et, quand cela se produisit, une porte s'ouvrit pour laisser filtrer en moi une lumière radieuse qui baigna mon âme tout entière.

ÉPILOGUE

Dame Lite ne parvint pas à oublier l'outrage dont elle avait été victime à l'été 1400. Bien qu'elle poursuivît avec succès le projet de faire de Mallaig un haut lieu des arts et des lettres au sein de la société gaélique, elle n'éprouva jamais d'amour maternel pour son fils Iain, le bâtard d'Alexandre Stewart, qui d'ailleurs fut un rappel constant de son père par sa ressemblance avec lui.

Durant de nombreuses années, Baltair MacNèil fut en lutte avec lui-même, ruminant la vengeance qu'il s'était interdit d'assouvir. Cependant, il trouva beaucoup de satisfaction et de défis à relever dans la conduite de son clan et dans le maintien de sa position de fidèle sujet au milieu des chefs highlanders unanimement hostiles à la Couronne.

Dame Égidia mourut en 1402, suivie de près par dame Jeanne. Damoiselle Ceit ne se maria pas et vécut dans l'ombre de la châtelaine de Mallaig, à titre de musicienne et de suivante. Aindreas devint le plus grand éleveur de bœufs du clan et eut une nombreuse famille. Devenu veuf en 1411, Aonghus embrassa une carrière militaire et trouva la mort à la bataille de

Beaugé en 1421, laissant son unique fils orphelin à dix-sept ans. Rosalind et Griogair perdirent leur fille aînée et élevèrent leurs deux fils à Glenfinnan, dans une relative aisance de propriétaires terriens. Par contre, aucun enfant naquit du mariage de Maud avec Daidh MacGugan dont la tannerie périclita peu à peu, ce qui força ce dernier à se tourner vers le métier de pelletier dans lequel il excella. À la mort de son beau-père, Struan hérita de sa seigneurie d'Airor et du titre de laird. Il ne vint plus qu'occasionnellement au château de Mallaig, mais y introduisit plus tard son fils aîné qui fut adoubé à son tour par son oncle Baltair. Guilbert Saxton devint l'artisan de la fortune du clan MacNèil qu'il servit durant de nombreuses années et il ne se maria jamais. La servante Anna Chattan perdit sa fillette en bas âge et n'enfanta plus. Son union avec le soldat Eideard ne fut jamais bénie par le curé. Au décès de l'intendante du château, c'est elle qui prit sa fonction et Eideard gravit les échelons pour devenir chevalier du seigneur Baltair.

Alasdair (Alexander) Leslie•, comte de Ross, mourut en 1402 à Dingwall en ne laissant comme héritière qu'une fillette, Euphémia•, qui se vit disputer le comté par sa tante Mariota• Leslie et par son oncle Donald Mac-Donald•. En juillet 1404, Alexandre Stewart fils• donna l'assaut au château du comte de Mar• qu'il assassina, puis il contraignit la châtelaine, Isabella Drummond•, à l'épouser, devenant ainsi le nouveau comte de Mar. Le même été, Alexandre Stewart père• fit une timide

---

• Tous ces personnages ont réellement fait partie de l'histoire de l'Écosse.

apparition au Parlement où il obtint la garde du château d'Inverness, puis il retourna vivre à Kingussie où il mourut deux ans plus tard.

Dans l'incapacité de contrôler son neveu, duc de Rothesay* et héritier du trône, le duc d'Albany* le fit arrêter et emprisonner en octobre 1401 dans le palais épiscopal de St. Andrews. Le roi protesta, mais le Parlement autorisa l'emprisonnement. En janvier 1402, Albany* fit transférer le prince dans ses propres geôles au château de Falkland. Deux mois plus tard, David Stewart mourut à l'âge de vingt-quatre ans, de dysenterie pour certains, d'inanition pour d'autres.

En 1405, devant l'inquiétante soif de pouvoir de son frère, le duc d'Albany*, Robert III* envoya son second fils, le prince Jacques*, en France pour le mettre à l'abri des complots. Le navire fut malheureusement arraisonné par la flotte ennemie et le garçon de douze ans fut retenu à la cour d'Angleterre durant dix-huit ans. Il ne régna sur l'Écosse qu'à son retour, en 1424. Robert III* mourut l'année suivant le rapt de son fils par les Anglais, malade et diminué à l'âge de soixante-neuf ans. C'est le duc d'Albany* qui assura la plus grande partie de la régence pendant l'exil du jeune roi.

Lexique

Adoubement: cérémonie par laquelle un homme est reçu chevalier; **adouber**: action du seigneur qui procède à l'adoubement.

Âme: partie centrale d'une lame, celle qui lui donne sa souplesse.

Am piobaire (mot gaélique): cornemuseur.

Arder: incendier, brûler.

Armes: armoiries.

Barbier: nom donné, à la campagne, aux soigneurs, chirurgiens et médecins.

Bastion: partie de la forteresse surplombant la porte d'enceinte.

Beffroi: clocher ou engin de guerre en forme de tour mobile.

Bliaud: chemise légère servant de sous-vêtement ou de robe.

Borders: portion sud-est du territoire écossais limitrophe à la frontière anglaise.

Bougre: homosexuel.

Brassée: accolade.

Broch: tour de pierre servant de lieu de défense dans les Highlands.

Calluinn (mot gaélique): Premier de l'an, qui est le 25 mars en Écosse au Moyen Âge.

Camelin: étoffe en laine de qualité moyenne.

Cartel: défi de chevalier à chevalier en tournoi.

Caterans: guerriers highlanders professionnels à la solde de seigneurs locaux.

Céans: ici, immédiatement.

Chaut: du verbe chaloir, importer (peu m'en chaut; peu m'importe).

Chiche-face: avare, pingre.

Cire blanche: encaustique épurée dont on fabriquait les cierges.

Claymore: épée à deux tranchants, arme préférée des Highlanders.

Coqueliner: flirter.

Coquille: sexe féminin.

Délayer: retarder, attendre.

Dépêcher: tuer, occire.

Enferrer: traverser d'une lame.

Fallace: tromperie.

Faudesteuil: chaise à haut dossier et à accoudoirs, surmontée d'un dais en bois.

Fiance: confiance.

Forcer: violer; **forçage**: viol.

Gaëls: Écossais d'origine celtique qui parlent le gaélique, habitant les Highlands et l'archipel des Hébrides.

Godon: terme péjoratif pour désigner les Anglais.

Gorgière: voile porté autour du cou, qui s'attache sous le corsage en le couvrant entièrement.

Gueules: terme héraldique signifiant la couleur rouge.

Haquenée: jument docile habituellement montée par la gent féminine.

Hennin: coiffe de femme, assez élaborée et garnie de voiles.

Herse: grille de fermeture de la porte d'enceinte, manœuvrée par un treuil.

Heuse: botte-jambière en cuir remontant souvent jusqu'à mi-cuisse.

Jonchée: paille jetée en vrac pour couvrir les sols dallés ou de terre battue.

Loch: lac, fjord ou bras de mer.

Manant: habitant d'un bourg ou d'un village, assujetti à un seigneur.

Membrure: membres, ossature et muscles.

Ménétrier: organisateur de théâtre, de fête foraine et de réception, meneur de la danse et des musiciens.

Mignote: jeune fille; **mignoter**: dorloter, entourer de soins.

Moiron: casque de cuir rigide moulé.

Navrer: blesser; **navrement**: blessure.

Nollaig (mot gaélique): Noël.

Orfrois : bande d'étoffe brodée dont on garnissait les extrémités des vêtements.

Ourses : règles menstruelles.

Outrance : combat à outrance, combat de mise à mort.

Pécune : argent, monnaie.

Periwhit : mélange de cidre de poire et d'ale.

Piaffard : faiseur d'embarras.

Picorée : butin de guerre.

Piétaille : groupe de fantassins ou de soldats à pied.

Pìob (mot gaélique) : cornemuse, instrument de ralliement militaire.

Plaid : couverture, manteau, écharpe en tartan de laine.

Pourpoint : veste d'homme, souvent doublée et matelassée.

Question : procédé de torture par lequel les magistrats obtenaient des aveux.

Seanmhair (mot gaélique) : grand-mère.

Serrer : garder prisonnier.

Shinty : jeu de hockey sur gazon, pratiqué dès la fin du XIVe siècle en Écosse.

Slàinte! (mot gaélique) : santé! salut!

Stewartrie : nom donné au domaine de la famille royale écossaise, situé au château de Dundonald.

Tranchoir : tranche de pain épaisse dont on usait comme assiette individuelle.

Truchement : interprète.

Uisge-beatha (mot gaélique) : eau-de-vie.

Vair : écureuil, aussi appelé «gris».

Veaux marins : morses, phoques.

Vert (fromage) : fromage frais de lait de vache ou de chèvre.

Vêture : habillement, ensemble des vêtements.

Vif : vivant.

Vit : pénis.

Table